Fu Shan's World

The Transformation of Chinese Calligraphy in the Seventeenth Century

傅山的世界

十七世纪中国书法的嬗变

白谦慎 著

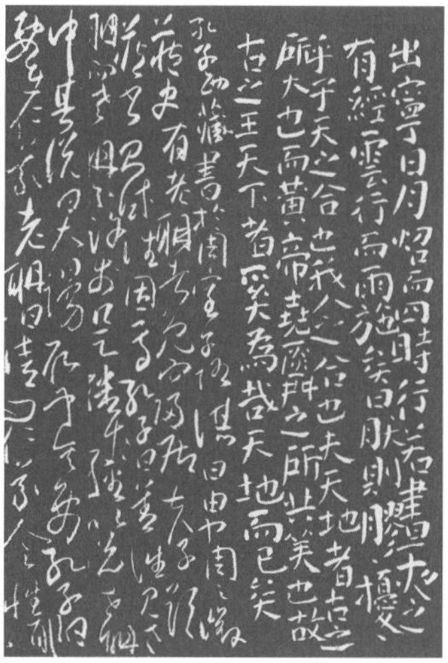

生活·讀書·新知 三联书店

图书在版编目（CIP）数据

傅山的世界：十七世纪中国书法的嬗变／（美）白谦慎著. —北京：生活·读书·新知三联书店，2021.10
（开放的艺术史丛书）
ISBN 978－7－108－07252－8

Ⅰ.①傅…　Ⅱ.①白…　Ⅲ.①傅青主(1607-1684)－书法评论　Ⅳ.①J292.112.6

中国版本图书馆 CIP 数据核字（2021）第 178134 号

开放的艺术史丛书

傅山的世界：十七世纪中国书法的嬗变

丛书主编　尹吉男
作　　者　白谦慎
初　　译　孙静如　张佳杰
审订改写　白谦慎
特约编辑　刘　涛
图片编辑　黄思恩
责任编辑　孙晓林　杨　乐
装帧设计　宁成春　曲晓华
封扉设计　李　猛　杜英敏
责任印制　卢　岳　宋　家
出版发行　生活·讀書·新知　三联书店
　　　　　（北京市东城区美术馆东街 22 号 100010）
网　　址　www.sdxjpc.com
图　　字　01-2019-7056
经　　销　新华书店
印　　刷　天津图文方嘉印刷有限公司
版　　次　2021 年 10 月北京第 1 版
　　　　　2021 年 10 月北京第 1 次印刷
开　　本　720 毫米 × 1020 毫米　1/16　印张 23
字　　数　240 千字　图 190 幅
印　　数　0,001－5,000 册
定　　价　75.00 元
（印装查询：01064002715；邮购查询：01084010542）

开放的艺术史丛书

总　序

主编这套丛书的动机十分朴素。中国艺术史从某种意义上说并不仅仅是中国人的艺术史，或者是中国学者的艺术史。在全球化的背景下，如果我们有全球艺术史的观念，作为具有长线文明史在中国地区所生成的艺术历程，自然是人类文化遗产的一部分。对这份遗产的认识与理解不仅需要中国地区的现代学者的建设性的工作，同时也需要世界其他地区的现代学者的建设性工作。多元化的建设性工作更为重要。实际上，关于中国艺术史最有效的研究性写作既有中文形式，也有英文形式，甚至日文、俄文、法文、德文、朝鲜文等文字形式。不同地区的文化经验和立场对中国艺术史的解读又构成了新的文化遗产。

有关中国艺术史的知识与方法的进展得益于艺术史学者的研究与著述。20 世纪完成了中国艺术史学的基本建构。这项建构应该体现在美术考古研究、卷轴画研究、传统绘画理论研究和鉴定研究上。当然，综合性的研究也非常重要。在中国，现代意义的历史学、考古学、人类学、民族学、社会学、美学、宗教学、文学史等学科的建构也为中国艺术史的进展提供了互动性的平台和动力。西方的中国艺术史学把汉学与西方艺术史研究方法完美地结合起来，不断做出新的贡献。中国大陆的中国艺术史学曾经尝试过马克思主义的阶级和社会分析，也是一种很重要的文化经验。文化理论和文化研究的多元方法对艺术史的研究也起到积极的作用。

我选择一些重要的艺术史研究著作，并不是所有的成果与方法处在当今的学术前沿。有些研究的确是近几年推出的重要成果，有些则曾经是当时的前沿性的研究，构成我们现在的知识基础，在当时为我们提供了新的知识与方法。比如，作为丛书第一本的《礼仪中的美术》选编了巫鸿对中国早期和中古美术研究的主要论文 31 篇；而巫鸿在1989年出版的《武梁祠：中国古代画像艺术的思想性》（*The Wu Liang Shrine: The Ideology of Early Chinese Pictorial Art*）；包华石（Martin Powers）在1991年出版的《早期中国的艺术与政治表达》（*Art and Political Expression in Early China*）；柯律格（Craig Clunas）在1991年出版的《长物志：早期现代中国的物质文化与社会状况》（*Superfluous Things: Material Culture and Social Status in Early Modern China*）；巫鸿在1995年出版的《中国古代美术和建筑中的"纪念碑性"》（*Monumentality in Early Chinese Art and Architecture*）等，都是当时非常重要的著作。像雷德侯（Lothar Ledderose）的《万物：中国艺术中的大规模与模件化生产》（*Ten Thousand Things: Module and Mass Production in Chinese Art*）；乔迅（Jonathan Hay）的《石涛：清初的绘画与现代性》（*Shi-tao: Painting and Modernity in Early Qing China*）；白谦慎的《傅山的世界：十七世纪中国书法的嬗变》（*Fu Shan's World: The Transformation of Chinese Calligraphy in the Seventeenth Century*）；杨晓能的《另一种古史：青铜器上的纹饰、徽识与图形刻划解读》（*Reflections of Early China: Décor, Pictographs, and Pictorial Inscriptions*）等都是2000年以来出版的著作。中国大陆地区和港澳台地区的中国学者的重要著作也会陆续选编到这套丛书中。

除此之外，作为我个人的兴趣，对中国艺术史的现代知识系统生成的途径和条件以及知识生成的合法性也必须予以关注。那些艺术史的重要著述无疑都是研究这一领域的最好范本，从中可以比较和借鉴不同文化背景下的不同方式所产生的极其出色的艺术史写作，反思我们共同的知识成果。

视觉文化与图像文化的重要性在中国历史上已经多次显示出来。这一现象也显著地反映在西方文化史的发展过程中。中国的"五四"以来的新文化运动是以文字为核心的，而缺少同样理念的图像与视觉的新文化与之互动。从这个意义上说，这套丛书不完全是提供给那些倾心于中国艺术史的人们去阅读的，同时也是提供给热爱文化史的人们备览的。

我唯一希望我们的编辑和译介工作具有最朴素的意义。

尹吉男

2005年4月17日于花家地西里书室

谢　辞

本书的英文版是根据我1996年在耶鲁大学完成的博士论文改写而成。我在耶鲁大学的导师班宗华教授（Richard Barnhart）和我博士论文委员会的史景迁（Jonathan Spence）、乔迅（Jonathan Hay）、石慢（Peter Sturman）教授的建设性意见已为本书所采纳。

哈佛大学艺术史系的汪悦进教授首先建议我将书稿投哈佛大学。哈佛大学亚洲研究中心的John Ziemer先生对本书英文版的出版付出了很多的心血。在本书写作过程中，方尔义兄（Matthew Flannery）和李慧闻女士（Celia Carrington Riely）曾先后修改了我的文稿。

台北何创时书法艺术基金会、美国盖梯基金会（Getty Foundation）、日本Metropolitan Center远东艺术研究基金会赞助了和本书相关的研究工作。一些博物馆和私人收藏家为本书提供了他们藏品的照片。波士顿大学人文与科学学院院长Jeffrey Henderson教授和Metropolitan Center远东艺术研究基金会资助了本书图版购买和制作的部分费用。

台北石头出版社社长陈启德先生雅好中国书画，在他的领导下，石头出版社出版了许多有品位的中国书画学术著作。拙著在哈佛大学通过审核并纳入出版计划不久，陈先生即向我表示了由石头出版社出版中译本的愿望，并嘱咐当时在出版社工作的黄逸芬小姐和我接洽翻译事宜。孙静如小姐、张佳杰道兄承担了全书的翻译工作。老友刘涛兄担任本书的特约编辑，在百忙之中仔细润色了文稿。缪哲兄审读了书稿，薛龙春兄仔细阅读了全书的校样。石头出版社的黄思恩小姐做了大量细致的编辑工作，使本书繁体字版得以顺利出版。

多年来，我的研究得到许多师长、朋友、同道的帮助。我于1986年秋负笈美国，最初在罗格斯大学（Rutgers University）攻读比较政治博士学位。1989年夏秋之际，我在考虑转行时，是张充和先生和王方宇先生推荐我到耶鲁大学学习中国艺术史。我在耶鲁大学学习期间，经常向张先生请教。而我对17世纪中国艺术的兴趣，则受到了八大山人专家王先生的启发和鼓励。十多年来，我在收集明清艺术史资料的过程中，得到汪世清先生的指导和帮助最多。

此外，我还得到以下诸位前辈、师友、同道的指导和帮助：翁万戈、刘先、张子宁、沈津、何慕文（Maxwell Hearn）、艾思仁（Soren Edgren）、路思客（H.Christopher Luce ）、Stephen Addiss、韩文彬（Robert Harrist，Jr.）、John Curtis 夫妇、Randy Smith 夫妇、林秀槐、巫鸿、熊存瑞、王如骏、杨晓能、龚继遂、冯象、商伟、刘和平、陈维刚、刘皓明、王朴仁、高翔、傅申、何国庆、朱惠良、王正华、吴展良、何传馨、李郁周、陈维德、蔡明瓒、张建富、陈瑞玲、杜三鑫、吴国豪、叶承耀、黄仲方、刘九庵、赵宝煦、林鹏、陈梧桐、方德桢、李德仁、姚国瑾、华人德、曹宝麟、丛文俊、潘良桢、黄惇、孙晓云、穆棣、沈培方、刘恒、唐吟方、余正、黄南平、祁小春。

我在波士顿大学艺术史系的同事对我的研究工作一直予以热情的鼓励。

多年来，我的妻子王莹和儿子白睿一直和我同甘共苦。妻子承担了大部分的家务和教育孩子的工作，使我得以专心研究、写作。

我是在上世纪70年代初亦即“文化大革命”中在上海开始学习书法的。最初由我在上海财贸学校的语文老师任珂先生介绍认识了我的书法启蒙老师萧铁先生。以后我还先后在王弘之、邓显威、金元章、章汝奭诸先生的指导下学习书法。在上世纪的七八十年代，除了老师的教导外，我的父母和许多前辈、朋友们也都曾经给予我各种各样的教诲和帮助。尽管其中有些师友和我已多年没有联系了，但他们对我的教诲、帮助、期望一直深藏在我的心中。

值此简体中文版《傅山的世界》出版之际，我怀着感激之情，向所有教导和帮助我研究中国书法艺术的人们表示诚挚的谢意。

白谦慎

2005年12月24日于波士顿

致中文读者

2002年夏，我在台北访问石头出版社，观赏陈启德社长的书画收藏。听说英文版《傅山的世界》出版在即，陈启德社长表示了出版中文版的愿望。最初我并没有同意，主要有两个原因：第一个原因是，近十年来，我用中文发表了十几篇关于17世纪中国书法的论文，这些论文对相关问题的讨论比较具体丰富，我一直计划将它们结集出版。另一个原因是，英文版《傅山的世界》是直接用英文写的，英语的写作，讲究叙述的线性流动，有时反不如中文那样具有包容性。而且，由于中国书法在西方仍然是一个相当生疏的话题，为了照顾西方读者，我在书中要介绍许多十分基础的背景知识。把它译成中文，我总担心会比较单薄。但后来觉得，作为一本书，《傅山的世界》虽不如我的论文在讨论相关问题上那样具体深入，但它却可以向读者提供一个完整的叙述，这是论文所不能替代的。加之石头出版社反复敦请，盛情难却，我最终同意出此书的中文版。

在台北方面完成了翻译后，我花了近一年的时间对译稿进行校订和改写。改写时，我尽量删去那些对中文读者不太必要的文字，并增补了一些新的内容。但是，为了保持文气的连贯，我仍然保留了原著中少数对中国学术意义不大的讨论。改写后的中文版本和英文原著相比，基本的结构和观点没变，但篇幅大约增加了五分之一。

为了方便西方一般读者，英文版《傅山的世界》在征引他人的学术成果时，尽量引用西方学者的著作。中文版做了相应的调整，尽可能多引用中文学术成果，但也保留了一些英文著作。由于研究中国文化的中文学术成果很多，我本人在海外，疏漏在所难免，还望学者们原谅。

有一个技术问题请读者注意，本书以西历纪年。如康熙十八年转换成1679年。但读者们都知道，中国农历的某年十二月中下旬，很可能是西历下一年的一月或二月了。用西历的方法来纪年，是为了使那些对明末清初历史不太熟悉的读者，能有一个清楚的时间框架。但是，本书在处理月日时，仍保留农历的月日。如历史上的康熙十八年三月一日，书中写为1679年三月一日。请注意，这是农历的三月一日，若转换成西历，则是1679年4月11日。这样做是因为农历的月日在中国的文化语境中，有时有特殊的意义，如农历三月三日是修禊日，四月八日是浴佛日等。

我对傅山的研究始于1992年，至今已有十三年。用十三年来研究一个艺术家，时间不能算很短。但傅山是一个非常复杂的人物，我们对明末清初的许多艺术现象，实际上还缺乏细致的研究。虽然，十三年来，我已经尽了自己的努力，但我深知本书对史料的发掘、解读，对历史现象的阐释，都难免有错误之处。本书的第三章在讨论17世纪下半叶学术风气的转向时，曾引用清初大儒顾炎武写给友人的一通信札，顾炎武这样写道：

> 《日知录》初本乃辛亥年（1671）刻。彼时读书未多，见道未广，其所刻者，较之于今，不过十分之二。非敢沽名衒世，聊以塞同人之请，代抄录之烦而已。……《记》曰："学然后知不足。"信哉斯言！今此旧编，有尘清览。知我者当为攻瑕指失，俾得刊改以遗诸后人，而不当但为称誉之辞也。

顾炎武写此信时，已是近七十的老人了。那时，他早已是清初士林公认的学术领袖，但他对自己最主要的著作，依然抱着近乎苛刻的严谨态度。先贤的这种学术精神，我十余年来不敢忘怀。值此简体中文版《傅山的世界》出版之际，敬请知我者与不知我者，攻瑕指失，今后若有再版机会，当予以修正。对你们的指教，我在此先致谢意。

白谦慎

2005年12月24日于波士顿

目　录

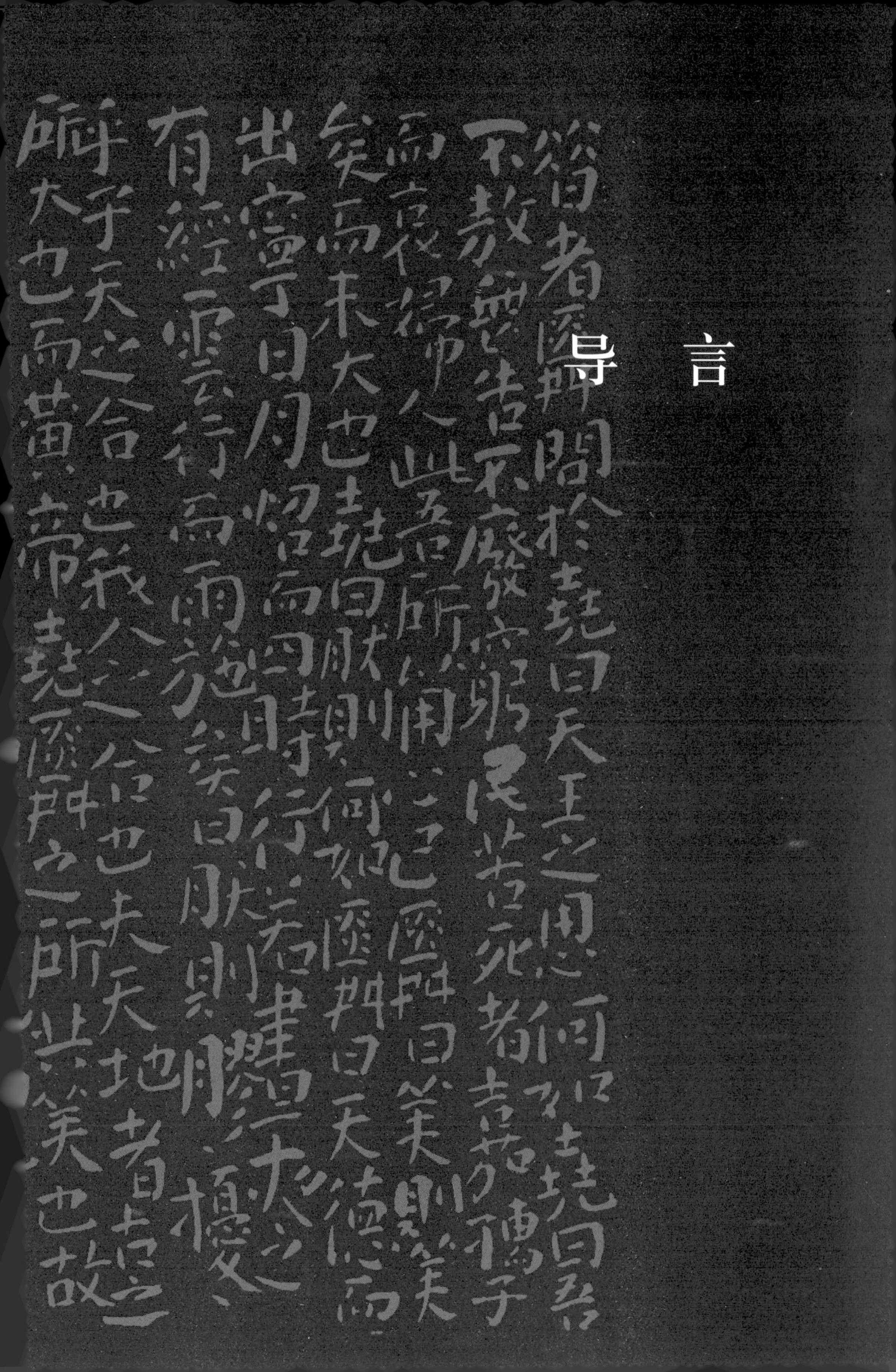

导 言

导　言

以王羲之（约 303–361）精致优雅的书风为核心的中国书法名家经典谱系——帖学传统，发轫于魏晋之际，在唐初蔚然成为正统。此后的一千年，其独尊的地位不曾受到严重挑战。[1]然而，在 17 世纪，随着一些书法家取法古拙质朴的古代无名氏金石铭文，书法品味发生了重要变化。新的艺术品味在 18 世纪发展成碑学传统，帖学的一统天下不复存在。[2]在过去的三百年中，碑学对中国书法产生了极其深远的影响，它对中国书法史的重要性，相当于印象派绘画在西方艺术史上的地位。

虽然治中国书法史的学者都承认碑学的重要性，但相关的系统研究却寥若晨星。关于这个课题的中文学术成果，笔者目前所见的仅有廖新田《清代碑学书法研究》一书，和为数不多的一些散见于书刊中的论文或章节。[3]在西方艺术史界，雷德侯（Lothar Ledderose）的《清代的篆书》是唯一详细研究碑学的西文著作。[4]中西学者以往的研究，从政治社会的变迁到学术风气的转变，从晚明书风的影响到书写工具的变化，探讨了碑学形成的多种原因，对我们了解碑学的缘起和发展贡献良多。[5]然而，对碑学在 17 世纪开始萌芽的复杂过程，至今缺少细致的描述和分析。

本书旨在通过对明末清初的学者、书法家傅山（1607–1684 或 1685）的研究，对促成 17 世纪书法品味转变的诸多因素，作一历史分析。[6]傅山在生前就以学术成就和书画造诣闻名。[7]他生活的年代不但正当碑学思潮开始萌芽的关键时期，更重要的是，他与 17 世纪所有和碑学萌芽相关的政治文化事件皆有密切关系，明末清初书法中的种种艺术尝试，也都能在他的作品中找到：他写连绵狂草、作

[1] 关于王羲之的书法以及中国书法经典谱系建立的研究甚多，此处仅列举一二，刘涛：《中国书法史・魏晋南北朝卷》；朱关田：《中国书法史・隋唐卷》。西方学界的研究，可参见雷德侯（Lothar Ledderose）：《米芾和中国书法的古典传统》（*Mi Fu and the Classical Tradition of Chinese Calligraphy*）。关于中国古代书法的经典（或称楷模）的形成的讨论，还可参见丛文俊：《中国书法史・先秦、秦代卷》，页 1–17。

[2] 书法意义上的“碑学”一词起源甚晚，它有狭义、广义两种用法。狭义的用法仅指晚清以后取法北魏碑版的书法。广义的用法指清初以后取法唐以前二王体系以外的金石文字，以求古朴稚拙意趣的书法，如何绍基、吴大澂学钟鼎文字，也属碑学的创作实践。而出于名家之手的唐碑，则不被列为碑学系统的书法资源。关于帖学和碑学比较清晰的定义，见华人德：《评帖学与碑学》。读者还可参见叶培贵的《“碑学”“帖学”献疑》一文。

[3] 如华人德：《清代的碑学》；王南溟：《清代碑学兴起时期的汉碑隶书创作及其美学意义》；侯开嘉：《中国书法史新论》所收几篇关于碑学的论文；薛龙春：《论清代碑学以振兴汉

草篆、刻印、玩异体字，他访碑、收藏碑拓、研究金石文字、攻隶书、留心章草，并留下不少颇能反映当时文化趣味的杂书卷册。由于傅山的书法作品同时呈现出两个历史时期的特征，因而成为我们观察中国书法在17世纪嬗变的最佳窗口。

本书对17世纪中国书法的探讨，涵盖了相当广泛的社会文化现象和问题，例如：当教育在晚明得到发展，一般城市居民的识字率提高，出版业以前所未有的规模大量印刷书籍，导致了上层文化、下层文化之间更为频繁的互动后，人们对书法经典的态度发生了哪些变化？明清鼎革后，明遗民的艺术是如何回应了当时的政治情势？政治环境和艺术品味之间有着何种关系？学术风气的改变又是怎样地影响了清初美学观念的形成？在回答上述问题时，本书除了采用艺术史研究最常用的风格分析外，还借鉴了物质文化（material culture）、印刷文化、学术思想史等领域的理论研究方法和成果。

本书虽然是一本艺术史的著作，但它也为其他学科的读者而作。本书在努力吸收其他领域的学术成果的同时，也期望它的问世能为其他学科的学者提供一些参考。对社会文化史的研究而言，本书所论晚明大众娱乐活动和通俗读物对书法经典观念的影响是一个相关的学术课题。在中国历史上，文人阶层是创作、欣赏及收藏书法的主体，从这个意义上来说，书法主要是文化精英的艺术。[8]当晚明社会发生剧烈变化之际，上层文化与下层文化、雅与俗的界线变得模糊，即使是书法这种高雅精致的上层艺术，也受到通俗文化的影响。

对学术思想史的研究而言，本书在探讨清初书法中的追本溯源的现象和学术界的考据风气的关系时，花了相当的篇幅描述17世纪山西学术圈的成员及其学术活动，以及傅山和陕西、河北等地学术领袖的交往。这对清初学术思想史的研究或许也能有所裨益。

对清史研究而言，本书探讨的不仅仅是晚明清初社会中的视觉文化，它同时也对明清易代之际明遗民的实际生活状况作了细致的描述。本书以傅山与仕清汉官的交往为个案，探讨了明遗民和仕清汉官之间复杂的互动关系。笔者指出，在清初的政治情景中，许多汉族官员都渴望成为遗民的友人或弟子；明遗民们在汉官的保护和

隶为起点》；张爱国：《明末清初的碑学萌芽》等。笔者对碑学的研究兴趣，就是受了老友华人德《清代的碑学》一文的启发。

❹ Ledderose，*Die Siegelschrift (chuan-shu) in der Ch'ing-Zeit: Ein Beitrag zur Geschichte der chinesischen Schriftkunst*. 雷德侯的研究主要着重于18、19世纪的篆书，而篆书正是碑学的主要书体之一。

❺ 在上引著作中，以廖新田对碑学的论述最为全面。

❻ 注3所引华人德、侯开嘉、王南溟、薛龙春、张爱国的文章都谈到了傅山和碑学萌芽的关系。

❼ 关于近一二十年来的傅山研究，请参见郝树侯：《傅山传》；魏宗禹：《傅山评传》；林鹏：《丹崖书论》；林鹏等：《中国书法全集》，册63，《清代编：傅山卷》；侯文正：《傅山传》；明清文人研究会编：《傅山》；山内观：《傅山の书法》。

❽ Ledderose，"Chinese Calligraphy: Art of the Elite."

帮助下，度过了最为艰难的岁月。而仕清汉官的赞助也就成为明遗民的艺术与学术活动得以展开的重要条件。

傅山的一生可以由明清鼎革的1644年划分为时间长度大致相当的两个阶段：晚明和清初。晚明是一个商品经济急剧扩张、思想与宗教生活走向开放、城市文化繁荣、社会阶层的界线浮动消融的时代。社会巨变促成了一个蓬勃多元的文化环境。在鼓吹探索内在真实自我的心学的鼓励以及锋芒毕露的城市文化的刺激下，晚明的一些书法家努力在艺术中追求“奇”的特质，使这一时期的一些书法作品具有表现性、戏剧性、娱乐性。随着石材的引进，文人篆刻在晚明蔚然成风。文人篆刻又刺激了书法家书写异体字的风尚。受通俗文化的影响，晚明书法家对古代书法经典的调侃和戏拟，也动摇了帖学传统的严肃性。伴随着传统经典光环的销蚀，晚明艺术潮流的多元化为一些潜流开启了发展的机会，尽管哪种潜流最终可能发展成与帖学争锋的流派在当时并不清晰。

1644年明朝的倾覆并没有令晚明的艺术实践与风格戛然终止，在新的政治环境中，晚明文化的遗响持续了一段时期。然而，重要的变化也开始出现。朝代覆没的悲剧使许多遗民文化领袖开始思考明代灭亡的原因，他们将注意力转向经史的研究，以期获得对古代典籍和历史更为准确的理解。学术风气开始发生变化。这一变化给予书法艺术以意义深远的影响。学者们因考证经史而研究古代的金石铭文，访碑与收集金石铭文成为学术生活的重要部分。书法家们也开始激赏金石文字的古拙质朴，晚明人士已有的对古印破损印文的兴趣，这时发展成对古代金石文字残破古朴的书风的效仿追求。随着碑学在清代中期成为新的书法范式，晚明张扬的狂草也终于消失在已然改变的文化世界中。

傅山是兼具晚明和清初艺术风格的书法家。一方面，他是求“奇”最为激进的艺术家，是那个时代最后一位狂草大师；另一方面，他是碑学思想最早的雄辩鼓吹者。傅山一生与明末清初的政治、学术、艺术的重要事件和潮流密切相关，本书将其近八十年的生涯分成四个时期，并且分析每一时期的书法和当时政治、学术思想的关系。

虽然这一分期方法并没有严格地以傅山书法作品的编年为叙述顺序，但是并不妨碍我们有效地描述和阐释 17 世纪中国书法的嬗变。

需要指出的是，过去人们在讨论碑学和帖学的关系时，受晚清碑学的重要鼓吹者康有为的影响甚大。康有为认为碑学的兴起是“乘帖学之坏”。[1]然而，最近的一些书学研究说明，不但在傅山生活的清初，帖学书法十分活跃，[2]即使是在康有为生活的晚清，为帖学传薪且有成就者也大有人在。[3]况且，清代不少重要的书家都是碑帖并举的。本书的中心人物傅山虽为清初碑学思想的主要倡导者，但一生都在临《淳化阁帖》，他在晚年还嘱其弟子翻刻《淳化阁帖》，称此为“必传之业”。[4]碑学的兴起，固然打破了帖学的一统天下，但绝不是取而代之的关系。在 17 世纪以后的三百多年中，两者的关系既有竞争的一面，又有交融的一面。治书法史者于此不可不辨。

[1] 康有为：《广艺舟双楫·尊碑二》，载《历代书法论文选》，下册，页 755。虽说康有为所说的“碑学”在很大的程度上是指晚清狭义的“碑学”，但他的这一观点还是影响了某些人对广义的碑学兴起的看法。

[2] 见傅申：《明末清初的帖学风尚》；又见刘洋名：《笪重光（1623-1692）及京口地区的收藏与书风研究》。

[3] 见曹建：《晚清帖学研究》。

[4] 北京故宫博物院藏傅山致其弟子段叔玉信札云：“寄将《淳化阁帖》七册，前面背后字上加红圈或一或两不等。劳叔玉兄过朱石上，徐徐勒之。此必传之业，故相烦也（无红〇者不可）。弟山顿首。”傅山还称褚本《兰亭序》是“飞行自在，彬蔚陆离，径神物也”。见傅山赠其友人古古之杂书册，载《书法丛刊》，1997 年第 1 期，页 57。

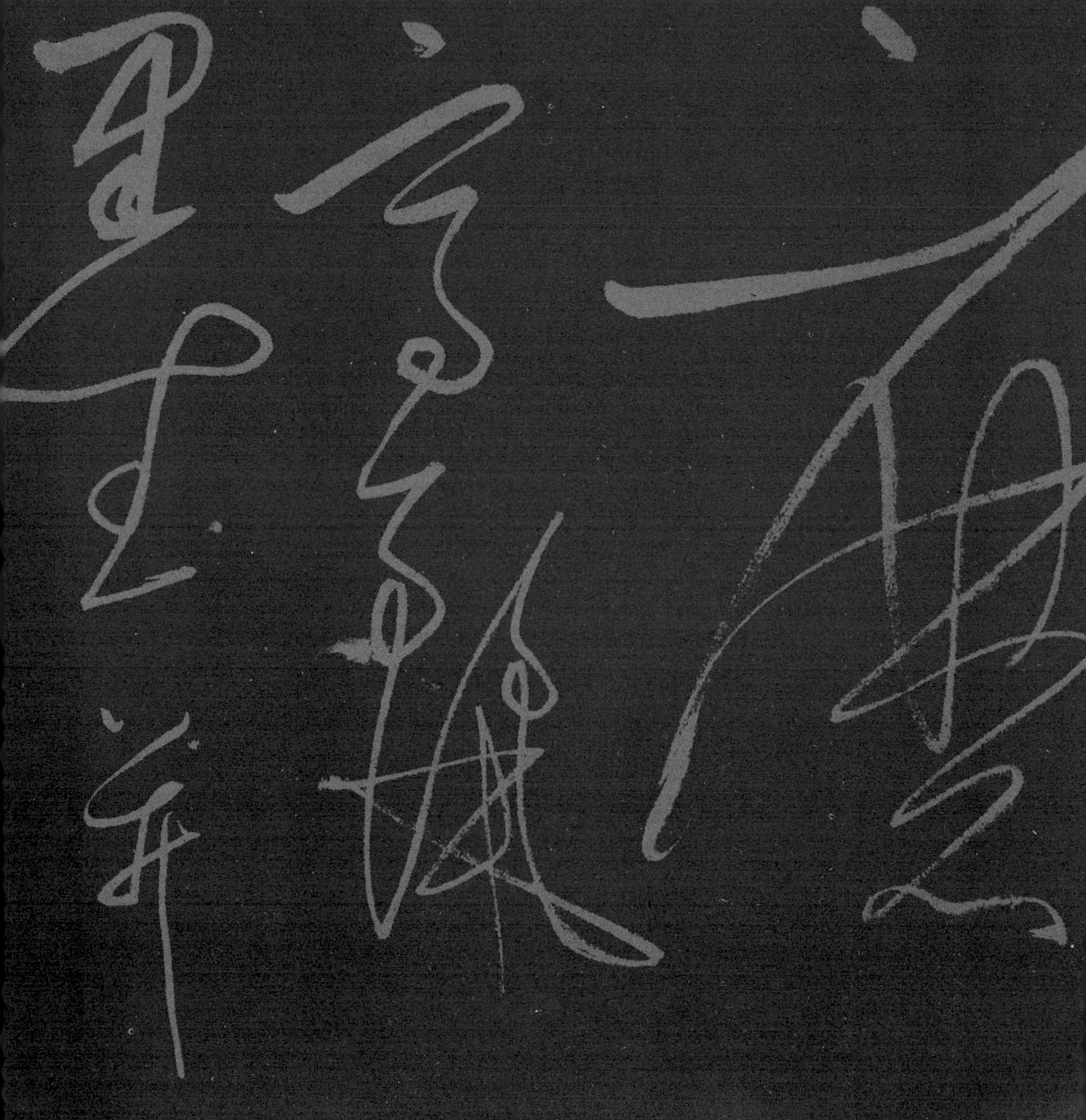

第一章

晚明文化和傅山的早年生活

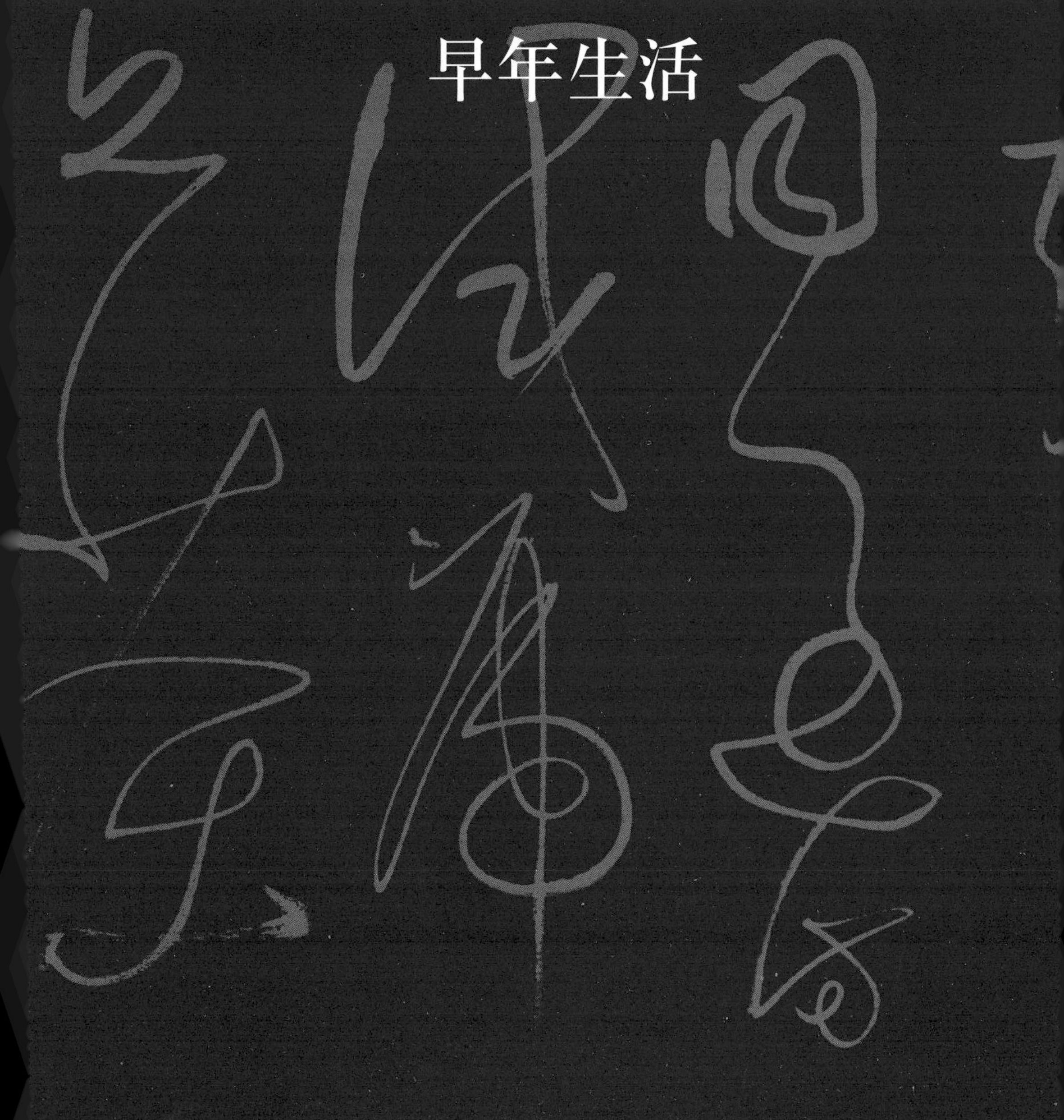

晚明：一个多元的时代

17世纪中叶，江西文人徐世溥（1608－1658）在给朋友的一通信札中，[1]以无比依恋的怀旧心情回顾起万历年间（1573－1620）文化事业的繁荣辉煌，并且罗列出一批那个时代的杰出人物及其成就。即使在今天，徐世溥的这通信札仍可以被视为对晚明文化成就的简要概括：

> 当神宗（1573－1620）时，天下文治响盛。若赵高邑（赵南星，1550－1627）、顾无锡（顾宪成，1550－1612）、邹吉水（邹元标，1551－1624）、海琼州（海瑞，1514－1587）之道德风节，袁嘉兴（袁黄，1533－1606）之穷理，焦秣林（焦竑，1541－1620）之博物，董华亭（董其昌，1555－1636）之书画，徐上海（徐光启，1562－1620）、利西士（利玛窦，Matthew Ricci，1552－1610）之历法，汤临川（汤显祖，1550－1617）之词曲，李奉祠（李时珍，1518－1593）之本草，赵隐君（赵宧光，1559－1625）之字学。下而时氏（时大彬）之陶，顾氏（顾山师）之冶，方氏（方于鲁，1541－1608）、程氏（程君房，1541－1610后）之墨，陆氏（陆子刚）攻玉，何氏（何震，1535－1604）刻印，皆可与古作者同敝天壤。而万历五十年无诗，滥于王（王世贞，1526－1590）、李（李攀龙，1514－1570），佻于袁（袁宏道，1568－1619）、徐（徐渭，1521－1593），纤于钟（钟惺，1574－1624）、谭（谭元春，1586－1637）。[2]

徐世溥的概括虽简短乃至不甚周全，却颇能代表明、清交替之际的

[1] 徐世溥，字巨源，江西南昌府新建县人。父良彦，字季良，万历戊戌（1598）进士，官至南京工部侍郎，为明末清初著名诗人钱谦益的座师。徐世溥著有《榆溪集》等。钱谦益曾撰《徐巨源哀词》，载钱氏《牧斋有学集》，卷37，下册，页1301。汪世清先生2000年1月6日给笔者的信中提供了有关徐世溥的资料。

[2] 徐世溥的这通信札收录在明末清初著名文人、收藏家周亮工辑录的同时代人的书信集《尺牍新钞》中（册1，页42）。周亮工对徐氏的概括十分欣赏，他还将这一信札收录其另一著作《因树屋书影》中（卷1，页5）。徐氏的信并无年款，但极有可能是写于明清鼎革之际（亦即1640－1650年代），因为信中谈及的董其昌卒于1636年，谭元春卒于1637年。引文中括号内的文字为本书作者所加。以下援引的古代文献中凡有括号者，均为本书作者所加，不再一一注明。

文人对于标志着晚明起始的万历时期文化成就的基本评价。从道德风节到学术思想，从书画艺术到文学、戏曲，从天文历算到传统医学，从文字学到刻印，从园冶到琢玉，徐世溥一一列举了代表人物的卓越成就，并相信他们堪与古代的英杰媲美。

徐世溥的名单包含着多层的意义，它是对一个在社会、经济、政治、哲学及艺术各方面都发生巨变的时代的文化成就作出的概括。而这个令人振奋或战栗的时代，并非完全由伟大的成就及高尚的动机所造就，它还和普遍的政治腐败和道德沦丧携手并行。当明王朝因国内扰攘及八旗兵的入侵而覆灭后，这个充满蓬勃生气的“文治响盛”的时代，亦随之告终了。

在晚明日渐不安的政治局势中，政治腐败和道德沦丧扮演着重要的角色；而政局的不稳定，正是明代衰亡的一个关键。政治腐败和道德沦丧在晚明业已成为有志之士关注的焦点，在清初又成为反省晚明文化的一个重要课题，所以，徐世溥回顾万历年间的文化成就时，首先列举了赵南星、顾宪成、邹元标及海瑞作为道德风节的典范。值得注意的是，把正直、敢谏的海瑞列在这一名单中，在时间的序列上多少显得有些别扭，因为海瑞不像其他三人那样，政治生涯皆始于万历年间（其中顾宪成的官宦生涯亦终于万历晚期）。海瑞主要任职于嘉靖（1522–1566）、隆庆（1567–1572）两朝，1570 年辞官退隐，直到万历十三年（1585）才复出为官，但两年后便与世长辞。所以说，他在万历年间的政坛上并没有多少作为。但他勇于打击贪官污吏，赢得了全国性的声誉。海瑞虽然晚年辞官无所作为，却享有不朽的美誉清名，被视为晚明的道德楷模和社会良知的象征。[3]

作为道德楷模的其他三位人物，则与万历、天启（1621–1627）年间的政治情势有着不解之缘。[4]万历皇帝幼年即位，内阁首辅张居正（1525–1582）掌握了当时朝政的实权，强力推行改革，造就了万历朝最初十年的繁荣安定。张居正 1582 年过世后，宫廷内的政治情势迅速恶化。持续的激烈党争导致晚明政治濒临崩溃。各种党争之中，以始于 16 世纪末叶的东林运动最为著名。[5]面对政治腐败，东林书院的创始人顾宪成及其友人在 1590 年代发起了道德改良运动。

[3] 关于海瑞的生平及其政治生涯，见黄仁宇：《万历十五年》，页 134–163。

[4] 关于赵南星、顾宪成和邹元标的传记，见 Goodrich and Fang eds., *Dictionary of Ming Biography*, vol. 1, pp. 128–132, 736–744; vol. 2, pp. 1312–1314。

[5] 关于东林运动，见 Hucker, “The Tung-lin Movement of the Late Ming Period,” pp.133–162。晚明的东林运动过去常被称为“东林党”。然东林运动乃道德重建运动而非改革政治的士大夫团体。参见樊树志《晚明史》一书有关讨论（上卷，页 580–627）。

赵南星和邹元标皆为这一运动的中坚，与顾宪成一起号为“三君”。在1620年代初期，拥护道德改良运动的官员们在政争中一度得势而受到重用，贬谪了一些贪官污吏。然而，此后他们却遭到宦官魏忠贤（1568–1627）及其党羽的极力打压。赵南星和邹元标因为勇于揭露弊端而遭遇贬黜放逐的厄运。1627年，魏忠贤被迫自杀，但拥护道德改良运动的朝臣与阉党之间的冲突及斗争依旧持续着。党争加速了政局的恶化，最终促使明朝走向衰亡之途。徐世溥将上述四人奉为道德英雄，不仅显露出他个人的政治立场，同时也反映了道德重建运动在晚明险恶腐败的政治环境中所产生的重大影响。

在政治扰攘的环境中，晚明的文化和艺术却表现出惊人的创造力和丰富性。因此，徐世溥信札提到的人物就特别值得我们关注。

袁黄（1586年进士）是赵南星的朋友，但他很少卷入政治斗争。[1]袁黄出身医学世家，因为熟稔术数、相面及道家思想等，使他成为晚明道教复兴的重要人物。然而袁黄的造诣并不仅限于道教方面。他在一本广为流传的训子书中，详细论及自己的精神理念与道教、佛教义理的相互契合。[2]这个作品所传达的观念和其他同时代的士大夫的观念如出一辙，即将儒家学说与道教、佛教平等看待，是为儒、释、道“三教合一”，而这是当时普遍流传的思潮。

学者焦竑被徐世溥认作万历朝博学的代表人物。他擅长经史，是思想家罗汝芳（1515–1588）的学生。在当时学术思想界颇具影响力的罗汝芳，属于王阳明（1472–1528）心学羽翼下的泰州学派。王阳明的心学统领着16世纪的思想界，[3]他提出“心即是理”，即本心就是通向真理和贤哲的根本之道。这一强调本心和个人直觉的理论，为晚明的泛神论、浪漫主义和个人主义的发展开启了无限的可能性。

人们通常在很大程度上把晚明文化生活的多样性归功于王阳明提倡的主观个人主义的心学。也有学者认为，王氏理论的流行本身不是晚明多元文化的原因，而是它的结果，它是那个时代在哲学形式上的一种表现。[4]而焦竑的老师罗汝芳亦追随王氏的学说，鼓吹用“赤子之心，不学不虑”的方式致良知，在王学中最近禅宗。[5]徐世溥把焦竑作为万历朝文化成就的代表，虽然主要原因在于其渊博

[1] 关于袁黄的传记，见 Goodrich and Fang, *Dictionary of Ming Biography*, vol. 2, pp. 1632–1635。而晚近关于袁黄的研究，见 Brokaw, “Yüan Huang (1533–1606) and Ledgers of Merit and Demerit”。

[2] 见袁黄：《训子言》。

[3] 关于焦竑学术成就的讨论，见林庆彰：《明代考据学研究》，页314–390。

[4] 在一篇极具启发性的论文中，John Hay 认为“个人主体性在晚明成为人们关注的中心问题，王阳明不过是个表征，并非导因”。见 John Hay, “Subject, Nature, and Representation in Early Seventeenth-Century China,” p.4: 13。

[5] 黄宗羲：《明儒学案》，页371。

的学识，但焦竑与当时学术思想界影响广泛的泰州学派的密切关系，或许也是一个重要的因素。

徐世溥名单上唯一的外国人——意大利耶稣会传教士利玛窦，值得我们特别注意。徐世溥仅提及利玛窦在天文历算方面的造诣，对其不辞艰辛来到中国传教一事却只字未提。利玛窦对晚明上层知识界的影响甚大。在儒、释、道三教之外，天主教在晚明宗教和知识生活中也扮演了一个有趣的角色。[6]从万历到崇祯年间，不少重要的政府官员成为耶稣会士的友人，有些则皈依天主教。邹元标和袁黄都是利玛窦的朋友，邹元标曾经写信给利玛窦，提到他在研究基督教教义时，发现基督教教义与中国传统有很多相通之处。[7]

来华的耶稣会士将西洋历法、数学、地图学和语音学介绍到中国，因而引起许多中国学者研究历法、数学、地图学和语音学的兴趣。其间，随着国际贸易的发展，中国人与外国人之间也有了更多的接触机会，对世界的认知因而扩展，不再自限于天朝境内。由耶稣会士和国外贸易传入中国的基督教和西方物质文化，对晚明知识界和文化景观所造成的影响程度究竟如何，尚需进一步的研究，然而，西方文化对晚明形成的尚“奇”风气所起的推波助澜的作用，则毋庸置疑。

徐世溥的名单并没有显示出十分严格的等级序列。例如，他在提及董其昌的书画之后，才列举徐光启和利玛窦的历算之学。很多学者可能会颠倒这个次序，因为在传统中国，历法的制订和修正向来极其郑重，由奉为“天之子”的帝王亲自督行。但徐世溥在名单中将文人精英列在职业艺术家和工匠之前，可见他在大的方面并没有违背现存的意识形态和社会等级结构。不过，他把陆子刚和时大彬等社会地位低微的工匠列入他的名单并赞誉他们的成就，这一举动本身，就颇能说明当时文人艺术家和工匠之间的社会分野已不再壁垒森严了。虽说很多晚明文人对于上流阶层和卓越的工匠间的亲近关系感到不安，但和工匠交游并推崇他们成就的精英却逐日增多。[8]晚明是不同社会阶级之间互动十分频繁的时期，精英文化和通俗文化之间的界限也不断游移且变得相当模糊。

近几十年来，许多学者已指出，晚明时期的中国经历着巨大的

[6] 关于基督教和儒教在晚明时期的互动，见孙尚扬：《基督教与明末儒学》。又见樊树志：《晚明史（1573-1644）》导论中“耶稣会士与早期西学东渐”一节（上卷，页146-188）。

[7] Goodrich and Fang, *Dictionary of Ming Biography*, vol. 2, p. 1313.

[8] Watt, “The Literati Environment,” p. 9.

社会和文化变迁。[1]至万历时期，明朝已经享有两个世纪的和平与繁荣。当政府减弱了对经济的干预，商品经济就不只在城市和乡镇持续扩张发展，同时也蔓延到乡村地区了。值得注意的是，晚明的商业发展有一个新的、特殊的国际背景。由于15世纪末的地理大发现，以及明代白银的货币化，在16世纪，大量的外国（主要是南美和日本）白银流入中国，对外贸易急剧扩张，不但中国和世界的连接变得更为紧密，[2]而且随着白银渗透到社会的每一个角落，深入到人们的日常生活中，市场前所未有地活跃起来。"商品经济的繁荣、商帮的形成、市镇的兴起，都可以从这里找到根源。"[3]

伴随经济成长而来的是教育的发展，一般民众的识字率也随之提高。而教育发展又促进了印刷文化的勃兴。由于对书籍的需求增多，出版商和私家刻书业为了满足各种读者群的需求，倾其全力出版各式各样的印刷品，结果就出现了中国印刷史上由讲求书籍质量到注重书籍数量的转变。[4]信息以史无前例的速度流动着，人们的阅读习惯遂由偏重精读转向泛读。

这些变化对书法艺术来说极为重要。一般民众读写能力的增加，意味着有更多的人能够从事书写和欣赏书法——这种传统上以文化精英为主体的艺术。[5]而随着一般民众读写能力的提高和上下阶层之间互动的加剧，一般民众的书写和阅读习惯不但会扩大对书法的需求，甚至还有可能影响书法创作和欣赏本身，某些精英的书法内容和形式因而会投合新的观众群的品味。

商业贸易促进了城市化，一种具有鲜明特色的城市文化在晚明形成了，它充满活力并具有扩张力。高彦颐（Dorothy Ko）指出，这种城市文化的特质在于：士绅和工商、男性和女性、道德和娱乐、公众和私人、哲学和行动、虚幻和真实这种传统的二元性区分变得模糊不清，二者之间的界限不断游移。[6]那些与城市文化相关的艺术，更倾向于诉诸感官的刺激，具有娱乐性、戏剧性和商业性。拥有较多休闲时间的城市居民发展出自己的娱乐需求，戏曲、小说、江湖切口、笑话以及消遣性读物变得日益流行。晚明的文人固然继续作诗，但鲜有惊人的成就，正如徐世溥所言："万历五十年无诗。"这不是

[1] 笔者关于晚明时期社会经济的变动及其深远影响的讨论，得益于下列研究：Evelyn S. Rawski, "Economic and Social Foundations of Late Imperial Culture;" Brook, *The Confusions of Pleasure*, pp. 86-237; Ko, *Teachers of the Inner Chambers*, pp. 1-67; Chun-shu Chang and Shelley Hsueh-lun Chang, *Crisis and Transformation in Seventeenth-Century China*, pp. 146-176, 267-304；樊树志：《晚明史（1573-1644）》。

[2] 关于世界经济的形成，参见樊树志：《晚明史》一书的导论"'全球化'视野下的晚明"（上卷，页1-74）。关于国外白银的大量流入及其影响，见Atwell, "International Bullion Flows and the Chinese Economy Circa 1530-1650"。关于明代白银货币化对中国和世界联系的影响，参见万明：《明代白银货币化：中国和世界连接的新视角》。

[3] 万明：《明代白银货币化：中国和世界连接的新视角》，页20。

[4] 关于晚明迅速发展的印刷出版业的讨论，见Ko, *Teachers of the Inner Chambers*, pp. 34-41; Rawski, "Economic and Social Foundations of Late Imperial Culture," pp. 17-28; *Late Imperial China*, vol. 17, no. 1 (June 1996) 中的相关文章；Widmer, "The Huanduzhai of Hangzhou and Suzhou;" Chia, "Commercial Publishing in Ming China," Of Three Mountains Street: "The Commercial Publishers of Ming Nanjing" 以及*Printing for Profit*。

一个诗的时代。

虽然商业活动使地区之间产生了更为密切的联系与互动，但并未减少各地区的区域特色。从某种意义来说，它赋予了保存区域特色一种新的价值。例如，改良“地方特产”使其精美，是在激烈的市场竞争中赢得胜算的策略。同时，认同特定的区域文化的兴趣亦与日俱增。正是现实利益和道德价值之间的矛盾、不同文化相互竞争时的多层次碰撞、本土文化与舶来品的冲突，为晚明增添了炫人耳目的复杂性和多样性。吴讷孙（Nelson Wu）曾这样描述晚明的社会文化景观：

> 晚明的中国展现的图景是如此的错综复杂，以至于连“错综复杂”这个词在这一特定的时间框架外都将失去其所特有的意义。在地域之间呈现出丰富差异的背景下，政治运动与学术思潮的多元性，以及人们对生活、对朝廷所持的各种不同态度，产生出由多种异质所构成的现象。我们姑且称之为“晚明现象”。[7]

正是在这种错综复杂、千变万化的社会文化背景下，晚明特殊的美学于焉诞生。

[5] 晚明编辑出版的家庭日用类书通常包含讨论书法的篇章。虽然所附书法通常相当平庸，甚至低劣，但是书法被包括在这类提供日常生活知识的出版物中，正说明书法在广大城市居民中逐渐普及并受到重视。见王正华：《生活、知识与文化商品：晚明福建版“日用类书”与其书画门》。

[6] Ko, *Teachers of the Inner Chambers*, p. 43.

[7] Nelson I. Wu, “Tung Ch’i-ch’ang,” p. 262.

尚“奇”的晚明美学

在徐世溥的名单中，有一个重要的名字被忽略，那就是具有叛逆精神的思想家李贽（1527–1602）。李贽是焦竑的朋友，且同为罗汝芳的学生。徐世溥没有把李贽列在名单上是可以理解的，因为李贽受到多项指控：颠覆对历史与儒家经典的正统阐述，蛊惑地方士绅，挟妓女白昼同浴等，他最后在狱中自杀。[1]虽然李贽的著作和那些假托其名的书籍在其身后依然广为流传，但是，对于很多晚明和清初的儒家学者而言，他的名字是一种诅咒。

姑且不论李贽生前死后的荣辱毁誉，李贽对晚明社会的影响，远远超过当时文人圈中的任何人。是李贽（而非他的朋友焦竑）以激进的方式，把王阳明和罗汝芳的学说推向极端。李贽揭示人的内在本性是纯良的，有着一颗天生能够洞彻、理解道德方法的童心。仅由死记硬背而得来的道德训诫可能使人丧失童心。真诚是李贽最主要的关怀，他认为一个人不应该欺骗自己，应该忠实于内在自我对事物最直觉的反应，并以此来实现自我。[2]李贽所鼓吹的内在真实的自我，对晚明艺术产生了深远的影响。徐世溥所列举的戏剧家汤显祖和书画家董其昌，皆与李贽有所交往，而且赞赏他的学说，这应该不只是巧合。[3]

但人如何能达到真正的自我实现呢？它难道仅仅是一种自我宣示吗？其他人又如何得知这一宣示的可靠性？他们有必要知道吗？当某人宣称自己实现了自我时，他自己又如何能够确定，这并非在自欺欺人？自我实现不只是抽象的哲学观念，在理论上讨论一个人真实地对待内在自我是一回事，把这种理念付诸实践却是另一回事。

❶ 关于李贽遭逢的文人困境、愤世嫉俗的行径以及最后悲剧下场的讨论，见黄仁宇《万历十五年》，页 204–243。

❷ 关于李贽哲学的讨论，见 de Bary ed., *Learning for One's Self*, pp. 203–270。

❸ 关于袁宏道、汤显祖、董其昌和李贽之间交游关系的讨论，见 Pei-kai Cheng, "T'ang Hsien-tsu, Tung Ch'i-ch'ang and the Search for Cultural Aesthetics in the Late Ming;" Nelson I. Wu, "Tung Ch'i-ch'ang," pp. 280–281。

假如忠实于直觉便可发现真实的自我，为什么李贽自己还要通过著书、讲学的方式来阐释它呢？

李贽之所以通过著书、讲学来阐发他的理论，正是因为自我可能隐晦不明，必须去追寻、阐明。即使顿悟可能达到，一个大彻大悟的人，仍需以文字、行为、形象或其他可以感知的表现形式，使真实的自我获得显现。因此，对实现自我的追求，实际上就转换成了一个如何来表现的问题。既然童心可能失去，道德训诫可能阻碍自我实现，李贽的理论便鼓励人们（包括艺术家在内）在直觉的引导下，实现并表达其真实的自我。

李贽的朋友和追随者在文化领域大力宣扬自然流露的表现。汤显祖在为丘兆麟（字毛伯，1572–1629）的文集所作《合奇序》中写道："予谓文章之妙，不在步趋形似之间。自然灵气，恍惚而来，不思而至。怪怪奇奇，莫可名状。"[4]汤显祖主张，优秀的艺术作品不应以"步趋形似"为指归。他的这一主张，似乎直接针对明代中晚期的"文必秦汉、诗必盛唐"的文学复古运动。汤氏拒绝摹拟，提倡由个人的直觉生发而来的表现。他在这篇短文中指出了三个相互关联的观点：第一，优秀的文学作品不应步趋形似他人的作品（即使是古代大师的作品亦然）。第二，这些作品是"不思而至"的自然表现。第三，自然表现的结果"怪怪奇奇"，不可预测。

[4] 汤显祖：《汤显祖集》，下册，页1078。

在另篇序中，汤显祖更进一步在作品与作者之间建立了具体联系："天下文章所以有生气者，全在奇士。士奇则心灵，心灵则能飞动，能飞动则下上天地，来去古今，可以屈伸长短生灭如意，如意则可以无所不如。"[5]把上述两段论述合在一起，汤显祖的观点可以概括为：文章之妙，在怪怪奇奇，不可名状，而能臻此境界，全在创作者为奇士。汤氏相信，当一个作家是"奇士"时，其作品自然会出类拔萃。他的这一理论，和李贽的"童心"说有很大的相似之处。李贽鼓吹"天下之至文，未有不出于童心者也"。[6]如果汤氏同意李贽的"童心"说，那么他所说的奇士，自然就是那些童心未泯的人。汤显祖和李贽的友人袁宏道（1568–1660）也有类似的言论。袁宏道认为文章应以新奇为要，而"文章新奇，无定格式，只要发人所不能发，句法、字法、

[5] 同上注书，页1080。

[6] 李贽：《焚书·续焚书》，页99。

调法，一一从自己胸中流出，此真新奇也。”[1]汤显祖等人的议论虽看似激进，但它并没有，也不可能真正突破以人论艺（如“言为心声”、“书为心画”）的儒家传统文艺观。

但是，我们可以将这一理论观点反过来论证吗？亦即：当一件作品是优秀的且“怪怪奇奇”时，它的作者就一定是奇士吗？汤显祖也许会不得不说“是”，因为如果优秀的作品并非出自于某位奇士，这一理论即使还未因此而崩溃，它也受到了严重损害。而且这个理论并没有给那些看似雄辩，却并未揭示真理的“修辞”留下任何空间。[2]我们不妨进一步问，是否有这种可能性：有些人毫无伪饰地、自然地表现了内在真实的自我，但这种表现出来的自我却由于没有“怪怪奇奇”的特质而无法被他人辨识出来？不过，这对汤显祖来说是不可能的，即使这种情况出现，也不会严重伤害其理论，因为他可以简单地辩称，一个人的作品若没有引人注目，那是因为他并非奇士，其赤子之心早已被蒙蔽。若此，我们或许会这样追问，失去童心的人是否还可以自发地表现他们自己？假如他们不能，就与最初的前提——人具有自发性的表现能力——相违背。对汤氏理论可能造成更大损害的，是其本身的循环论证方式，因为这一推论的潜在危险在于，谁是奇士最终将由结果来证明。亦即，著名的文学或艺术作品是创作者内在价值的证明。这样一来，原本对内在的心智状态的关注就转向了对外在标准的关心，人们可以放弃探讨主体的内在世界，如童心与自发表现力，并视其为无关紧要。如果外在的优秀作品成为内在优秀品质的标志，人们就毋需再作更为深层的探索了。

值得注意的是，汤显祖在这两段序言中重复使用“奇”这个字。第一篇序言中，他将“自然灵气”描述为“怪怪奇奇”及某种“恍惚而来，不可名状”之物。第二篇序言中，他认为“天下文章所以有生气者，全在奇士”。无论是优秀的文章还是杰出的作者，汤显祖使用的形容词都是“奇”。晚明时期，艺术家之间、出版商之间都存在着激烈的竞争，序文的写作成为推荐艺术家和艺术作品的重要手段。汤氏在序中使用“奇”作为关键词来赞许丘氏的作品，正可说明“奇”在晚明批评界的重要性。崇祯年间，钱塘人陆云龙在翠娱阁刻本中评汤显祖的序时这

[1] 袁宏道：《答李元善》，载《袁中郎全集》，卷24，页17a，集174-657。

[2] 关于修辞的讨论，见白谦慎：《从傅山和戴廷栻的交往论及中国书法中的应酬和修辞问题》。

样写道："序中是为奇劲、奇横、奇清、奇幻、奇古，其狂言嵬语不入焉，可知奇矣。"陆云龙一连用了六个"奇"字来描述汤显祖的序。汤显祖这篇鼓吹"怪怪奇奇"的序言本身就成了一个"奇"的杰作。如同 Katharine Burnett 所指出，17 世纪的评论家使用的"奇"具有十分积极的含义，它是原创力的代称，对艺术家和批评家而言，被称为"奇"的作品正是代表这一时期审美理想的佳作。❸

作为晚明艺术理论中的一个重要概念，"奇"和当时思想界鼓吹的追求真实的自我密切相关。如上文所述，当实现自我转换成为如何表现自我时，我们就会面临这样一个具有挑战性的问题：即使一个人在直觉的导引下作自然的表现，依然无法保证其作品（更进一步说，其自我）必定会与他人不同。一旦艺术中的自我实现成为一种可以为人感知的具体表现形式，则判定作者是否具有"奇"的特质的标准就不再是纯主观的，"奇"的标准已成为外在的、客观的。在日常实践中，他人在判定一个人是否已经发现真实的自我，是根据其自我的外在表现，如艺术作品或个人言行，亦即那些与他人发生关联的东西，而不是那个人声称他实现的自我。从理论上来说，虽然人们的判断是主观的，但在艺术方面，人们判断的对象（亦既判断存在的基本条件）则是那些艺术作品——可以在同他人的作品的比较参照中予以评价的客体。假设一个人的艺术作品竟无法与别人的区分开来，那么这个人又如何能被断定为已臻真实自我的境界？他很可能被认为不过是个"步趋形似"的追随者而已。

这里的悖论是，一个人的自我，只有在反观与他人的关系时才能显现出来，而且必须经由可感知的具体形式来显现，否则，他人又如何知道一个人的自我是否具有独特处？当然，一个人也可以退隐到彻底的主观世界中，自由自在地表现自己，毋需介意他人的反应。但是，当追寻真实的自我成为文学和艺术的重要话语时，就很容易导致这样一种强烈的兴趣：如何在形式上表现自我。

当然，最为理想的状况应该是，这种表现是自然的，作者和观众都认为它是自然的流露。但表现自我的一种简便的方式就是作出与他人不同的行为，而且这种不同又必须达到足以令他人能够感知

❸ Burnett, "The Landscapes of Wu Bin," p. 127. 关于明末清初文学和艺术中"奇"的概念，中英文都有不少讨论。中国学者关于"奇"及其与晚明文人环境之关联的研究成果甚为丰硕，如曹淑娟的《晚明性灵小品研究》即详细讨论李贽的思想和公安派的文学理论，和建立"奇"之论述之间的关系（见页 164–176）。英文的有关论述，见 Burnett, "A Discourse of Originality"。Burnett 的博士论文 "The Landscapes of Wu Bin" 的第三、四章，为英文著作中探讨晚明文艺理论中关于"奇"的论述最为详尽者。Dora Ching 在 "The Aesthetics of the Unusual and the Strange in Seventeenth-Century Calligraphy" 一文中，讨论中国书论史中"奇"之概念，以及明末清初书法中有关"奇"的运用。此外，关于晚明文学和绘画中"奇"的讨论，尚可参见 Plaks, "The Aesthetics of Irony in Late Ming Literature and Painting"。

到"不同"的程度。由于"奇"通常需有一种特殊的外表（否则就不能称之为"奇"），他人可以感知的"不同"，就成为论证"奇"，乃至内在自我的先决条件。因此，实现自我理论的衷心信奉者和那些盲目的模拟者都必须表现出"奇"，即使前者是真诚地将"奇"视为实现真实自我的必然结果，而后者只是在为表现而表现的层面上创作出有特色的作品。这自然引发出两个问题：何为真实的表现与非真实的表现；如何区别这两者的真伪。由于本书关心的并不是如何去辨析"奇"的表现是否真实，我们可以暂且将这个理论问题搁置一旁。我们这里关心的问题是，晚明时期关于"奇"的话语是如何发展并对书法艺术产生影响的。

"奇"虽然在晚明已被广泛且频繁地使用，但很少有人清晰地界定过这个词。在晚明出版的一些字书中，"奇"被简略地定义为一个宽泛多义的词，其含义常随语境的变化而变化。[1]上引汤显祖序言中使用的"奇"字，只是晚明诸多文本中对"奇"字的一种使用而已。由于文化知识界领袖人物的鼓吹倡导，"奇"成为晚明文艺批评中最为重要的概念和品评标准。在当时的著作中，我们经常可以看到文学家和艺术家们用"奇"来评论他们所首肯和赞扬的文艺作品。如书法家王铎（1593–1652）在其文论中，也多次用"奇"字作为批评语汇，如奇旷、奇怪等。[2]这一风气也一直延续到清初，如稍晚于王铎的戏曲家李渔（1611–1680）便公开主张，文学作品"非奇不传"，并曾屡屡用"奇"、"奇幻"、"奇绝"、"大奇"、"奇文奇事"等批评语汇。[3]不过，只有在对晚明大量使用"奇"字的现象作一基本描述后，我们才会真切地理解这个概念在当时的文学艺术领域和日常生活中是多么时髦，又多么具有影响力。

让我们从文人使用"奇"这个词入手。万历年间何镗辑录《高奇往事》一书，书前有何镗自己的题辞，云：

> 山居多暇，时时散帙，一对古人，遇所会心事，辄以片楮札记，久之盈笥。每籍手以拜曰：往哲精灵不在是耶？遂区分类聚，概以高苑、奇林二类，类各五目，又使事从其目，共得十卷，统题其端曰：《高奇往事》。[4]

[1] 关于晚明字书对于"奇"这个字的讨论，见 Burnett，"A Discourse of Originality，" pp. 533–535、532。

[2] 王铎：《拟山园集》（文集），卷 82，页 5a、20a。

[3] 见沈新林：《李渔评传》，页 388。

[4] 何镗：《高奇往事》。

此书高苑类共有五目，分别为高行、高节、高论、高致及高义；奇林类的五目为奇行、奇言、奇识、奇计及奇材。虽然何镗宣称，他辑录古代奇人、奇事只是为了自娱，“以蓄其德”，但从更为广阔的文化背景来看，把它印刷出版，公之于众，也是晚明文人追寻“奇”的行为方式。对何镗而言，这些故事的刊行正可为他带来“高奇”的美名，一般的读者也可以在这些奇人逸事中得到娱乐。这类书籍应有相当可观的读者群。欣赏古人的“高”，向往古人的奇，模仿他们的言行，可能当时就被视为一种奇行。

如果说，古代的习俗和事物由于和晚明读者之间隔着久远的年代，已不再是晚明日常生活经验的一部分，因此容易产生“奇”的效果，那么，中国和外国之间的空间距离也具有类似的功能。异国的自然地理环境、人种、文化习俗、物产都能激发晚明人的好奇心。如上所述，耶稣会在晚明的传教活动相当活跃，当时的士大夫对传教士带到中国的天文仪象、望远镜、喷泉、棱镜、自鸣钟等表现出极大的好奇心和羡慕。利玛窦《中国札记》便生动地记载了他带到中国的世界地图、日晷、钟表等物品，是如何引起皇室、精英阶层和普通民众的巨大好奇心。例如，万历皇帝对西方钟表十分着迷，一些官员甚至要求利玛窦绘制世界地图，作为分赠好友的珍贵礼品。[5]由利玛窦和其他耶稣会士传入的世界地理知识也冲击了中国传统的地理观念，接触这一部分西方文化的中国文人，拓展了自己的世界知识。[6]西方舶来品在明末清初文人中引起的好奇心，还可以由一些文人记述他们与传教士交往的诗歌中略见一斑，如王铎曾有《过访道未汤先生，亭上登览，闻海外诸奇》一诗赠汤若望。[7]终晚明之世，人们对西方物品的好奇心一直不衰。

天启年间，意大利传教士艾儒略（Julio Aleni，1582–1649）著《职方外纪》，这是西方传教士用西方宗教地理学观点写成的第一部中文版世界地理书籍。全书共有六章，分述五大洲的地理、物产、文化、风俗。其中所载的奇人奇事，乃中国士大夫闻所未闻，故引起他们高度的兴趣。皈依天主教的士大夫王徵（1571–1644）读了《职方外纪》所载“奇人奇事”后，极为兴奋。他在《远西奇器图说录最》一书

[5] 参见利玛窦、金尼阁：《利玛窦中国札记》，页 179–180、320–322、405–406 等。

[6] 关于明清时期耶稣会士传入的制图法和地图的学术讨论，见 Smith, “Mapping China’s World,” pp. 71–77。关于利玛窦地图的最新研究，见黄时鉴、龚缨晏，《利玛窦世界地图研究》。

[7] 参见黄一农：《王铎书赠汤若望诗翰研究》，页 13–17。王铎在诗中表达了他在耶稣会士处见到天文仪器、西药和乐器后的崇敬之情。清初还有为数不少的官员，如丁耀亢（1599–1669）、胡世安（1593–1663）及薛所蕴（卒于 1667 年）等，曾拜访汤若望的教堂，并赋诗提及在那里见到的天体模型、望远镜、钟表、喷泉等“海外诸奇”给他们留下的深刻印象。

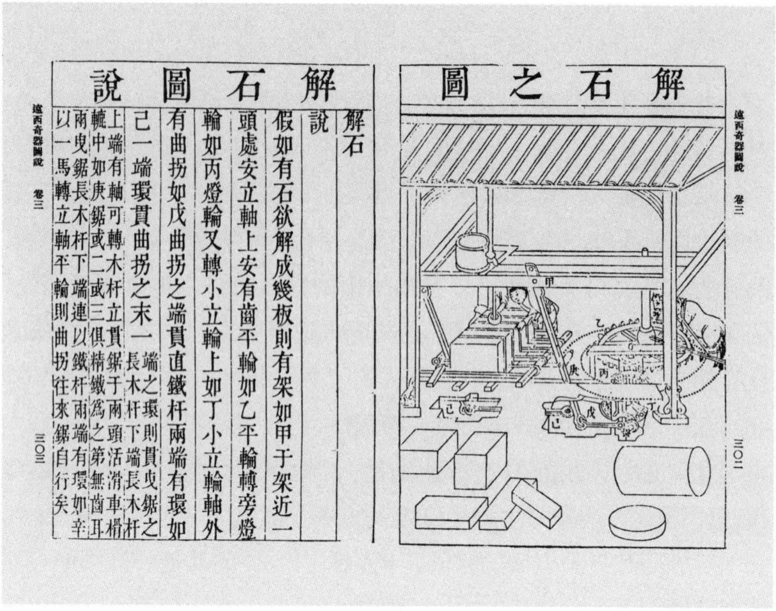

图 1.1《远西奇器图说录最》插图
引自邓玉函《远西奇器图说录最》页 302–303

的序言中写道：

> 丙寅冬（1626 末 –1627 初），余补铨如都，会龙精华（龙华民，Niccoló Longobardi，1566 — 1655）、邓函璞（邓玉函，Johann Terrenz，1576 — 1630）、汤道未（汤若望，Johann Adam Schall von Bell，1592–1666，）三先生，以候旨修历寓旧邸中，余得朝夕晤请教益，甚欢也。暇日因述《外纪》所载质之。三先生笑而唯唯，且曰："诸器甚多，悉著图说见在，可览也。奚敢妄（言）。"余亟索观，简帙不一，第专属奇器之图说者，不下千百余种。……诸奇妙器，无不备具……种种妙用，令人心花开爽。

在王徵的要求及协助下，邓玉函完成了《远西奇器图说录最》这部书（图 1.1）。[1] 虽然科学技术是此书的主题，但书中所附西方奇器的插图当能吸引不少读者，因为它迎合了当时人们对于异国风物的好奇心。

邓玉函这本目录的书名中包含了"奇器"这个词，而晚明的学者和文人通常还使用一个相似的词"海外诸奇"去描述西方输入中国的器物。"奇"字的这类使用，也对"奇"字在晚明的流行起到了推波助澜的作用。尽管"海外诸奇"并没有在晚明大量出现，但它们是当时物质

[1] 见王徵为《远西奇器图说录最》撰写的序言（册 1，页 5–14）。

文化的一部分，特别是对于那些能够直接接触或从书本上了解到海外诸奇的精英们而言，这部分物质文化对他们的世界观应有所影响。

“海外诸奇”在形成晚明尚“奇”的美学观念中所扮演的角色，更是讨论这一时期的艺术所不应忽视的内容。石守谦曾撰文讨论当时的文化中心金陵对“奇”的狂热，认为金陵画坛的尚奇风气多少和传教士有关，而生活在金陵的艺术家也有更多的机会接触外国文化，这种经验会激发艺术家在作品中注意奇的追求。石守谦特别指出，吴彬（活跃于1543—1626年）早期人物画中奇特怪异的五官特征和服装，很可能和他早年在对外贸易的重要港口城市泉州的生活经历有关。例如，吴彬1591年所画的一个罗汉图手卷（图1.2），人物有欧洲人的特征，很可能是他在泉州与荷兰、葡萄牙商人或其他外国人接触中获得灵感后创作的结果。[2]异国元素造就了吴彬作品中的戏剧效果及视觉的复杂性。另一位从“海外诸奇”中汲取灵感的是制墨专家程君房。[3]为了增加读者的好奇心，程君房在其所刻墨谱《程氏墨苑》中，收入了由利玛窦传入的《圣经》插图。他还将传教士发明的罗马拼音刻到自己的墨谱中，以增加“奇”的意趣，使之具有更广泛的公众诉求力。

文人们对奇器奇事的癖好，还可以在当时的通俗文化中找到相应的回声。如果说上层文化精英对“奇”有着他们特定理解的话，那么，一般市民和那些为他们写作的文人则有着使用“奇”字的不同手法。晚明通俗小说常见以“奇”为标题者，如《拍案惊奇》、《今古奇观》

[2] 石守谦：《由奇趣到复古》，页42-43。也见Burnett, “The Landscapes of Wu Bin,” pp. 28-29。关于吴彬生平和艺术的著作，可参见Burnett, “The Landscapes of Wu Bin”。高居翰（James Cahill）首先提出吴彬的山水和人物画中有西方的影响。参见James Cahill, *The Compelling Image*, pp. 70-105。班宗华（Richard Barnhart）在近年发表的一篇论文中提出，董其昌充满创意的绘画风格，可能也在一定程度上受到西方版画和绘画的启发，他并以此阐示西方文化在晚明美学形成中扮演的角色（见其“Dong Qichang and Western Learning”）

[3] 程君房之墨也被徐世溥视为万历朝的文化成就之一。

图1.2 吴彬《十六罗汉》 1591 局部 卷 纸本水墨设色 32×414.3厘米 美国大都会博物馆（Metropolitan Museum of Art, The Edward Elliott Family Collection, Gift of Douglas Dillon, 1986 [1986.266.4]）

等。流风所被，连当时出版的某些“万宝全书”之类的指导日常生活的日用类书，如《绘入诸书备采万卷搜奇全书》(又名《新刻眉公陈先生编辑诸书备采万卷搜奇全书》)，也在书名中以“奇”字标榜，吸引买家。如果我们把晚明出版的书籍中带有“奇”字的书名作一统计的话，不难看出“奇”这个词在晚明是多么时髦，使用得又是多么广泛。

不独书名用“奇”字招徕顾客，晚明的通俗娱乐书籍中也充满着种种奇闻逸事。《拍案惊奇》的作者凌濛初（1580–1644）在该书序中即称其书是“取古今来杂碎事可新听睹、佐谈谐者，演而畅之，得若干卷。其事之真与饰，名之实与赝，各参半。文不足征，意殊有属。凡耳目前怪怪奇奇，当亦无所不有”。值得注意的是，他所用“怪怪奇奇”这个词，和前文所引汤显祖在丘兆麟文集的序言中所说如出一辙。

除了奇闻逸事外，晚明的许多日用类书都包括《诸夷门》和《山

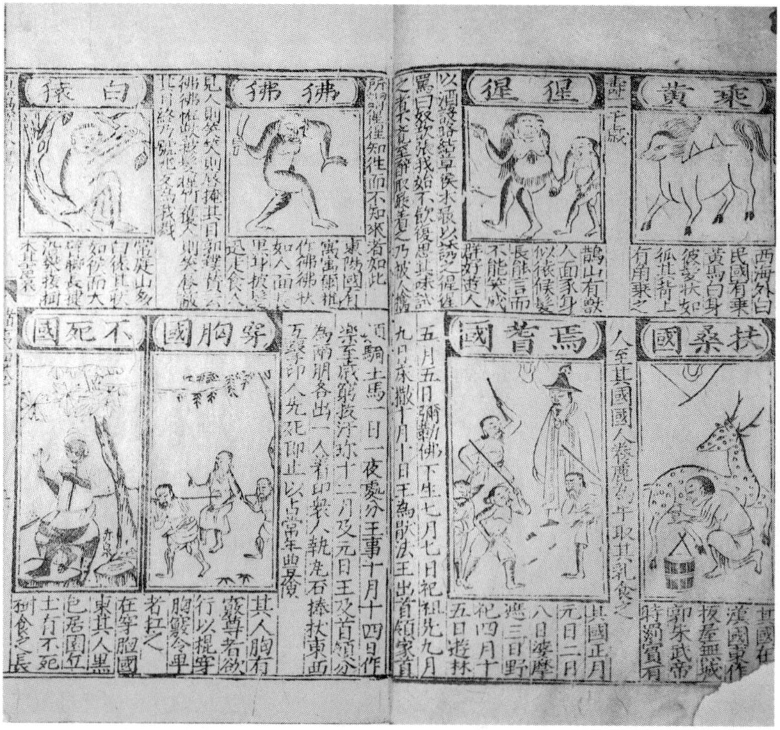

图 1.3《万历全补文林壬子刊妙锦万宝全书》插图
卷 4　页 19b–20a
美国哈佛大学哈佛燕京图书馆

海异物类》这两章，内容则为描述“域外”奇人奇事的图文。这两章的内容来源甚为庞杂（图 1.3），一般来说，《诸夷门》尚能提供一些真实存在之国家的地理信息，但通常简短且有误导之嫌。如日本被描述成一个以海盗为生的蛮夷之地（这或与当时沿海地区倭寇之祸有关），反之，朝鲜因与明朝关系亲善，被描述成一个文明国度。而《山海经》中所载传说中的国家，如“不死国”和“三首国”等亦被刊入书中，其中许多奇异事物的图像大概也取自当时流行的插图本《山海经》。Richard Smith 指出，明清之际许多通俗且具影响力的家庭日用类书的一个重要特征是，真实与幻想的形象在这些书中被掺杂在一起，[1]使两者相得益彰：真实的使幻想的具有信服力，而幻想的增加了真实的娱乐性。这些书所描述的异国风土人情，对于晚明时期一般民众的“常识”到底形成多大影响，尚有待进一步研究。但毫无疑问，这类书籍的广泛流传，有助于形成一个鼓励标新立异的文化氛围。

晚明城市文化为尚“奇”的美学提供了丰富的土壤，而追寻“奇”本身就是当时城市文化中不可或缺的要素。在商业活动集中的城镇，竞争促使商人和艺术家制作新产品和独具地方风味的物品来迎合时尚、吸引顾客。城镇市民因而逐渐发展出欣赏戏剧性、追求感官刺激的品味。但是，当大众对原本奇特而罕见的事物熟悉起来之后，商人和艺术家就必须玩出新花样去迎合变动中的趣味。凡能制造具有刺激性的奇特作品之艺术家，常能挟一技而走红金陵——这一晚明最繁华的城市。[2]

人们一旦开始热情地追寻“奇”，其势几不可遏。根据前文的分析，无论“奇”是个人内心的自然流露还是刻意模仿他人的结果，一旦“奇”成为表现的形式，它也就具有社会性并成为必须在与他人的互动关系中来界定的东西。“奇”的悖论在于，“奇”可能会被他人模仿，一旦模仿成风，原本人们不熟悉的东西变得熟悉起来，见多不怪，“奇”也就不再“奇”了。但是，“奇”的标准总是相对的、流动的。这意味着，当某一事物不再被视为拥有“奇”的特质，不愿落伍的人们必须创造出新的事物来表现“奇”。因此，“奇”的流向又不可预测。

[1] Smith, “Mapping China’s World,” p. 69.

[2] 见石守谦：《由奇趣到复古》，页 43-44。

知性上的好奇心、商业上的贪婪、对文艺名声的渴望、对艺术原创力的探求、精英和平民们对花样翻新的企求……在种种动机的驱使下，人们热烈地追求“奇”，这就导致了激烈的竞争，“奇”的形式和内涵也因此迅速变更。

当不甘落后的人们竞相加入争奇斗艳的角逐时，就出现了艺术史家贡布里希（Ernst Hans Gombrich）在讨论艺术和时尚的“名利场逻辑”中所描述的“竞争膨胀”现象：

> 如果一种炫耀竞赛在发展，那么在其他竞赛者面前的选择，显然是要么把这种特别的行动作为一种无效的怪癖而予以忽视，听凭它去；要么竭力仿效它并且盖过它。……只要这些“胜人一筹的本事”的竞赛在一小部分人当中比试起来，而这些人除了互相超越以外，便别无好事可做，那么其起伏波动便一定十分迅速，或许其波动的速度之快使社会的其余部分都来不及卷入那些漂浮的涟漪。但是，偶尔这种竞赛会变得流行起来，并且达到了全体参与的临界规模。[1]

虽然晚明的中国还很难说是贡布里希所说的那种“开放社会”，但曾经目睹了万历年间竞相标新立异之风的金陵著名文人顾起元（1565–1628）在《金陵社草序》中有一段描述，正可印证晚明文化中存在着贡布里希所说的这种“名利场逻辑”。顾起元这样写道：

> 十余年来天网毕张，人始得自献其奇。都试一新，则文体一变，新新无已，愈出愈奇。[2]

“新新无已，愈出愈奇”恰恰说明了“奇”本身不断变动的性质，这使得人们很难为“奇”寻找一个清晰的定义。蔡九迪（Judith Zeitlin）在讨论《聊斋志异》中的“异”（“奇”的同义字）这一概念时认为，“异”是“一个文化结构，透过写作和阅读被创造及不断地更新”，“一种经由文学或艺术的方式制造出的心理效应”。她还提出了这样一个值得思考的问题：“异”是可以定义的吗？[3]对本书来说，蔡九迪提出的问题似乎可以改为：那些生活在晚明的人们有必要去为“奇”下定义吗？事实上，晚明人在使用这个具有宽泛的文化内涵的字眼时，并不关心如何去界定它，在使用时也相当随意。正因

[1] Gombrich, “The Logic of Vanity Fair,” pp. 62–63. 中译引自贡布里希著、范景中等译：《理想与偶像——价值在历史和艺术中的地位》，页98–99。

[2] 顾起元：《金陵社草序》，《懒真草堂集》，卷14，页41。有趣的是，顾起元是喜好画诡奇的山水和人物的画家吴彬的朋友。见 Burnett, “The Landscapes of Wu Bin,” pp. 41–42。

[3] Zeitlin, *Historian of the Strange*, p. 6.

为其宽泛性和含糊性，这个字眼可以开拓出无限的可能性，任何商业和文化艺术领域内的革新，都可能用“奇”来为之寻求合理性并加以宣扬。

概言之，“奇”在晚明的文化中具有多重的意义和功能，并且可以涵括不同的文化现象。它既可以是文人的理想人格，一种高雅不俗的生活形式；或是社会上下关系浮动时代的精英分子用以重新界定自己社会身份与众不同的行为；或是知性上的好奇心和追求，文艺批评中使用的一个重要美学概念；它还可以是奇异新颖的物品，大众对异国风土人物的好奇心；或是印刷业用以招徕顾客的广告性语言，通俗文化的制作者用来制造大众娱乐生活中的戏剧性效果……不管是具有明确的哲学思潮或文艺观为基础的执著追求，还是对时尚的盲目模仿；不管是汤显祖所谓“不思而至”的自然流露，还是刻意的哗众取宠；总之，来自不同社会背景的人们怀着不同的目的，用不同的语言，从多种角度来谈论和使用“奇”，“奇”于是成为人们关注的重点和议论的中心，这就造成了一种社会语境，处于这种语境中的人们，好奇也猎奇，骇世惊俗的标新立异之举受到鼓励和激扬。正是在这个尚“奇”的时代，以董其昌为领袖的晚明书法家掀起了一场张扬个性的艺术运动。

董其昌和晚明书家

晚明书坛祭酒董其昌1555年生于松江，他在万历十七年（1589）考中进士后成为政府官员，官至礼部尚书。[1]董其昌生性谨慎，在官场左右逢源，与东林党成员及其政敌同时保持着友好关系。1589至1599年间，董其昌在北京担任翰林院编修时，成为包括焦竑、汤显祖、袁氏三兄弟（袁宏道、袁宗道[1560—1600]、袁中道[1570—1623]）、李贽在内的文化圈中的一员。[2]虽然深受这个圈子的影响，但董其昌在对待古代经典方面，并不像袁氏兄弟和汤显祖那样激进。从少年时代起，董其昌便大量临摹古代书家名迹，唐代欧阳询（557—641）和颜真卿（709—785）的书法是他初学楷书的范本。在行、草方面，董其昌追随王羲之、王献之（344—388）父子创立的“二王”传统，此外，他对北宋米芾（1052—1108）的行草书法也很有研究。至于大草，董其昌深受唐代狂草大师僧怀素（725—785）的影响。

董其昌一生的书法实践非常丰富，本书不可能对其书学渊源和成就予以全面的论说，这里仅就他的书法与晚明尚奇的美学相

[1] 近几十年来，东西方艺术史学界对董其昌的研究成果颇丰。最重要的学术成果，便是1992年纳尔逊美术馆举办的董其昌世纪展由何惠鉴（Wai-kam Ho）与Judith Smith合编的两巨册展览图录（*The Century of Tung Ch'i-ch'ang, 1555–1636*），以及为配合此次展览所举办的董其昌国际学术研讨会论文集（*Proceedings of the Tung Ch'i-ch'ang International Symposium*）。关于董其昌的生平，见展览图录所收李慧闻（Riely）“Tung Ch'i-ch'ang's Life”一文。收录在展览图录和研讨会论文集中的徐邦达、薛永年、杨新及傅申等关于董其昌书法的论文，对本书关于董其昌的讨论极有助益。这些论文被翻译成中文后，收入由《朵云》编辑部于1998年编辑出版的《董其昌研究文集》。

[2] 何惠鉴、何晓嘉：《董其昌对历史和艺术的超越》，载《董其昌研究文集》，页261—267; Pei-kai Cheng, “T'ang Hsien-tsu, Tung Ch'i-ch'ang and the Search for Cultural Aesthetics in the Late Ming.”

关的方面作一些讨论。

作为一个具有强烈理论意识的艺术家，董其昌建构了自己的书学体系，并且以一种简洁有力的方式来陈述自己的艺术见解。“生”是董其昌书学理论的一个关键概念。[3]他认为：“画与字各有门庭，字可生，画不可熟。字须熟后生，画须熟外熟。”[4]绘画是再现艺术，一个画家可以将自然界雄浑或秀丽的景色绘入画中。[5]书法则不同，它是非再现性的。虽然古代流传着一些书法家由自然景物激发出艺术灵感的故事，但书法中并无“写生”，临摹古代大师的法书一直是学习书法的不二法门。书家可能会在努力学习古代大师作品后获得技法，但是成法终究可能会压抑书法家的创作能力。因此董其昌认为，书法之路“必须再往前延伸，即由熟再到生，才得摆脱古人成法的束缚……即在熟到最后的阶段，就要有意识地与古人拉开距离，以

[3] 关于董其昌书法中“生”的概念的详细讨论，见杨新：《“字须熟后生”析》，载《董其昌研究文集》。

[4] 董其昌：《容台别集》，卷6，页2。从上下文来看，文中“画不可熟”似应为“画不可不熟”。

[5] 例如晚明画家吴彬，把福建山区奇特的景观带入自己的山水画中。见石守谦：《由奇趣到复古》，页43–44。书法虽不是像绘画那样以宇宙万物为造型对象的视觉艺术，但也不是西方现代意义上的抽象艺术。这点笔者在1982年发表的《也论中国书法的性质》一文中有详细讨论。

图1.4 赵孟頫《湖州妙严寺记》 约1309–1310 局部 卷 纸本 34.2×364.5厘米 题跋 34.2×206.7厘米 美国普林斯顿大学美术馆
(Art Museum, Princeton University, Bequest of John B. Elliott, Class of 1951, Photograph by Bruce M. White. 1998-53)

发挥自己的创造性，用‘己意’去书写”。[1]

董其昌不但在理论上提出“生”与“熟”的概念，他还举出具体例子说明什么是“生”，什么是“熟”。董其昌总是把元代书法家赵孟頫（1254-1322）视为自己竞争和超越的对象。他承认自己的技法不如赵孟頫纯熟，但宣称自己的书法更“生”，而正是这“生”使他的书法比赵书更有秀色而无俗态：

> 吾于书似可直接赵文敏，第少生耳。而子昂之熟，又不如吾有秀润之气，惟不能多书，以此让吴兴一筹。[2]
>
> 赵书因熟得俗态，吾书因生得秀色；赵书无不作意，吾书往往率意。当吾作意，赵书亦输一筹。[3]

把赵孟頫与董其昌的书法作一比较，我们可以对董其昌关于“生”与“熟”的论点有更为清晰的认识。美国普林斯顿大学美术馆所藏

图 1.5 董其昌《楷书自书诰命》 1636 局部
册页（全十六开） 纸本
每开 29.9×30.8 厘米
上海博物馆

[1]《“字须熟后生”析》，页 756-757。

[2] 董其昌：《容台别集》，卷 4，页 29b-30a。

[3] 李日华：《味水轩日记》，卷 4，页 229。

赵孟頫书《湖州妙严寺记》是一件楷书精品（图 1.4）。此作用笔干净利落，结体匀称谨严，赵孟頫扎实的功力和深厚的学养显而易见，但却很难反映出艺术家的想象力。相反地，董其昌的书法时常可以见到枯笔和破笔，甚至在一些楷书作品中，也会发现“生”的地方。在 1636 年书写的《自书诰命》（图 1.5）中，董其昌以谨严的楷书抄录这一政府颁发给他的正式文件，每个字都被写在界格内，如同赵孟頫的《湖州妙严寺记》那样郑重。然而，即使是在这样正式场合书写的楷书，董其昌还会在某些地方留下“生”的痕迹，如作品中的“璧”字向右上方倾侧，“箴”字中亦留有一破笔（图 1.6）。

图 1.6《楷书自书诰命》中之“璧”“箴”二字

董其昌兴来一挥的大草作品中也经常出现意想不到却自然天成的效果。书于 1603 年的一件行草手卷的卷尾（图 1.7），董其昌的大草题款极为精彩。款云：

> 癸卯三月，在苏之云隐山房，雨窗无事，范尔子、王伯明、赵满生同过访，试虎丘茶，磨高丽墨，并试笔乱书，都无伦次。[4]

起始两行平淡无奇，从第三行开始逐渐出现戏剧性的变化，有些行，大字几乎或完全占据一整行。全篇笔画瘦劲流畅，墨色随着毛笔蓄墨量渐次递减和运笔着力、速度的不同而显出微妙的变化。[5] 董其昌的“试笔乱书”，赋予这件作品“生”的特质。

如上所引，董其昌声称，如果他作意于书，即使赵孟頫也不能与之抗衡。但是董其昌却又认为，不经心的书写可以带来自然流露的、具有偶然性的“生”。对他而言，作意能熟，率意出“生”，熟近俗态，“生”得秀色。董其昌关于书法中“生”的论说，和李贽的“童心”说应有关联。从“童心”说来推理，事物的原始状态是“生”且纯真的。纯真的内在世界，可以透过其艺术上的“生”真实地表露并保存下来。从这个意义上说，董其昌的书法理论、实践与当时的哲学思潮相通。

书法中的“生”和率意、直觉相关，因此具有“奇”的特质。董其昌又写道：

> 古人作书，必不作正局，盖以奇为正。此赵吴兴所以不入

[4] 关于这件手卷的详细讨论，可参见 Marilyn W. Gleysteen 撰写的作品说明，Wai-kam Ho and Judith G. Smith, *The Century of Tung Ch'i-ch'ang*, vol. 2, p. 10。

[5] 对墨色的重视是董其昌对中国书法的一个重要贡献。参见傅申：《董其昌书学之阶段及其在书史上的影响》，载《董其昌研究文集》。

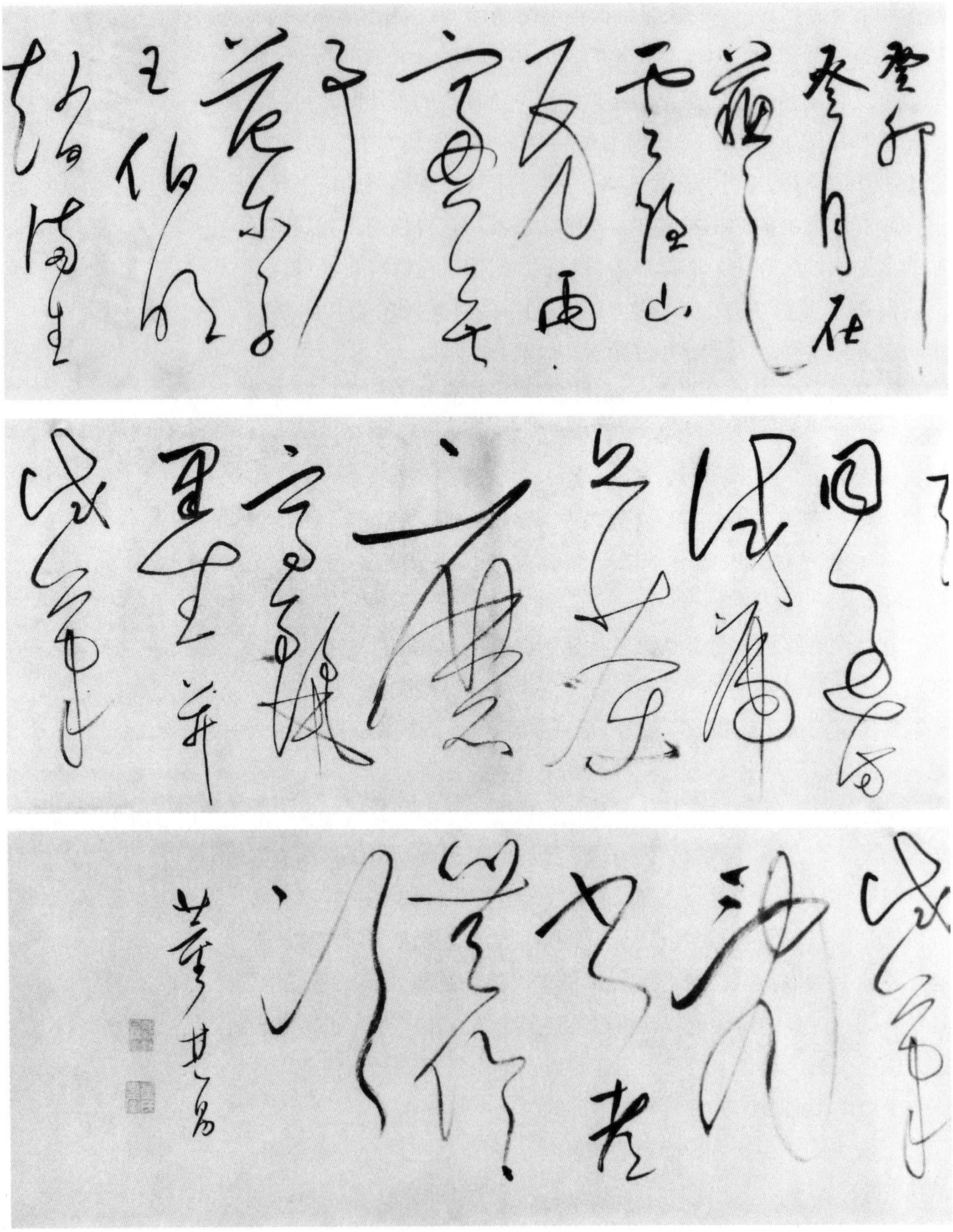

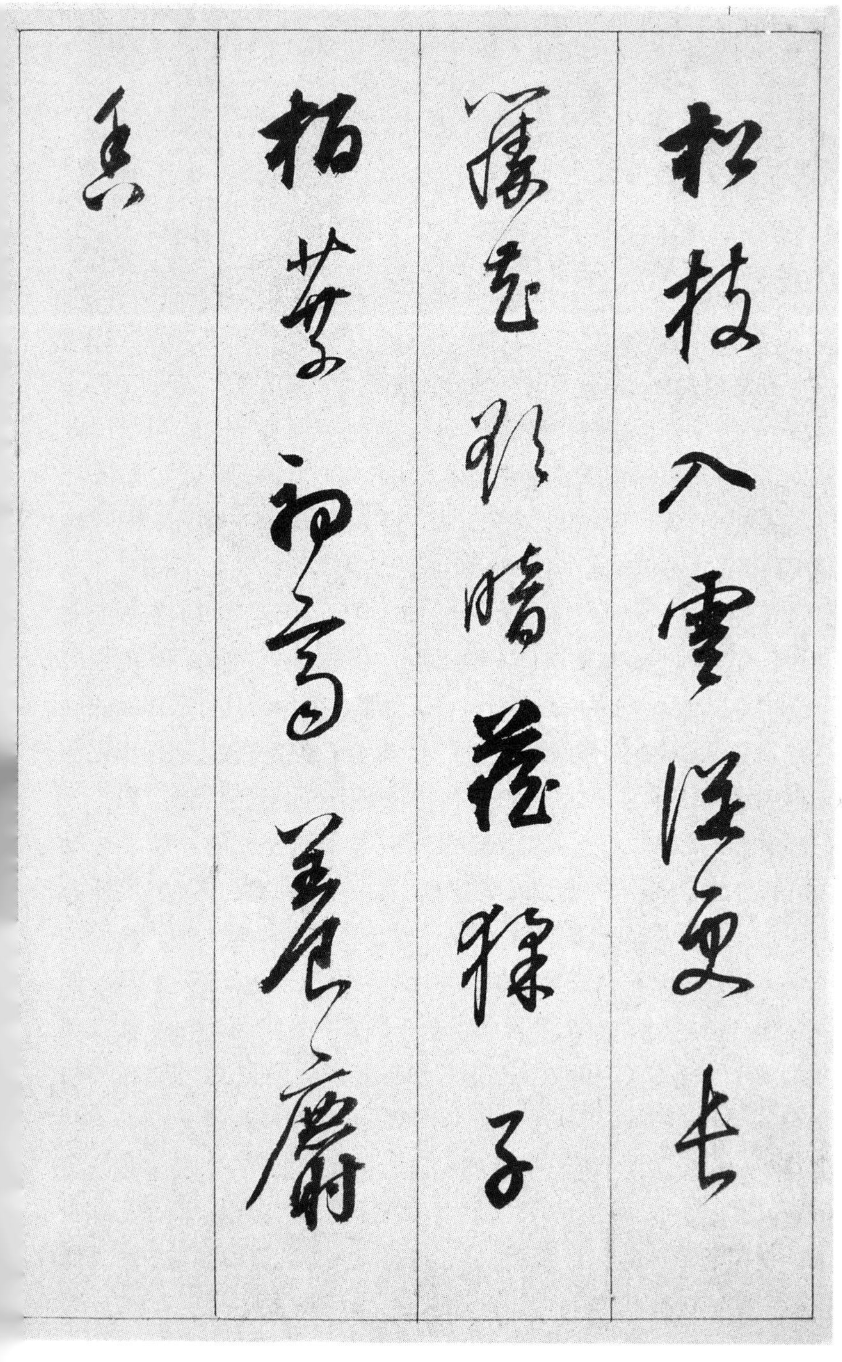

图 1.7 董其昌 《行草书》
1603 局部 卷 纸本
31.1×631.3 厘米
东京国立博物馆
TB1397

图 1.8 董其昌 《行草诗》
1631 局部 册页（全九开）纸本
每开 25.1×12 厘米
台北故宫

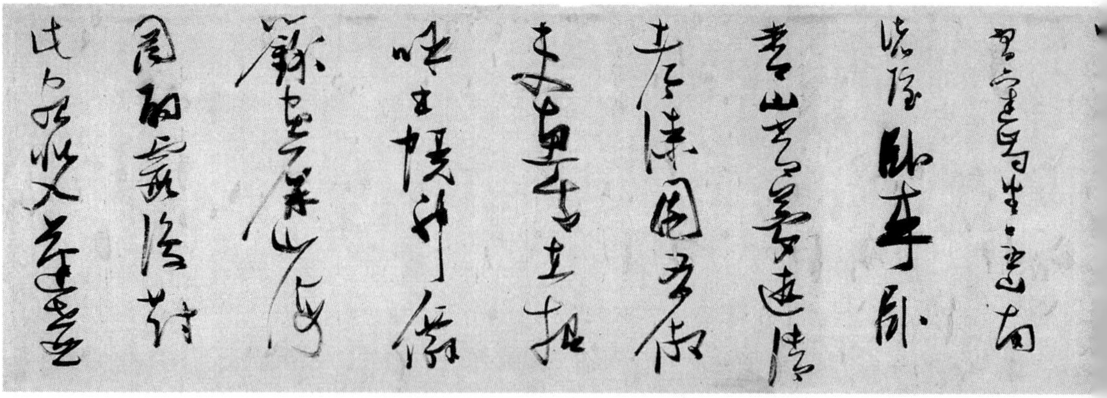

晋唐门室也。……予学书三十九年见此意耳。[1]

“以奇为正”是这段叙述中的关键。诚如何惠鉴所云：“‘奇’是明代对‘自然’的新标准，是对古老的文学观念‘以正为雅’的拓展。”[2]如上所述，随着文人对真实自我的热切追求，尚“奇”美学观念在晚明风靡一时，董其昌正是这一美学观在书法领域中的代言人。

虽然董其昌提倡“生”和“奇”的观念，但若从更为宏观的书法史框架来观察，其书法仍未偏离帖学传统。他临摹的范本均来自帖学谱系，他本人的书法也相当典正优雅。例如，其行书作品的章法受到五代书家杨凝式（873–954）的启发，字距宽松，表现出一种闲适的气息（图 1.8）。同时，流畅的笔势也使其作品简约优雅。以今天的观点看来，董其昌的书法未脱帖学窠臼，既无强烈的“生”，也没有戏剧性的“奇”（即使如前文所述，其书作有时呈现出这些特质的迹象）。因此，董其昌依然被视为帖学传统的最后一位大师。[3]

然而，董其昌清醒地意识到书法的一个重要变革正在发生，他自负地宣称：“书法至余，亦复一变。”[4]他对“生”和“奇”审美理想的鼓吹，启发了一些更为激进的晚明书法家，他们正准备偏离帖学正统，走向极端。因此，从某种意义来说，董其昌是 17 世纪书法变迁的预言家，尽管他还无法看见这个转变将会走向何方。董其昌的意义在于，他并没有在技法层面上阐述书法的前景，而是为晚明书法家提供了一种新的思考方式，这种思考方式无疑是在鼓励其他艺术家以董其昌本人未曾采用的方式去超越传统的限制。

董其昌在晚明书坛执牛耳长达数十年，至天启朝，新一辈的书法

[1] 董其昌：《容台别集》，卷 4，页 26b–27a。

[2] 何惠鉴、何晓嘉：《董其昌对历史和艺术的超越》，载《董其昌研究文集》，页 294。关于“生”和“奇”的关系的讨论，又见杨新：《“字须熟后生”析》，载《董其昌研究文集》，页 764。

[3] 见傅申：《董其昌书学之阶段及其在书史上的影响》。

[4] 董其昌：《画禅室随笔》，卷 1，页 1。

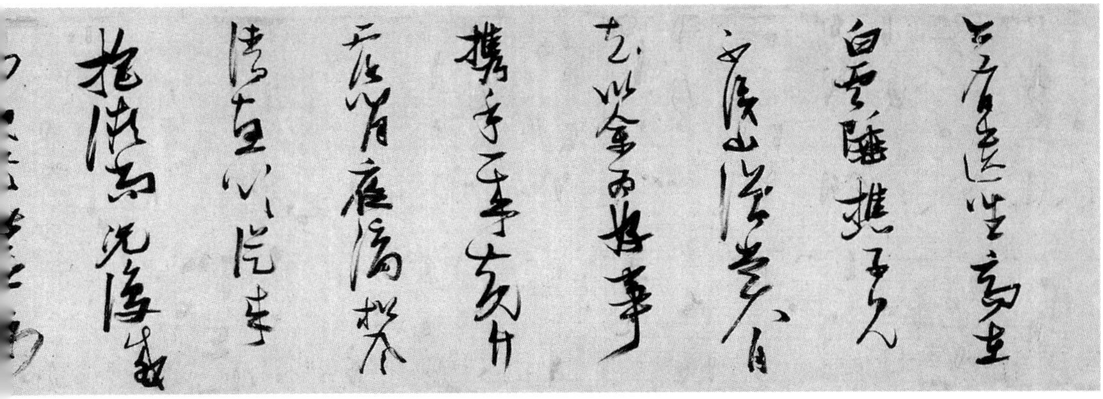

图 1.9 张瑞图 《孟浩然诗》
1625 局部 卷
绫本 26×520 厘米
台北私人收藏

家发展出一种个性更为张扬的新书风。来自福建晋江的张瑞图（1570–1641），是一位在书法风格上与董其昌形成强烈对比的书法家。[5]张瑞图作于 1625 年的草书《孟浩然诗》手卷（图 1.9），用笔迅捷，在生绢上留下不少枯笔，转折顿挫突兀有力，横折带有向上翻转留下的棱角，予人一种桀骜不驯的印象。

与董其昌上下字距宽疏造成的空灵相反，在张瑞图的书法（特别是他的行草书）中，行距宽松，字距紧凑，每一行的字似乎连接盘缠在一起。这种独特的空间布局，强化了纵势。但张瑞图吸收了章草的元素，在书写横折笔画时，笔先向右上倾斜，然后再突然翻转下折，使笔画的右上方呈现锐角式的转折，这种用笔方式减弱了行草书的流畅感，在笔画的形态和笔势的基本走向之间造成了张力，与董其昌用笔的闲适舒缓形成了鲜明的对比。

研究书法史的学者们在分析一件艺术品时，常常会追溯其风格来源。张瑞图与众不同的书法，迫使我们重新思考这种习以为常的形式分析方法是否总是有效。张瑞图书法的标新立异，很可能来自于他在研习书法时发展出的一种既不寻常却符合他本人肌肉生理特点的书写习惯。他很可能不曾刻意临摹古人，而是根据自己独特的书写方式逐渐发展出一种反映自己审美理想的风格。[6]

1629 年，张瑞图因与宦官魏忠贤阉党之间的干系而贬斥为民。与此同时，朝臣中另外三位具有创造力的书家黄道周（1585–1646）、倪元璐（1594–1644）、王铎异军突起。[7]书法上的天赋，加之政治上的地位，使他们成为新一代书法家中的代表人物。他们与张瑞图一样，

[5] 关于张瑞图的生平与艺术，见刘恒编：《中国书法全集》，册 55，《明代编：张瑞图卷》。

[6] 何炎泉在他的硕士论文《张瑞图之历史形象与书迹》中，对张瑞图的应酬书法活动作了细致的分析，他认为，张瑞图独特的书风和他在大量的应酬活动中养成的书写习惯有关。

[7] 关于黄道周的生平与艺术，见刘正成主编：《中国书法全集》，册 56，《明代编：黄道周卷》。关于倪元璐的生平与艺术，见刘恒主编：《中国书法全集》，册 57，《明代编：倪元璐卷》。关于王铎的生平与艺术，见刘正成、高文龙主编：《中国书法全集》，册 61、62，《清代编：王铎卷》，及 Alan Gordon Atkinson 的博士论文 "New Songs for Old Tunes: The Life and Art of Wang Duo"。

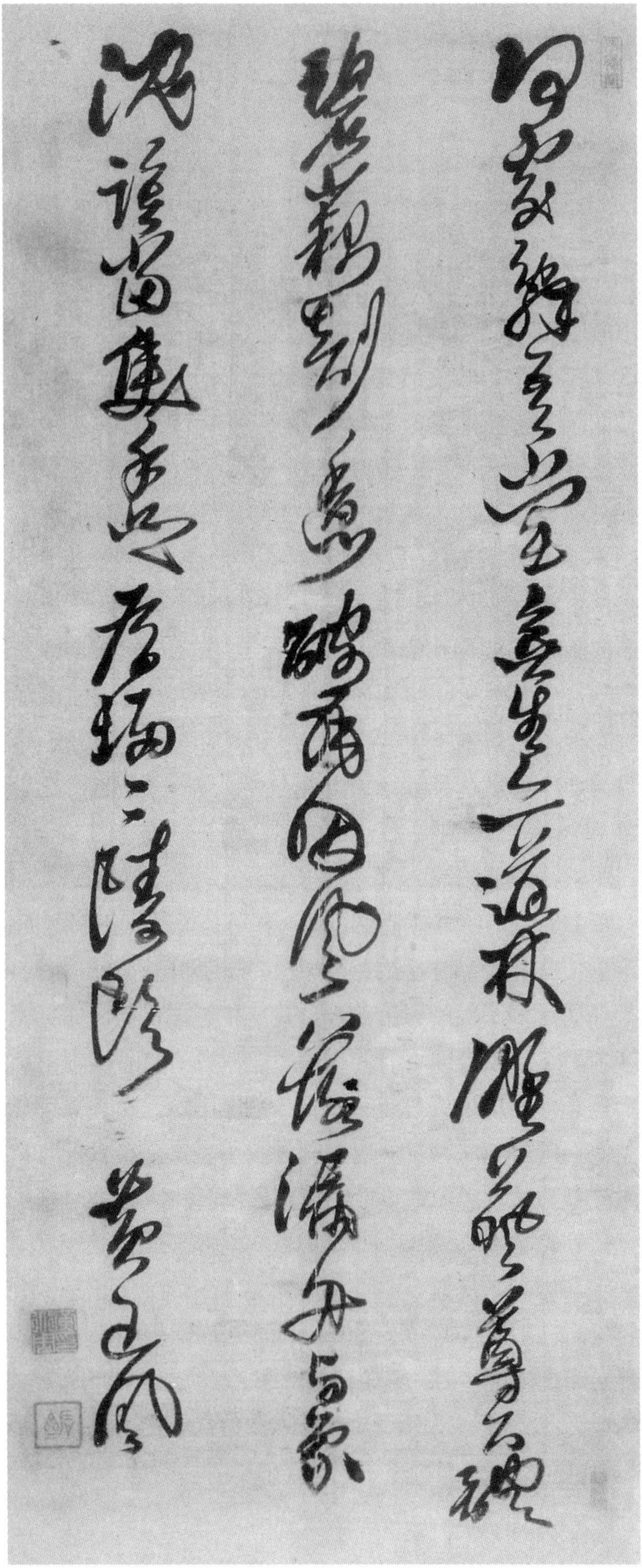

图 1.10 黄道周《答孙伯观诗》轴 绫本
192.6×52.7 厘米 日本澄怀堂

图 1.11 黄道周《答孙伯观诗》
中之“落”字。

都和当时的政治发生了密切的关系，不同的是，他们三人都和东林党有着更深的渊源。

黄道周是福建漳浦人，漳浦和张瑞图的家乡同在闽南，相距不远。黄道周的书法在章法方面和张瑞图的书法类似，字距狭窄，行间宽博。相比之下，黄道周的笔法较为圆润（图 1.10）。就整体而言，黄道周的笔画也常反复穿插盘绕，他的字右上角转折处，也像张瑞图的字一样并不寻常。以我们在这里展示的日本澄怀堂所藏的行草条幅第二行的“落”字来说（图 1.11），最上方两点之下的横画，其最右端出人意料地先向上绕了一下后再翻转向下，使毛笔穿过横画，以不可预期的走势造成“奇”的效果。

来自河南孟津的王铎是董其昌的下属和忘年交。和他的前辈相比，王铎更为激进，他把董其昌在书法上开启的一些风气推向极端。作为晚明书法中最有表现力的书法家，王铎喜爱充满运动感和表现力的行、草书，他曾作《草书颂》讴歌草书：

> 草书之始，本篆所为。鸟迹穗象，施张有宜。
> 简安飞扬，规动万随。握固深柢，宁极划劙。
> 左之勿殊，右焉勿卑。缩于内彀，驰骤郁纡。
> 间演隶波，元气周回。迅发机赴，绝无闪揄。
> 高望崎岳，垂抱龙珠。扩于鸾折，睽以虵瞿。
> 似谲仍正，疑倾终夷。将犇姑留，黗黐难尼。
> 狮咟猊怒，顿挫于诸。密阔有位，部厥揥师，
> 纵横显伏，断绝屹峢。乱怫勾连，制胜掜歃。
> 勿魔勿癖，缘墟临危。寻测无端，妙寓茈虒。
> 敛魄归寂，包元一之。张芝羲献，余铲邪枝。
> 考古工深，袭取蹈谌。骨脉凝神，妍皮罔臻。
> 达以天机，法忘乎法。庶无夸毘，匆匆奚暇。
> 精味椒糈，勿曰幻化。空懑五悲，雾合星开。
> 地乳天眉，冥赏神合。略毛骊骊，大哉斯道，
> 孕实毋虚。怡此皓首，辄与松期。解者熟后，
> 灵通经奇。浩唱举概，幽奥难知。[1]

[1] 王铎：《拟山园选集》，卷 16，页 1。关于这首诗的注释，见刘正成、高文龙合编：《中国书法全集》，册 62，《清代编：王铎卷》，页 652-653。

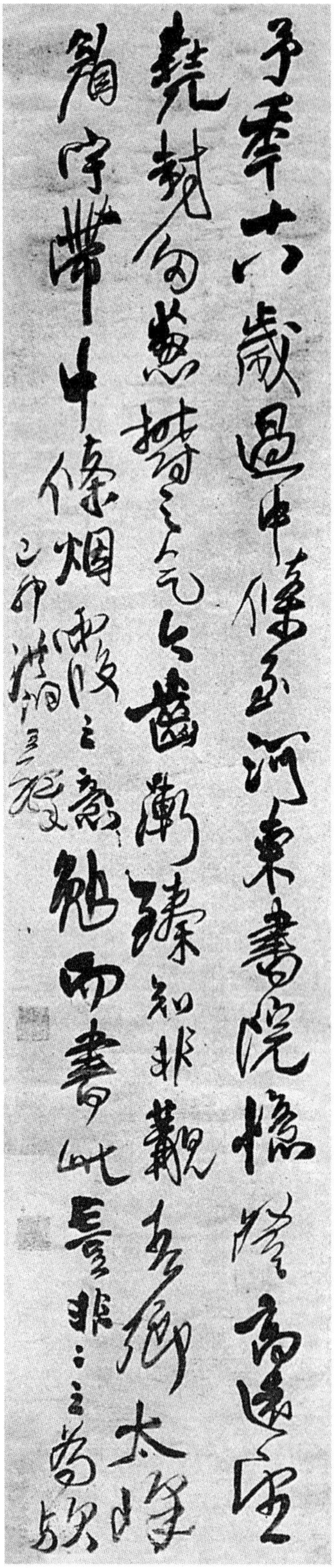

这首四言铭赞体诗歌有六十三行，[1]无疑是自唐代以后赞颂草书艺术最伟大的作品：从天地之间的万千气象到挥写时的笔歌墨舞，从汉字的起源到草书大师的出现……王铎不仅仅把草书视为抒情写意的艺术，还把它视作一个可以凝眸的微观世界。“寻测无端，妙寓茈虒”，不禁令我们想起汤显祖对文学杰作的描述：“怪怪奇奇，莫可名状。”而王铎的颂歌反映出晚明书家对草书艺术的钟爱和珍视。

王铎的《草书颂》充满了典故和隐喻，多涉“征引迂远，比况奇巧”的溢美之辞，增添了草书的神秘色彩。不过，王铎本人的某些文论，却对我们了解他理想中的草书很有助益，由于这些文论简直就像对草书而发——读者不妨把以下两段引文中的“文”字换成“草书”，似乎王铎在撰写这些文论时脑际间曾浮现出草书的形象。他这样写道：

> 文须嵚崎历落，错综参伍。有几句不齐不整，草蛇灰线、藕断丝连之妙。[2]
>
> 文要一气吹去，欲飞欲舞，捉笔不住。何也？有生气故也。[3]

“不齐不整”、“欲飞欲舞”正可在王铎的行草作品中得到验证。在一件书于 1639 年的行书轴中，字忽左忽右地攲侧，字与行的中轴线不时倾斜（图 1.12）。这种章法并非王铎首创。傅申在研究黄庭坚的书法时，已注意

图 1.12 王铎 《忆过中条语》 1639 轴 绫本
252×55 厘米 藏地不明
引自刘正成、高文龙编《中国书法全集》册 61 页 148 图版 30

到了黄庭坚（1045–1105）行草作品中这种没有单一的中轴线的章法特点，[4]如存世黄庭坚的草书名作《廉颇与蔺相如传》的章法即有这种特点（图 1.13）。但在黄庭坚的草书中，偏离中轴线的幅度要比王铎来得小一些。邱振中在仔细分析了从东晋到清代草书的章法构成后指出，王铎草书偏离每行中轴线的程度，在中国书法史上比任何人都大。[5]

王铎的用笔也同样桀骜不羁。王铎的草书名作《送郭一章诗卷》（图 1.14），用笔迅捷，但点画的提按幅度却很大，王铎在笔画的起始、转折和某些笔画微度调整走向时，常加重笔的停顿感。例如，卷中"声"字最后向下的那笔，笔势在运行时有数次遇阻停驻的痕迹。由此造成了一种张力，丰富了草书的观赏性。

这种由矛盾而产生的张力在王铎的草字结体中也显而易见。一般说来，为了加快书写速度，草书中的大部分的字都被高度简化。但在王铎的《送郭一章诗卷》中，"声"的结构虽比楷书的"声"字有所简化，但比通行的草书"声"字的写法复杂。王铎在书写行、草字时，有时还引入一些结构比较繁复的异体字，如《赠张抱一行书卷》中的"谓"字，比标准行书或楷书复杂（图 1.15）。王铎以此来

❶ 此诗在被刊入《拟山园选集》时，可能遗漏了一行。

❷ 王铎：《拟山园选集》，卷 82，页 4。

❸ 同上注书，页 2。

❹ Shen C. Y. Fu, "Huang T'ing-chien's Calligraphy and His Scroll for Chang Ta-t'ung," pp. 127–132.

❺ 邱振中：《章法的构成》，页 81–83。

图 1.13 黄庭坚 《廉颇与蔺相如传》 约 1095 局部 卷 纸本 32.5 × 1822.4 厘米 美国大都会博物馆 (Metropolitan Museum of Art, Bequest of John M. Crawford Jr., 1988 [1989.363.4])

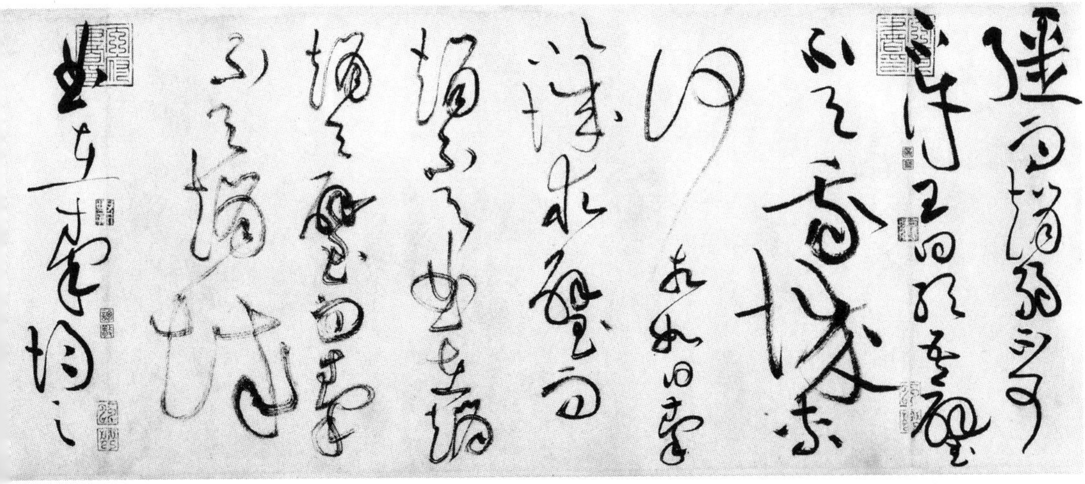

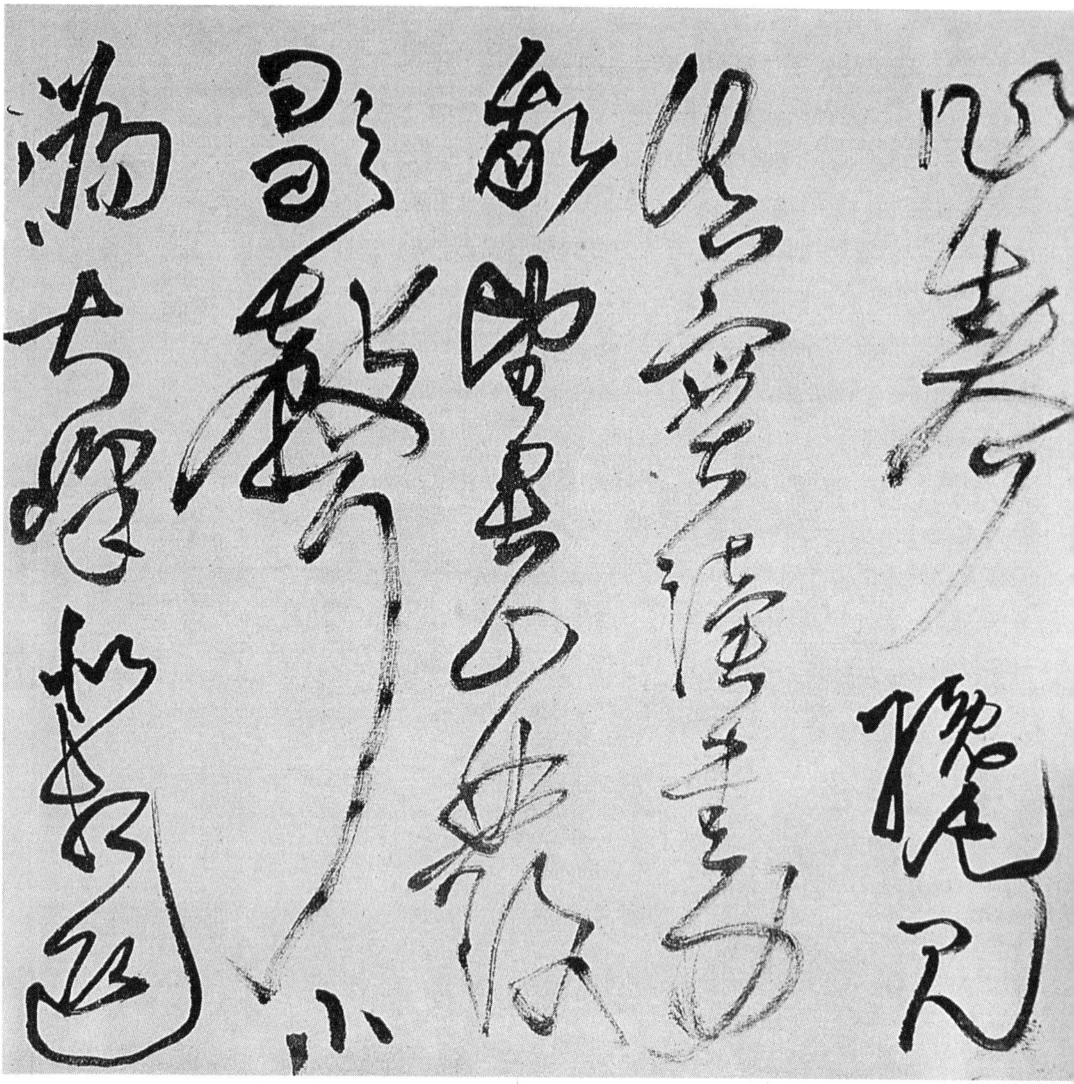

图 1.14 王铎 《送郭一章诗卷》 1650 局部
卷 绫本 32.1×496.6 厘米
美国纽约路思客先生收藏
(Collection of H. Christopher Luce, New York)

增加其作品形态的复杂性。

虽说张瑞图、黄道周、王铎及倪元璐的书法与风格是如此的不同，但是，当我们将他们的作品与董其昌试作比较，张黄王倪之间的相似性则显而易见。董其昌的行草书字距疏朗，这四位书家书写的巨幛条幅（此为明末清初的风尚）却字距紧凑，笔势奔泻不断。董其昌的书法优雅流畅，此为帖学书法的基本特征，而他的后辈们的书法却更为跌宕、张扬、奇崛。

但这并不意味着年青一代没有受惠于董其昌。董其昌在实践与理论上的创新启发了年青一代的艺术家，[1]他们的一些艺术尝试为更激进的变革埋下了伏笔，成为日后突破帖学美学架构的滥觞。

[1] 董其昌1630年在北京担任礼部尚书时，黄道周和王铎均为其下属，他们曾与董讨论书法。王铎的《拟山园选集》卷50中即收录数通他写给董其昌讨论书法的信札。见刘正成、高文龙合编：《中国书法全集》，册62，《清代编：王铎卷》，页651-652。

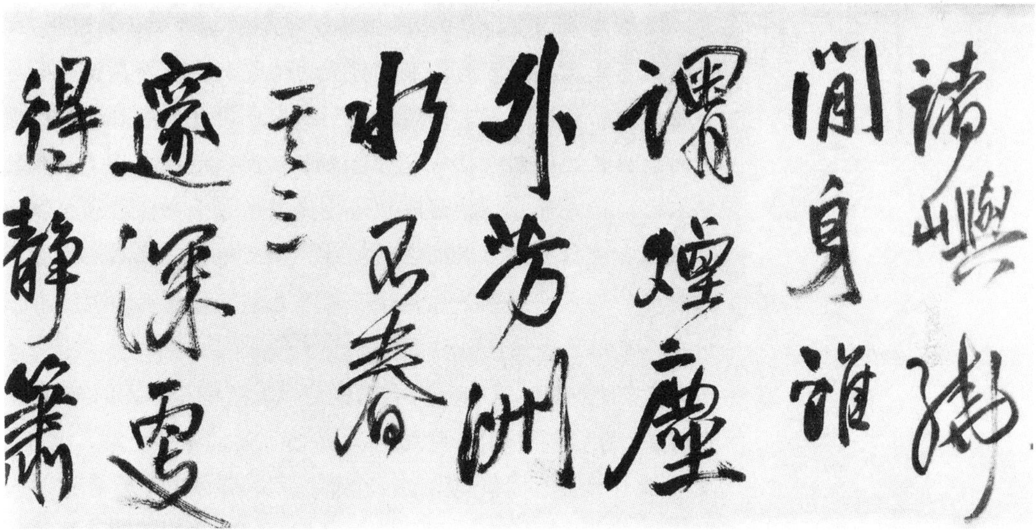

图1.15 王铎《赠张抱一行书卷》1642 局部 卷 绫本 26×469厘米 东京国立博物馆

古代经典权威的式微

董其昌对晚明书法的一个重要贡献，是将“临”这一学习书法的传统方法转变成创作的手段。千百年以来，临摹古代大师的作品已经成为学书的基本门径，诚如雷德侯（Lothar Ledderose）所言：

> 就其本质而言，书法必须临摹。每个书写者都必须遵循“预设”的形式。在这方面，书家所处的情景和再现外在世界各种事物的画家相当不同。当然，一个画家也受到他所看到和所承袭的绘画传统的制约，从这种意义上来说，他也在临摹前辈的艺术家。但是外在世界的现象为他提供了一个勘比绘画传统的参照系和进行艺术上新探索的刺激。相反地，一位书法家必须在封闭的形式系统中运作，除了前辈艺术家的作品，他没有任何东西可以比较他的创作。[1]

虽然书法家在临摹古代名作时总会有些自由发挥的空间，但 17 世纪以前的书家，在临摹时通常尽量忠实于原作。

晚明是中国书法临摹史上的一个转折点，临摹的观念在这时出现了重要的变化：临摹不再仅仅是学习和继承伟大传统的途径，它还成为创作的手段，换言之，它本身就可以是一种创造。董其昌便是这一重要转变的先驱。朱惠良曾撰文论述董其昌的“临古”观和影响。她指出，在中国书法史上，以临书而论，董其昌是一个重要的分水岭。在董其昌之前，书法家和鉴赏家的临古观念是保守的，他们讨论的通常只是临摹中究竟应以形似还是神似为主要目的。在他们看来，临古不过是书法学习的一个途径而已。但对董其昌来说，

[1] Lothar Ledderose, *Mi Fu and the Classical Tradition of Chinese Calligraphy*, p. 33. 雷德侯还详细地讨论早期中国书法中临摹的多种方式，见该书 pp. 33-44。

临书不仅是学书的途径，还被作为自我发挥的契机。由于临书已被视为一种创作，董其昌和晚明的书家常以临作馈赠友人。董其昌的一些临摹作品，和他创作的作品一样，具有风格上的原创力。不像先前的书法家，由于把临摹作为学习书法的一种手段，尽量求其形似，董其昌认为临摹应该神似重于形似。这一观念使他敢于对古代

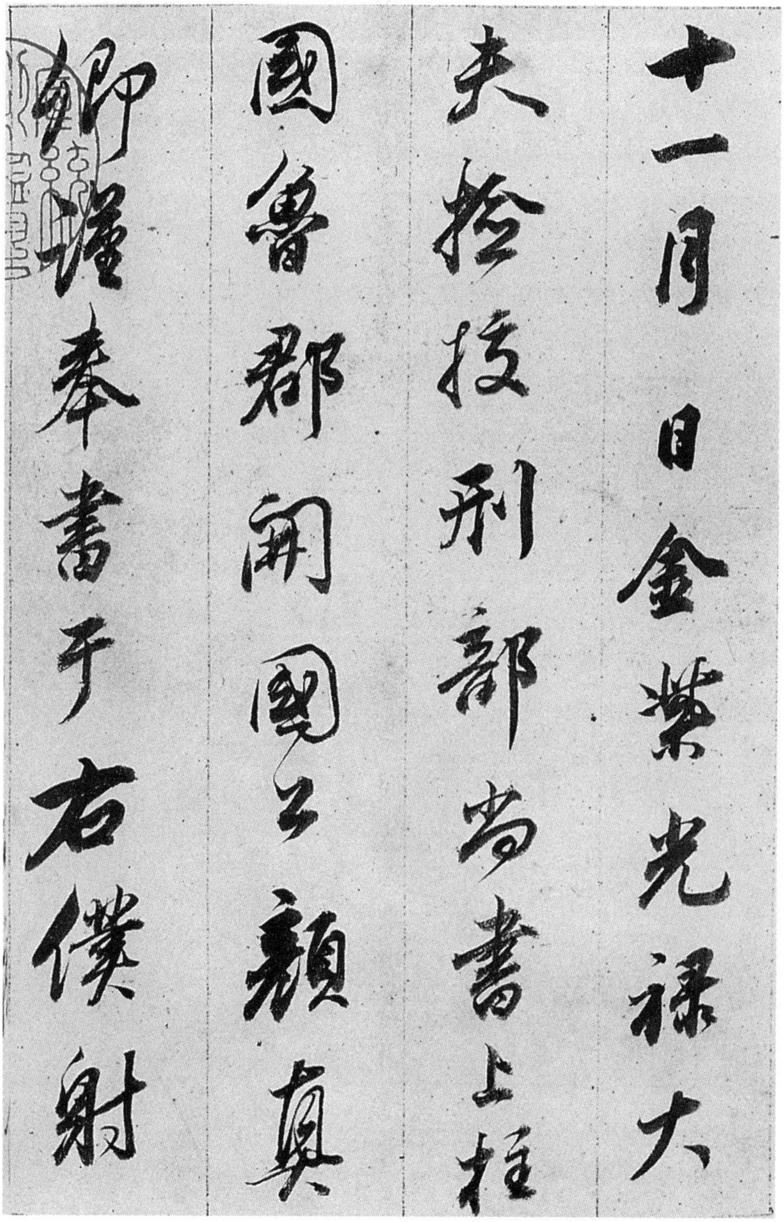

图 1.16 董其昌《临颜真卿争座位帖》1632 局部 册页（全三十四幅）纸本 每幅 32×29.7 厘米 台北故宫

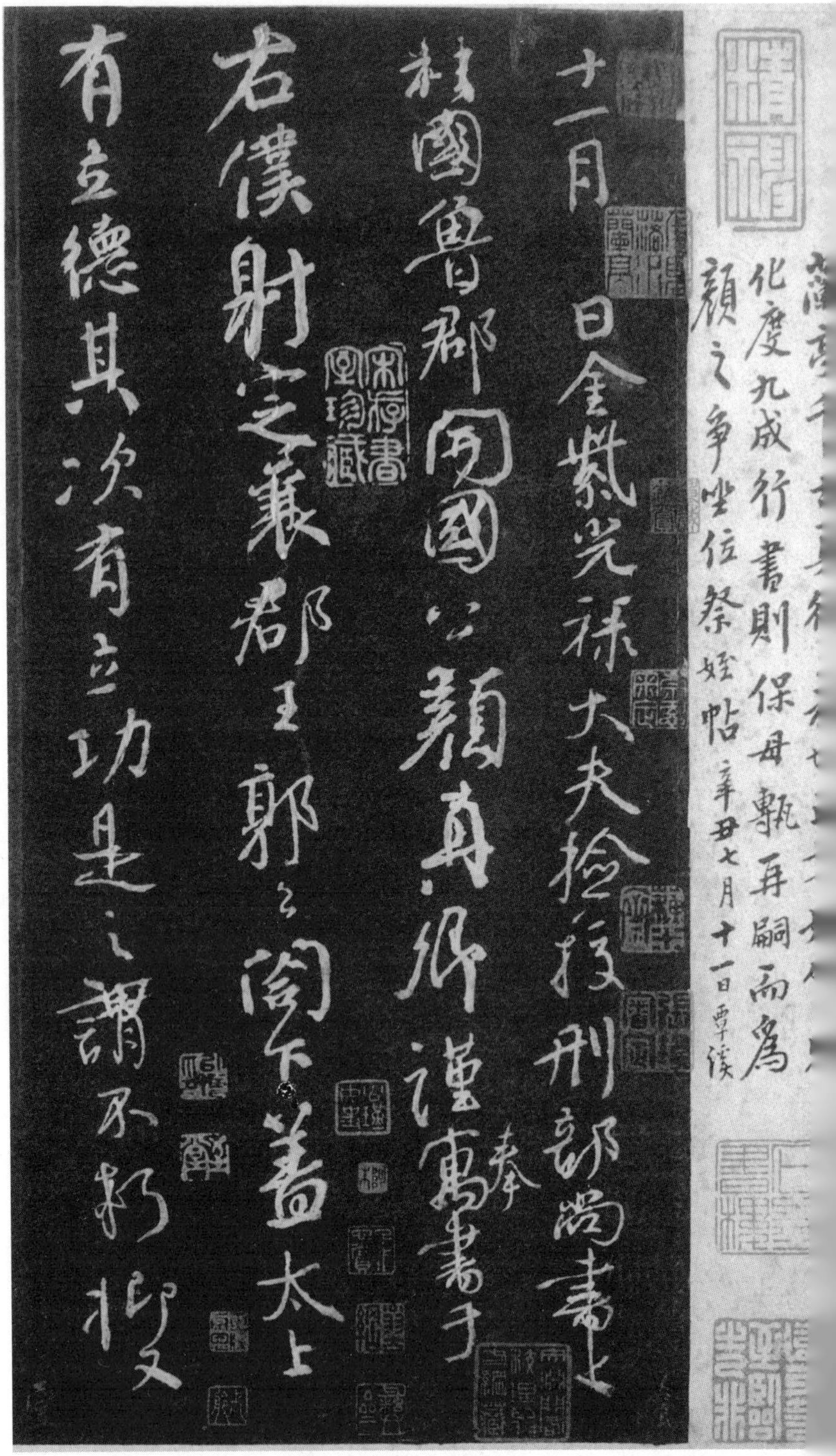

图 1.17
颜真卿 《争座位帖》764 局部
拓本
册页 纸本 尺寸不详
北京故宫
引自杨仁恺主编《中国美术全集》
书法篆刻编 3 页 146 图版 65

范本作主观性和表现性的诠释。他在临摹古代作品时，较少关注是否与范本的外形相似。[1]他甚至提出，有创造力的书法家应该与古代的大师拉开距离。在谈及唐代书家柳公权（778–865）的一则题跋中，董其昌写道："柳诚悬书极力变右军法，盖不欲与《禊帖》面目相似。所谓神奇化为臭腐，故离之耳。"[2]"离"是这段文字的一个关键词。在董其昌看来，即使是学习书圣王羲之的作品，都可能因不假思索地反复临摹而失去原创力，需要"离之"。因此，董其昌对古代大师作品的"临"作常展现出和范本的显著差异。以台北故宫所藏董其昌临颜真卿《争座位帖》册页为例（图 1.16），如果我们将其同《争座位帖》的拓本相比较，两者的差异显而易见。颜书笔画厚重圆劲，竖画呈外向的弧度，字与字大小错落，字距甚小（图 1.17）。而董其昌的临本则清秀飘逸，竖画弧度向内，有米芾的风采；字距疏朗，又带有杨凝式《韭花帖》的遗韵。临本和原拓之间的差异，足以证明董其昌这里所谓的"临"不过是借题发挥而已。[3]

朱惠良对董其昌及其以后清代的临书现象的观察无疑是相当准确且很有价值的。但她的讨论尚未涉及晚明"临"这一概念的宽泛内涵及其涵盖的种种现象，以及产生这些现象的文化背景。这里，我们通过对一种可以称之为"臆造性的临书"的观察，来探讨晚明"临书"所涵括的书法现象，以及这些现象和当时的文化风气的内在关系。我们的讨论将从朱惠良称为临书史的分水岭——董其昌开始。

美国底特律美术馆（Art Institute of Detroit）藏有一件相当精彩的草书手卷，署款为董其昌（图 1.18），这件作品可以视为晚明"临书"新趋势的标志。手卷的文字内容为唐代书法家张旭（700–750）的《郎官壁石记》。张旭的原迹不传，但其碑拓被历代书家认为是代表唐代楷书成就的名作之一（图 1.19）。虽然张旭以他的"狂草"书法闻名，但《郎官壁石记》的拓本却显示了他在楷书方面的杰出成就：点画谨严，结字均衡，气息庄重、高贵。但董其昌的"临本"竟是唐代草书大师怀素的大草书风，与原拓的字体、风格完全不同。而按照传统"临"的观念看来，更令人困惑的是手卷后署名为董其昌的题款："张长史《郎官石记》，怀素《自叙》鲁公赠言所谓'楷法精详，特为真正者'也。

[1] 朱惠良：《临古之新路：董其昌以后书学发展研究之一》，页 51–94。关于董其昌如何临古的讨论，还可参见 Bangda Xu, "Tung Ch'i-ch'ang's Calligraphy," pp. 117–118。

[2] 董其昌：《容台别集》，卷 4，页 46a。

[3] 关于董其昌在绘画中的创造性临仿的理论与实践，见 Cahill, *The Compelling Image*, pp. 36–69；以及 Ju-hsi Chou, "The Cycle of Fang"。

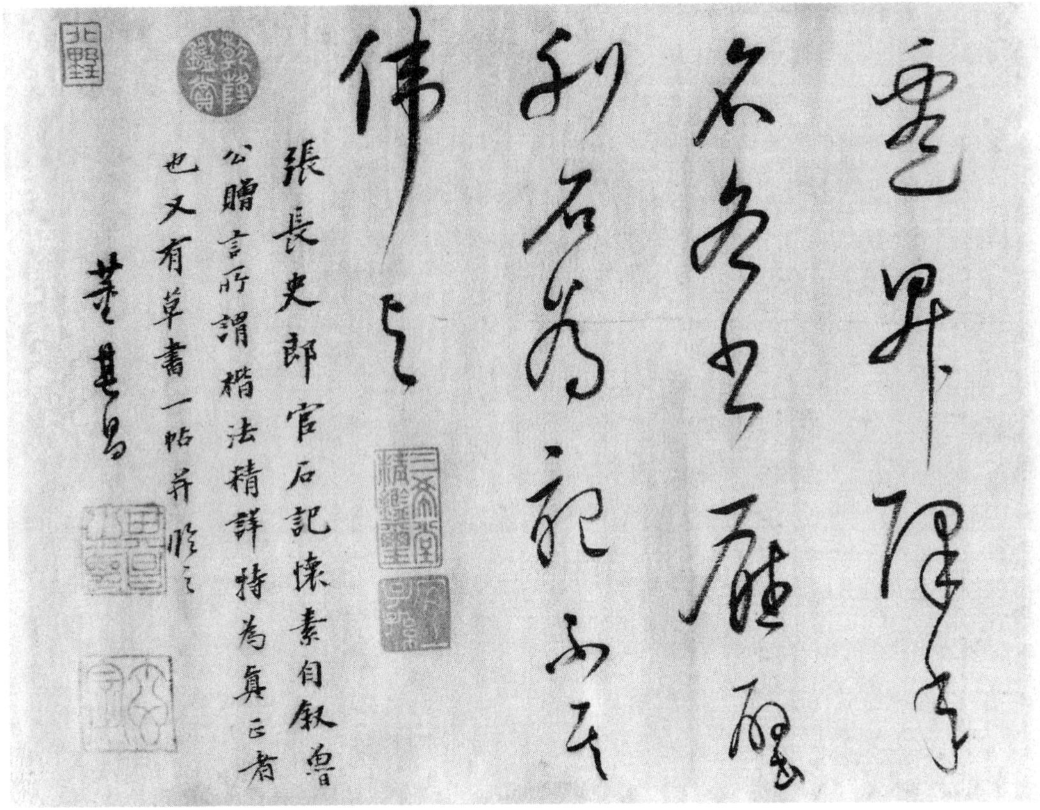

又有草书一帖，并临之。董其昌。”[1] 在题款中，董其昌明言他的这一手卷为“临”作。但这一题款开启了后世学者的疑窦。不但董其昌临本的字体和原拓的字体完全不同，底特律手卷的文本和原拓的文本相较，还有误字、脱字、脱句。有的学者据此而认为这一手卷为伪作，虽然他们认为这是以董氏草书风格书写的作品并且承认其书法本身有很高的水准。[2]

然而，对董其昌一生所使用的印章有极为细致和深入研究的李慧闻（Celia Carrington Riely）指出，这一手卷上的两方印章为董氏的印章无疑。她在仔细地研究了存世钤有这两方印章的董其昌的作品后，更进一步认为底特律手卷的书写日期大约在 1608 至 1609 年之间。[3] 如果李慧闻的观察是正确的话（正如笔者所认为的那样），我们将如何解释伪作上钤有真印这一矛盾的现象呢？难道有人有机会接近董其昌的印章并把它们盖在一件伪作上？假如这是一件伪作，

[1] 怀素的《自叙帖》为草书作品。董其昌跋语中的评语“楷法精详”，实际上是从怀素《自叙帖》中“至于吴郡张旭长史，虽资性颠逸，超绝古今，而模楷精法详”化出的句子。

[2] 黄惇：《董其昌伪本书帖考辨》。

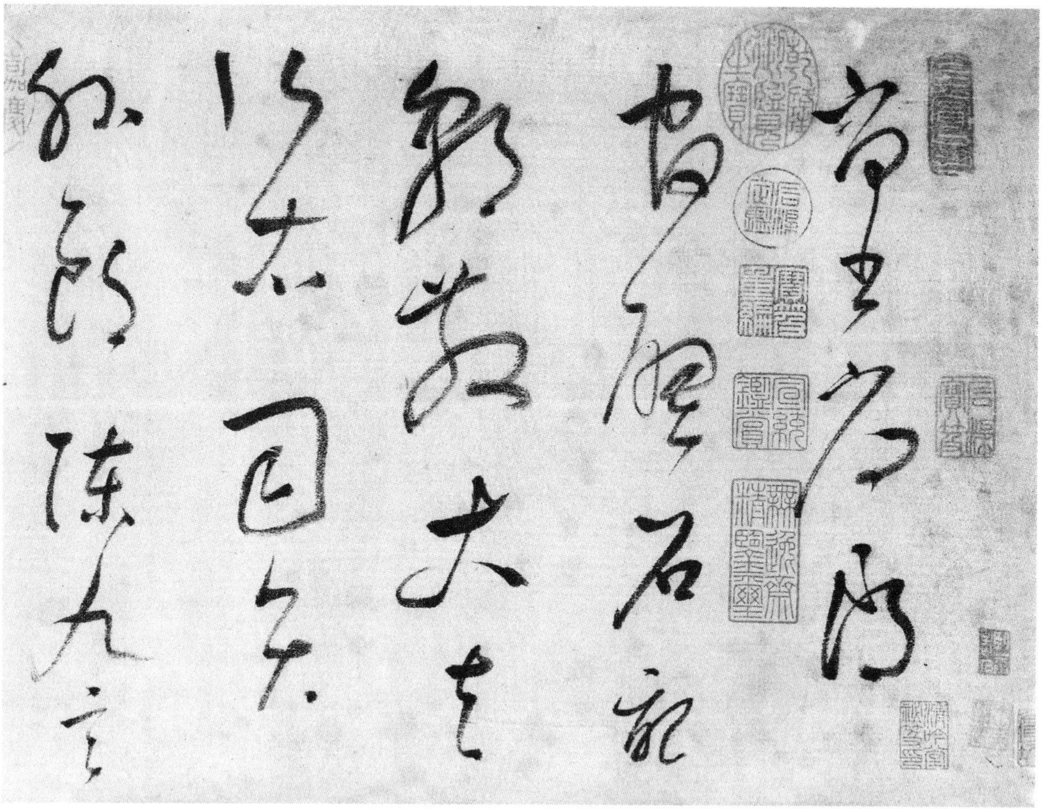

图 1.18 董其昌 《临张旭郎官壁石记》 1622
（左）卷尾 （右）卷首 卷
绫本 26.7×328.3 厘米
美国底特律美术馆
（Founders Society Purchase，Henry Ford II Fund. Photograph (c) 1980 Detroit Institute of Art）

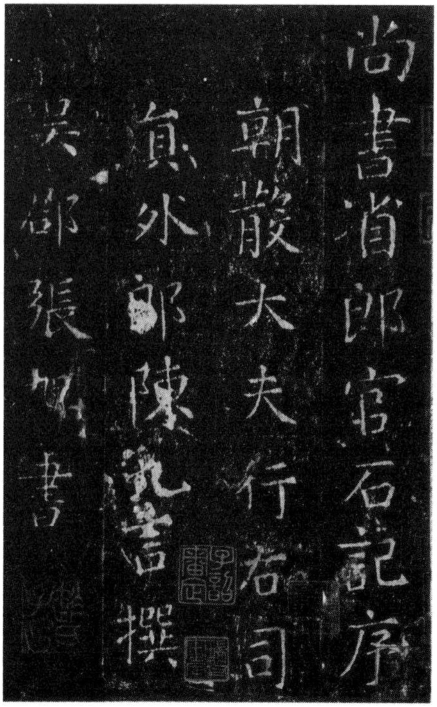

图 1.19 张旭 《郎官壁石记》 741 局部
拓本 册页 纸本 尺寸不详
上海博物馆
引自杨仁恺主编《中国美术全集》
书法篆刻编 3 页 120 图版 53

❸ 此为李慧闻女士在 1994 年 9 月 17 日在常熟举办的中国书法史讨论会上面示笔者。1999 年 6 月 15 日在苏州举办的《兰亭序》国际学术研讨会上，笔者再次就这一问题向李慧闻女士请教。关于董其昌印章的细致讨论，见 Riely（李慧闻）："Tung Ch'i-ch'ang's Seals on Works in *The Century of Tung Ch'i-ch'ang*"。

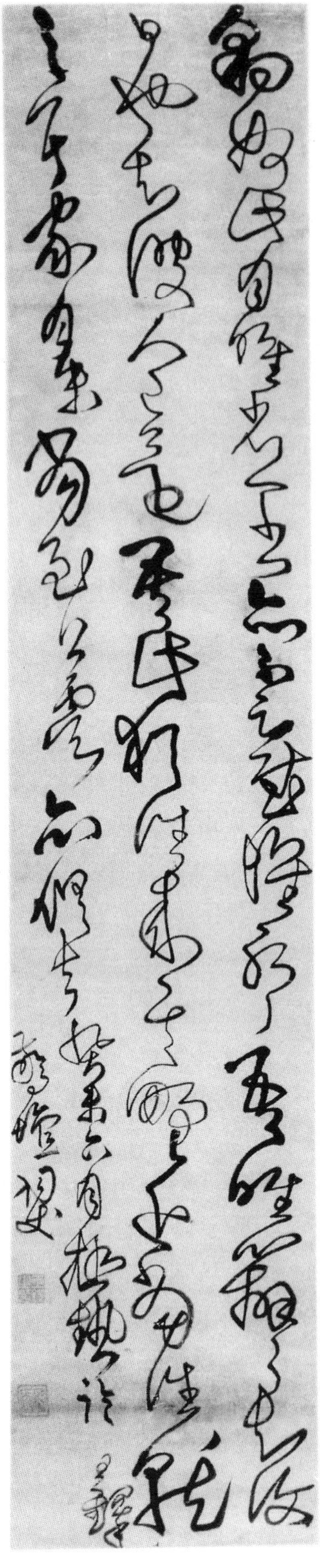

图 1.20 王铎《临二王帖》 1643 轴 绢本 尺寸不详 藏地不明 祁小春提供照片

为何作伪者竟会无知到把历代书家所熟知的一件赫赫楷书名迹临摹成草书？如果底特律的手卷不是伪作，为何董其昌要在题款中使用“临”这个字呢？在董其昌之前，中国书法史上从未如此宽松地使用过这个字。

但只要我们把董其昌所谓的“临”理解为比 17 世纪之前和之后都更为宽泛意义上的“临”，这些表面上看似难解的矛盾便可以化解了。既然董其昌可以在临摹范本时并不严格拘泥其风格形式，他又为何不可以更进一步，使用与范本不同的字体去书写范本的文字，而继续把它称为“临本”或“临”呢？这个假设可由董其昌的其他作品得到印证。在存世的董其昌的作品中，有好几个例子是董其昌以不同于原作的字体去临摹范本，虽然在这些作品中他并没有使用“临”这个词。例如，董其昌就曾用行书来钞录杨凝式的草书作品《神仙起居法》，由于他在题款中写明“杨少师《神仙起居法》，仿《韭花帖》笔意”，所以从来没有人怀疑它是伪作。[1]

在中国书法艺术中，人们把摹、临、仿作为对范本忠实程度不同的“复制”手段。将纸覆盖在原作上进行双钩廓填或摹写，自然是最为忠实的复制；临则通常指对着案上的范本进行模仿，因此临作在字体上也应该和范本的字体一致；而仿虽与临有相通之处，但却有更大的自由度，它可以指用某一范本的笔法书写不同的文本。像上述董其昌以《韭花帖》的笔意来书写杨凝式的草书作品《神仙起居法》即为一例。董其昌还曾使用行楷书去抄录颜真卿的楷书名作《大唐中兴颂》。[2] 因此，底特律手卷的问题就出在那个“临”字上。如果董其昌自称是以怀素笔意仿之，学者们对此将不会存在任何疑问。

因此，我们需要看看晚明其他的书法家怎样使用“临”这个概念。如果我们承认底特律手卷是董其昌的“临”古之作，那么，尽管这种临摹充满创意，但董其昌并未戏剧性地改变原作的文本。然而，晚明“临”的概念到了王铎那里却得到更进一步的拓展。王铎一生临摹了许多古代名作，特别是北宋的《淳化阁法帖》。[3] 有些临本和范本很相似，显示出他仍然承袭传统的临摹观念，将临摹作为学习的手段。[4] 但是王铎其他的临摹，特别是有些巨幅挂轴，常把“临”作为一种创造。高文龙指出，王铎在书写所谓的“临”作时，常会割取数帖，拼凑成新的、难以卒读的“文本”。[5] 王铎于崇祯十六年（1643）六月写给友人的草书立轴，拼凑了王羲之和王献之的作品，颇能说明问题（图 1.20）。其文本为：

> 豹奴此月唯省一书亦不足慰怀耶吾唯辨辨知复日也知彼人已还吾此犹往来其野近当往就之耳家月末当至上虞亦俱去。癸未六月极热临。王铎。惊坛词丈

此轴的起始“豹奴”至“慰怀”十三字取自《淳化阁帖》第十卷王献之《豹奴帖》（图 1.21）。此后的“耶”字为王铎所加。自“吾唯”至“就之耳”二十六字出自《淳化阁帖》第八卷王羲之的《吾唯辨辨帖》（图 1.22），但文本和原文略有出入。“月末”以下出自《淳化阁帖》第八卷王羲之《家月帖》（图 1.23）。此轴乃拼凑二王父子书法而成，但王铎改变了自然顺序，先临王献之，再临王羲之，由于是拼凑，即使每个字都能辨认，全篇的文义依然令人无法理解。而王铎偏偏在款中加了“临”字，而正是这个“临”字说明，这一作品属于我所说的“臆造性临摹”。

王铎这件作品的形式和风格特征，和他声称所临的范本也极不相同。他所“临摹”的作品是三通收在刻帖中的短札，原札的每个字不足方寸，他却写成巨幅挂轴。Dora Ching 指出：“王铎是最早将私人信札转换成为巨幅挂轴的书家之一。这种形制在明代尚属新颖，但以后渐渐普及且广为流行。”[6] 王铎所选上述三个法帖，本身就有不同的风格。王献之的《豹奴帖》为行书，运笔迅捷。王羲之的《吾

[1] 见黄惇编：《中国书法全集》，册 54，《明代：董其昌》，页 8。

[2] 关于董其昌临写颜真卿这一作品的附图，见许礼平编：《董其昌：大唐中兴颂》。

[3] 从王铎留下的文字中，我们可以推测他拥有或曾看过不同版本的《淳化阁法帖》。见刘正成、高文龙编：《中国书法全集》，册 62，《清代编：王铎卷》，页 657-658。上海博物馆所藏三册《淳化阁法帖》曾经为王铎的好友孙承泽（1592-1676）收藏，题签为王铎所书。

[4] 例如，王铎所临王羲之的《兰亭集序》，其风格和范本相当接近。见刘正成、高文龙编：《中国书法全集》，册 62，《清代编：王铎卷》，页 51-53。

[5] 见刘正成、高文龙编：《中国书法全集》，册 62，《清代编：王铎卷》，页 582-647。

[6] Dora Ching, “The Aesthetics of the Unusual and the Strange in Seventeenth-Century Calligraphy,” p. 353. 晚明与董其昌齐名、年长王铎的邢侗（1551-1612），已经把二王的尺牍放大为条屏。见顾廷龙主编：《中国美术全集 书法篆刻编（5）明代书法》，页 145，图版 114。

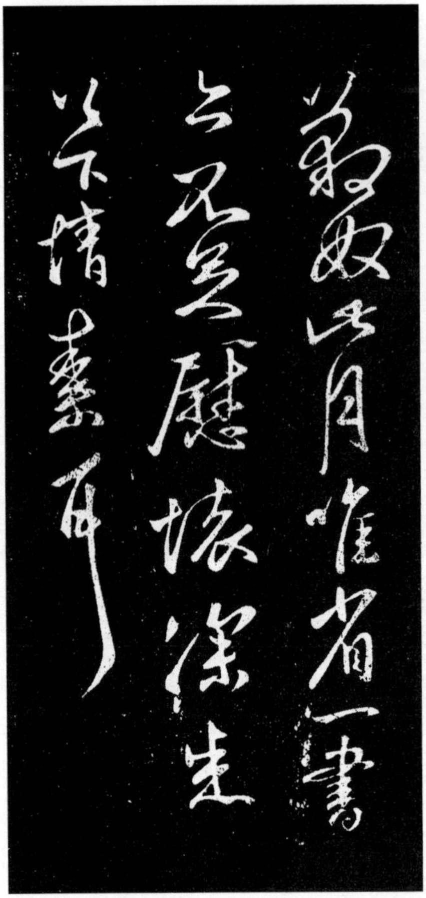

图 1.21 王献之 《豹奴帖》
拓本 册页 纸本
尺寸不详
引自《淳化阁帖》卷 10

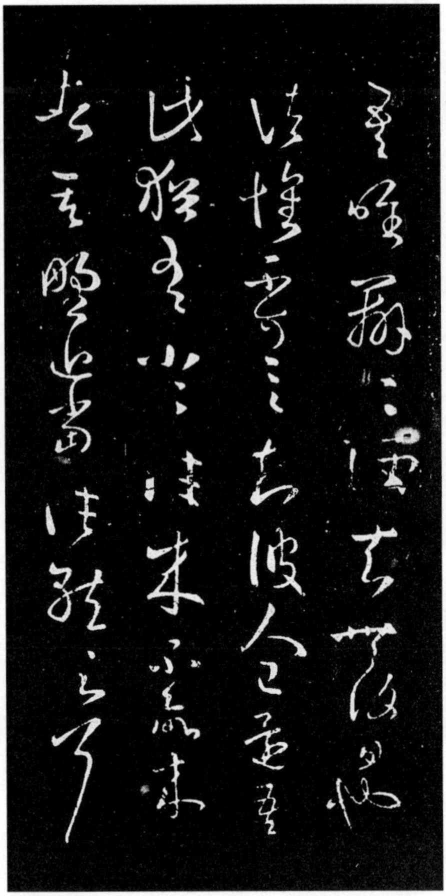

图 1.22 王羲之 《吾唯辨辨帖》
拓本 册页 纸本
尺寸不详
引自《淳化阁帖》 卷 8

图 1.23 王羲之 《家月
拓本 册页 纟
尺寸不详
引自《淳化阁

唯辨辨帖》是小草，字与字间隙清晰，萦带不多，比《豹奴帖》含蓄。王羲之的《家月帖》则在法度中透露出优雅的气质。然而王铎的立轴却全然看不到这些特质。此轴中，字的最后一笔常常连接着下个字的第一笔，字字相属，不断变化的线条穿插回旋，连绵大草将三个法帖组成一个有机的整体。从运笔的速度和字的连绵之势来判断，王铎在书写此轴时，绝不可能是一边翻着法帖一边书写。王铎曾勤奋而又忠实地临摹过不少古代大师的作品，包括收在《淳化阁帖》中的诸多二王尺牍，[1]既然他曾反复地临摹这些尺

[1] 有相当一部分王铎的临作尚存世。见刘正成、高文龙编:《中国书法全集》，册 6，《清代编:王铎卷》，页 51-55、136-140、162-175；册 62，《清代编:王铎卷》，页 409-410、431-432。有兴趣的读者也可参阅书中由高文龙撰写的作品考释。

牍，无疑能记诵整篇或部分文字。当他书写1643年的挂轴时，因为写的是收在《淳化阁法帖》中的几通短札，这几札的文字内容对他来说颇为熟稔，因此当其书写时，一些字句在脑海中跳跃出现，他信笔写下，就成了一件独立的作品。因此，王铎虽在款中明确申明此乃“临”作，但此处所谓的“临”最多不过是背临。虽说王铎在书写前就对所写法帖的“文”和“书”已经了然于胸并多少作了一些构思，他的书法也有机地统一了整个挂轴的风格，但这一挂轴的“文本”却是一个令人难以卒读的杂乱拼凑而已。

然而割取、拼凑古帖而成一件令人难以理解的新作，并非王铎“挪用”古代大师作品的唯一创作方式。王铎有一件作于1641年的行书立轴（图1.24），其文字内容取自米芾对唐代书家欧阳询《度尚帖》、《庾亮帖》所作的跋和赞（图1.25）。这两件作品和米芾的跋赞已收在数种刻帖中，包括王铎的朋友董其昌辑刻的《戏鸿堂法书》，王铎应该很熟悉。米芾的题跋共一百二十六字，详述了欧阳询的这两件作品如何成为他的收藏，并列出收藏家的印章，和他本人简略的评语。题跋之后，米氏又书写了三十二字的铭赞，赞扬欧阳询及其书法，然后以名款收尾。但王铎在书录此文时，随意删削，把原来很完整的文本弄得难以读通。1641年的立轴仅八十一个字，包括米氏题跋、赞语的节录和王铎的题款。这个立轴的前两行共三十一个大字，即《度尚帖》中欧阳询的官职全衔和作品名称，内容

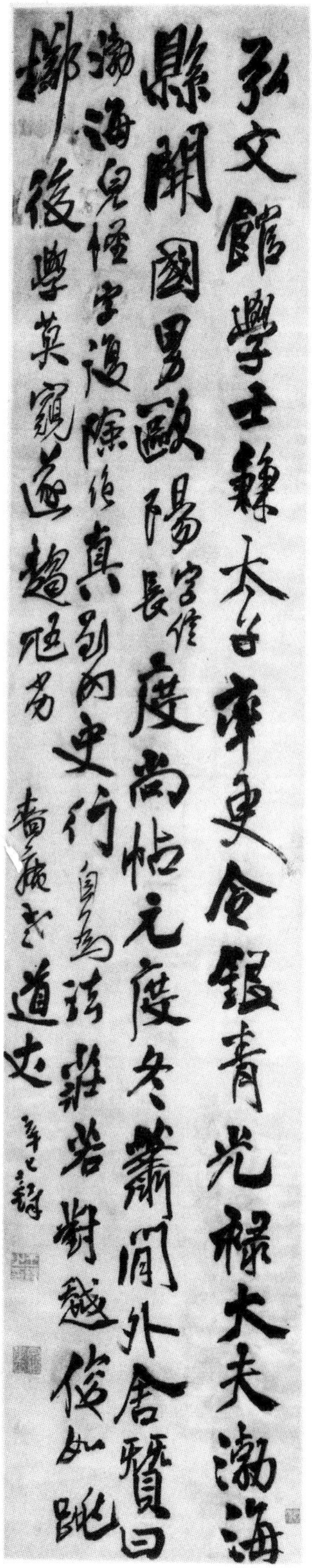

图1.24
王铎《临米芾跋欧阳询书法》
1641　轴　绢本
239×37厘米
Shiao Hua Collection, Virginia

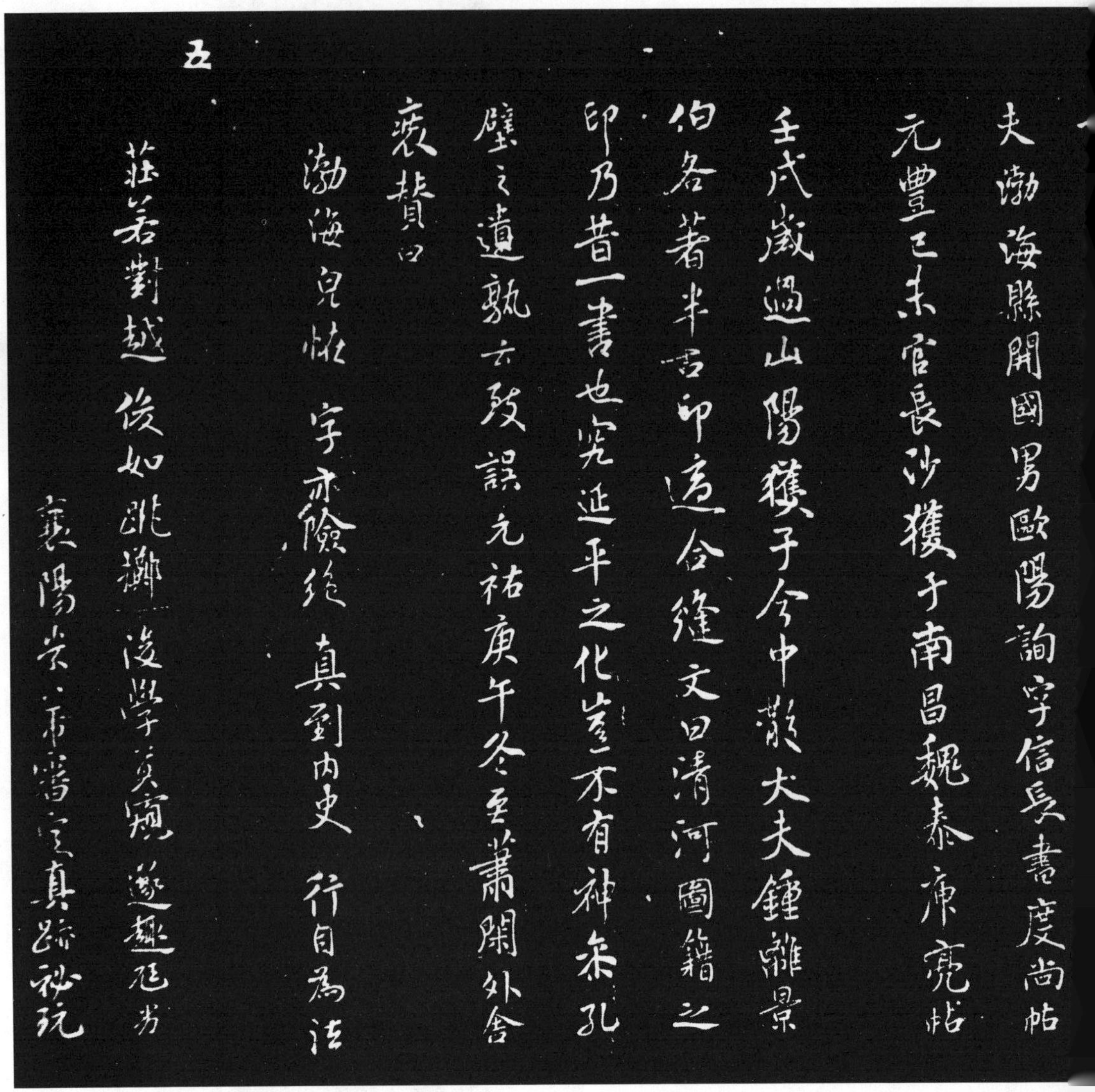

图 1.25 米芾《跋欧阳询度尚庾亮二帖》 1090 局部
拓本 册页 纸本 29.5×15.2 厘米
收录于董其昌编《戏鸿堂法书》卷 5

与米芾的题跋差不多，除了缺少头两个字“右唐”和署款中“欧阳询书”之“询”和“书”二字外，其余皆非常接近米芾题跋的前两行。但是接下来王铎却省略了米氏题跋的大部分，直接跳到最后两行“元度冬萧闲外舍赞曰”。而且他误将“元佑”写成“元度”，令人不知所云。王铎立轴中的第三、第四行为米氏的赞，而非米氏题跋的一部分。因为他省略了米芾的名字，这可能会使不熟悉原文的观赏者认为原作为欧阳询而非米芾所写。此外，在米芾的书作中，题跋和铭赞是以同样大小的字写出，题跋在前，赞在后，并无明显的主次之分。但王铎在此却以大字书写题跋，以小字书写赞，后者看起来就像是附于前者之后的一段跋尾。原作文本之间的关系被改动了，加之题跋部分已被严重删改，令人产生莫名其妙的感觉。

如果把王铎存世的临书作一综合观察，我们会发现这样一个有意思的现象：在许多情况下，王铎手卷、册页上的临作相对来说比较忠于所临范本，尽管文本中常有脱落的情况发生。上述那种混杂性的拼凑大多发生在立轴上（例如上文所讨论的那两件作品）。手卷适合于个人观赏或展示给一些亲密的朋友观看。而那些立轴的尺幅通常很大，小者高一点五米左右，大者近三米，这样的巨幅屏条当是悬挂在厅堂最为显眼的地方，供众人观览。由于书风豪放和文本拼凑带来的戏剧性和荒诞性，其视觉冲击力当能吸引观者的注意。由于没有具体的文字记载，我们已无法确知，当人们面对这样难以卒读、却又气势撼人的作品时，会作何等感想。不过王铎曾在一段跋文中声称自己“恒书古帖不书诗”，[1]由此推测，这种臆造性的临书应颇受时人欢迎，并拥有相当大的观众群。[2]

王铎是崇祯到顺治年间最有才华和最有影响的书法家之一，而且是两朝显宦。当他的这种临书作品被堂而皇之地悬挂在厅堂的中央时，主人不但可以向人们显示他和一位当代大书家之间的关系，或许还可用这难以卒读的书法考考来客。书法在此已不仅仅是对笔墨点画章法的欣赏，它还是一种可以引纳人们参与其中的文字游戏：来访的朋友和客人们在欣赏王铎出色不凡的书法艺术之余，还可以在探索这种“书法拼贴”的范本渊源和解读其文字含义中获得娱乐。凡此种种，都弥漫着晚明的品味：奇。

以上我们对晚明的“臆造性临书”作了描述。上述例证说明，晚明时期“临”的概念在内涵上比这之前和这以后（清初以后）“临”的概念都宽松得多。[3]在这些“临书”中，不仅有古代的法帖经典和“临”书人之间的对话，还有“临”书人通过恣意改造、肢解、拼凑、假托经典所造成的“文字游戏”，操纵着与观书人游戏的主动权。在看似漫不经心、潇洒的“临书”中，出人意料的花样层出不穷。造谜与猜谜成为晚明书法创作和欣赏中一种特有的现象。在这里，创作者以游戏的方式对待古代的法帖和自己的笔墨，通过“临”字把观者引入自己设置的游戏之中，观赏者在面对这样的书作时，不断地追寻文本的渊源，并试图解读拼凑错乱的文字，在错愕、警觉、惊奇中调整自己的注意力，调动自己的知识储备和想象力，整个解读和欣赏过程因此充满了挑战性和刺激性。

无论是董其昌把楷书范本“临”成草书，还是王铎任意割切、拼凑法帖，他们的游戏都有这样一个共同特点，既取资经典又调侃经典，在卖弄经典的同时又戏弄观众。我们不能不说，晚明书坛是一个时时处处搬出经典而经典又处于式微的时代。但是，这绝不是发生在书法领域内的孤立现象，而是那个时代文化征候的缩影。当我们从一个更大的文化背景中去考察晚明的“临摹”现象时，就能感受到经典的尊严在晚明的许多文化领域中已经衰落了。

[1] 见刘正成、高文龙编：《中国书法全集》，册62，《清代编：王铎卷》，页596。

[2] 类似的临书在王铎存世书作中不胜枚举。高文龙曾对王铎的一些臆造性临古之作作过细致的描述（见刘正成、高文龙编：《中国书法全集》，册62，《清代编：王铎卷》，页583-584、629、637）。另一件王铎早期的臆造性临古作品，是其在1627年春季为其友人思玄所作的草书挂轴。这件作品共有五十一个字，拼凑王羲之的三通短札而成。此轴起始的十二字，取自《淳化阁帖》卷七王羲之《参朝帖》。接下来的十一个字是录自王羲之《十七帖》中所收《瞻近帖》。最后的十四个字则选自同样是《淳化阁帖》卷七王羲之的《月末帖》。关于这件书作的图版与讨论，见刘正成、高文龙编：《中国书法全集》，册61，《清代编：王铎卷》，页67；册62，《清代编：王铎卷》，页584。王铎最激进的臆造性临古作品是开封市博物馆所藏1650年临王羲之《敬豫》诸帖挂轴（高240厘米），其短短六十一字的文本（包括年款和名款），竟至少割取了五件王羲之法帖拼凑而成（同上注，册62，页516、637）。

[3] 关于明末清初“臆造性临摹”更为详尽的讨论，见白谦慎：《从八大山人临〈兰亭序〉论明末清初书法中的临书观念》。

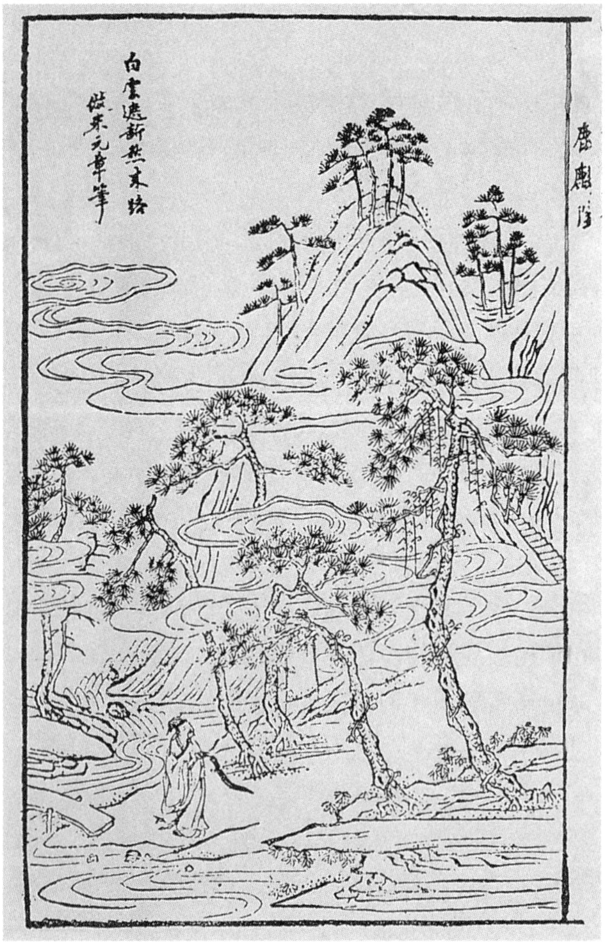

图 1.26 晚明小说《麒麟坠》插图
引自傅惜华编《中国古典文学版画选集》册 1 图版 272

万历年间印行的小说《麒麟坠》中有一幅山水画插图（图 1.26），款中有“仿米元章笔”五字。米芾以书法闻名于世，山水画也很出色。虽说今天并无米芾山水画的真迹存世，但经过古代绘画著录和其他著作的描述，米氏风格仍然为后代艺术家所熟知。而且经由其子米友仁（1074–1151）的存世作品，或许更重要的是经过世代相传的某种图像及其表现手法所形成的传统（姑不论米芾原作的风格特征是否已经消失），画界早已存在着被普遍接受的米家山水风格。在这一风格的山水画中，山峦呈横势，由无数的短点晕染而成的山峰，缭绕着云雾之气（图 1.27）。然而，《麒麟坠》中的山水画插图和人们通常接受的米家山水的基本图式毫不相类，而刻书人依然称其为“仿米元章笔”。[1]这个例子显示，晚明视觉艺术在诠释古代经典风格时，不但是自由的，甚至是恣意的。

《麒麟坠》中的山水画插图还把我们的注意力引向晚明印刷业在上述自由挪用古代经典的文化氛围中所扮演的角色。虽然书法与印刷文字非常不同，但两者都以文字为基本媒介，且和阅读相关。因此，晚明书法是否受到当时印刷文化的影响，颇值得探究。其实，晚明经典尊严的衰落首先发生在书籍出版领域。明末清初大儒顾炎武（1612–1682）曾这样痛斥晚明人妄改古书的风气：

> 万历间，人多好改窜古书。人心之邪，风气之变，自此而始。[2]

晚明书法中的“临摹”和当时印刷文化中一些制作和复制的模式颇相类似。当印刷出版业在晚明蓬勃发展之际，新的阅读群也随之出现。出版业采取了多种多样的方式来使用旧的文本（经常表现

[1]《麒麟坠》插图中山上有白云缭绕，题句云：“白云遮断愁来路。”这大概是作者声称“仿米元章笔”的缘由。但这种画云山的方法和人们通常理解的米家山水是很不同的。

[2] 顾炎武著、黄汝成集释、秦克诚点校：《日知录集释》，页672。

为对古代文本擅自剪裁删改)。一些古代经典作品经过剪裁后，常与当时流行的通俗文本混在一起，编成满足市场需求的新书籍。有时无名氏的作品被冠以古代或当代文化人物的大名，以增加其销售量。[3] 晚明人在刻书时擅加窜改的例子不胜枚举。如董其昌的好友、文坛领袖陈继儒(1558-1639)在他所刻《宝颜堂秘籍》丛书中，对所收书籍任意删节。董其昌在刻《戏鸿堂法书》时，也将古人的作品硬行拼凑。[4] 更有甚者，在这一时期出版的通俗读物中，我们常可看到套用前代经典的标题，而彻底地篡改其内容的现象，传统经典的标题剩下的不过是一个空壳而已。刊行于晚明的小说集《欢喜冤家》中有一段故事颇可和上述的“临书”媲美。在第九章中有一段讲述主角二官如何通过改写古代《千字文》文本来勾引他的嫂嫂：

……二官道：“原来嫂嫂记得《千字文》的。我如今没有功夫，今晚空了，把《千字文》颠倒错乱了，做出一个笑话儿来与嫂嫂看。”……果然到晚上，二官把《千字文》一想，写

[3] 郑振铎在讨论晚明的出版文化时指出，晚明的许多出版商常宣称其出版的书是根据珍版古籍翻刻，然而他们宣称的这些古代版本往往早已散佚不传(《西谛书话》，上册，页217)。

[4] 见启功：《从〈戏鸿堂帖〉看董其昌对法书的鉴定》，载《朵云》编辑部编：《董其昌研究论集》，页624-631。

图 1.27 陈淳(1484–1544)
《仿米氏云山图》 1540
局部 卷 纸本 水墨
37×881厘米
台北石头书屋

在纸上，有一百三十四句。〔以下为二官所做《千字文》，略〕……次早，二官叫道："嫂嫂，昨日《千字文》写完了，请嫂嫂看一看，笑笑儿耍子。"[1]

《千字文》原文本有二百五十句，一句四字共一千字。二官从中取出一百三十四句，打乱原有的秩序，在每句的前面加三字，按照自己的思路编成了一个带有色情内容的顺口溜。如《千字文》原文中的第一句为"天地玄黄"，被二官加了"同到老"三字，改成"同到老天地玄黄"，并放在其顺口溜的结尾，暗示他期望能和嫂嫂做一对天长地久的情人。有趣的是，二官不仅仅把古代的名篇机智地删改成勾引嫂嫂的顺口溜，而且他仍称之为《千字文》，尽管他的顺口溜和《千字文》原文在内容上大相径庭，字数也仅有九百三十八字。这种对知名作品的"戏拟"，无疑增加了小说的戏剧性，用二官的话来说，这是"笑笑儿耍子"。

虽然《千字文》不像《礼记》、《论语》等著作那样具有正统儒家经典的地位，但它对中国社会产生的影响不应忽视。明清之际，《千字文》和《三字经》、《百家姓》一样，是最流行的启蒙读物。[2]其内容涉及自然、社会、文化诸多方面，并充满着道德训诫的意味，所以堪称一种不同于四书五经的字书"经典"，历代的著名书法家（如宋徽宗、赵孟頫、文徵明等）都有书录《千字文》的书法作品传世。而这一具有说教意味的启蒙读物在二官的篡改下，不但面目全非，而且原有的教化功能也丧失殆尽。把经典作品改造成顺口溜以达到娱乐效果，这个现象反映出晚明人对待古代经典的态度发生了重大变化。

类似的例子在晚明的小说中很多。例如，晚明流行的短篇小说集《警世通言》中，超脱玄远的庄子（公元前 369- 前 286）竟被描写成一位追逐名利和肉欲的凡夫俗子。[3]当时玩弄经典最极端的例子，便是把儒家经典四书五经中的言词改成饮酒时行的酒令或打情骂俏的打油诗，甚至赤裸裸地描述男女性交过程的黄色笑话，正统经典的内容全然被改造成低级的搞笑娱乐。[4]

删削古书、拿古代经典开玩笑，在当时翕然成风，以至晚明流行的短篇小说集《拍案惊奇》的作者凌濛初（1580-1644）在其序中

[1]《欢喜冤家》，页 378-386。商伟兄首先建议笔者注意晚明文学中存在的"戏拟"现象，并提供了《欢喜冤家》中的这一材料。

[2] 关于《三字经》等启蒙读物在明清教育中的作用的讨论，见 Rawski，"Economic and Social Foundations of Late Imperial China," pp. 29-31。

[3] 冯梦龙编：《警世通言》，卷 2。

[4] 关于古代经典的章句是如何被编成饮酒时所行酒令或淫秽笑话的实例，见以下晚明刊行的戏曲集：《大明春》、《尧天乐》、《玉谷新簧》，收录于王秋桂编：《善本戏曲丛刊》，第 1 辑。关于此现象的讨论，见 Shang Wei（商伟）："*Jin Ping Mei and Late Ming Print Culture*"。

这样写道：

> 近世承平日久，民佚志淫。一二轻薄恶少，初学拈笔，便思污蔑世界，广摭诬造，非荒诞不足信，则亵秽不忍闻，得罪名教，种业来生，莫此为甚。而且纸为之贵，无翼飞，不胫走。[5]

凌濛初生动地指出，“污蔑世界，广摭诬造”，把玩弄和诋毁古代经典作为一种获得名声的方式，是当时普遍存在的文化现象。这一切都说明，晚明时代，古代经典的权威性不仅为人们所怀疑，甚至受到亵渎和挑战。

晚明的印刷业也曾大量出版儒家经典以及《千字文》那样带有儒家道德内容的作品，这使得许多学者相信，日渐蓬勃的印刷文化使儒家思想广泛地深入社会各阶层，强化了儒家思想在这一时期的统治地位。[6]但这一观点忽略了印刷业发展的另一侧面，即印刷技术虽可以大量出版古代经典，但量的增加反而可能引起人们对唾手可得的经典失去往日的敬重。上述对古代经典擅加篡改歪曲的例子说明，古代经典的光环正逐渐销蚀，戏拟经典在晚明十分流行，诚如凌濛初所说，这种文化游戏是“无翼飞，不胫走”，成为当时文化风气的一道奇特景观。书法领域中的“臆造性临摹”正是这一风气下的产物。

有人可能会提出这样一个问题：一般说来，书法是中国传统文化精英的艺术，而上述属于晚明通俗文化的一些现象，是否能用来比类文化精英书法中的臆造性临书？答案是肯定的。在晚明，上层精英文化和通俗文化之间的互动十分活跃，两者之间的界限有时相当模糊。何惠鉴和何晓嘉在一篇讨论董其昌的文章中指出：“董其昌是一位鲜为人知的元剧、散曲及明代白话小说的收藏家。近年的研究发现，他极有可能还是小说巨著《金瓶梅》的最早发现者。他的早年好友当中有几位是俗文学的领袖人物，其中包括汤显祖（1550–1616）和梁辰鱼（约1520–约1580）。董其昌一度曾拥有迄今所知最为重要、收集最广的元代戏曲集，即首由赵琦美（1568–1624）结集、今藏北京图书馆的《也是园古今杂剧》，加上他向晚明知识界如公安三袁介绍小说《金瓶梅》所起的文化媒介作用，单是这些贡献就足以使他在中国文学史上占有荣耀的一席之地。所以他既是美术中文

[5] 凌濛初：《拍案惊奇》，页1。

[6] Johnson et al., eds. *Popular Culture in Late Imperial China*, pp. 28–33, 46–48.

人趣味无可争议的仲裁者，同时也是文学中通俗趣味之默不作声的旗手，这亦表明他对 17 世纪雅、俗这两个传统的由分而合具有独到的锐识和洞察。”[1]

本节所论文化精英们的臆造性临书，固然不能和晚明市民文化中对古代经典玩世不恭的调侃和肆无忌惮的歪曲完全等量齐观，但书法家如此随心所欲地割裂取舍、拼凑窜改历代奉为书学经典的古代法帖，和上述风气不无关系。

除了对古代经典态度的转变，Harold Bloom 所称的“影响的焦虑”（anxiety of influence）对“臆造性临摹”的兴起也有一定程度的影响。[2]蒲安迪（Andrew Plaks）在讨论晚明小说时指出：“这个时期具有高度自觉意识的艺术家，面对文化遗产时，都会因如何为自己在历史上定位而感到强烈的压力，因为这些文化遗产对任何个人或真正的大师来说，都已是过于庞大。”[3]晚明的书法家面临相同的问题：传统既是他们汲取灵感的丰富遗产，也是焦虑的来源。在董其昌的一些论述中，我们可以感到一种既想忠于传统、又亟需创造发明的焦虑。董其昌一生致力于研究古代大师的作品，但他又提出，一个杰出的书家应该和古代的大师拉开距离。

当对宣扬自我的追求超过了对继承传统的重视，在这样的时代，一个胸怀大志的艺术家在仰慕前人风范时，也会感到焦虑。和董其昌一样在艺术上雄心勃勃的王铎，同样对活在古代大师阴影之下而感到焦虑。王铎在 1646 年所书的一个草书手卷的跋文中，自负而又不平地写道：“吾学书之四十年，颇有所从来，必有深于爱吾书者。不知者则谓为高闲、张旭、怀素野道，吾不服！不服！不服！”[4]从王铎铿锵有力、再三疾呼的“不服”中，我们听到了焦虑的声音。[5]在此，王铎断然拒绝的不只是世人对其书法“不公允”的评断，还在于拒绝被视为唐代三位草书大师的追随者。结合着“颇有所从来，必有深于爱吾书者”这句自负的话来看，王铎隐含着他对自己书法的评价：遥接东晋书法的巨大成就，仿佛唐朝李阳冰所谓“李斯之后，直接小生”。虽然王铎从未挑战王羲之和王献之的权威地位，且声称他的书法源于二王，[6]但他对二王法书的割裂和拼凑，已经改变

❶ 何惠鉴、何晓嘉：《董其昌对历史和艺术的超越》，载《朵云》编辑部编：《董其昌研究文集》，页 267-268。此处译文略有改动。

❷ Bloom, *The Anxiety of Influence*.

❸ Plaks, *The Four Masterworks of the Ming Novel*, pp. 50-51.

❹ 这件手卷现藏于上海博物馆。其题款著录于刘正成、高文龙编，《中国书法全集》，册 62，《清代编：王铎卷》，页 649。

❺ 王铎的不少书作都反映出这种焦虑。见上注书，页 649-650。王铎对高闲、张旭、怀素的批评，或受到米芾的影响。米芾《论书帖》（又称《张颠帖》）云：“草书若不入晋人格，聊徒成下品。张颠俗子，变乱古法，惊诸凡夫，自有识者。怀素少加平淡，稍到天成，而时代压之，不能高古。高闲而下，但可悬之酒肆。䛒光尤可憎恶也！”王铎行草受米芾影响至巨，而且《论书帖》又刻入《停云馆帖》，王铎应该了解米芾对唐代草书的评论。

❻ 在《为太峰题羲之像》这首诗中，王铎声称他从年轻时即极为景仰王羲之及其书法。见王铎：《拟山园选集（诗集）》，“五古”，卷 6，页 4-5。又见刘正成、高文龙合编：《中国书法全集》，册 62，《清代编：王铎卷》，页 660。

了（如果不是“颠覆”了的话）他与所“临”经典之间的关系，从而显示了自己可以自由地改造古代大师作品的能力，他本人才是创造力的真正源泉。

总而言之，晚明书法家虽然继续尊崇古代大师的成就，但他们不再把古代大师视为必须以敬畏之心来对待的偶像，也不必亦步亦趋地追随。尽管临摹古代大师作品依然是学习书法的门径，但是晚明书法家也在对古代大师的“戏拟”中寻求愉悦。古代经典的绝对权威和约束力衰微了。

经典权威的式微带来两个结果：第一，书法家开始在更大的程度上偏离自古以来为书家所信奉的经典。他们不甘被动地接受伟大而且深厚的传统，而是更为积极地去从事创造性的诠释。第二，古代名家经典的衰微还意味着，书法家的创作不再拘泥于经典，还可能对以二王为中心的名家谱系以外的书法资源予以关注。正如我们在下面的章节中将会看到的那样，出自古代无名氏之手的金石文字，终于在清初成为书法艺术革新的重要资源。

文人篆刻对书法的影响

文人篆刻的兴起

在徐世溥的名单中，除了董其昌之外，另两位文人艺术家是赵宧光和何震，他们的名字与篆刻艺术紧密相连，而篆刻在万历年间成为一项重要的文人艺术。徐世溥把“何氏之刻印”置于所列文化成就之末，大概部分原因是由于何震并非出身精英阶层。无论如何，在中国艺术史上，篆刻被置于重要的文化艺术成就之列，是首见于徐世溥的名单。多少个世纪以来，书法和绘画早已成为文人生活不可或缺的部分，篆刻直到晚明才真正成为一种兴盛的文人艺术。而文人篆刻的兴盛对书法造成了至关紧要的冲击。

赵宧光是苏州人。在当时的文化界，苏州文人一直操持着艺坛月旦评的大权，对引导文化潮流和趣味扮演着重要的角色。赵宧光在苏州寒山过着隐居的生活，生前就已经成为文化界传奇式的人物。他的园林、服装、举止、谈吐，都为同代人所仰慕。[1]赵宧光的《说文长笺》刊于崇祯年间，是晚明最重要的文字学著作。作为一位著名的古文字学家和书法家，赵宧光将书写草书的方法应用到篆书上，创造了“草篆”。（图1.28）这种书法在历史上并无先例，完全由赵宧光师心自造。而草篆的发明亦展示了晚明书法发展的两条重要脉络。一方面，把草书的方法施于篆书这种日常书写中较少使用的字体，反映了人们对书写古体字逐渐增长的兴趣，并以此作为标新立异的资源（在清初，对古

❶ 赵宧光园林的雅致，可从胡应嘉所撰《寒山记》窥见一斑。载刘大杰编：《明人小品集》，页129-130。

❷ 关于赵宧光书法的讨论，见Shen C. Y. Fu et al., *Traces of the Brush*, pp. 51-52、248-249。

❸ 关于赵宧光和朱简的篆刻，见方去疾编：《明清篆刻流派印》，页18、23-25。

❹ 有些学者认为文人篆刻早在北宋就已开始，米芾就曾参与篆刻。见沙孟海：《沙孟海论书丛稿》，页188。近年来，孙向群、莫武等的研究指出，在宋元之际，篆刻在文人中已经颇成风气。见莫武：《元代印人的篆印、篆刻实践》；孙向群：《宋、元文人篆刻史研究二题》。即便如此，我们大概依然能说，晚明是文人篆刻全面展开的兴盛时期。

❺《沙孟海论书丛稿》，页189。也见黄惇：《中国古代印论史》，页28-32。

❻ 孙慰祖：《孙慰祖论印文稿》，页183-187。

❼ 我们从比文彭稍晚的徽州儒商方用彬（方本人也治印）的友人写给他的信札中可以看出，当时人还常提到铜印。如果这里的“铜章”指的是印材而非汉印风格的印章的话，那么在万历年间，铜印还是很流行的。见陈智超：《美国哈佛大学哈佛燕京图书馆藏明代徽州方氏亲友手札七百通考释》。

❽ Watt（屈志仁），“The Literati Environment,” p. 11.

体字的兴趣更转变成为学者对古代名物制度的探究)。另一方面，这种将草书技法运用于篆书的史无前例之举，亦反映了晚明书法家打破了字体的界限，不循常规来追求艺术上的革新。晚明的艺术家们，常以不寻常的形式和观念对以往的书法资源进行富于想象力的使用，标新立异的草篆就是一个典范。[2]

赵宧光本人也是一位篆刻家和重要的篆刻评论家，他与晚明继何震之后最有成就的篆刻家朱简（字修能，卒于1624年）颇有交往，并对后者影响至深。[3]

赵宧光的家乡苏州是晚明文人篆刻的发源地，著名吴派书画家文徵明的儿子文彭(1498–1573)向来被视为明代文人篆刻之父。[4]文彭对文人篆刻的主要贡献是重新引入石章，这种印材因易于篆刻，使得更多的文人能够直接参与治印。以石治印当然可以追溯到更早的时代。根据文献记载，元代画家王冕（约活动于1359年前后）就曾用花乳石刻印。[5] 晚近的考古发掘也证明，早在文彭之前，就已有人用石材刻印。[6]然而，直到文彭在南京发现大量石材，并开始把它们用于刻印以前，石章似乎并不普遍。[7]确立以石为篆刻的主要印材，在中国篆刻史上是一大变革，正如屈志仁所指出："以石治印是促进篆刻作为一种新的艺术形式诞生（或更确切地说，把篆刻从古代工匠的专擅转变为文人艺术表现的形式)的必要条件。"[8]从此，石章迅速取代金、银、玉、象牙等而成为最为常用的印材。

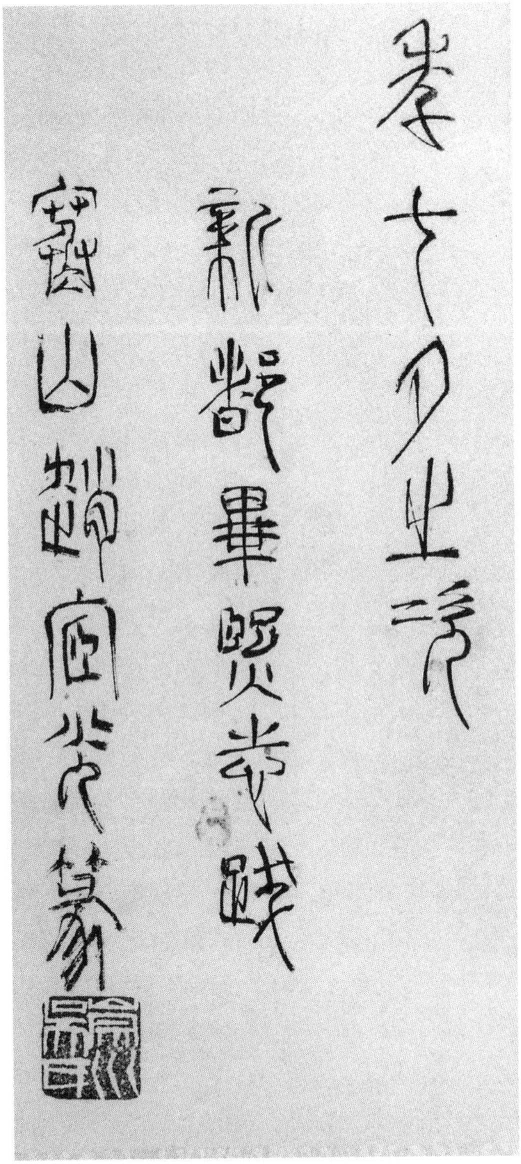

图 1.28 赵宧光 《跋张即之金刚经》 1620 局部
册页(全一百二十八开，题跋五十四开) 纸本
每开 29.1×13.4 厘米 美国普林斯顿大学美术馆
(Art Museum, Princeton University, Bequest of John B. Elliott, Class of 1951, Photograph by Bruce M. White, 1998–52)

根据万历年间的记载，当时迅速扩展的印章市场造成一些印石的价格比玉还高昂。晚明篆刻批评家沈野在谈及最为文人珍视的灯光冻时即说：“灯光之价，直凌玉上，色泽温润，真是可爱。”[1]灯光石产地在浙江青田，万历年间，此地所产印石最得篆刻家青睐。稍后，福建寿山石成为可与青田石媲美的石料。许多晚明、清初的学者和艺术家皆极力赞扬来自浙江青田和福建寿山的印石之美，清初诗人王士禛（1634–1711）有如下记载：

> 印章旧尚青田石，以灯光为贵。三十年来闽寿山石出，质温栗，宜镌刻，而五色相映，光彩四射，红如靺鞨，黄如蒸栗，白如珂雪，时竞尚之，价与灯光石相埒。[2]

对印石的眷爱，也和一千多年来文人蓄石和赏石的传统相接。而蓄石、画石、刊印石谱，也成一种风气。[3]珍奇之石本身也成为令人赞美、具有文化象征意义的物品。[4]

在可人的石章上刻下隽永的诗句、警句格言和高雅的别号斋名，加之边款、印钮和人物、山水、花鸟薄意，石章使文人篆刻成为一种可将书法、文学、绘画、雕刻等融为一体的袖珍艺术。印章能够在文人中广为流传，还在于印章具有以下几种物质特征。首先，石章比纸绢之质的书法绘画更坚固，更耐久，更便于收藏。其次，印石体积很小，通常在方寸之间，容易携带，可以反复把玩。用手摩挲，可以感受温润之质；用眼观赏，可以欣赏光莹之泽。晚明人谈论印章时，即喜用“玩”、“潜玩”、“把玩”这样的词汇。[5]再次，治印时左手握石，右手持刀，手和物保持亲密无间的接触，在石章上运刀，或冲或切，崩裂声中，石花应刀而出，让中国文人尝到了亲手制作玩物的愉悦。万历年间的画家、篆刻家李流芳（1575–1629）曾经回忆年少时与友人酒后治印的生动情景：

> 余少年游戏此道，偕吾休友人相摹仿，往往相对，酒阑茶罢，刀笔之声，札札不已，或得意叫啸，互相标目，前无古人。[6]

晚明文人对物品制作的兴趣日益浓厚，沈野更把文人操刀治印和六朝嵇康（224–263）之好锻、阮孚（活跃于317–329）之

[1] 沈野：《印谈》，收录于韩天衡编：《历代印学论文选》，上册，页64。

[2] 王士禛：《香祖笔记》，页230。

[3] 如高官、书法家米万钟之好蓄石，吴彬之好画奇山怪石，林有麟之刊刻《素园石谱》。

[4] 关于中国艺术与文学中石头的讨论，见 John Hay, *Kernels of Energy, Bones of Earth*，以及 Zeitlin, *Historian of the Strange*, pp. 74–88。

[5] 沈野：《印谈》，收录于韩天衡编：《历代印学论文选》，上册，页64–65。

[6] 见李流芳为其友人汪关的印谱《宝印斋印式》所撰序言。收录于韩天衡编：《历代印学论文选》，下册，页464。李流芳为董其昌和赵宧光的友人。

好蜡屐相提并论，[7]强调寄兴于物品制作过程的快乐。在晚明的工艺对象中，印章似乎还起着一个十分特殊的作用。曾蓝莹曾在一篇书评中指出，晚明一些文玩，如玉雕与制墨，尤其是陆子刚所雕的玉牌，方于鲁及程君房所制的墨，都尝试着在不同材质的平面上，表现清雅的书画趣味。她以为，文人的刻印艺术或有可能扮演了火车头的角色，带动工艺界发展书画式的文人品味。[8]除了玉雕和制墨，晚明的刻竹和陶艺也极具文人意趣。时大彬及其他一些陶工所制紫砂茶壶壶底的铭文、用印都极其精致，是否出自时氏等陶工之手，不得而知。即使不是陶工所为，也至少说明当时文人和陶艺家之间的合作关系。而文人篆刻家李流芳也擅长刻竹。在晚明杭州文人张岱（1597–1680？）的笔下，当时苏州工匠制作的种种工艺品是如此精巧雅致。[9]难怪徐世溥在评价万历年间的文化艺术时，直把何震的刻印、陆子刚的玉器、时大彬的陶艺、顾氏的冶金、方于鲁和程君房的制墨，和董其昌的书画，徐光启、利玛窦的历算之学，汤显祖的词曲相提并论，作为当时文化艺术的杰出成就。石章、玉器、陶壶、墨都是三维立体的物品，它们有一个共同点——把玩性。于是，印章就把中国传统文人喜欢蓄石、品石的传统与文学（印文、边款）、书法（篆书）的创作以及篆刻紧密结合，成为一种能反映晚明文人理念的艺术。文人们沉溺于篆刻时，也获得了一个心灵的憩息之处。[10]

值晚明文人篆刻兴起之际，收藏古印之风也日益炽盛。古代印章以金、银、铜、玉和玛瑙等材料制成，型制多种多样，晚明文人视为珍贵的收藏品（图 1.29）。陕西华阴的收藏家王弘撰（1622–1702）在回忆他的老师郭宗昌（卒于 1652 年）向他展示所藏古印的场面时曾这样写道：

> 郭征君好收藏古印，积五十余年，共得一千三百方。有玉印、银印各数十方。文皆古健朴雅，非近日临摹者所能及……每出示之，绿红如锦，龟驼成群，亦奇观也。[11]

郭宗昌是晚明研究金石学的知名学者，他收藏古印的热情和他研究金石学的兴趣有关，也是为了向士林展示他何以“夙称博雅名

[7] 沈野：《印谈》，收录于韩天衡编：《历代印学论文选》，上册，页 63。

[8] 见曾蓝莹撰评李铸晋、屈志仁编：《中国书斋：晚明文人的艺术生活》的书评，载《九州学刊》，4 卷 3 期（1991 年 10 月），页 119–120。

[9] 张岱：《陶庵梦忆　西湖梦寻》，页 37。

[10] 晚明文人喜欢谈论“癖”。Judith Zeitlin 审慎地研究了关于明末清初对怪异和不寻常之物的癖好，并将其视为一种历史现象。她指出，在那个时期，“癖变成文人士绅不可或缺之物”（见 Zeitlin, *Historian of the Strange*, p. 69），正所谓“人无一癖，不可与交”（参见张岱：《五异人传》，载《张岱诗文集》，页 267）。

[11] 王弘撰：《山志》，页 81。郭宗昌曾辑《松谈阁印史》五卷（成书于 1615 年）。此印谱以原印钤拓的古玺印谱著名于晚明，每方印蜕下有郭宗昌的考订文字。

图 1.29 龟形钮官印　六朝　青铜鎏金　高 5.2 厘米　Dr. Paul Singer 旧藏　引自 Kuo, *Word as Image*, p. 65

流”的。[1]在上下文化互动异常频繁的晚明时期，嗜古已从一种个人喜好的高雅的文化活动，转变成为维持精英阶层之社会“区隔”（distinction）的不可或缺的消费模式。所谓“人无一癖,不可与交”，如果一个文人是古物癖好者，他将更容易为他的文化阶层所认可、称颂。[2]

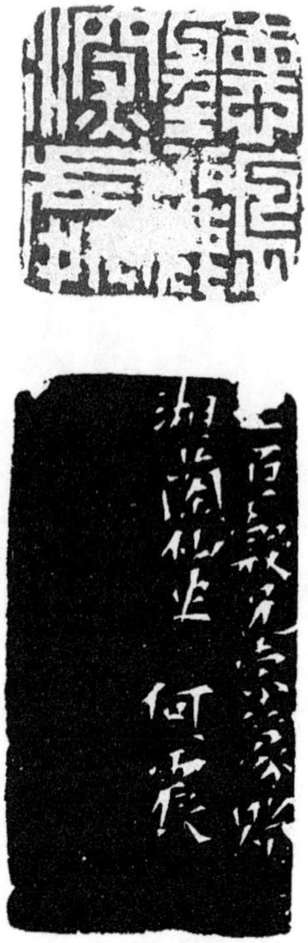

图 1.30 何震 “听鹂深处”印及边款 引自方去疾编《明清篆刻流派印谱》，页 5

明代文人篆刻之父文彭在万历初年去世，而他的朋友兼弟子何震却将治印推进到一个新的层次。何震充分利用石章的质地，以一种更加自然流畅的刀法治印，由这种刀法造成的残破，为何震的印章增添了朴拙的古意。这种刀法留下的痕迹还足以使观者追溯其运刀过程，并由此评判和欣赏篆刻家高超的技艺。何震还用单刀来刻边款（图 1.30），用刀尖来追仿毛笔笔锋的效果，使边款风格更有书法的书写意趣。

文人篆刻在万历年间的另一个重要发展，是篆刻家个人印谱的编纂与出版开始形成风气。印谱的出现虽可追溯到唐代，[3]但晚明以前出版的印谱主要是集古印谱。在宋代，由于古器物学的发展，始于唐代的收集古印的谱录有了长足的发展，形成了集古印谱的传统，著名者有宋徽宗时的《宣和印谱》。此时，款印、斋馆阁印、道号印、成语印和闲章也发展起来。宋、元、明以降，集古印而成谱者，代不乏人。而编纂汇集篆刻家个人作品的印谱成为一种风气却在晚明。[4]晚明篆刻家使用印谱来保存与传播自己的艺术，这在文人篆刻史上具有重要意义。印章体积小，虽有把玩性，但在卷轴书画上钤盖印章时，由于印面面积要远远小于书画，即使是用于引首的词语印，也不可能占据主要的地位。而且它们被当作书画家或收藏家的印记来看待，人们关心的是印章的主人而非印章的作者。尽管许多文人书画家会对印章的艺术水准十分在意，延请篆刻高手来为自己治印，但书画家在自己的书画作品上并不会标明他用的印是谁刻的。书画家可以通过署名、钤打私印（名号印）来确认自己对一件书法或绘画的著作权，收藏家也可以通过自己的收藏印、自己或他人的题签与题跋来显示自己对一件艺术品的所有权。惟独篆刻家做不到这一点。令每一位篆刻家感到遗憾的是，他在自己的作品上署名时，是

[1] 引王朝麟序郭宗昌辑《松谈阁印史》语。见韩天衡编：《历代印学论文选》，下册，页 458。

[2] Clunas, *Superfluous Things*, p. 108.

[3] 关于印谱的简史，见黄惇：《中国古代印论史》，页 3-11；以及韩天衡：《九百年印谱考略》，收录于韩天衡编：《天衡印谭》，页 80-98。

把名字刻在印石的侧面，为边款的一部分。但当他为书画家和收藏家刻治的印章钤在书画上时，这些书画家和收藏家并不会在所钤的印章旁标明刻印的作者。篆刻家的作品随着他人的作品流通，却无法在钤有自己所刻印章的书画上来申述自己对印章的著作权。篆刻家成了“无名氏”,在自己的作品后面隐而不显。当然,一方印刻得好，使用它的书画家即可告诉他的朋友是谁刻就了这方印。在没有个人印谱前，人们也可以用散叶的印蜕来传播一位篆刻家的作品。但这样传播的范围和速度会很有限，而且在散叶上很难有其他文人的品评。因此，篆刻家必须借助谱录这一书籍的形式明确自己的著作权，并获得发表权。

编纂和出版篆刻家个人印谱成为风气后，篆刻的地位发生了重要变化。有了印谱，印章真正确立了自己的独立地位，可以不依赖书画的流通而传播。印谱一旦编成，它的谱名也就记载了作者的姓氏或名字，如《修能印谱》(朱简的印谱，修能为其字)、《何雪渔印选》(何震的印谱)、《胡氏印存》(胡正言的印谱)，篆刻家的著作权一目了然。借着印谱，篆刻家可以把小小的印蜕汇集起来，使之真正成为可以容纳万千气象的“方寸世界”。而私人篆刻印谱也有助于大众确认篆刻者的个人风格。以出版家和篆刻家胡正言的《胡氏印存》为例，这一印谱收录了不少胡正言为当代艺术家刻的名章。这些印

❹ 孙向群在新近发表的《宋、元文人篆刻史研究二题》一文中，以元代初年谢有源的裱成手卷的印蜕(《有源图书卷》)为例，论证“至少在元代早期，文人篆刻家就已经有了汇集自己作品的印谱”(页73)。但是，黄惇在《明代印人方用彬及同时代印人研究》一文中写道：“由于万历后期之前，尚无印人自己创作的印谱问世，所以关于此前明代印人的生平、事迹、印章风格、印章作品，今人所知甚少。”(页284)孙向群和黄惇在印谱上的不同看法，应部分地源于怎样定义印谱以及晚明流行的是什么样的印谱。自从有了篆刻家后，篆刻家钤打印拓后以某种形式将这些印拓汇集起来的可能性完全存在，但这主要是保存作品而非出版作品(并不排除作者会出示他人，索取题跋等)。我们完全可以想象，以某种方式来保存自己的印作(或是打在单页的纸上，或是贴在册页上，或是裱成卷子，甚至将散页的印拓装订起来成一印谱)，很早就应存在。但这和晚明的印谱所采取的印刷书籍形式不同。晚明出版的印谱，即使是一些钤印本，印谱的边栏和释文也常是印刷的。这样，即使是钤印本的制作，效率也会提高许多。晚明应还有套色印刷的印谱。从程君房的《程氏墨谱》所收刻在木版上然后印刷出来的印章来看，模仿石章的残破效果，和原印钤打的印蜕很难辨认，可见刻工之精。而正是采用了印刷术，谱中的序跋才能大规模地复制，起到广泛传播的效果。在哈佛大学哈佛燕京图书馆所藏活跃于嘉靖、万历年间的篆刻家、文物商、出版商方元素亲友致方元素的七百余通信札中(见以下正文中有关讨论)，提到打印蜕之事，并多次提到印刷书籍之事，但一字未及印谱。清初的印章大收藏家、评论家周亮工曾说，“印至国博尚不敢以谱传”。(《书文国博印章后》，载周亮工：《印人传》卷1，页6a)国博即文彭，主要生活在万历之前的正德、嘉靖年间，比周亮工早了约一百年。以周亮工的见识，说文彭这样的大篆刻家尚没有出版清初意义上的个人印谱，所以，我们基本可以说，文人篆刻家中流行出版印谱应在万历年间。

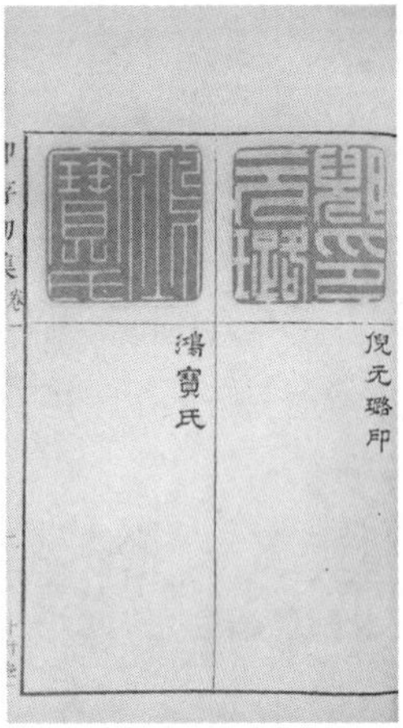

图 1.31 胡正言 “倪元璐印” 收录于胡正言《十竹斋印谱》卷 1 页 2

章，分别为各位书画家所用时，人们很难知道谁是它们的作者。而这些名章一旦汇录在一起，就构筑了一个完全不同的意义系统。胡正言为晚明著名书法家倪元璐刻的印章出现在倪元璐的书画作品上，是用来进一步向世人证明这一作品的作者是倪元璐。但同样一方印出现在胡正言的印谱中，它的功能完全变了。它不仅是倪元璐的“印记”，更是胡正言的“作品”，是他的艺术创作活动的物质载体（图 1.31）。与其他作品一起，它向人们展示胡氏的篆刻风格和水平。《胡氏印存》所收胡正言为同时代名人所镌名章极多，有董其昌、陈继儒、钟惺、谭元春、倪元璐、韩霖、戴明说（进士 1634）、陈明夏（1601—1654）、周亮工……不一而足，似有令天下英才“尽入彀中”的企图。如果说，书画家、鉴藏家能通过使用篆刻家为他们镌刻的印章来确立和强化自己对书画的著作权和所有权的话，那么，现在胡正言也可以通过自己的印谱来昭示他和当代文化名人的关系，并以此建立和巩固自己在文化圈子里的地位。应该指出的是，为名人刻印本身就可能是自我宣传的手段。有些著名文人很可能从未用过某位篆刻家为他治的印。但对篆刻家来说，书画家用不用他刻的印章关系并不大，关键是印谱的作者可以显示自己曾为这些名流刻过印。正是印谱给了篆刻家这种在纸上来构筑他与文化界关系的机会。

此外，个人印谱的编纂出版还为篆刻评论开辟了空间。没有印谱，批评家就不便把一个篆刻家的作品汇集在一起研究、批评。有了印谱，篆刻家还可以邀请当代的文化名人作序、作跋来予以揄扬提携，以提高他们的知名度和作品的销路。晚明出版业非常发达，文化物品在市场上的竞争也相当激烈。在这种情况下，为扩大影响而寻求名人品评蔚为风气。晚明刊印的书籍中，常常见到一本书中有多篇序跋的现象，篆刻家也染有此习。胡正言的《胡氏印存》中有钱应金所撰《印存初集叙》，叙云：胡氏“所居白门为四方贤豪星聚之地，所交皆名公巨卿。博闻广见，复有以发其珠联璧合之彩。游白门者，不得先生一篆则心耻以为欠事”。事实上，胡正言在明末清初印坛上虽然很活跃，但成就并不是很高。钱序却充溢着赞誉之辞。谱中的序言说出了胡正言自己不宜

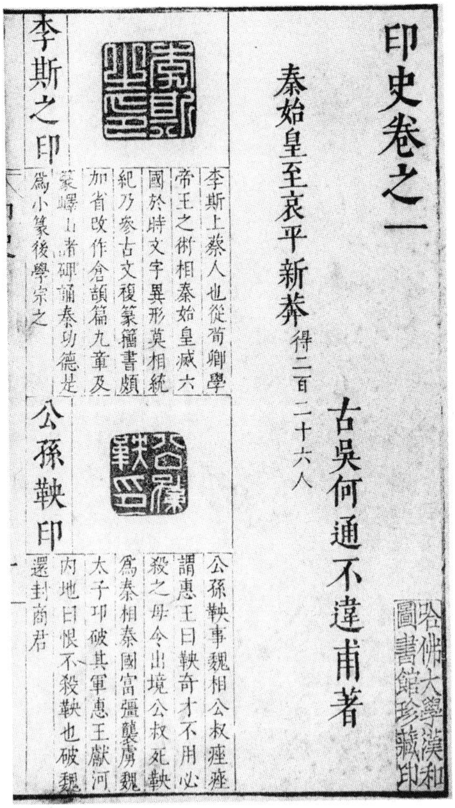
印史卷之一

古吳何通不違甫著

秦始皇至哀平新莽 得二百二十六人

李斯上蔡人也從荀卿學帝王之術相秦始皇滅六國於時文字異形莫相統紀乃參古文稷篆籀書頗加省改作倉頡篇九章及纂嶧山諸碑誦秦功德是為小篆後學宗之

李斯之印

公孫鞅事魏相公叔痤痤謂惠王曰鞅奇才不用必殺之毋令出境公叔死鞅為秦相秦國富彊襲虜魏太子卬破其軍惠王獻河內地曰恨不殺鞅也破魏還封商君

公孫鞅印

图 1.32 何通《印史》（1623 年刊本）卷 1 页 1 美国哈佛大学哈佛燕京图书馆

直接说出的话。[1]晚明另一位文人张灏编辑的《学山堂印谱》所收序跋、题记竟多达两卷，作者包括董其昌、陈继儒、马世奇、钟惺、陈万言（进士 1619）、汤显祖、徐光启、谭元春、钱谦益（1582–1664）、吴伟业（1609–1672）等数十人。由于印谱有上述种种功能，编制个人印谱在明末清初篆刻家中风行起来，以致周亮工发出“印至国博（文彭）尚不敢以谱传，何今日谱之纷纷”的感叹。[2]

差不多在篆刻家们开始辑印个人印谱的同时，晚明篆刻的另一个重要发展——主题印谱（亦即围绕着一个主题来进行篆刻创作并编制的印谱）也开始流行。如篆刻家何通选择中国历史上从秦至元代九百五十二人，将每人的名字制成印章，每一印附一小传，制成《印史》（图 1.32）。《印史》小传的字数一般在五十至七十之间，包括传主的一些重要生平事迹。在这里，每一方印章实际上成了每个小传醒

[1] 关于晚明尤其是万历年间著名文人对篆刻的热衷，见黄惇：《明代印论发展概述》，页 92–108。许多序跋很可能是他人代著名文人捉刀，以借名人的声望。

[2] 周亮工：《书文国博印章后》，载周亮工：《印人传》，卷 1，页 6a。

儲淚一升悲世事

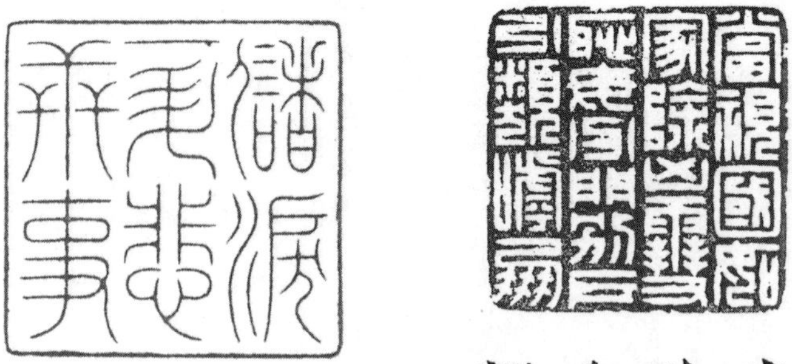

當視國如家
除兇雪恥毋
分門別戶引
類呼朋

图 1.33 张灏 《学山堂印谱》中之两方印文
（左）“储泪一升悲世事”（卷 2，页 7）
（右）“当视国如家，除凶雪耻，毋分门别户，引类呼朋”（卷 5，页 70）
约 1633
美国哈佛大学哈佛燕京图书馆

目的朱色标题，印文和用蓝色油墨印出的小传相得益彰，非常精美。[1]

词语印在晚明也有长足的发展。1633 年刊行的张灏所编《学山堂印谱》是晚明最重要的词语印印谱。[2]时值明朝危急存亡之秋，张灏在书的序言中，公开声明印章具有“兴观群怨”的功能。《学山堂印谱》中，有些印章的印文表达了对当时政治的批评和不满，其中有两方印章的印文为：

1. “储泪一升悲世事”。

2. “当视国如家，除凶雪耻，毋分门别户，引类呼朋”。（图 1.33）

这些内容几乎是政治标语，第二方印更是直接表达了对晚明党争的失望。

石章的引入对发展文人篆刻虽然起到关键的作用，但其他社会和文化的因素对这一艺术的兴起的影响也不应忽略。15 至 17 世纪的中国（特别是江南地区），经济的繁荣促进了教育的发展。不少无法通过科举考试在朝廷中谋得一官半职之人，也成为一时一地的书法家和画家，故印章的需求量也在增加，这也促进了一个活跃的印章市场的形成。

这个扩展的印章市场有一个重要标志，即篆刻家对知名度的渴望。高彦颐指出：“对知名度的追寻是以货币经济为基础的城市印刷

[1] 关于晚明印谱文化，笔者《明末清初视觉艺术中临摹与复制现象研究》一文有着更为详细的讨论。

[2] 张灏的印谱收有二千余方印章的印蜕。张灏选择这些印章的印文，然后延请五十多位篆刻家刊刻。

文化的本质。”[3]在一个艺术家和工匠都深深地意识到名声之于艺术市场的重要性的时代，个人印谱无疑成为提高篆刻家知名度的一个重要媒介。[4]事实上，篆刻之成为一门受人尊重的艺术（反映在对篆刻家知名度的认同、篆刻家在边款中署名、个人印谱的刊行、印谱序言以及印评对篆刻家的揄扬等），直接和文人参与篆刻相关。在印章主要由工匠刻治的时代，名气对一位社会地位不高的工匠来说，并非总是必需的。所以，以工匠为制作主体的前代，印章艺术是“无名氏”的艺术。直到篆刻成为文人艺术后，人们对这个领域的宣传、出版及声名的追逐才显示出极高的热情。

篆刻的迅速发展在很多方面还应归功于经济活动的频繁。明代中叶以后，经济活动频繁，印章的使用率提高。印章向来被用于法律文书和契约的认证，[5]例如，当铺和客户在签署当单时大概就会使用印章。此外，印章也频繁地使用于晚明的商业出版中。晚明书坊刊行的书籍，经常钤有出版者的印章，其印文或为出版者的书坊名（如某某堂），或为关于版本的广告文字。这些印章通常钤在扉页，向购买者和读者宣示，这是著名书坊所印的正版。而这类印章的艺术品质良莠不齐，其中有些水准很高，说明出版商延请了篆刻高手为其治印。有些出版商还用图像印来作为自己的商标。印刷业和篆刻界的关系值得重视。晚明最优秀的篆刻家大多来自苏州及其附近地区、南京、安徽（特别是徽州地区）等地，当非巧合。因为这些地区的商业和私人印刷业最为活跃。譬如说，晚明清初的许多知名篆刻家皆来自徽州的歙县，其中包括何震、朱简和程邃（1607–1692）等第一流人物在内。而歙县同时也是生产墨和木刻版画最重要的地区，这两种艺术通常都需要精巧的雕刻技术。

经济活动中，远方的商行必须保持与总行的联系，分隔两地的家人或朋友也需鱼雁往返。[6]经济活动的发展也促进了人们的旅行活动，而旅行导致了更多的书信写作。许多晚明书信（包括私人信件）常钤有印章。[7]哈佛大学哈佛燕京图书馆藏有七百多通的明代书信，大部分书于1550至1590年代，收信人为儒商方用彬（1542–1608）。不少信札上盖有写信人的印章，由此证明印章在日常书信中的使用也相当普遍。[8]

[3] Ko, *Teachers of the Inner Chambers*, p. 65.

[4] 许多晚明工匠也会在其作品上落款。例如，时大彬总是将其名款刻于其陶瓷作品的底部。许多版画刻工也将其姓名（有时是其名章）刻在自己刻制的作品上。

[5] 中国古代印章的主要功能之一是用于各种文书的签署和封存。

[6] 关于有明一代的经济活动如何促进书信往还的讨论，见 Brook, *The Confusions of Pleasure*, pp. 173–190。

[7] 1969年，上海的朱察卿墓出土了六方16世纪的印章。其中一方印文为“平安家信”。当时的家书常用以告知噩耗，故这方钤在信封上的印章正是告诉收信者拆信时毋需焦虑。关于这方印章的图版和文字说明，见 Chu-tsing Li and James Watt eds., *The Chinese Scholar's Studio*, pl. 70, p. 182。在家书的信封上钤印在明代以前即已开始。1999年，纽约的一位文物商向我展示了两套元代的陶印，由其印文判断应为钤于信封之上的印章。

[8] 陈智超先生已对这些信札作过深入探究，其研究成果见《美国哈佛大学哈佛燕京图书馆藏明代徽州方氏亲友手札七百通考释》。

在16世纪晚期，篆刻已经成为一种成熟而且兴盛的艺术。当利玛窦在万历初年来到中国时，印章在中国人日常和艺术生活中的普遍使用情况给他留下了深刻印象。他在那部著名的《中国札记》中有这样的描述：

在对象上用印盖章是大家都知道的，在这里也很普遍。不仅信件上要盖章加封，而且私人字画和诗词以及很多别的东西上也都加盖印章。这类印章上面只刻姓名，没有别的。然而，作家就不限于一颗印章，而是有很多颗，刻着他们的学位和头衔，毫不在意地盖在作品开始和结尾的地方。这种习俗的结果便是上层作家的书桌上都摆着一个小柜，里面装满了刻有各种头衔和名字的印章，因为中国人通例称呼起来都不止一个名字。这些印章并不是盖在蜡或任何类似的东西上，而是要蘸一种红色的物质。这种印章照例是用相当贵重的材料制成，例如稀有木料、大理石、象牙、黄铜、水晶或红珊瑚，或别的次等的宝石。很多熟练工匠从事刻制印章，他们被尊为艺术家而不是手艺人，因为印章上刻的都是已不通用的古体字，而凡是表现懂得古物的人总是受到非常尊敬的。[1]

然而，当印章的普遍使用带来了更为广泛的社会参与时，它又会引起那些认为篆刻应属于文人的领域的文化精英们的焦虑不安。邹迪光（1574年进士）在为金光先（1543–1618之后）的《金一甫印选》作的序言中写道：

今之人帖括不售，农贾不验，无所糊其口，而又不能课声诗、作绘事，与一切日者风角之技，则托于印章以为业者，十而九。今之人不能辨古书帖，识周秦彝鼎、天禄辟邪诸物，而思一列名博雅，则托于印章之好者，亦十而九。好者博名，而习者博糈；好者以耳食，而习者以目论。至使一丁不识之夫，取象玉金珉，信手切割，弃之无用。又使一丁不识之夫，举此无用之物，椟而藏之，袭以锦绣，缠以彩缯，奉为天宝。噫，亦可恨甚矣！[2]

邹迪光的讽刺批评可能夸大了当时篆刻的流行性，但他的文字很清楚地显示了篆刻在当时被很多人认为是“列名博雅”的手段，有不

[1] 利玛窦、金尼阁：《利玛窦中国札记》，页24–25。

[2] 韩天衡：《历代印学论文选》，下册，页460。

少人希望借此来模仿或跻身精英阶层。广泛的社会参与，使篆刻和使用印章都不再只是文人艺术家和传统士绅阶级专有的特权。

篆刻对书法的影响

图 1.34 古玺“日庚都萃车马”
战国时代　尺寸不详
引自冯作民编《金石篆刻全集》 页 73

篆刻如同书法，是一种基于书写之上的艺术。由于绝大多数的印章是文字印，只有少数是图像印，因此，晚明兴起的文人篆刻，刺激了人们对古代字体和异体字的兴趣，对当时的书法产生了颇大的影响。

作为一种古代字体的篆书，自汉代以后就很少用于日常书写。但是，从春秋晚期至战国初期印章开始流行后，印章文字总是与篆书关系紧密，很多印章都是用篆书系统的文字刻治（图 1.34）。晚明的文人篆刻也不例外。自从篆书不再作为日常通行的正体字后，人们对它日益生疏，但它和日常书写之间的距离及其难辨难认，反而为那些常常象征个人身份和社会政治权力的印章增添了神秘感和权威性。

为了刻印和读印，明代文人必须学习篆书。中国古代文字悠久的演变史，以及春秋战国时期各国文字的地域性特点，造成了古代篆书的多种面貌。对一个文人来说，即使仅仅学习一种篆书，也无异于学习一种新的书写形式。在晚明，刻印和使用印章成为人们接触和了解古文字一种虽然有限却很有效的方式。正如 17 世纪最重要的篆刻收藏家和批评家周亮工（1612–1672）所说，“六书之学亡，赖摹印尚存其一体。”[3]

文人篆刻的兴盛，刺激了人们关注古文字的热情，很多书家亦开始练习篆、隶。上文提到的陕西著名金石学家郭宗昌，收藏印章和古代碑刻拓片，同时也致力于研究汉碑上的隶书。[4]万历初年，以优美和娴雅著称的汉代《曹全碑》出土，1630 年代的王铎将其作为自己学习隶书的范本。

随着对古体字兴趣的提高，一种新的文字游戏开始在书法界流行。晚明书坛的重镇如王铎、倪元璐、黄道周和陈洪绶（1598–1652）等，皆喜欢在其书作中使用异体字。[5]在中国漫长的文字演变史上，

[3] 周亮工：《印人传》，卷 3，页 7。

[4] 王弘撰：《书郭胤伯藏华岳碑后》，收录于《砥斋集》，卷 2。

[5] 裘锡圭先生为异体字下的定义为：“异体字就是彼此音义相同而外形不同的字。严格地说，只有用法完全相同的字，也就是一字的异体，才能称为异体字。但是一般所说的异体字往往包括只有部分用法相同的字。严格意义的异体字可以称为狭义异体字，部分用法相同的字可以称为部分异体字，二者合在一起就是广义的异体字。”裘锡圭：《文字学概要》，页 205。在中文不同的语境中，人们有时使用古文奇字、古体字这样的术语。一些古文奇字和古体字很可能就是某些字的异体字。笔者在此使用的“异体字”是一个相当宽泛的概念。

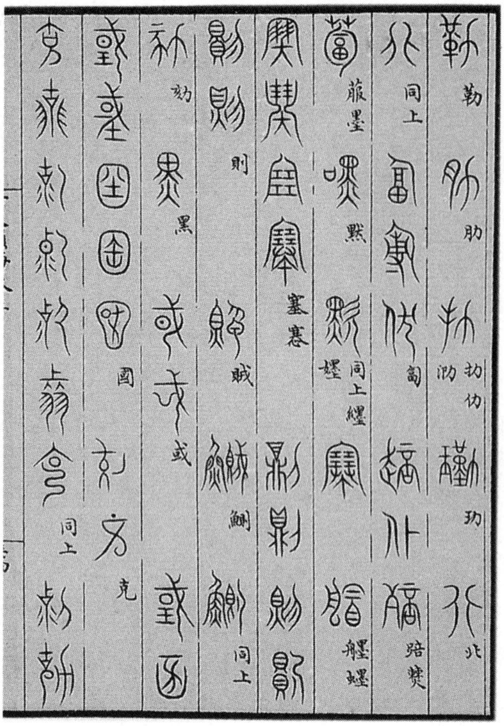

图 1.35 杜从古 《集篆古文韵海》 卷 5 页 34a

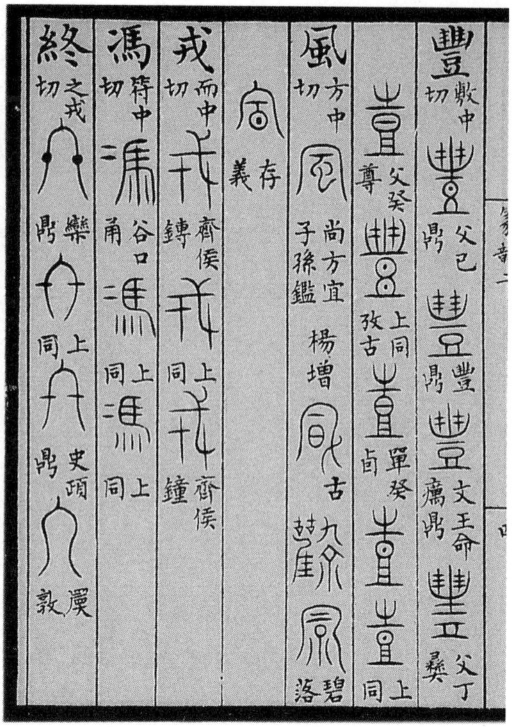

图 1.36 杨銁(活跃于 1314 年)《增广钟鼎篆韵》卷 2 页 4b

曾经产生了许多不同的字体。随着时代迁移，一种字体往往取代另一种而成为日常书写的体式。在国家分裂时期，同一种字体在不同区域会有不同的写法。即使在社会安定的时代，正体字也有别写的异体。因此导致一个字在其通用的标准字体之外，可能还有几种甚或十数种不同结构的异体字。而这些异体字常常被保存在字书中，北宋杜从古编纂的《集篆古文韵海》中，“国”字就有七种不同的写法(图 1.35)。字书中的有些古体字很容易辨认，因为它们与通用的字在形体上相似；但有些却显著不同，很难解读。例如，完成于元代的《增广钟鼎篆韵》一书中，“风”字有多种写法，大多与通常人们熟悉的通用的“风”字相仿，但有一个异体字的差异就很大(图 1.36)。

文人墨客书写异体字，可谓古来有之。刘叶秋先生曾指出，魏晋南北朝（220–581）之际，由于地方割据、南北阻隔以及使用文字趋于简易等多方面原因，异体别字，逐渐增多，秦汉以来文字统一的局面不复存在。[1]北齐（550–577）的学者颜之推（531–590 之后）

[1] 关于明初之前文人使用异体字的讨论，见刘叶秋：《中国字典史略》，页 83。

即抱怨这种异体字造成沟通上的困扰：

> 大同之末，讹替滋生。萧子云改易字体，邵陵王颇行伪字，朝野翕然，以为楷式，画虎不成，多所伤败。至为“一”字，唯见数点，或妄斟酌，逐便转移。尔后坟籍，略不可看。北朝丧乱之余，书迹鄙陋，加以专辄造字，猥拙甚于江南。[2]

颜之推批评南北朝士大夫作书妄改笔画，或自造简字，于是俗讹、异体不断滋生，成为风气，以至经籍的文字都不能入目。即使后来国家再次统一，使用异体字的风气也并未完全销声匿迹，至少在明代有些文人喜好使用异体字。如清代金农（1687–1763）曾在一书法册页中抄录了一段明代中期文人江晖书写古文奇字的逸事：

> 江晖，仁和人，正德（1506–1521）进士。为文钩元猎崧，杂以古文奇字……令读者谬根眩霓，至莫能句，隐口汗颜而罢。[3]

江晖的这一嗜好又和明代中期以来刻书中掺入古体字的风气相吻合。晚清学者叶德辉（1864–1927）在谈论明季刻书时指出，明中叶存在书商用古字刻书的现象：“明嘉靖间（1522–1566），闽中许宗鲁刻书，好以《说文》写正楷。”[4]明中叶以后，这一风气颇为风行。叶德辉又说：

> 明中叶以后诸刻稿者，除七子及王、唐、罗、归外，亦颇有可采取者。然多喜用古体字，即如海盐冯丰诸人尤甚。查他山先生（查慎行，1650–1727）见之曰：“此不明六书之故。若能解释得出《说文》，断不敢用也。”虽然，查氏之说，未免高视明人。有明一代，为《说文》者，仅有赵宧光一人。所为《长笺》，尤多臆说。且其人已在末季，其时刻书用古体字之风亦稍衰竭矣。[5]

书写异体字虽是一种历时已久的文人游戏，但晚明书法家、篆刻家甚至出版商对异体字的热衷，却把这种游戏推向一个新的高峰。这种文字游戏的流行，应当部分地归结于晚明的尚“奇”风气，但它的另一个重要原因则是文人篆刻的兴起。

在中国文人篆刻史上，晚明的印章最难辨认，这是因为这一时期的篆刻家最喜欢用冷僻的古体字来刻印。胡正言（1584–1674）的《十竹斋印谱》（刊于清初）中也有不少印文十分难读，如“思在”

[2] 颜之推著，王利器注：《颜氏家训》，页574–575。

[3] 金农所书这则轶事很可能出自明人小品。此册页的复制品见1994年苏富比拍卖图录Sotheby's New York（Nov. 28, 1994, lot 38）第38号。

[4] 叶德辉：《书林清话》，页184。

[5] 同上注书，页185。

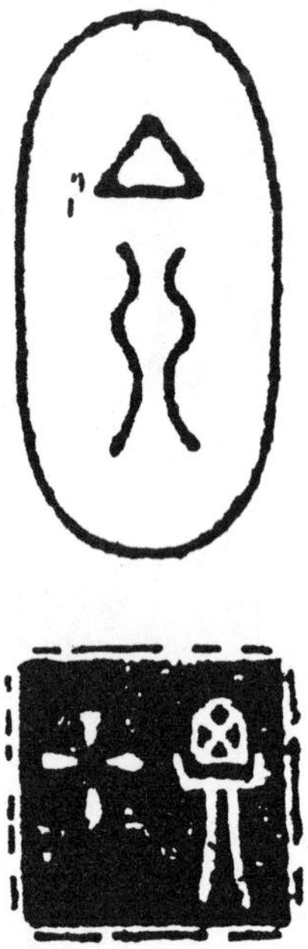

图 1.37 胡正言之两方印文
（上）“集虚”
（下）“思在”
约 1646
收录于胡正言
《十竹斋 印谱》

图 1.38 陈洪绶之三方私印
“莲子”（陈洪绶之号）

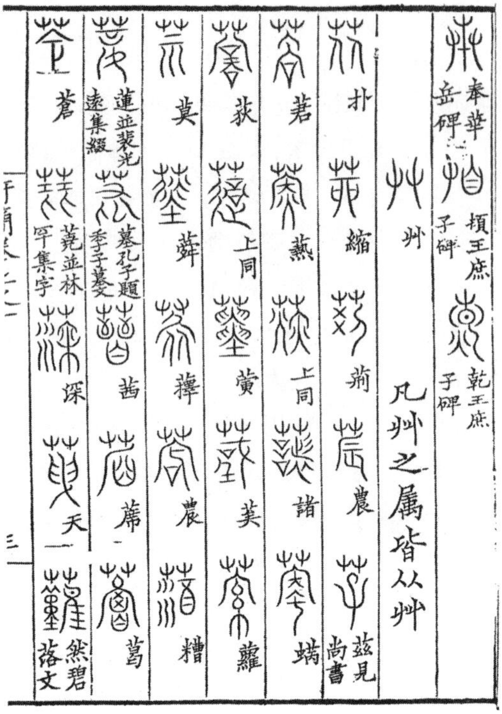

图 1.39 郭忠恕 《汗简》1703 年刊本中之一页 卷 1
页 3a 美国哈佛大学哈佛燕京图书馆

和“集虚”等印，它们和一般字体的差别如此之大，几乎不可能被辨认出来（图 1.37）。又如明末清初画家陈洪绶所用的名号印中，“莲子”一印（图 1.38）即有数种异体写法，其中最难解的莫过于出自郭忠恕所编《汗简》之“莲”字古体，为一草头加一“妾”字（图 1.39）。

晚明和清初刊行的印谱中，印蜕经常伴有隶书或楷书的释文（如张灏和胡正言的印谱），对照阅读，可以帮助读者辨识。当刻印者选择冷僻的异体字入印时，他们知道人们将很难辨认印文，这样的印章即成为难解的“字谜”。在印谱中，这些印文的释文即为这些“字谜”提供了答案。借助释文，读者不但可以理解这些奇字印章的涵义，在其他的场合中还可以使用这些冷僻的古文奇字和别人进行文字游戏。古文字学家兼篆刻家赵宧光的著作《说文长笺》中采用了相同做法。这本书有许多异体字，并在一些不为人们熟识的异体字下标出人们熟识的通用字体来帮助阅读（图 1.40）。人们可以从这种设置异体字谜和答案的博学而优雅的文字游戏中获得乐趣。[1]这种文字游戏在当时刊行的书籍中并不罕见。

[1] 我们并不清楚，究竟是赵宧光的原作手稿就有大量的异体字，还是书籍的刊刻者用异体字刻书。此书有赵宧光万历丙午（1606）自序，但在赵宧光去世后才由赵氏小宛堂于崇祯辛未（1631）刊行，书中有赵宧光的儿子赵均在崇祯年间作的序。如果此时赵均还健在的话，对书的刊刻应会有所关心。所以，大量地使用异体字刻赵宧光最重要的著作，即使原稿不是如此，赵均也应首肯。无论如何，此书反映了晚明人对异体字的浓厚兴趣。

包世瀛（活跃于 17 世纪上半叶）为《周文归》（崇祯年间刊行）所作的序中，就用了不少相当冷僻的异体字（图 1.41），倘若一些冷僻的异体字下没有标示这些字的通行字体，一般人根本无从辨识。凡此种种，皆为晚明盛行使用异体字风气的明证。文人编写的书籍里存在这种异体字的“字谜”，也和当时其他出版物中的文字游戏有异曲同工之妙。在晚明出版的日用类书和戏曲集中，常常掺杂着一些谜语和江湖切口之类的东西。制谜和猜谜成为晚明娱乐生活的一个组成部分。

晚明的一些书法家也受到这一风尚的浸染，为了好古炫博，不时在书作中使用比较冷僻的异体字。相对说来，篆刻家只能使用篆书系统的异体字，而书法家可以运用的资源要多得多。篆书之外，书家还可以从古代的楷字体的字书和韵书中择取异体字，例如南朝（420–589）顾野王（519–581）编纂的字书《玉篇》、北宋丁度（990–1053）所编的《集韵》和其他字书。书家们还可以把古代篆书字典中收录的篆字隶古定，然后用楷书或行书体书写出来。

图 1.40 赵宧光 《说文长笺》序 1633 刊本
美国哈佛大学哈佛燕京图书馆

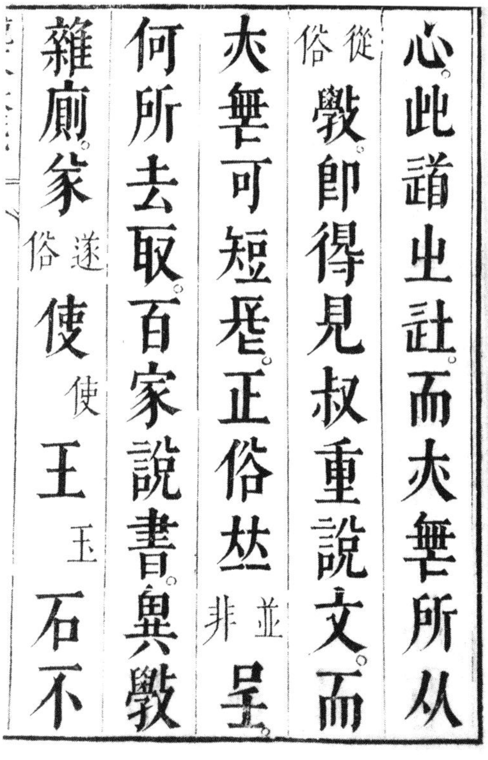

图 1.41 包世瀛 钟惺
《周文归》序
约刊于 1628–1644
美国哈佛大学哈佛燕京图书馆

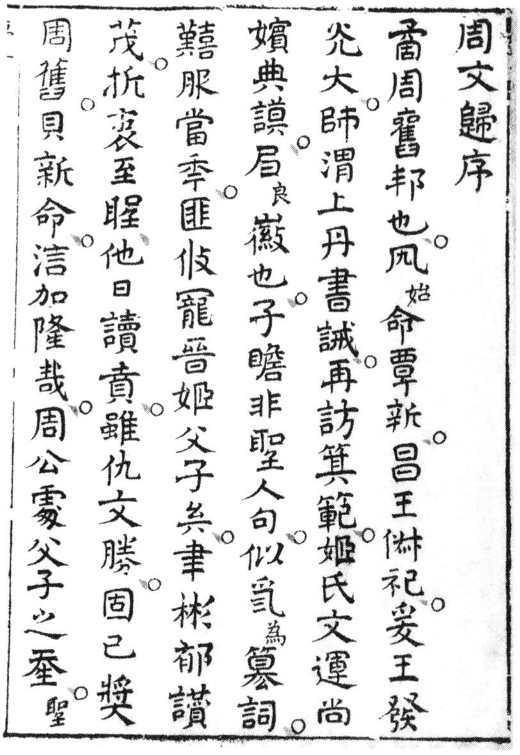
周文歸序

图 1.43（左）《饮酒自书诗》中“地”的异体字
（右）《玉篇》中“地”的异体字

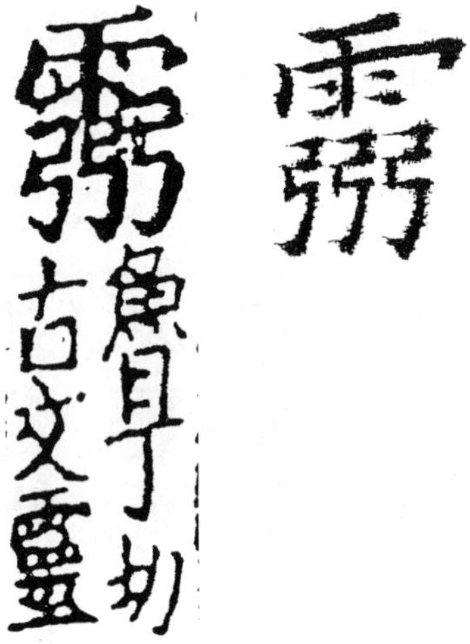

图 1.45（左）《玉篇》中“灵”的异体字
（右）《山居漫咏》中“灵”的异体字

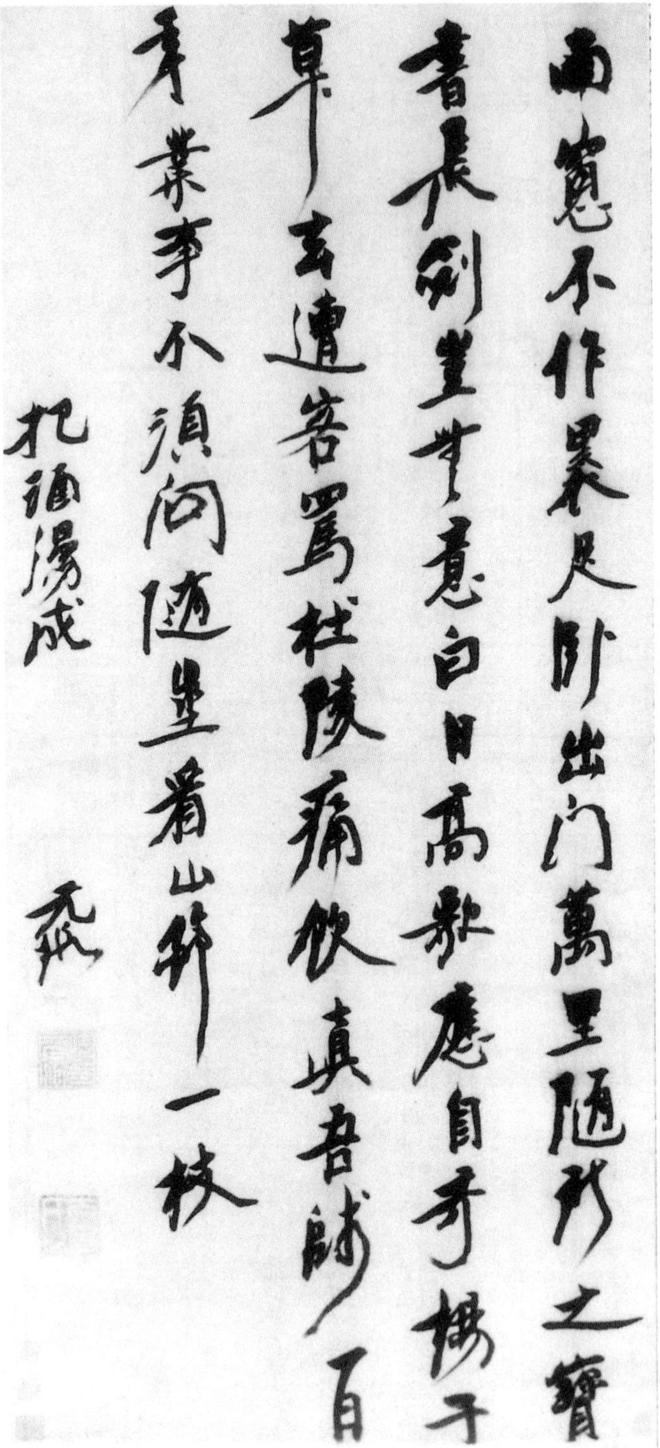

图 1.42 倪元璐 《饮酒自书诗》（后人临本？）
轴 绢本 103.9×47 厘米
美国弗利尔美术馆
（Freer Gallery of Art，Purchase，F1988.4）

在董其昌的书法作品中，我们很少见到异体字。在天启年间书家的作品中，异体字的使用变得频繁起来。譬如，倪元璐在一幅立轴中（图 1.42）将“地”写成［a］,这是出自《玉篇》中的异体字（图 1.43）。倪元璐的好友黄道周的作品中，异体字的数量开始增加。在一幅现藏于北京故宫的小楷书手卷中，黄道周将“乎”写成比原字更为复杂的［b］,将“得”的双人旁去掉（此乃从“得”的篆字体衍生而来）如［c］。其妻蔡玉卿（1616−1698）作小楷也常写异体字，如上海博物馆藏蔡氏所书《山居漫咏》手卷（图 1.44）,其“灵”的书写即取自《玉篇》传世古文的形式，作［d］（图 1.45）。值得注意的是,《玉篇》在这个字下面注明为“灵”之古文形式。这里的“古文”是中国古文字和学术思想史中的重要名词。虽然“古文”的确切涵义尚有争议，但一般认为“古文”起源于战国时期齐文化影响地区的古文字。“古文”

[a]

[b]

[c]

[d]

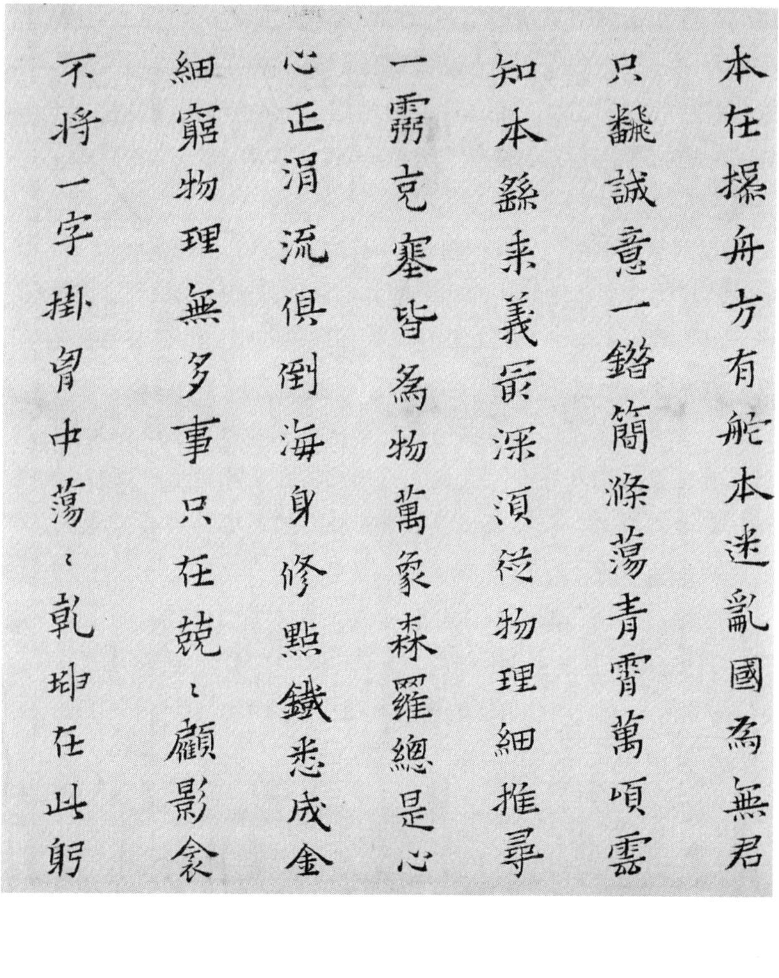

图 1.44 蔡玉卿《山居漫咏》卷（局部） 绢本
23.7×210 厘米
上海博物馆

和郭忠恕《汗简》中所收的篆书相关，然而有大量的“古文”被隶古定后收入楷书的字书中。总之，收在字书韵书里的楷字体的“古文”，是异体字游戏的重要来源之一。

虽然倪元璐和黄道周参与了这类文字游戏，但他们对异体字的使用尚能取克制的态度。在王铎那里，书写异体字的游戏被推上高峰。王铎不仅频繁地使用异体字，他还喜欢挑选冷僻的异体字来书写。例如“龙”写成［e］，“春”写成［f］，而“古”写成许慎《说文解字》所录古文［g］（图 1.46）。传世有一件署名为王铎的楷隶二体录颜真卿《八关斋会记》，[1]异体字极多，有时令人难以卒读（图 1.47），如“天子”写成［h］，与通用字形相去甚远；而“国”字写成好几种形式，如［i］，有的与通行的写法完全不同，以致除了那些醉心于书写和阅读这些异体字的人士以外，很少有人能够轻易地辨识它们。

好古炫博固然是书写异体字游戏的核心所在，但实际上它也是知识精英和企图跻身知识精英阶层的那些人们的身份标志。这种游戏将无知者拒之门外，同时也激起他们对精英的欣羡仰慕之情。参与这种游戏者的愉悦，的确是部分地建立于不够资格玩此游戏的那些人们的反应之上。这种心理状态，亦即贡布里希在“名利场逻辑”中揭示的“看我的”之心态。

“名利场逻辑”的另一面是争奇逐异现象的逐渐膨胀，王铎比他同时代的人更多地使用异体字即为明证。如同其他晚明文人那样，王铎也强调艺术中“奇”的特质，然而他对“奇”的追寻更加主动，因此也更令人侧目。他说：

> 奇者只是发透本题而已。如发古冢古器之未经闻见者，奇奇怪怪，骇人耳目，奇矣。不知此器原是此冢中原有的。他人掘之二三尺、六七尺便歇了手，今日才发透把出与人看耳。非别处另寻奇也。[2]

王铎对“奇”的阐发颇能解释他对异体字的癖好。显然，王铎的“发透本题”是受了李贽“童心”说的影响。王铎也和汤显祖一样，相信“奇”是人的内在价值的体现。在王铎看来，人心本有奇的一面，但需要发掘和反复参悟，方可最后找到奇。于是，奇不但是内在的

[1] 从书法风格上来看，这一件作品应为距王铎时代较近的一个临本，而非王铎的原作。但这并不妨碍我们把它作为研究王铎书写异体字的例子来处理。根据年款，王铎的原作应书于清军入关两年后的 1646 年，但是我们仍可将其视为晚明之作，因为王铎的活动时期主要在明代。

[2] 王铎：《拟山园选集》（文集），卷 82，页 2。

图 1.46 王铎《柏香帖》中“古”的异体字 1641 现存沁阳县柏香镇 引自《王铎书法选》图版 121

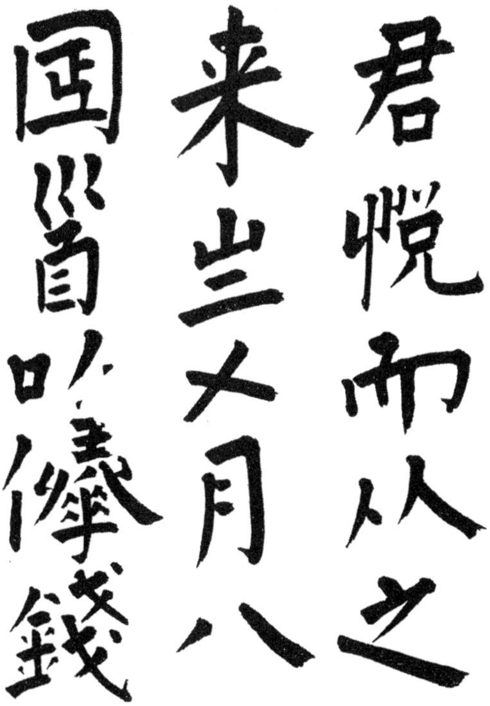

图 1.47 王铎《临颜真卿八关斋会记》 1646
引自《王觉斯书八关斋会记（分 楷合册）》

[e]
[f]
[g]

[h]
[i]

品质，它还是发掘的一种功夫，和这种功夫的结果。此处所说的“发透本题”，与其说是纯主观地寻找自我，还不如说是一个社会人在返观自我和社会的互动时不断调试着的一种关系，然后以一种相当自然的方式将之外显出来。在和外界的互动关系中，如果一个人的言行过于接近一般民众的言行，这不但会平淡无奇，甚至还有可能堕入汤显祖所说的“步趋形似”之嫌。所以，追求奇的人要反复发掘“自我”，使自己的言行在一般社会行为的参照下显出奇的效应。而奇的理论在此时又给予这种奇言奇行以道德上的论证和肯定。随着时间的推移，晚明的书法家在追寻奇异的竞赛中越走越远。如王铎自己所声称的那样，“他人掘之二三尺、六七尺便歇了手”，而他发掘得更深，借此来论证一个人的真实自我完全显露时，会是“奇奇怪怪，骇人耳目，奇矣”。

在书写异体字渐成气候之际，出版界不失时机地刊行字书，供玩异体字的人们作参考之用，这对书写异体字的风气又起到了推波助澜的作用。最能说明问题的是出版于万历年间的字书《字汇》。编者梅膺祚（活跃于 1570−1615 年）在该书《古今通用》篇的小序中声称："博雅之士好古，功名之士趋时。字可通用，各随其便。"（图 1.48）在《古今通用》篇中，每一个字都列有两种写法，一古一今。此处所列古体便是今体的异体。从内容判断，《字汇》是为大众所编，包括那些只具备一般阅读能力与书写技巧的普通百姓。读者可以凭借这本字书而轻易地查阅到异体字，迅速用于文字游戏的书写。❶

但《字汇》这类字书并不能满足那些沉溺于这一文字游戏的文人之需求。为使这批文人得以学习古体字，以助其在书写异体字的游戏中拔得头筹，数量可观的古文字书籍得以出版、重印，而其中许多字确实相当古老奇特。❷朱谋㙔（卒于 1624 年）所编《古文奇字》刊行于万历年间，此书的读者群即有别于《字汇》一书。这本

❶ 某些晚明的日用类书，也将异体字和一般常用字体并列。

❷ 美国加州大学洛杉矶分校的 Bruce Rusk 在其即将完成的关于明代中期图书收藏、出版的博士论文中，指出了在明代中期已有数量可观的篆书著作出版。

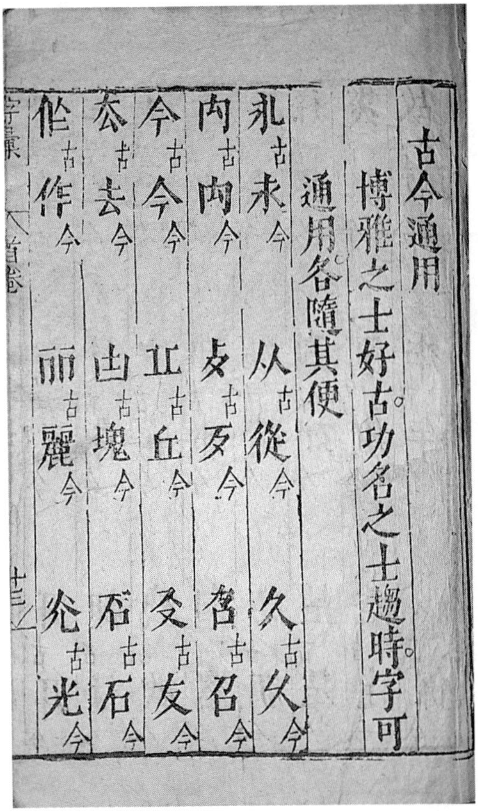
古今通用
博雅之士好古功名之士趨時字可
通用各隨其便

图 1.48 梅膺祚《字汇》（晚明刊本）卷 1 页 13a 王方宇先生旧藏

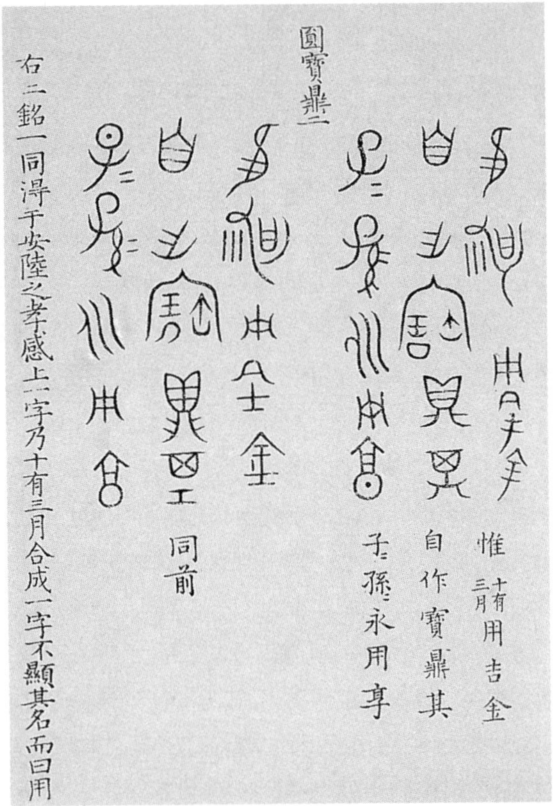

图 1.49 薛尚功《历代钟鼎彝器款识法帖》（晚明朱谋垔刊刻［约 1633］1935 年海城于氏重印本）

由十二个章节构成的著作不仅罗列某些看来极其怪异的异体字，同时还附有一些考释。晚明还有两本别具影响的字学之书。一为崇祯初年朱谋㙔的族兄朱谋垔（约1581–1628）刊刻的南宋薛尚功（活跃于1131–1161年）所编《历代钟鼎彝器款识法帖》（图1.49）。此书为古代器物上铭文的考释汇编，出版后在篆刻界、书法界影响很大。[3]另一本书即上文提及的赵宧光《说文长笺》。[4]而在明代中晚期的嘉靖年间，也曾出版过一些篆书的书籍，如杨慎（1488–1559）的《六书索引》等。随着这些水准更高的字学书籍的刊行，受过良好教育的文人们便能够以一种更优雅和更具有文化涵养的方式来玩文字游戏了。

清初文人施清（活跃于1650–1690年代）曾作《芸窗雅事》一文，文中所列当时文人们所喜爱的雅事多达二十一种，"载酒问奇字"即为其中一项。[5]施清虽为清初人，但他的描述应该是晚明就有的现象。可以推想，在晚明的文人活动中，"奇字"共欣赏，疑义相与析，也是一种时尚。茶余酒后，文人们一边欣赏书作，一边谈论异体字的字源，好奇、炫博之心因此获得满足。

但是，"载酒问奇字"与其说是学术探讨，还不如说它更像文字游戏，一种具有知识性的娱乐活动。在晚明的文化场景中，书法也有"娱乐性"的成分。然而以往的书法史研究者都忽略了晚明书法中具有戏剧性及消遣性的娱乐层面。由于这种娱乐性受到城市文化的鼓励，故流于表层的知识性而非严格的学术探索。阅读或书写冷僻的异体字，很像当时出版的日用类书中可资消闲的谜语。

晚明使用异体字风气的形成及流行，或许与当时平民识字率的提高有关。晚明印刷业发达，现存大量刊于晚明的廉价读物，显示出当时平民的识字率有相当的提高。[6]平民识字率的提高，无疑会扩大与文字相关的书法和篆刻艺术的消费群。在晚明刊行的日用类书中，我们常常能够见到教人如何练习书法的内容（图1.50）。17世纪景德镇生产的很多瓷器，也用文字书法作装饰（图1.51）。这些书写的艺术水平通常相当平庸甚或低劣，其消费者很可能是那些教育水平不高，却掌握了基础阅读和书写能力的商人和城市居民。这也说明，在这一时期，平民们模仿和跻身于社会文化精英阶层的欲望是何等的强烈。一方面是

[3] 如清初一些篆刻家以其中的铭文和图像入印。比如说，此书收有一"凤栖铎"图像，清初的一些篆刻家即以之入图像印，如安徽画家、篆刻家戴本孝（1621–1693）、清初大收藏家高士奇等。高士奇的这一印章，可在原香港收藏家王南屏家藏一明代画家沈士充的山水卷上和美国观鹭园所藏项圣谟山水册页上见到。

[4] 正是赵宧光的文字学著作，使他成为万历年间文化成就的代表之一。见本章开篇处徐世溥信札。

[5] 施清所列的活动为："溪下揉琴、听松涛鸟韵、法名人画片、调鹤、临《十七帖》数行、矶头把钓、水边林下得佳句、与英雄评较古今人物、试泉茶、泛舟梅竹屿、卧听钟磬声、注《黄庭》《楞严》《参同解》、焚香著书、栽兰菊蒲芝参苓数本、醉穿花影月影、坐子午、啸、弈、载酒问奇字、放生、同佳客理管弦、试骑射剑术。"施清：《芸窗雅事》，收录于《檀几丛书》。

[6] 关于平民识字率的提高及其社会文化后果，近年来一直是西方汉学家关注的问题，著述也甚丰。此处仅举一二：Evelyn Sakakida Rawski, *Education and Popular Literacy in Ch'ing China* 及 David Johnson, et al. eds., *Popular Culture in Late Imperial China* 一书中有关篇章。

平民们的识字率不断提高，一方面是精英文化受到通俗文化强有力挑战，这样的时代，书坛精英们越玩越奇的异体字游戏，既可以看作他们之间竞相标新立异的结果，也可以被认为是一种对平民读书写字的反馈，及其重新界定自己文化地位的举措。❶

图 1.50 楷书范例 《万书渊海》之《书法门》
引自《中国日用类书集成》册 6　页 453

晚明文人篆刻对当时书法的另一个可能的影响是，晚明书家对古代印章残崩之美的激赏，使他们在书法中也更能把朦胧残缺作为一种新的美学趣味来接受和欣赏。从元代开始，秦汉古印即被奉为篆刻典范，晚明的篆刻家与评论家承袭了这一传统。由于岁月的侵蚀，许多秦汉印章都呈现出残破的痕迹（图 1.52）。晚明时期，这种残破成为文人篆刻家企望的艺术特质，他们在自己的作品中追求这种审美效果。晚明的篆刻评论家沈野曾记录了一些有趣的轶事：

> 文国博刻石章完，必置之椟中，令童子尽日摇之；陈太学以石章掷地数次，待其剥落有古色然后已。❷

图 1.51 景德镇制带有书写装饰的瓷瓶　约 1650
私人收藏

通过人为制造出来的残破，晚明的篆刻家在他们的印章中追仿剥蚀的古意。而在上文曾提及的何震，即利用石章的自然属性，来追求残破的效果。何震的影响力相当深远。例如晚明篆刻家何通的印谱《印史》中的“陈胜之印”（图 1.53），就有篆刻者在经意和不经意之间追求的残破效果，如“陈”字的残损使几个笔画粘连在一起，营造出秦汉印章中所见的那种古意。

屈志仁认为，晚明篆刻家追求这种人为的残破，在很大程度上缘起于晚明人对于古代

❶ 关于明代中国社会区隔（social distinction）问题的讨论，见 Clunas，*Superfluous Things*，p. 73。

❷ 沈野：《印谈》，收录于韩天衡编：《历代印学论文选》，上册，页 64。

❸ Watt，“The Literati Environment，” p. 11.

❹ 关于黄庭坚与《瘗鹤铭》的探讨，见 Fong，*Images of the Mind*，pp. 82-84。

❺ 白谦慎：《清初金石学的复兴对八大山人晚年书风的影响》，页 103。

❻ 可参见刘正成、高文龙编：《中国书法全集》，册 61，62，《清代编：王铎卷》，图版 6、10、33、36、52、72、105 等。关于晚明书法中的涨墨现象很可能受到篆刻的影响这一观点的最初提出和详细讨论，见本人 1996 年在耶鲁大学完成的博士论文“Fu Shan and the Transformation of Chinese Calligraphy in the Seventeenth Century”，页 44-45。这一观点在 1998 年又发表在拙文《关于明末清初书法史的一些思考——以傅山为例》中。

书法拓本的鉴赏经验，因为“晚明关于文物鉴赏的文字有相当大一部分是用来讨论拓本的，这种对石刻铭文精致的观察和热情的品鉴，极大地提高了文人收藏家们的鉴别力”。[3] 但拓本鉴定和文人篆刻之间的影响关系应该是双向的。是篆刻提高了文人们对与石章质地相同的碑刻的敏感度，否则，我们就无法解释为什么宋代文人即开始收藏古代的碑刻拓本，而刻石的残破痕迹直到晚明篆刻之风炽盛之际才备受注目这一事实。例如，书法史学者通常认为北宋书家黄庭坚曾受六朝摩崖刻石《瘗鹤铭》的影响。但是从黄庭坚的存世作品看来，他可能汲取了《瘗鹤铭》结体的一些特点，他的笔画也有颤抖的特点，但并没有显示出对《瘗鹤铭》的残破漶漫有什么追求。[4] 明代中期的书法家文徵明收藏古代碑拓，包括《张迁碑》。[5] 但是文徵明隶书作品的笔画光洁、分明，完全没有试图捕捉残破气息的迹象。

在王铎的书作中，我们常能见到因涨墨而造成笔画之间的粘连，有时笔画之间的空白完全被墨晕没，我们仅能通过字的外形来辨认。[6] 王铎书于 1647 年的一件草书立轴中（图 1.54），由于毛笔蓄墨很多，墨在字中晕开，使字的边缘呈不规则状，仿佛刻石章时由于快速运刀所导致的不期然的崩破效果。此轴第四行第八个字“无”（图 1.55），涨墨使字的中间部分晕成一团，产成了一种朦胧感。但王铎在书写时，显然没有被这种不期然的晕墨所干扰，他毫不犹豫地继续挥毫，完成了这一效果颇不寻常的作品。

图 1.52 汉印“梧左尉印”
引自罗福颐《秦汉南北朝官印征存》页 64

图 1.53 何通“陈胜之印”
收录于何通《印史》卷 1　页 5
美国哈佛大学哈佛燕京图书馆

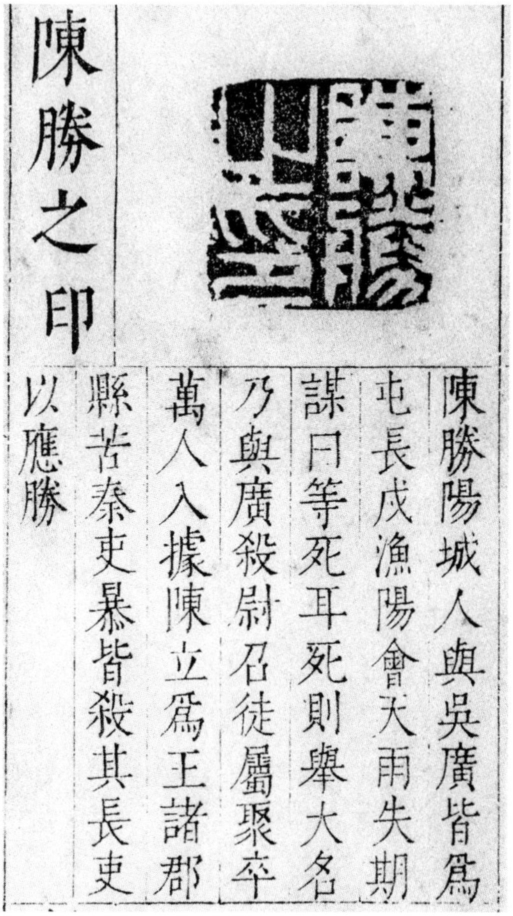

陳勝之印

陳勝陽城人與吳廣皆爲屯長戍漁陽會天雨失期謀曰等死耳死則舉大名乃與廣殺尉召徒屬聚卒萬人入據陳立爲王諸郡縣苦秦吏暴皆殺其長吏以應勝

图1.54 王铎《赠单大年》 1647 轴 绫本 237×56厘米 台北何创时书法艺术基金会

王铎在其许多作品中运用涨墨制造出残破的外观，从很多方面来说都称得上是一种艺术尝试，这种涨墨增加了自然挥洒的效果，加强了字与字间的对比张力，也使观赏变得更具有戏剧性。而残破粘连的笔画也同样出现在王铎使用的一些名章上（图1.56），这就更进一步确证了我们的假设：书家在自己的书法作品中努力表现与篆刻家所欣赏的残破相似的视觉效果。观看残破印章的视觉经验可能启发王铎在书法中运用涨墨，并将其作为展示“自然”、“真率”乃至“奇”的手段。

对某些书法史的研究者来说，以上所论晚明篆刻对书法可能产生的影响，是一个可以质疑的大胆观点。[1] 而王铎本人并不见得就认为这类作品是其得意之作，而且这些涨墨现象多出现在其应酬作品中，王铎去世后由其子刊刻的《拟山园帖》，没有将王铎的涨墨书作收入。一种推测是，王铎在应酬时，书写得快且草率，墨晕开后，也不宜或不愿重写（重写意味着不但要多花时间，还要花费绢绫和纸张）。但王铎的这类作品常有上款，是赠人之作，至少证明对当时的创作者和欣赏者来说，这已是可以接受的艺术尝试。笔者之所以提出书法中的这种涨墨现象可能受到篆刻的刺激，是因为在时序上它出现在文人篆刻中追求残破效果之后，两者似乎有某种关联。即使书法家没有直接地摹仿印章中的残破效果，但至少我们可以这样说，篆刻在晚明是一门备受青睐的艺术，篆刻家对残破的追求，使得书法中的涨墨现象更易于为人们所接受。而上述书法中的涨墨现

图 1.55 王铎《赠单大年》之“無（无）”字

图 1.56 王铎名章

象，和晚明的绘画中对墨法的种种尝试或也有关。徐渭写意花卉和董其昌的一些近似泼墨的山水对用墨均有独到的心得。

总之，篆刻对晚明书法产生的重要影响值得进一步的研究。这一研究将有助于解释为何在清代，许多重要的碑学书家或多或少都和篆刻艺术脱不了干系。❷ 上述书法中涨墨的尝试或许开了后世书法绘画中追求金石气的先河。

❶ 何炎泉在为英文版《傅山的世界》写的中文书评中，即对笔者提出的篆刻中的残破感对书法中涨墨的使用提出质疑。见台湾《中央研究院近代史研究所集刊》第 43 期（2004 年 3 月），页 237-242。

❷ 读者可参见王冬龄《篆刻与碑学》一文。

日益紧迫深重的危机感

在晚明城市文化蓬勃昌盛的表象下，隐藏着种种危机。除了上文曾讨论过的旷日持久的党争外，晚明经济也开始呈现严重危机。本章第一节已经谈到，16 世纪和 17 世纪初，通过那些从事中国奢侈品贸易的日本商人和葡萄牙商人，大量白银不断地由日本和南美洲流入中国。[1]而 16 世纪中期开始试行的“一条鞭法”的税法改革（亦即田赋、劳役以及其他课税折成白银交纳），也在万历年间得到普遍推行。尽管社会表面看来十分富庶，但当白银的流通逐日增多时，国家对白银的依赖也在加深，造成了通货膨胀，引发了投机行为，传统经济模式因而产生重要变化。“在市场供求关系规律作用下，全球白银源源不断地流入中国。这一方面推动了晚明中国社会的重大变迁——由古代社会向近代社会的转型；另一方面，却也加速了转型期的社会动荡。”[2]尔后，朝廷因为花费大量银子用于平定内乱、巩固边防以抗外扰，明代政府因白银的短缺而被迫在最后二十年间七次加税。而中国经济和世界经济的密切联系也使得国内的经济容易受到外部危机的打击。从 1630 年至 1640 年，欧洲出现通货危机。当明朝官方和民间都迫切地需要更多的白银时，全球的生产和流通却在减少。[3]加上海上贸易受挫于荷兰人的封锁，这就更加剧了明末社会的动荡。当此之际，适逢一连串的天灾肆虐，更令原已颓败的经济情势雪上加霜。无论在城市还是乡村，不安的征兆皆已浮现。李自成（1606–1645）与张献忠（1606–1646）领导的军事反叛，对明王朝构成最严重的挑战。而明王朝的军事力量也因卫所军户制度

[1] 关于国外白银的大量流入及其影响，见 Atwell, “International Bullion Flows and the Chinese Economy Circa 1530–1650”。

[2] 万明：《明代白银货币化：中国和世界连接的新视角》，页 27–28。

[3] 同上注。

[4] 对于明代军事系统的简短讨论，见 Struve, *The Southern Ming*, pp. 2–6。黄仁宇在《万历十五年》一书中，对明代军制的弊端也有种种分析（页 164–203）。

根深蒂固的积弊而萎缩。[4]军制的衰败令反叛势力更加游刃有余。无独有偶，此时来自关外的威胁亦日益严重。满洲八旗军不时叩关，有时甚至逼近京畿之地。

面对这些危机，那些对于国家命运怀有强烈使命感的人们，便将其注意力转向"实学"（即古代儒家经典与史籍），以期从中获取经国济世的借鉴。因此，当晚明一些人们正在怀疑和挑战古代经典时，一部分有志之士开始致力于重建儒家经典与史籍的权威。1620年代，在当时的政治和文化上均极有影响的文人社团复社，公开亮出"兴复古学"的旗号。复社的发起人张溥（1602–1641）在为复社立规条时写道：

> 自世教衰，士子不通经术，但剽耳绘目，几悻弋获于有司，登明堂不能致君，长郡邑不知泽民，人材日下，吏治日偷，皆由于此。溥不度德，不量力，期与四方多士共兴复古学，将使异日者务为有用，因名为复社。[5]

在"兴复古学"的旗帜下，复社的许多成员都努力地编纂儒家经典与史籍。张溥本人身体力行，倡导经史的研究，并编著了许多关于儒家典籍与史料的书籍。复社另一位领袖人物陈子龙（1608–1647）亦编纂了多卷关于明代政治和经济的著作。

"兴复古学"也在一定程度上促进了考证之学。如复社中坚人物方以智（1611–1671）在主张恢复尊经传统的同时，更进一步以考据学作为通经的途径，认真考订古代的名物制度，以求更为准确地理解典籍。实际上，即便在晚明注重内省的心学达到高峰时，考证学也不曾全然消失。把研究古代经典、名物制度、历史上的成败得失作为医治晚明乱世之病的药方，成为当时学术思想风气开始转向的一个重要起点。到了清初，考据学逐渐发展成为学术主流，我们将在第三章详细讨论。

[5] 陆世仪：《复社纪略》，卷1。

傅山在明代的生活

万历三十五年丁未（1607）闰六月十九日，傅山出生于山西太原府的阳曲县（见山西地图）。其父傅之谟共有三子，傅山排行第二，兄为傅庚（卒于1642年），弟为傅止。

傅山先世原居太原以北的大同。傅山的六世祖天锡，以《春秋》明经为临泉王府教授，于是移居太原府的忻州。傅山的曾祖朝宣相貌俊美，被迫入赘宁化王府，傅家因此迁居阳曲（太原府府治所在地）。虽说祖上早在数十年前便已迁出忻州，但傅山仍视忻州为其故乡。傅山对忻州的依恋不仅是心理上的，实际上傅氏家族在忻州仍然拥有土地，并得以坐收田租。

傅家世代书香，但直至傅山的祖父傅霖于1562年中进士，才将傅氏一族在科场上的成功推至高峰。傅霖官至山东辽海兵备道，有战功。傅霖对文史很有兴致，尤喜爱班固（32–92）的《汉书》。他好作古文，曾出版其个人文集《慕随堂集》。他还出资赞助刊印《淮南子》，此书后来成为傅山爱不释手的一本著作。

傅霖的两位兄弟亦得意于科场。傅震1561年中举人，后来被任命为陕西耀州知州。傅霈则于1577年得进士，曾任华亭令，有政声，招为监察御史。傅氏三兄弟在科场和官场上的成就，加之傅山曾祖朝宣结亲王府，所以，傅氏一族在16世纪后半叶的山西烜赫不凡。[1]

明代山西地区经济和文化的发展呈现不均衡的状态。善于金融以及经营盐、煤、明矾、毛皮等高利润物品贸易的山西商人，和徽州商人一样富甲天下。相对于徽商来说，山西大贾在文化事业上的

[1] 关于傅山家族背景更详细的介绍，见尹协理：《新编傅山年谱》，页5205–5221。

[2] 王尚义、徐宏平：《宋元明清时期山西文人的地理分布及文化发展的特点》，页49。

投资要少许多，因此明代的山西在文化上相对落后。有明一代的进士，仅有 5.6% 来自于山西地区，[2] 远远落后于南直隶和浙江等经济文化发达的省份。然而傅氏家族中竟有三人科场得意，这必然为这一家族在地方上带来极大的声望和势力。这样的社会背景亦使傅山娶得忻州籍官员张泮（1586 年进士）之女为妻，尽管傅山的父亲傅之谟不曾出仕。[3]

傅之谟并不像父辈那样纵横官场。他的两个弟弟分别于万历和天启年间中举，而傅之谟仅为贡生。他留在家中恪尽其孝子之责，同时开馆授徒。

傅山从七岁到十五岁皆在家中接受塾师朱先生的指导。十五岁时应童子试取得生员资格。1626 年，他再次通过考试，成为领取政府薪饷的廪生。此时的傅山对明王朝面临的危机渐有所知，并领悟到，科举考试所需的知识并不能作经国济世之用，“遂读十三经，读诸子，读史至宋史而止，因肆力诸方外书。”[4]

在中国古代社会，书法是教育的重要一环，傅山自幼勤于临池。他曾回忆道：

> 吾八九岁即临元常，不似。少长，如《黄庭》、《曹娥》、《乐毅论》、《东方赞》、《十三行洛神》，下及《破邪论》，无所不临，而无一近似者。最后写鲁公《家庙》，略得其支离。[5] 又溯而临《争坐》，颇欲似之。又进而临《兰亭》，虽不得其神情，渐欲知此技之大概矣。[6]

根据傅山本人的这段记述，我们可以知道，他早期的书法训练完全是以传统帖学谱系的经典为范本，从未涉猎汉魏石刻。由于傅山 1640 年代以前的书作没有一件存世，我们无法确知其早期书法的风格特征。

傅山书于 1641 年的《上兰五龙祠场圃记》的石刻拓本（图 1.57）是他存世最早的作品。[7] 这

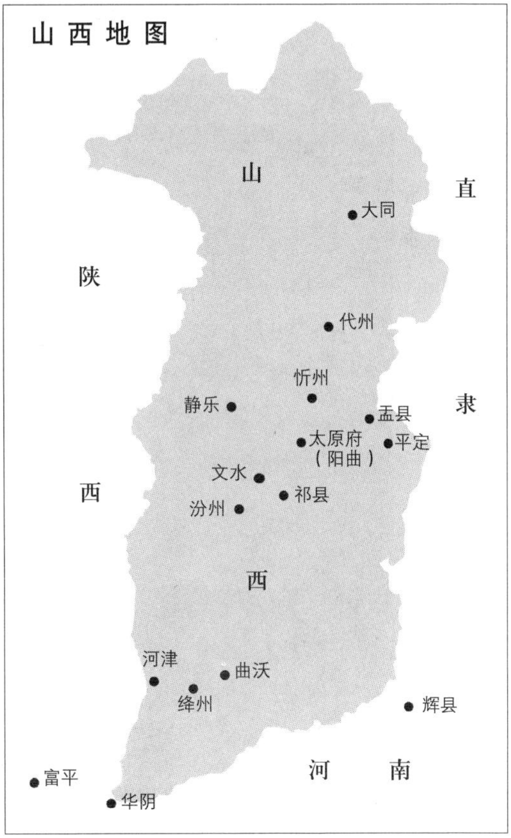

[3] 傅山的妻子张静君于 1632 年去世，留下一子傅眉（1628-1684）。此后傅山未再娶。妻子死后，傅山与她的家族成员维持着密切的关系。

[4] 戴廷栻 :《石道人别传》，载《傅山全书》，册 7，页 5025。

[5] 傅山使用“支离”一词来描述《颜氏家庙碑》的风格特征。关于这一词在傅山书法美学系统的内涵，下一章还将讨论。

[6]《傅山全书》，册 1，页 519-520。

[7] 在这篇短文中，傅山记述了自己捐赠给佛教寺院一个场圃。全文载《傅山全书》，册 1，页 437-438。关于这件作品的专门讨论，参见林鹏:《丹崖书论》，页 49-52。

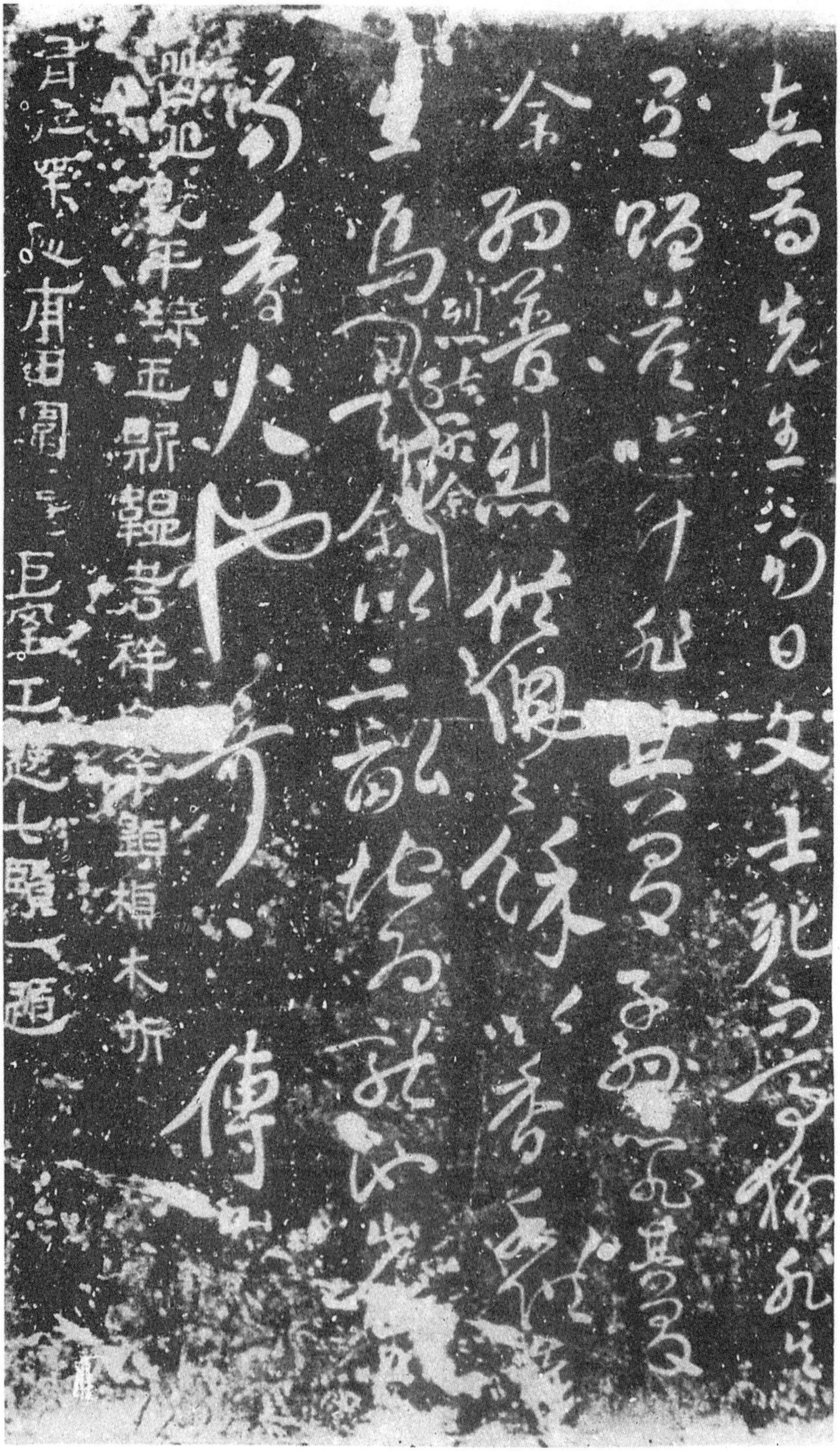

图 1.57 傅山《上兰五龙祠场圃记》1641 石刻拓本 纸本 尺寸不详藏地不明 林鹏提供照片

件书作的原迹与原刻石皆已佚失，仅拓本存世。尽管拓本显示出原石的毁损痕迹，但行草的书风特征仍然历历可见。正如林鹏所指出，其风格反映出明朝娴雅一路书法的特征，[1]无论笔画的起始、转折和收尾皆优雅精致。除了最后一个字“也”外，全篇并无起伏的波澜之笔。有些捺的收笔向上略挑，带有章草的意蕴。

行草书后有两行隶书铭赞，写得相当随意，横和捺收尾时上挑的燕尾甚是夸张。但总体而言，此赞与前文同样优雅，和傅山后来豪放而又富有戏剧性的作品形成鲜明对比。在这一小记中，赵孟頫对傅山的影响显而易见。[2]

傅山从青年时期即开始刻印，那时，晚明的文人篆刻已进入高峰。影响所及，他的儿孙辈也钻研这门艺术。傅山曾写道：“印章一技，吾家三世来皆好之，而吾于十八九岁即能镌之。汉非汉，一见辨之。如如来所谓如实了知，敢自信也。”[3]

傅山早年收藏的一部书上钤有一方朱文“傅鼎臣印”（图 1.58），刀法和章法均见功力，很可能是傅山的早期作品（“鼎臣”是傅山早年尚未改名“山”之前的名字）。目前我们在傅山存世的作品上见到的那些名章，估计不是傅山本人即是其子傅眉（1628 — 1684）所刻。而傅眉尤其擅长治白文印。[4]事实上，现存傅山和傅眉书画作品上的用印也以白文居多。

由于从青年时代起就研习篆刻，傅山对当时出版的古体字字书应该相当熟悉。虽然傅山 1650 年以前的篆书作品没有留存下来，然而，从他 1650 年代的篆书作品所达到的成就来看，他在明亡以前一定勤于研习篆书。傅山早年的这一训练，使其成为清初倡导将古篆、隶作为书法范本的重要人物。上文论及晚明文人在书法中用涨墨可能是受了篆刻的影响，我们在傅山和傅眉的书作中也能看到涨墨现象。

作为一个早慧的艺术家，傅山二十多岁时已经精于文物鉴定，明亡以前，他就以此闻名于山西的收藏家之间。明清之际，山西的文化在全国范围虽说不算发达，但明代山西的书画收藏却颇为可观。其中一个重要原因是明初分藩时，朱元璋曾把许多藏于皇室的古书画作品分赐诸王。分藩太原的晋恭王朱棡（1358 — 1398）即得到大量皇室赐予的书画。[5]至明末，许多官家藏品已流入私人收藏家手中。[6]傅山

图 1.58 傅山早年名章“傅鼎臣印”

[1] 林鹏：《丹崖书论》，页 51。

[2] 傅山曾提及赵孟頫对其早年书作的影响，这一点将于下一章中讨论。

[3]《傅山全书》，册 1，页 865。

[4] 傅山在 1684 年傅眉去世后，曾撰《哭子诗》多首悼念傅眉。诗后附小传，传云：“图印不大为朱文，专为白文。汉章甚精，尤妙于铜者，大得八分玺法之意。”同上注书，页 316。

[5] 关于清初北方鉴藏家的讨论，见傅申：《王铎及清初北方鉴藏家》。关于目前尚存世的朱棡曾收藏过的作品的讨论，见 Barnhart, "*Streams and Hills Under Fresh Snow Attributed to* Kao K'o-ming," pp. 228-230。

[6] 戴廷栻《画记》云：“太祖高皇帝，平定海内，收元之图书珍玩，藏诸御府，诸王分藩，各有所赐，久遂散逸民间，经乱后，纷然四出矣。余笃好书画，二十年勤求，不遗余力。”见《半可集》，卷 3。

从年轻时就对山西的书画收藏十分熟悉。傅山在《题宋元名人绘迹》中曾谈到他年轻时为人鉴定书画之事：

> 此册中多双凤黄孝廉家藏幅。孝廉之祖，有宦晋官承奉者，故多得晋分藩时书画。而孝廉又博学，精赏鉴，以文章从龙池先生游。是以收藏精富，在嘉、隆间为太原最。庚午、辛未之间，曾留贫道冰龛，颇细为删存之。[1]

由此可见，傅山对于原为分藩时山西王府所得、而后散入私人之手的收藏相当熟悉。

在晚明的山西收藏家中，出生于山西绛县富商之家的韩霖（约1600–约1649）及其兄长韩云收藏最富。[2]《绛州志》说韩云“藏法帖数千件”，[3]俨然是一个重要的书法收藏家。而韩霖收藏的碑帖也同样丰富。傅山《题旧拓圣教序》云：

> 《圣教序》旧拓本无几页。雨公所藏一册。即不宋，觉非二百年内物矣。今适见此，可称其流亚，好字者宝之。[4]

傅山在《绛帖说》中又写道：

> 壬午，从河东府王孙得绛帖一部。绛帖传无之久矣。晋府宝贤堂，云是从绛帖模勒者。韩雨公云欲得之，吾谓：“君家已藏半部真本，不必复须此矣。”韩语塞。吾以送毕湖目先生。[5]

傅山的这些文字不但说明韩霖的收藏既富且精，而他对韩霖的收藏又是多么地熟悉。

韩氏兄弟也是晚明山西重要的政治文化人物。韩云为举人，官至徐州知府。韩霖于1621年考上举人，此后多次赴京参加会试，求取进士之第。尽管屡试不第，他却因此在京城结识了许多朋友。他还是“复社”中仅有的两名山西成员之一。韩霖曾数次南下江南地区，与当地文人交游，并搜购书籍和书画作品。他成为黄道周和倪元璐的友人，且拜于当时书画界的祭酒董其昌门下。韩霖也是出色的书法家。《绛州志》说韩霖“书兼苏米”。[6]

韩霖浸淫篆刻艺术数十年，在晚明印坛扮演了一个相当活跃的角色。他是著名篆刻家朱简（字修能）的好友，[7]并曾亲自编辑朱简传世篆刻的代表作《菌阁藏印》（1625年出版）。[8]由于韩霖很富有，

[1]《傅山全书》，册1，页406。

[2] 关于韩霖家族与政治背景的详细讨论，见师道刚：《明末韩霖事迹钩沉》；黄一农：《明清天主教在山西绛州的发展及其反弹》。关于其艺术活动及与傅山间的关系，见白谦慎：《傅山的友人韩霖事迹补遗》。

[3]《绛州志》（康熙年间刊本），卷2，《人物》。

[4]《傅山全书》，册1，页415。

[5] 同上注书，页529。

[6]《绛州志》，卷2，《人物》。韩霖的书迹今天已不可多见，但明末清初著名的版画艺术家胡正言出版的《十竹斋书画谱》却收有韩霖的一件行书作品。这件作品笔势潇洒跌宕，果真有苏东坡和米海岳的意境。《十竹斋书画谱》所收，多为当时名家的书画作品，胡正言把韩霖的书作收入自己的书画谱，这多少反映出韩霖的书法在当时享有的声誉。

[7] 朱简是继文彭、何震之后又一位能集众长于一身的篆刻家。周亮工曾说，“仆尝合诸家所论而折衷之，谓斯道之妙，原不一趣，有其全偏者亦粹，守其正奇者亦醇，故尝略近今而裁伪体，推以秦、汉为归，非以秦、汉为金科玉律也。师其变动不拘耳！寥寥寰宇，罕有合作，数十年来，其朱修能乎？”周亮工：《书〈黄叔济印谱〉前》，《印人传》，卷2。

[8] 朱简在《菌阁藏印》的自题中说：“余总发嗜印，独取季汉以上金石真迹三数帙，铜章百十余，摩挲岁月，卒不循习俗师尚，或以为未工也，辄自好之。暇则重拟片石，椟置菌阁中，三十年于兹，未尝出以视人，盖知爱之者少也。会晋

因此，他不但参预编订朱简的印作，而且这些印作很可能也都是由他出资梓行的。韩霖在为《箘阁藏印》所作的序中这样自负地声称：

余究心此道二十载，殊觉登峰造极之难，于今人中见其篆刻之技近千人，与之把臂而游，上下其议论近百人。[9]

这说明，韩霖不但交游极广，而且眼界很高。虽然韩霖本人的印作今天已见不到了，但我们不难想象，他对篆刻极有研究。傅山和韩霖交往中，当讨论过印章。从万历到崇祯年间，执印坛牛耳者多在江南，而韩霖和他们中的许多人都有过直接的接触，他也一定收藏了许多印谱。若此，傅山可以通过韩霖来及时了解印坛的动向。

韩霖对傅山的书法也可能有所影响。傅申曾指出赵宧光的草篆对傅山草篆的重大影响。[10]韩霖可能和赵宧光有直接的交往。因为赵宧光是朱简的友人，朱简曾与赵宧光论印，其印学著作《印品》曾请赵宧光作序，朱的印章也受赵宧光草篆的影响。[11]韩霖随其兄游江南时，赵宧光尚在世。即使二者没有直接的交往，间接的交往则一定存在。作为朱简好友的韩霖，不可能不知道赵宧光。若赵宧光草篆对傅山有所影响，很可能是以韩霖为中介。

前文已经谈到，晚明是天主教传入中国的一个重要时期，利玛窦入华传教，许多士大夫如朝廷显宦李之藻、徐光启等皆皈依天主教。作为徐光启的弟子，韩霖与韩云都是虔诚的天主教徒，并在传播天主教方面不遗余力。明末时，天主教传教士在山西极为活跃，韩氏兄弟数次邀请传教士到绛州布道，使绛州成为晚明时期天主教影响最大的地区。1627年，由韩霖、韩云出资，第一座由中国教徒自己建立的天主堂在绛州诞生，徐光启著名的《景教堂碑记》一文，就是应韩霖、韩云的邀请为他们在绛州的天主堂所撰。[12]此外，韩氏兄弟传播天主教的一个重要工作便是刊行宗教书籍。[13]

陈垣在《基督教入华史》一文中以利玛窦为例，列举了明末西方传教士在华传教成功的六个条件，其中之一就是“介绍西学”。[14]在这一方面，韩氏兄弟尤以韩云贡献甚著。韩云在延请法国耶稣会传教士金尼阁（Nicolas Trigault，1577—1628）到山西传教期间，协助金尼阁完成了《西儒耳目资》这部完整的罗马注音专著。韩云在《西

中韩雨公研思此道，亦惟昌歜是好，因发所椟相视。雨公诧为得未尝睹，遂欲诠订，以公同好。……遂因雨公诠订，将以就正大方。”韩天衡编：《历代印学论文选》，下册，页495-496。朱简另一阐发其印学理论的重要著作《印经》，也是在韩霖的督促下编订的。参见朱简：《印经》，韩天衡编：《历代印学论文选》，上册，页136。

[9] 同上注，见韩天衡编：《历代印学论文选》，下册，页494。韩霖在印坛的交往极广，在当时另一位印坛名家胡正言的《胡氏印存》中，就有胡氏为韩霖刻的“韩霖”和“雨公”两方名章。是知不但韩霖的书法为胡正言所激赏，他们在篆刻方面也有过交流。

[10] Shen C. Y. Fu, *Traces of the Brush*, p. 52.

[11] 秦爨公云：“修能以赵凡夫草篆为宗，别立门户，自成一家，一种豪迈过人之气，不可磨灭。奇而不离乎正，印章之一变也。”引自韩天衡编：《历代印学论文选》，上册，页135。

[12] 见黄一农：《明清天主教在山西绛州的发展及其反弹》。

[13] 这些著作不少已亡佚，而且在《绛州志》、《山西通志》等书中也多未著录。但由于明清之际的传教士常把在中国出版的天主教著作送到梵蒂冈教廷图书馆存档，所以当时刊行的一些书籍得以存世，如《圣教信证》、《譬学》、《达道纪言》等。见白谦慎：《傅山的友人韩霖事迹补遗》。

[14] 陈垣：《陈垣学术论文集》。

儒耳目资》序中写道：

> 四表金先生，利先生之后进。哲人萎矣，尚有典刑。敦请至晋，朝夕论道，偶及字学，如剥葱皮，层层著里，隐忧泣血，不觉见遗，因请为书，凡三易稿始成之。

虽然利玛窦就曾试图用西洋字母来为汉语注音，但他在这方面的尝试除了《程氏墨苑》有所记载外，并没有其他的著述传世。因此，天启六年（1626）印行的《西儒耳目资》就成为了当时这方面最重要、最有影响的著作。“当时的士大夫正在欢迎利玛窦诸人的西学的时候，也就很欢迎这书。西洋的二十六个字母本为标音而设，当然是反切的好工具；《西儒耳目资》以西洋字母注汉语的语音，就把历代认为神秘的等音韵学弄得浅显多了。”[1]以后，傅山在 1660 与 1670 年代热衷于音韵学，很可能多少得到此书的启发。

韩霖后来被李自成的军队俘虏，并服务于李自成的军中。后逃脱李军，但在 1640 年代中后期为地方盗贼所杀。死后其收藏散落四处，傅山及其友人还曾试图购回韩霖的部分收藏。

虽然傅山对韩霖信仰天主教一事颇有微词，[2]但对他来说，与韩霖的交往极其重要，因为韩霖经常往返于山西和晚明文化艺术中心的江南，通过韩霖，傅山可以得知南方文坛的动向。

傅山结交的友人，哲学与宗教取向是多元的。绛州虽是晚明天主教最重要的基地之一，但也是晚明山西最具影响力的儒学家辛全（1588-1636）的故乡。傅山与辛全及其数位重要追随者为好友。[3]而山西地接西北，境内居民本多穆斯林，傅山的两位至交文玄锡（1596-1679 年后）和梁檀（约 1585-1654 年后）皆信奉伊斯兰教，傅山在其著作中曾数次表示其钦佩之情。[4]虽说傅山自幼受到良好的儒家思想熏陶，但从二十多岁开始，也渐渐表露出对宗教（特别是佛、道）的兴趣，以后，他还出家为道士。对不同哲学传统的研究，以及与不同宗教背景人士的交往，对傅山形成自由的心智，对各种思想流派与宗教的开放态度，都有积极意义。

傅山对不同的思想流派的兼容并蓄，也时常反映在他的著作和行为所包含的矛盾中。一方面，傅山对当时政治上的危机十分关注，

[1] 王力：《汉语音韵学》，页 160。

[2] 阅读傅山对韩霖的记述时，我们可以感受到这两位杰出的山西文化人物彼此间的竞争。见《傅山全书》，册 1，页 529。关于傅山对天主教的态度，见前引书，页 375-377。

[3] 黄一农：《明清天主教在山西绛州的发展及其反弹》。

[4]《傅山全书》，册 1，页 426、350-351。关于傅山和文玄锡的交往，见姚国瑾：《傅山〈天泉舞柏图〉赠与人考》。

并致力研究“实学”。但另一方面，他受明代心学思潮尤其是王阳明和李贽的学说影响甚大。[5]

这种矛盾还可以在傅山的两本早期著作中看到。一本是1640年代初傅山在傅眉的协助下编纂成的《两汉书姓名韵》，是研究汉代历史的工具书。书中按韵部罗列《汉书》与《后汉书》中提及的人物，在每一人名之下附有简短的小传。从此书的内容及编纂所耗费的时日可以推断，傅山在史学方面下过扎实的功夫。此书迄今仍为研究汉代历史的参考书。

另一本著作是完成于1644年以前的《性史》。关于心性的讨论在晚明学者之间甚是流行。此书不幸于明、清鼎革之际散佚，但从傅山自己的记述看来，此书充满了“反常之论”。[6]傅山对心性的讨论，和上面提到的他致力于“实学”的研究，成为一个有意思的对比。

终其一生，傅山对多种不同的宗教、哲学传统的接触，使其思想中具有多种异质，因此也充满了矛盾。傅山曾模仿陶渊明（372?–427）《五柳先生传》，写成《如何先生传》：

> 如何先生者，不可何之者也。不可何之，如问之。问之曰：“先生儒耶？”曰：“我不讲学。”“先生玄耶？”曰：“我不能无情而长生。”曰：“先生禅乎？”曰：“我不捣鬼。”“先生名家耶？”曰：“吾其为宾乎！”曰：“先生墨耶？”曰：“我不能爱无差等。”“先生杨耶？”曰：“我实不为己。”“先生知兵耶？”曰：“我不好杀人。”“先生能诗耶？”曰：“我耻为词人。”“先生亦为文章耶？”曰：“我不知而今所谓大家。”“先生臧否耶？”曰：“我奉阮步兵久。”“先生高尚耶？”曰：“我卑卑。”“先生有大是耶？”曰：“我大谬。”“先生诚竟谬耶？”曰：“我有所谓大是。”“先生是谁？”曰：“是诸是者。”“先生顾未忘耶？”曰：“忘何容易！如何如何，忘我实多。”“先生先生，究竟如何？”曰：“我不可何之者也，亦与如之而已。”温伯雪之言“明于礼义而陋于知人心”，先生自知亦如之而已矣。[7]

毫无疑问，《如何先生传》就是傅山为自己所作的自画像。[8]傅山在文中既承认自己承袭了各种不同的哲学思想，又表明自己独立于各家学

[5] 李贽在16世纪时曾居山西，对山西的影响力，及至整个明末清初而不衰。清初的许多学者皆对晚明风行的心学痛加批评，但傅山却对几位明代的心学思想家表示敬慕。关于李贽在山西的影响力，以及他对傅山的影响，见王守义：《傅山和李贽》及李明友：《傅山与李贽》。

[6] 傅山《贫道编性史杂记》云：“贫道昔编《性史》，深论孝友之理，于古今常变多所发明。取二十一史中应在孝友传而不入者，与在孝友传而不足为经者，兼以近代所闻见者，去取轩轾之。二年而稿几完，遭乱失矣。间有其说存之故纸者，友人家或有一二条，亦一斑也。然皆反常之论，不存此书者，天也。”《傅山全书》，册1，页778–779。

[7] 同上注书，页362–363。北京故宫藏有一件署名傅山，纪年为1659年的草书册页，内容即为《如何先生传》。然而从此件册页的书法风格看来，似乎不是傅山的原作，而是他人的临写本。虽然《如何先生传》的书写年代不详，但从内容推断，似为明亡前的作品。

[8] 傅山也可能受到汉武帝（公元前140–前87年在位）时期的东方朔（前154–前93年）的影响。在一篇名为《非有先生论》的短文中，东方朔假托“非有先生”来阐述自己的观点。这篇短文载于班固《汉书》之《东方朔传》。根据傅山所言，他从少年时代起即喜欢读《东方朔传》。见《傅山全书》，册1，页399。

派。文中呈现出的矛盾状态，正是晚明文化的缩影。哲学上的多元论及平等地看待不同的宗教和思想流派，显然承自于晚明思潮。

崇祯甲戌（1634）七月，复社成员袁继咸（1598-1646）出任山西提学。同年九月,吴甡（1589-1644年后）被委任为山西巡抚。袁、吴二人在山西任官时，傅山与他们建立了良好关系。

1636年,袁继咸在吴甡的支持下,修复山西最重要的教育机构——三立书院，邀请当地有名望的学者讲学。傅山和来自山西各地的三百余名生员入学。在三立书院，傅山和当时山西境内一些最杰出的学子朝夕相处，并很快便以其出众的才华被推为祭酒式的人物。三立书院的学生，其家庭多为地方政治、经济精英。例如，阳曲人杨方生（1601年出生）为官宦子弟，相同背景者还包括来自祁县的戴廷栻与盂县的孙颖韩（活跃于1630-1650年）等。其他朋友则出身地方士绅，如平定的白孕彩（约1630-1650年）、汾阳的曹良直（卒于1643年）、王如金（卒于1649年）等。以后的事实证明，三立书院对山西政治、文化生活以及傅山本人都产生了深远的影响。入清后，傅山的明遗民朋友圈中的大多数成员来自他在三立书院时期结交的友人。

1636年七月，吴甡上书皇帝，表彰袁继咸的政绩并推荐其出任京官。而此前三个月（同年四月）,吴甡和袁继咸的政敌温体仁（1598年进士；卒于1638年）的党羽张孙振被任命为山西巡按御史。为了达到打击吴甡的目的，张孙振以贿赂之罪弹劾袁继咸。十月，袁继咸被捕，送至北京受审。

得知袁继咸受困的消息后，傅山变卖家产筹措资金，和挚友薛宗周（卒于1649年）率山西学子赴北京向朝廷请愿，为身陷囹圄的袁氏申冤。[1]在北京，傅山和友人起草疏文，由百余名山西学子共同签署。他们原本期望通过通政司将此疏传递给朝廷，无奈通政参议袁鲸为张孙振的朋友。袁鲸以此疏不合规格拒绝递交，同时暗中将副本转给在山西的张孙振。张孙振恼怒不已，以迫害傅山的弟弟傅止相威胁。傅山置之不理。在几次上疏均遭通政司拒绝后，傅山和友人改变策略，印制了一份揭帖（相当于今日之传单，由傅山起草），乱投于京师各大小衙门。他们还随身携带揭帖，遇见官员或宦官时

[1] 此事见王文朴《诗礼堂杂纂》，载《屏庐丛刻》。

便送上，以期请愿书能上达皇帝。傅山在揭帖中写道：

> 呜呼！败诬而至于敝乡之袁，真国是之又一变矣。袁教敝乡几三年，下车先以天下名教是非为诲导；岁科再试，尽瘁积劳；往来盗贼戎马间，苦心摩研士，往往售知。……即开书院作养一举，首以俸余葺先贤三立祠，而进诸生于其内，朝夕劝课，蔬食菜羹，与诸生共之，不取给于官府，不扰及于百姓，有贪吏若此者乎？❷

傅山在揭帖之末疾呼朝廷主持正义，不要轻信小人对袁氏的诬告。

次年一月，张孙振被捕，并移交北京受审。四月，袁继咸被判无罪获释。山西学子这次勇敢且成功的请愿行动，博得士林一片喝彩。应袁继咸之请，马世奇（1584–1644）撰写了《山右二义士记》一文，赞誉傅山和薛宗周为山西的“二义士”。当时年仅三十岁的傅山自此被目为山西文人的领袖。❸

1642年，傅山于乡试中落榜，而这次科场失意似乎另有原因。傅山在赴试前对实学与宗教文本发生的浓厚兴趣，在在都显示出其对通过考试所需具备的八股知识并不太注重。❹实际上，许多晚明文人都不同程度地意识到科举考试的弊端——科场所试八股文和经国济世所需知识之间的严重脱节。

然而，这并不意味着傅山对时事漠不关心。他在山西学子赴京请愿营救袁继咸的行动中所扮演的领导角色，正显示出他高度的政治责任心和组织能力。傅山对国家命运的关心，在他的一篇早期作品《喻都赋》中也可以得到证明。此赋写于1637年春傅山旅居北京为袁继咸申冤时，当时满洲人对明王朝已构成严重的威胁。1635年夏，八旗军突袭离北京不远的保定，京师告急，京城百姓间已有迁都的传闻。傅山在《喻都赋》中赞颂皇帝，相信他绝不会迁都，并期待江山社稷在他的领导下日益安宁。❺

然而，事与愿违。1640年代初期，情势每下愈况，大明王朝的崩溃已无可避免。

❷《傅山全书》，册1，页601–603。

❸ 关于这个事件的详细记录，见上注书，页571–580。

❹ 姚国瑾在最近完成的一篇文章中认为，傅山在入三立书院以后，参加了崇祯九年、十二年、十五年的三次乡试。戴廷栻在《石道人别传》（《傅山全书》，册7，页5025–5027）中称傅山“以举业不足习”应是入清以后的事。（姚国瑾：《傅山〈寿胡母朱硕人周礼君七十小叙〉略考》）不过，我们从傅山的《两汉书姓名韵》这部耗时甚巨的著作完成于1640年代初这一事实来看，傅山花了相当大的精力来研究史学。而史学在当时被认为是“实学”。

❺《傅山全书》，册1，页1–4。

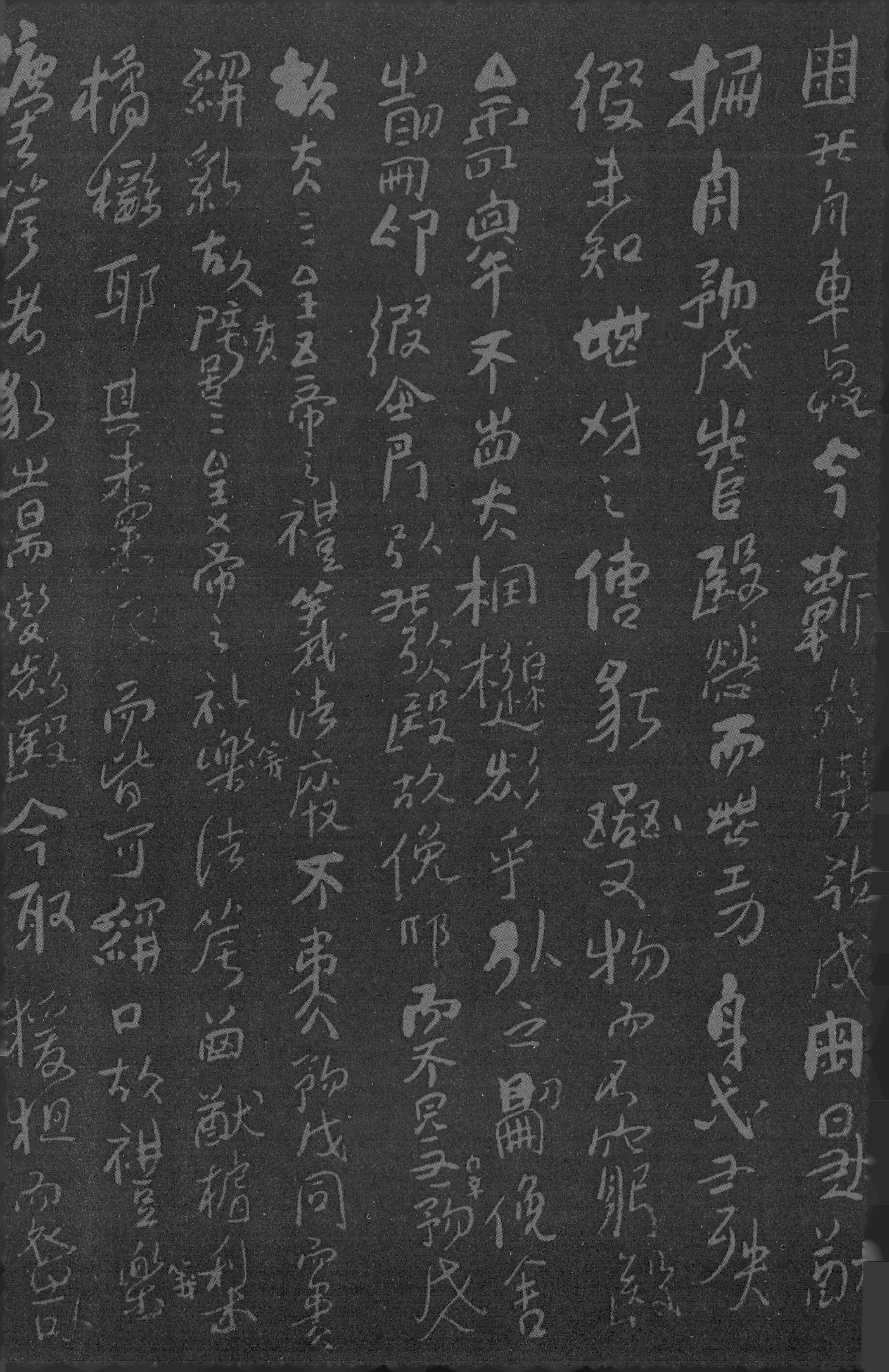

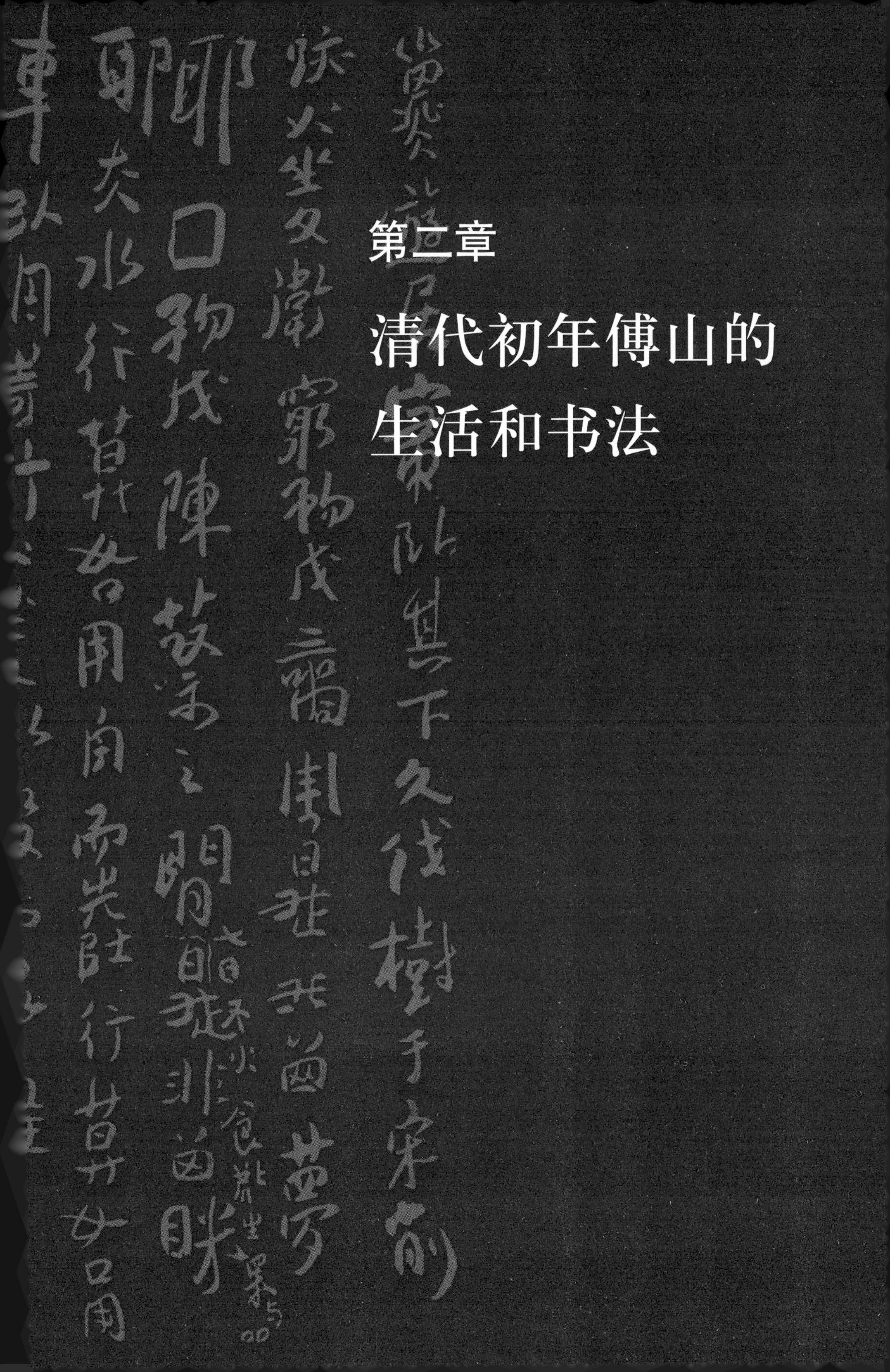

第二章

清代初年傅山的生活和书法

动乱的年代

1640年代初，来自北方满洲的军事威胁和陕西李自成的军队加深了明朝的危机。邻近陕西的山西，危急存亡的消息开始在地方士绅中蔓延开来。值此危机时刻，朝廷于1642年元月任命蔡懋德（1586–1644）为山西巡抚。次年，蔡懋德在太原重开三立书院，邀请学者讲授经世之学。傅山和曾向耶稣会士学习火炮术的韩霖等主讲战术、战略、防御、炮术、财用、河防等“经济之学”。[1]

李自成的军队在1643年底占领长安（西安），次年甲申元旦，李自成在长安称帝，建立大顺政权，并开始准备远征北京。取道山西是由陕入京的捷径，该省士民被李自成进军北京的消息所震惊。

傅山在山西参与了抵抗李自成的活动。李自成占领西安后，他在山西的支持者四处散布：李军不杀不淫，所经之地不征赋税。傅山和蔡懋德则在城市和乡间到处散发传单，以王国泰、黎大安的名义，自称从陕西来此，目睹李自成军队荼毒逼勒之惨状。由于自古以来童谣常被视为政治的预兆，蔡懋德和傅山又编写童谣，说猴年（甲申）为李自成不祥之年，希望山西民众相信李氏并未获“天命”，借此削弱李自成支持者在山西的影响。

李自成进军北京的消息震动了大明朝廷。山西曲沃籍的礼部右侍郎李建泰（1625年进士）上书请准回乡，以自家财产饷军，抗击李自成。崇祯皇帝大喜，任命李建泰为兵部尚书，并赐尚方宝剑。李建泰邀请傅山和韩霖作为他的顾问。1644年元月中旬，傅山前往山西东部的平定州等待李建泰，期望他能领兵保卫太原。但在李建

[1] 傅山：《巡抚蔡公传》，《傅山全书》，册1，页345；戴廷栻：《蔡忠襄公传略》，《半可集》，卷1。

泰还未抵达曲沃之前，曲沃已落入李自成手中。二月初六，太原也被李自成的军队所包围，两天之后失守，蔡懋德在三立书院自经殉职。

三月十九日，李自成军进入北京，同日崇祯皇帝在煤山自缢。但李自成并未占领国都太久，一个半月后，清兵以讨伐李自成乱党为名攻占北京。十月，太原陷落。不久，北方诸省被清政府所控制。[2]清军入关初期，在各地遇到的抵抗相当激烈。在南方，抗清的主要势力是南明政权。[3]

傅山在三立书院时的老师袁继咸被南明弘光朝任命为兵部右侍郎，领导军事抵抗运动。1645年六月，袁继咸被清军俘虏，他断然拒绝仕清，两个月后被押送北京。在北京，袁继咸通过已在清廷任吏部郎中的前三立书院学生卫锡珽，带给了傅山一首诗和一封信，诗中这样写道：

> 独子同忧患，于今乃别离。
>
> 乾坤留古道，生死见心知。

袁继咸在信中写道：

> 江州求死不得，至今只得为其从容者。闻黄冠入山养母，甚善甚善。此时不可一步出山也。有诗一册，付曲沃锡珽，属致门下藏之山中矣。可到未？[4]

不久，袁继咸被杀。行刑前，他又托人带信给傅山，信中说："晋士惟门下知我甚深，不远盖棺，断不敢负门下之知，使异日羞称袁继咸为友生也。"[5]据说傅山看了信后痛哭曰："呜呼！吾亦安敢负公哉！"[6]

傅山在清军入关最初几年写的许多诗中，显示出他对当时政治、军事的关心和对故国深沉的哀思，但傅山在多大程度参与反清活动仍是个谜。傅山的长兄傅庚已于1642年过世，作为一个孝子，傅山强烈地意识到他对年迈母亲的责任。在许多诗中，傅山都提到母亲，如："避居寓吾母"；[7]"飞灰不奉先朝主，拜节因于老母迟。"[8]傅山在诗中如此反复地提到老母，不只反映了他对母亲深挚的感情，也显示了忠孝难以两全的内心冲突。根据儒家的基本教义，一位臣子应该勇于为他的王朝牺牲生命。理论上来说，效忠君王应优先于实践孝道。

[2] 关于清军入关占领北京的详细讨论，见 Wakeman, *The Great Enterprise*, vol. 1, pp. 225–318。

[3] 南明政权和清政府的对抗一直持续到1660年代初。关于南明历史的探讨，见 Struve, *The Southern Ming*。

[4]《傅山全书》，册7，页4989。黄冠指傅山，因傅山此时已是道士，着朱衣，戴黄冠。

[5] 同上注。

[6] 李元度：《傅青主先生事略》，收录于《傅山全书》，册7，页5048。

[7]《傅山全书》，册1，页83。

[8] 同上注书，页227。

但是，即使一个臣子有勇气面对死亡，他仍然会牵挂自己死后谁来照顾父母。清初许多明遗民就是以年迈的父母需要服侍来为自己的忍辱偷生开脱。[1]但无论他们的理由是多么正当，许多明遗民依然对自己未能为明朝殉身而感到羞耻。傅山在一首诗中叹息："臣母老矣"，[2]他以"臣"自称，又提及老母，好像在祈求已故君王的宽宥。

自1644年初太原失守后，傅山便开始了长年的流离生活。当年三四月，他旅行至平定和寿阳，随后，他的母亲、儿子傅眉和侄子傅仁（1638–1674）也来到这里。八月，傅山出家为道士。[3]就像许多明代士大夫在明亡后出家为和尚一样，道士身份既可以掩饰傅山的反清活动，也使他得以逃避清朝强制推行的薙发。

清军入关的最初几年，太原是清朝的重要军事基地。傅山离开太原后，在山西各地旅居，所住之地包括盂县、武乡、曲沃、寿阳、平定和汾阳，其间也曾短暂地回过阳曲和太原。他在汾阳停留得最久，因为那是好友王如金和薛宗周的家乡。旅居各地期间，傅山多寄居友人家，偶尔也住在寺庙。例如，在盂县时住在孙颖韩处，到平定则住在白孕彩家，两人都是他在三立书院时的朋友。

史景迁（Joanthan Spence）指出："明、清的中国几乎不存在西方意义上的贵族。不论过去的一些王朝曾经是多么辉煌伟大，一旦一个王朝覆灭，统治者的后裔也无法保留他们旧时的头衔和特权。……1644年后，明代的贵族阶级也没能保留住头衔和特权。"[4]战争前，傅山家境殷实，傅氏家族不但在老家忻州有土地，在太原一带也有地产多处。[5]战后，傅家的经济状况可谓一落千丈。有的学者根据傅山的一些诗文推测，傅山曾在甲申、乙酉间（1644–1645）典卖家产来筹资从事反清复明的秘密活动。[6]傅山家原有的经济来源（如地租收入）也受到严重影响。在流离生活中，傅山原有的积蓄很快用完了，他被迫寻找其他的办法来维持生计。大约是在1650年左右写给朋友的一封信中，傅山谈到他和朋友计划开一家酒馆。一般说来，卖酒利润甚丰厚。[7]大概因为战争和天灾造成粮食短缺，清廷在北方地区严令限制酿酒，傅山等人的这一努力最终没有成功。[8]Lynn Struve 指出，明清鼎革之际，"富庶的长江下游和杭州湾地区虽

❶ 关于明清鼎革之际中国文人士大夫如何处理忠孝不能两全这一问题的论述，见何冠彪：《明季士大夫对忠与孝之抉择》。

❷《傅山全书》，册1，页10。

❸ 关于傅山何时出家为道士的记载不尽相同。根据其挚友戴廷栻的说法，傅山在1642年乡试前，曾梦见"上帝议劫，给道人单，字不可识，单尾识'高尚'，且赐黄冠衲头。心知无功名分，遂制冠衲如梦中赐者"。傅山由此预知其将会科场失意。他在1642年名落孙山后便成为道士。见戴廷栻：《石道人传》，载《傅山全书》，册7，页5026。然而根据其他记载（包括傅山自己的记载，此亦为笔者所采信者），他是在甲申（1644年）明朝覆灭后才成为道士的。见尹协理：《新编傅山年谱》，页5255、5266。

❹ Spence, *The Search for Modern China*, p. 45.

❺ 丁宝铨：《傅青主先生年谱》，《霜红龛集》，下册，页1353。傅山在1641年还曾向当地的一家寺院捐赠土地。见本书第一章关于傅山早期作品《上兰五龙祠场圃记》的讨论。

❻《傅山全书》，册1，页227。侯文正等：《傅山年谱》，见《傅山诗文选注》，页616。又有记载说，傅山在崇祯年间率山西士子赴京营救袁继咸时，就曾变卖家产。见王又朴：《诗礼堂杂纂》。

❼ 已故北京故宫博物院研究员刘九庵先生曾示我这一信札的照片。从信中可知，傅山试图通过魏一鳌（一位和傅山交情很深的清政府官员，详见下文），来取得政府对他经营酒店的许可。

❽ 关于清政府在某些地区禁止酿酒的讨论，见范金民：《清

然因为战乱受到很大的破坏，但仍有很多的资源可以用来恢复经济。而其他饱受战争蹂躏的地区，仍长期处于破败的景象”。[9]山西是遭受战乱和灾荒最严重的省份之一，在1650年代初期，清廷多次下令免除该省许多地区的赋税。[10]

行医是傅山的主要收入来源之一。他精于妇科，傅眉为其助手。[11]据载，1650年代晚期，傅山在太原拥有一家药铺，由傅眉经营，自己则住在郊外。[12]一些傅山现存的书法册页中还保存着他开给病人的处方。

另一重要的收入则来自书画，特别是书法。但傅山对被迫鬻书卖画感到相当沮丧，他曾在一条笔记中写道："文章小技，于道未尊，况兹书写，于道何有！吾家为此者，一连六七代矣，然皆不为人役，至我始苦应接。"[13]遗憾归遗憾，应该说，傅山能以书画谋生是幸运的。早在明末，傅山已经是山西的著名文人，一个"文化资本"的拥有者。不像政治权力和财富可能随着朝代的更迭而丧失或减少，个人的文化资本则不容易被剥夺。傅山在文艺上的声名，不但没有因改朝换代而受损，反而在清初持续增长。明清鼎革并非社会革命，中国的社会结构和文化并未受到根本的冲击。不少社会和政治精英为了保护自己的政治经济利益，通过与清廷合作或科举考试而摇身成为新贵。在文化上，他们依然保留着旧时的爱好和品味。在山西，士绅和商人依然是傅山书画艺术的主顾。虽然傅山不愿以书画谋生，但由于他的名望，仍然有许多人希望收藏他的作品。傅山有时为了金钱而创作书画，但是更多的时候，他利用书画应酬社会上各种场合的礼尚往来，或换取种种服务。[14]

傅山也不时地从那些与他政治背景相似的朋友处获得经济上的帮助，友人中给他最多帮助的是戴廷栻（字枫仲）。戴氏比傅山约年轻十六岁，是傅山在三立书院时结交的友人。戴廷栻出身明代官宦世家，祖父和父亲都是明朝的进士，祖父官至布政使。[15]戴家在祁县有田产，历经战乱仍保留下来。傅山曾称赞戴廷栻"有心计，为人在儒侠之间"。[16]说戴廷栻有侠气，是因为他好交游，为人慷慨；称他有心计，是因为他精明而有干才。从傅山曾多次请戴廷栻代办经济事务来看，戴

代禁酒禁曲的初步研究》。虽然范金民的文章只涉及康熙朝（1662–1722）的情况，但清政府的禁令极有可能在顺治朝（1644–1661）既已推行。因为华北地区包括山西省在内，在那一时期遭受严重的饥荒，迫使清廷多次免除灾区的赋税。在傅山以后的诗文中，从未再提及开酒馆的生意，而且傅山晚年的经济状况并不富裕，可以推想，开酒馆的计划没有实现。

[9] Struve, *Voices form the Ming-Qing Cataclysm*, p. 3.

[10]《清史稿》，册1，页130–131。

[11]《傅山全书》，册7收有数篇署名傅山的女科医学著作，但其真伪尚有待进一步研究。傅山在清初就有很高的医名，撰写女科的医学著作完全可能。

[12] 安徽画家戴本孝（1621–1693）曾在1668年前往华山的途中专程拜访傅山，不遇，却在太原傅家的药肆中见到了傅眉。见戴本孝：《迂道太原，造访黑松庄傅青主不遇，冒雨返邸次，怅然赋此却寄》、《赠傅寿髦》，载《余生诗稿》，卷3。

[13]《傅山全书》，册1，页863–864。

[14] 关于傅山如何用书法来解决生计的问题，见Bai, "Calligraphy for Negotiating Everyday Life"。又见白谦慎：《从傅山和戴廷栻的交往论及中国书法中的应酬和修辞问题》；白谦慎：《傅山的交往和应酬》。

[15] 关于戴廷栻的生平及其与傅山的关系的研究，见白谦慎：《从傅山和戴廷栻的交往论及中国书法中的应酬和修辞问题（一）》，页95–108；《傅山的交往和应酬》，页64–81。

[16]《傅山全书》，册1，页348。

很可能经商并有相当可观的收入。经济实力使戴廷栻在清初战乱之后仍能购买战争中流散出来的私人书画收藏，并且成为清初北方重要的收藏家。[1]

戴廷栻殷实的经济境况，使他能够赞助傅山和其他从外省来到山西的明遗民。从傅山写给戴廷栻的信中，[2]我们知道戴廷栻对傅山的帮助是多方面的，如购买食物，为傅山出游提供驴子和仆人等。他还在山西代理傅山的书画作品。为了回报戴廷栻，傅山常为戴廷栻作书作画，并充当他的艺术收藏顾问，为他的收藏品作题跋。

傅山在清初的动荡生活一直延续到 1653 年。那一年，山西省布政司的官员魏一鳌（约 1615–1694）以三十两银子在太原郊外的土堂村为傅山买了一处房产，傅山从汾州搬到土堂村居住。[3]

[1] 傅申在《王铎及清初北方鉴藏家》一文中，将戴列为清初北方重要的收藏家之一。

[2] 大部分现存傅山写给戴廷栻的信札已收入《傅山全书》（册 1，页 469–484）。从这些信札中，我们可以勾勒出傅山日常生活的概貌。

[3] 王余佑:《魏海翁传略》云:“谪藩幕者数年，与傅君青主称方外交，捐资三十金，代买土堨村居。”（收录于魏一鳌 :《雪亭诗文稿》）土堨村又作土堂村、土塘村。

傅山同仕清汉官的关系

长期以来，清初汉族官员在艰难的环境下保护和赞助明遗民这一历史现象为历史家所忽视。[4]而傅山和魏一鳌之间的交往和友谊正突显了清初明遗民和仕清汉族官员之间错综复杂的关系。魏一鳌（字莲陆），直隶省（今河北）保定府新城县人，1642年乡试中式，成为举人，次年会试落榜。1644年清军入关，魏一鳌期望通过科举而步入仕途的梦想被粉碎了。1645年，河北著名理学家孙奇逢（1584–1675，保定府容城县人）到新城避难时，魏一鳌成为他的入室弟子。[5]

清政府为了巩固它在北方的统治，亟需网罗汉族士人为其效力。1645年清廷下令，直隶省的举人必须赴京参加吏部考试，合格者授以官职，"抗违不应试者，指名拿问，抚按并参"，或参加下一年的会试。[6]同年六月，魏一鳌到北京参加考试，通过之后，被任命为山西东部的平定州知州。在魏一鳌动身前往山西赴任之前，他的明遗民老师孙奇逢，曾以"洁己奉公，爱民礼士"八字相赠。[7]

孙奇逢对清朝的态度十分复杂。1636年八旗兵进攻容城时，孙奇逢领导当地居民血战卫城，当邻县纷纷沦陷时，容城仍巍然屹立，这使得孙奇逢赢得英雄的美名。当李自成定都北京时，孙奇逢拒绝承认其合法性，并举兵抵抗。但不久清军入关后，他却默默地接受了清政府的统治。[8]

明末北方战乱频仍，使得北方的士绅和民众渴望和平安定，他们期望有一个能尽快恢复社会秩序的政府。虽然孙奇逢本人数次拒绝清廷的征聘，但像其他的明代遗民（一个宽泛而不严格的定义）

[4] 这一情况在近年开始有了转变。如谢正光先生发表了数篇论文，专门讨论清初明遗民和仕清汉官的交往。参见谢正光著《清初诗文与士人交游考》所收有关论文。

[5] 见王余佑：《魏海翁传略》。关于魏一鳌与傅山交往更为详细的讨论，见白谦慎：《傅山与魏一鳌》，《傅山的交往和应酬》。

[6] 王余佑：《魏海翁传略》。

[7] 白谦慎：《傅山与魏一鳌》，页98。

[8] 关于孙奇逢的生平研究，见张晓虎：《孙奇逢》，收录于王思治编：《清代人物传稿》，册1，页173–180。

默许自己的子弟和学生任职清廷一样，对于魏一鳌出任清朝地方官这一事，孙奇逢深予理解。[1]

魏一鳌于1645年九月到达平定，他在平定州知州任上做了不少好事。据《山西通志》记载，他“抚凋残，表忠义，立物本社，课文造士。既，士民思其德，祀涌泉亭”。[2]在魏一鳌的政绩中，值得注意的是“抚凋残，表忠义”的举动。在明末的战争中，中国北方诸省士绅阶层受到的打击最为严重。因此，在战乱后，“抚凋残”成为稳定士绅阶层进而恢复地方秩序的一项重要措施。所谓“表忠义”即指表彰那些在明末抵抗李自成的战争中誓死忠于明王朝的人士，特别是那些死于战争的明朝官员们。

魏一鳌在平定州任知州刚满一年，就因意外事件被谪。由于史料的缺乏，我们无法确知这一意外事件的详情。魏一鳌罢官后，曾经回保定探望老师孙奇逢。同年冬，补为山西省布政司经历，再次来到山西，官署在太原。[3]然而他的行政能力和文学天赋，很快地就被来自满洲汉八旗的山西布政使孙茂兰所赏识。[4]

傅山和魏一鳌的关系约始于1647年。由于傅山在明末就已经是山西省最有影响的文人之一，并因成功地营救袁继咸而被士林目为“山右义士”，[5]魏一鳌在平定州任知州时就应已知道傅山。不过，他们两人的直接交往则很可能是通过傅山的好友白孕彩的介绍开始的。[6]

魏一鳌到达太原后，很快就成为傅山最慷慨的赞助者。傅山1640年代下半叶至1650年代上半叶致魏一鳌的信札充分证明，傅山经常求助于魏一鳌。傅山在给魏一鳌的第一通信札中写道：

[1] 1646年魏一鳌在平定知州任上受诬被贬时，孙奇逢还专门去信予以安慰，并对他的政绩多所称许：“昔人云，不得为官犹得为人。盖为官之日短，为人之日长。况一年平定，百年徇声，岂以今日去官而减价乎。张日葵、苗九符诸公此际定有月旦也。”见孙奇逢：《夏峰先生集》，卷1。张日葵即张三谟（日葵为其字），平定人，曾任明朝大理寺卿。明亡后，拒绝清政府的征聘，隐居不仕。张也是傅山的好友。苗九符即苗蕃（九符为其字），“平定人。明天启甲子举于乡。性耽山水，博雅闳达。工诗文及书法。宰南城，爱匡庐之胜，筑室东林寺，遂隐焉。著有《江帘》、《吟天》、《香吟》诸集。”《山西通志》（光绪年间刊本），卷156，《文学录下》。苗蕃入清后拒仕新朝。苗蕃与魏梁栋、魏一鳌父子情谊甚笃，魏梁栋去世，曾为撰墓志铭。孙奇逢认为他们对魏一鳌任平定知州时的所作所为是一定会赞许的。

[2]《山西通志》（雍正年间刊本），卷109。

[3] 王余佑：《魏海翁传略》：“……甫期年，以意外被谪，闻命甚喜，每多设醇醪于座隅，有人劝以婉转，或以服官为美事者，辄以酒灌之，务至酩酊以塞其口。未几，新守到，而公竟飘然归矣。……里居渥水，日待征君（笔者按：指孙奇逢）之门。是年，补晋藩参军。”参军为经历之别称。

[4]《祝魏母杨太夫人七秩寿序并诗》：“……无何，莲陆以诖诬镌级，居处藩司僚佐，复以贤能为当事荐拔，玉光剑气，难以掩没。”（此序撰者不详，载《雪亭文稿》）根据傅山甲午“朱衣道人案”的供词，我们知道，魏一鳌在顺治十年癸巳时，为布政使下属中最高的官员经历。魏一鳌从参军升为经历的时间应在1649、1650之间。魏一鳌《考满北上偕烨蕃兄弟游净业寺》（见《雪亭诗稿》）一诗有“薄宦三年今一回，故乡风景不胜哀”句。魏一鳌当在任布政使司参军三年、考满后升任经历的。荐拔魏一鳌的“当事”应为是时担任左布政使的孙茂兰。详后。

[5] 参见傅山：《因人私记》，《傅山全书》，册1，页571-580。

[6] 白孕彩，字居实，山西平定州人，是傅山在三立书院时的同学，明亡后，和傅山保持着密切的关系。魏一鳌和白孕彩的交往当始于前者在平定任官时。傅山在给魏一鳌的信中曾提到白孕彩，从中可以知道，白孕彩也是魏一鳌的友人。见香港的叶承耀医生所藏由傅山致魏一鳌的十八通信札装裱成的手卷《丹崖墨翰》。这十八通信札在魏一鳌生前即被裱成手卷，引首“丹崖墨翰”为清初河北籍高官魏裔介（1616-1686）所题，魏裔介是魏一鳌的至交，而魏一鳌在魏裔介死后八年（1694年）去世。关于这十八通信札的全文及其书写时间的考订，见白谦慎：《傅山与魏一鳌》；又见白谦慎：《傅山的交往和应酬》，页48-62。

> 天生一无用人，诸凡靠他不得，已自可笑；一身一口亦靠不得，栖栖三年，以口腹累人。一臆闵安道，辄汗浃背。有待为烦，腼以待尽，乃复谬辱高谊，贳宠侪庵，益笑卖药杇翁之浪得名。闻天地间诸事，有马扁固如此。道人虽戴黄冠，实自少严秉僧律，一切供养，不敢妄贪肉边之菜。权因热灶，岂复无知，忍以土木冒饕檀惠。润溢生死，增长无明。老亲亦长年念佛人，日需盐米，尚优胼胝，果见知容，即求以清静活命乞食之优婆夷及一比丘为顾，同作莲花眷属。即见波罗那须顿施朱题之宝，令出家人怀璧开罪也。[7]

困境中的傅山以母亲和本人（出家人）的名义，请求魏一鳌在经济上给予他们接济。

从其他的信札中我们可以知道，魏一鳌在很多方面都帮助过傅山。当傅山住在汾州时，魏一鳌送酒给他佐菜（第六札）；当傅眉前往平定州娶妻时，傅山又请魏一鳌利用他在平定州的影响为傅家提供方便（第四、五、八札）。顺治九年壬辰（1652）十一月，清政府下令免山西忻州、乐平等州县的灾赋。[8]大约在此前后，傅山曾致书魏一鳌，请他帮助免去他在老家忻州一些土地的赋税。原文如下：

> 寒家原忻人，今忻尚有薄地数亩。万历年间曾有告除粮十余石。其人其地皆不知所从来。花户名字下书不开征例已八十年矣。今为奸胥蒙开实在粮食下，累族人之催此，累两家弟包陪，苦不可言。今欲具呈于有司，求批下本州，查依免例。不知可否？即可，亦不知当如何作用？统求面示弟止。弟甘心作一丝不挂人矣。而此等事葛藤家口，不得了了。适有粮道查荒之言，或可就其机会一行之耶。其中关键，弟亦说梦耳。恃爱刺之。（第十七札）[9]

迫于生计，傅山腼颜开口，请魏一鳌帮忙，借查荒之际，减免土地税。[10]

对于魏一鳌的帮助，贫困中的傅山能够给予的回报就是为其家人和朋友看病、作书画。（第三、八札）

[7] 这通信札没有纪年，但因为傅山在信中说他“栖栖三年，以口腹累人”，亦即当时傅山已寄居他乡三年，我们可以推测它写于1647和1648年左右。优婆夷即未出家女佛徒，比丘为男出家人，朱题即朱提，银子之别称。

[8]《清史稿》，卷5，页131。

[9] 此札没有纪年，但根据《清史稿》，清廷在1652年因灾荒免除忻州等地赋税，笔者因此推测此札作于1652年。

[10] 傅山显然不希望外人知道此事，所以他在此信的结尾，请魏一鳌阅后将信烧掉。魏一鳌因喜爱傅山的书法，保留了此信。

魏一鳌不仅在经济上给予傅山及其友人慷慨的帮助，更重要的是他还利用自己的职权和关系，为傅山等山西的明遗民提供政治上的庇护。傅山出身官宦世家，岳父和妻兄也都是明朝的官员。他本人在明末已是山西省有名的社会贤达，因此和当地的政府官员有相当深的关系。苏州博物馆藏有一件傅山写于甲申岁末的小楷诗册，其中的诗多是写于崇祯壬午（1642）六月十九日傅山生日那天的旧作。傅山在诗的注中提到，他生日的那天，太原府同知与阳曲县县令皆欲前往他家为他祝寿。[1]这说明，在明末，傅山是不需为获得地方政府的庇护而操心的。入清之后，情况发生了巨大的变化。由于过去的政治依托不复存在，许多明朝官员的子弟在地方上受到敌对势力的挑战。这种挑战或缘于旧隙，或为政治经济利益的冲突所引发。在傅山的著作中，我们不难找到有关亡明官宦子弟受到新崛起的地方势力欺凌的慨叹。[2]在这种情况下，傅山及其友人也就不得不向清政府中那些同情明遗民的汉族官员寻求政治保护。《丹崖墨翰》的一些信札记录了这样一件惊心动魄的事件。

1650 年，傅山寄居在他的好友、阳曲县的杨方生（字尔桢）家。[3]一天，朋友们到傅山的住处聚会。在这次聚会中，傅山内侄张仲（字孺子）的女婿朱四突然死亡。[4]围绕着朱四之死，傅山及其友人和当地新势力间的冲突变得尖锐起来。根据傅山致魏一鳌的信札，事件的缘起如下：

> 无端怪事奉闻：昨州友过村侨小集，孺子之婿朱四适来贪嬉。邻舍有秋千，朱四见而戏之，下，即死于架下。山所侨实为尔桢杨长兄之庄。庄乡约与桢兄不善，恐从兹生葛藤。若事到台下总捕衙门，求即为多人主张，一批之。……凡道府县衙门，统渎门下鼎容力持之。且县衙无人可依，不知门下曾交否？即交，厚否？须仗台力一为细心周旋，省一时穷友乱忙也。（第十札）

《丹崖墨翰》中的第九札至第十七札都与这一命案有关。在这些信札中，傅山反复请求魏一鳌为他和友人疏通各级官府以平息争端。由于历史材料的缺乏，我们对这一命案的真相已无从了解，不过傅

[1] 中国古代书画鉴定组编：《中国古代书画图目》，册 6，页 74。

[2] 见傅山：《长歌寿杨尔桢老友》、《明户部员外止庵戴先生传》等。《傅山全书》，册 1，页 111-112、347-349。

[3] 关于傅山何时寄居杨方生之庄，过去笔者根据《丹崖墨翰》中的一些信件大约定在 1652 年左右。根据艾俊川先生的考证，以下讨论的“朱四案”发生在 1650 年。此时魏一鳌正署理太原府同知。

[4] 傅山《即事》一诗中有“张仲于今在，还为写孝经”句。注曰：“思孝曰：张仲字孺子，先生内侄。”见《霜红龛集》，上册，页 207。张仲应为傅山的妻兄明定远将军张宏业之子。

山在信中向魏一鳌表示，“若有他缘而恃爱粉饰，当唾弃我于非人。”不过，这里想要强调的是，这一案件本身，似可视为清初北方新崛起的地方势力利用改朝换代之机向失去政治依托的前朝贵族争夺政治经济利益的一个例子。傅山在信中提到，他们的对手“恃与满人狎昵，谋必遂欲，深可恨也”。（第十四札）他在信中例举了旧王孙们受欺凌的状况，（第十七札）并慨叹：“此时弟等居乡实难，”（第十一札）“高情远志，不能少遂。而寘身丛棘中，动辄有碍。隐非隐，见非见，反之魂亭，但有嗔愧。此等心曲，焉得语诸不知我者。”（第十六札）在这种艰难的环境中，魏一鳌就成为傅山及其友人在政治上的新靠山。正如傅山在给魏一鳌的信中所言：“弟辈所恃惟在台下。”（第十一札）

前朝旧贵族和地方新势力的冲突，是一个值得注意的历史现象。明清史学者 Hilary J. Beattie 在研究桐城的士绅阶层在明清鼎革之际的行为时指出，在清初，桐城地方士绅对新朝采取合作态度者要比以退隐作消极抵抗者更为普遍，大多数地方精英把自己的实际政治经济利益置于理想中的民族利益之上，一般民众也渴望能尽快地恢复地方的政治经济秩序。这就使得那些坚持效忠旧王朝的明遗民们在地方上颇为孤立。[5]傅山等山西明遗民在地方上的处境，与此类似。傅山在为戴廷栻的父亲、原明户部员外戴运昌（1579–1667）撰写的传中，称赞他是少数几个在甲申国变后能保持气节的山西籍明朝官员：

> 余传先生，特取甲申以来居鹿台二十三四年，风概有类汉管幼安也。[6]先生同年友蒲阪杨公蕙芳亦不出，先先生数年卒。呜呼！丁丑榜山西凡十九人。甲申以来，孝义张公元辅举义死城头外，出处之际，为山西养廉耻者，二人而已。[7]

傅山在文中清楚地指出：在 1637 年的进士榜中，山西籍进士十九人，其中一人死于战乱，两人选择归隐（戴运昌和杨蕙芳），其他的人都出仕新朝，保持忠节的少之又少。“出处之际，为山西养廉耻者，二人而已”，即道出了明遗民们令人寒心的孤独处境。傅山不无感叹地指出，如今，要遵循古代隐士的传统，寻找一处安宁的地方隐居都很难了：“隐非隐，见非见”，“高情远志，不能少遂”（第十六札）。

[5] Beattie, “The Alternative to Resistance,” pp. 241–275.

[6] 管幼安（管宁，158–241）为东汉、三国时人。东汉于 220 年灭亡后，管宁退隐山中，拒绝新朝廷的征召。

[7]《傅山全书》，册 1，页 348–349。

上述这种政治情势，决定了明遗民们和清政府中汉族官僚们错综复杂的关系。清初的许多明遗民都向朝廷中同情他们的官员寻求政治庇护。傅山及其友人和清政府中一些官员不仅交往甚密，并且一直主动地维持着这种关系。如顺治十二年乙未（1655），杨思圣（字犹龙，1621–1663，直隶人，顺治三年进士）出任山西按察使，在山西任职期间，杨氏曾登门拜访傅山，与傅山成为朋友（杨当也是魏一鳌的友人）。[1]杨思圣于次年迁河南右布政使后，傅山和戴廷栻仍与他保持着密切的来往。杨思圣从河南写信给傅山，请傅山为他刻印。而傅山和戴廷栻还曾计划打点文玩一起前往河南看望杨思圣。[2]1663年，杨思圣患痼疾住在河南清化，戴廷栻专门将一张有傅山题跋的北宋燕文贵的名画《江山楼观图》寄赠杨思圣玩赏。[3]杨思圣病危时，傅山还赶去为他看病。[4]这种交往固然有情趣相投的因素，似乎也不应完全排除另一种可能性：明遗民们与清政府官员维持这种关系，是出于寻求政治保护的考虑。

傅山与其他清政府的高官也过从甚密。在魏一鳌任山西省布政司经历期间，通过他的介绍，傅山与1646至1652年间任山西省左布政使的孙茂兰和他的儿子成为友人。孙茂兰是来自辽东的汉旗人，在清初的山西颇有政声。[5]孙氏父子生病时，傅山为他们诊治。孙茂

[1] 事见杨思圣好友申涵光撰《杨方伯传》。见申涵光：《聪山集》，卷2。

[2] 杨思圣于顺治十二年乙未（1655）十月由国史读学授山西按察使，顺治十三年丙申十月迁河南右布政使，顺治十四年丁酉十一月改四川左布政使。（见钱实甫编：《清代职官表》，页1983、1984、1776）《傅山全书》中收有傅山致戴廷栻两札，记录了他和杨思圣之间的交往。爰录于下：（一）“前月十五日得自中州来书，索铜章，书末嘱致意台兄，以人行急，不及专候为辞。但不知蜀中之行当在何日。”（页499）（二）“……若必图晤面，且不能豫中之行，弟意亦决，但不知杨公在彼尚能留多少时日也。期当在十月中，须兄高兴同往。弟盘费今已备得，礼物那须过多，除文房赏鉴之外，无可将者，兄量储之。”（页475）这两通信札当都写于顺治十四年（1657）杨思圣改任四川左布政使之前。

[3] 燕文贵的手卷《江山楼观图》明末曾由傅山的友人韩霖收藏。甲申后流出，为戴廷栻购得。傅山为这一手卷书写了篆书引首和题跋。详见该手卷上傅山和殷岳的题跋。此卷现为日本大阪市立美术馆所藏。

[4] 申涵光：《杨方伯传》，《聪山集》，卷2；魏裔介：《四川布政使巨鹿杨公犹龙墓志铭》，《兼济堂文集》，卷12，页4。

[5]《山西通志》记载：“孙茂兰，辽阳左卫人。顺治四年以生员任山西布政使。时朝议以太原重地，特令满兵驻防。所圈民地胥以废藩土地给之。而屯兵多抗不予租，民莫敢谁何。茂兰痛绳以法，始获安本业。满兵间与民争，所司率分左右袒。茂兰用情理讯之，俾各厌其意以去，兵民咸安。莅任六年，擢宁夏巡抚。去之日，攀辕泣送者不绝。”《山西通志》，卷86，《名宦》。如果所记不虚的话，孙茂兰称得上是一个清廉正直的官员。

[6] 傅山和孙茂兰之间交往的详情，已无法确知。在清三法司关于“朱衣道人案”的题本所载傅山本人的供词中，傅山曾提到，宁夏孙都堂（笔者按：即孙茂兰，都堂为巡抚之别称）在山西作布政使时，曾请他看病一事（见《傅山全书》，册7，页5175–5176）。不过从现存材料来看，傅山和孙茂兰父子是至交。在傅山致魏一鳌的信中，曾数次提到他们，称他们为“孙长君”、“孙长公”、“孙公子”。其中一信这样写道：“孙长君谓且无行期。而弟自县上来，乃知既西矣。别意未展，殊怅。倘复有往来，正须一知耳也。”（第三札）孙茂兰是在顺治九年壬辰（1652）二月由山西左布政使赴宁夏任巡抚的。（见钱实甫：《清代职官年表》，页1760–1765）傅山写给魏一鳌的这封信也应在此时。从信的内容可以看出，对孙氏父子西去宁夏，临别未能面致依依之意，傅山深感遗憾。他特地嘱咐魏一鳌，如果魏一鳌和孙氏父子还有联系，请告诉他。傅山还曾托魏一鳌转信给孙公子。（第六札）康熙戊午（1678），阳曲县地方官员派牛车送傅山到北京参加“博学鸿儒”特科考试，他在北京见到了孙茂兰的孙子孙川。次年春，傅山离京时，孙川赋诗送别，孙川在诗中提及傅山是孙家的老友，多年来保持着联系（见《傅山全书》，册7，页5013–5014）。1684年，傅山去世前，还专门写信给孙川，向他托孤——保护他的孙儿傅莲苏和傅莲宝免受地方强权欺凌（见《傅山全书》，册1，页505）。

兰于1652年离开山西赴宁夏任巡抚，傅山仍与孙家保持着联系。[6]

在近年的清史研究中，有些学者注意到，在清初，清廷“出于军事、政治战略的全局考虑，辽沈、华北士绅集团被列为首要的争取对象”。“华北、辽东士绅在清初汉官阶层中据有绝对的政治优势。”[7]孙茂兰属于前者，魏一鳌和杨思圣属后者。虽然清初政治的错综复杂并非地域政治的概念所能涵括，但研究傅山和清初汉族官员的关系时，适当地考虑地域的因素，当能帮助我们加深了解清初明遗民的生活思想实况。

仕清汉族官员对傅山的重要性，再次在“朱衣道人案”中得到印证。[8] 1654年五月，湖广黄州府蕲州生员宋谦，因在山西、河南一带组织反清复明的活动，事情败露被捕。宋谦在供词中指称傅山为知情人，傅山在同年六月被捕，下太原府狱。审讯期间，傅山绝口否认与宋谦有任何关系。傅山告诉主审官，当宋谦来访时，他拒绝见宋，正好魏一鳌在场，可以作证。[9]傅山受审时，魏一鳌正在平定州为父亲守丧。他被官府传讯至太原，出面证实了傅山的供词。魏一鳌的证词无疑是案情转折的关键。[10]

危难之际，孙茂兰的儿子也鼎力相救。王又朴（1681—1760）在《诗礼堂杂纂》中有如下记载：

> 先生（笔者按：指傅山）性好奇，博学，通释道典，师郭还阳真人，学导引术，别号朱衣，盖取道书黄庭中人衣朱衣句也。忌之者诬为志欲复明祚，于顺治甲午夏收禁太原狱，并禁其子眉。时金陵纪伯子参抚幕，与孙公子并力救之。孙公子者，方伯孙茂兰之子也。先生故善医，尝遇公子于古寺，时公子无恙，先生视其神色谓曰：长公来年当大病失血，宜早治之。公子不谓然。届期果病，几殆，迎先生疗之得愈。感先生德，故营救甚力。[11]

“朱衣道人案”发生时，孙公子尚年轻，他对傅山的营救，应主要依靠其父孙茂兰的权力和影响。这说明，在孙茂兰1652年离开山西任宁夏巡抚后，傅山和孙家还保持着联系。

在清中央政府中营救傅山最力者是龚鼎孳（1616—1673）和曹溶

[7] 赵刚：《康熙博学鸿词科与清初政治变迁》。

[8] 傅山为道士，穿朱衣，戴黄冠，因此被称作“朱衣道人”，所以后来的史家就以“朱衣道人”称呼此案。在清政府三法司于1654年四月、六月及1655年七月上奏给顺治皇帝的三个题本中，有全案的原委纪录。关于这些题本，见《傅山全书》，册7，页5159-5197。

[9] 傅山的证词被记录在甲午年十月之刑部尚书等人的共同题本中。证词如下：“玖年，有个姓宋的从宁夏来，在汾州拜了山几次，欲求见面。山闻得人说他在汾州打吓人，不是好人，因拒绝他，不曾见面。后拾年拾月拾叁日，又拿个书来送礼，说宁夏孙都堂公子有病，请山看病。山说：‘孙都堂在山西做官，我曾与他治过病。他岂无家人，因何使你来请？’书也不曾拆，礼单也不曾看，又拒绝了他。他骂着走了。彼时布政司魏经历正来求药方，在坐亲见。”见《傅山全书》，册7，页5175-5176。

[10] 王余佑：《魏海翁传略》：魏一鳌“于癸巳岁丁封翁之忧，侨寓平定。值青主遭意外之祸，受刑下狱，昏惑中，夜梦有‘魏生’二字，醒告其弟与其子，俱不解。及再审问，官诘其有无证人。青主忽及公，强指以为证。两司因命李王御六传公至。询的否？公不顾利害，极以青主之言为然。抚军遂据之密疏以闻。后竟得白以出者，‘魏生’之梦始验也”。收录于魏一鳌：《雪亭诗文稿》。

[11] 王又朴：《诗礼堂杂纂》，卷下，页42a。王又朴不但和傅山的长孙傅莲苏认识，而且和傅莲苏的两个学生、傅山诗文集的编辑者张亦堪、张耀先相熟。《诗礼堂杂纂》中所记傅山事迹颇可信。

(1613–1685)。[1]龚鼎孳虽以明臣降清，但他在清政府任都察院左都御史时，曾保护过一些明遗民。也正因为如此，顺治十二年（1655）十月，有人指控龚鼎孳在都察院对三法司审拟各案，“往往倡为另议，若事系满洲则同满议，附会重律，事涉汉人则多出两议，曲引宽条”，在执法中偏向汉人，“不思尽心报国”，[2]遭到降八级调用的处置。[3]所幸的是，由龚鼎孳和曹溶参加签署的以无罪释放傅山的三法司判决已在七月发出，傅山也在同月出狱。

傅山的最终获释，固然和许多人的帮助分不开，但毫无疑问，魏一鳌在关键时刻出面作证，是“朱衣道人案”能够向着有利于傅山的方向发展的转折点，也正因为有了魏一鳌的证词，清政府中那些同情明遗民的官员才便于为傅山的获释进行斡旋。而傅山在危急之际，能对魏一鳌以性命相托，也足见他对这位朋友的信任。

大约在1651年左右，魏一鳌曾返乡或入京考绩。临别之际，傅山代表山西的遗民朋友为魏一鳌书写十二条屏饯行。[4]十二条屏全文如下：

> 莲老道兄北发，真率之言饯之。
>
> 当己丑、庚寅间，有上谷[5]酒人以闲散官游晋，不其官而其酒，竟而酒其官，辄自号酒道人，似乎其放于酒者之言也。而酒人先刺平定，曾闻诸州人士道酒人之自述者曰：“家世耕读，称礼法士，当壬午举于乡。”时尚择地而蹈，择言而言，以其乡之先民刘静修因为典型。[6]既而乃慕竹林诸贤之为人，乃始饮，既而大饮，无日无时不饮矣。吾诚不知其安所见而舍静修远从嵇阮也。[7]颜生咏叔夜曰：“鸾翮有时铩，龙性谁能驯。”[8]咏嗣宗曰：“长啸似怀人，越礼自惊众。”顾颜生之自寓也，亦几几乎其中之。至于以“韬精日沉饮，谁知非荒宴”[9]之加伯伦也，则又鏖糟龌龊为酒人开解。吾知伯伦不受也。伯伦且曰，吾既同为龙鸾越礼惊众之人，何必不荒宴矣。故敢为酒人，必不屑屑求辞荒宴之名。酒道人其敢为荒宴者矣。吾虞静修之以礼法绳道人，然道人勿顾也。静修无志用世者也，讲学吟诗而已矣。道人方将似尚有志用世，世难用而酒以用之。然又近于韬精。谁知之言则亦可以谢罪于静修矣，然而得罪于酒。酒也者，真醇

[1] 龚鼎孳和曹溶分别是清政府“三法司”之一的都察院的左都御史和左都副御史。见《傅山全书》，册7，页5197。

[2] 龚鼎孳：《明白回话疏》，《龚端毅公奏疏》，卷3，页30a。

[3] 何龄修、张捷夫：《清代人物传稿》，页241。

[4] 这一作品现为纽约的路思客先生（H. Christopher Luce）所藏。

[5] 上谷为保定之古名。

[6] 刘因曾短暂地任官于元朝，随后退隐。傅山以为，魏一鳌之仕清正如刘因之仕元，是同样的情势迫使他们二人选择了相似的道路。

[7] 叔夜，嵇康字；嗣宗，阮籍字。

[8] 颜生即南朝刘宋时期的诗人颜延之（420–479），他曾作《五君咏》一诗，傅山在此所引即其中的诗句。

[9] 伯伦是西晋刘伶的字。刘伶嗜酒，曾作《酒德赋》。

之液也。真不容伪，醇不容糅。即静修恶沉湎，岂得并真醇而斥之。吾既取静修始末而论辨之，颇发先贤之蒙。静修金人也，非宋人也。先贤区区于《渡江》一赋求之，[10]即静修亦当笑之。椒山先生亦上谷人，讲学主许衡而不主静修。[11]吾固皆不主之，然而椒山之所不主又异诸其吾之所不主者也。道人其无寒真醇之盟，宁得罪于静修可也。宗生璜[12]嘱笔曰："道人毕竟官也，胡不言官？"侨黄之人曰："彼不官之，而我官之，则我不但得罪道人，亦得罪酒矣。"但属道人考最鞠部时，须以其酕醄之神一询诸竹林之贤。当魏晋之际，果何见而逃诸酒也。又有辞复静修矣。然静修之诗多惊道人之酒。道人亦学诗，当诵之。侨黄之人真山书。

这十二条屏对研究傅山在清初的思想和书法艺术（详见第四章中讨论）都极为重要。在这篇文章中，傅山提出了"官"和"酒"这两个对应的概念。"官"代表的是权力结构，森严的梯层制度，一种需要强权和理性来维持的秩序。而"酒"则正相反，它象征着人们发自心底的真率之情，可以是非理性的。在特定的历史环境中，"酒"是反抗现存秩序的象征。此时魏一鳌尚在官任上，以官与酒为题作文为友人饯行，傅山是寓意深长的。实际上，他是想通过这篇文字，对魏一鳌的仕清作一个评价。傅山在文章一开头，就刻意不提魏一鳌在山西为官时的治绩，而说魏一鳌是一位未负有重要行政责任的"闲散官"，[13]并点出魏一鳌在为官期间，"不其官而其酒，竟而酒其官。"接着，傅山提出了这样一个问题：魏一鳌自号酒道人，这看起来是一个贪杯的酒徒的自白，但魏一鳌"家世耕读，称礼法士"，并习举子业，在崇祯壬午成为举人，他为什么会有如此的变化呢？关键在于为清廷效力并不是魏一鳌的初衷。傅山写道，当他受朋友们的嘱托准备为魏一鳌撰文书写十二条屏饯行时，有朋友建议他在文中谈谈魏一鳌在山西为官时的政绩。但傅山拒绝了。他认为这样做有违魏一鳌的初衷："彼不官之，而我官之，则我不但得罪道人，亦得罪酒矣。"魏一鳌虽"尚有志用世"，但满族入主中原，魏一鳌不愿却又身不由己地做了清朝的官，"世难用而酒以用之"。他只好像魏晋

[10]《渡江赋》乃刘因一篇引起后世争议的作品，详见以下讨论。

[11] 椒山是明代嘉靖年间名臣、学者杨继盛的号。许衡是宋元之际程朱学派著名的学者。静修为元代著名理学家刘因的号，刘为上谷人。

[12] 宗璜，字黄玉，太原人，傅山和魏一鳌的友人。

[13] 事实上，魏一鳌任职的布政司在清代是负有重大行政责任的一个政府机构，但傅山在此刻意降低其重要性。傅山的另一位友人毕振姬（1612-1681）在明崇祯十五年（1642）山西乡试名列榜首（解元），他在清顺治三年（1646）参加新朝的会试中第，但傅山在文章中提到毕振姬时，称他为毕解元，从不提及他在清代所获得的进士头衔。傅山以这种方式来为亲者讳。见《傅山全书》，册1，页368-370。

时期的竹林七贤那样，逃诸酒，在酒中寄托自己的真情。傅山当然了解魏一鳌在山西为官时的政绩，魏一鳌不但替地方上办过许多好事，还帮助过困境中的傅山及其友人，并拯救过傅山的生命。但是，一个不可改变的事实是，他是一个出仕异族新朝的汉人。这是一个想来多少会令人遗憾和难堪的事实。傅山十分了解魏一鳌的心曲，因此，他在这篇赠别文字中，绝口不谈魏一鳌在山西为官期间的政绩，而以“酒其官”来为友人开解。

傅山在十二条屏中还多次提到刘因（字梦吉，号静修，1249-1293）。刘因是宋元之际的著名理学家，上谷（容城）人，魏一鳌的乡先贤。[1]傅山当然知道魏一鳌对这位先贤十分景仰，[2]也知道魏一鳌是容城理学家孙奇逢的弟子，追随老师弘扬理学。因此，傅山在离别之际，婉转地表述了自己对理学的意见。傅山写道：

> 椒山先生亦上谷人，讲学主许衡而不静修。吾固皆不主之，然而椒山之所不主，又异诸其吾之所不主者也。

椒山即杨继盛（字仲芳，1516-1555），明代著名的直臣、学者，也是容城人。傅山在这篇文章中虽未具体指出他在哪一方面和杨继盛不同，但从傅山其他的著作中，我们不难找出他和杨继盛的区别。杨继盛在学术思想上虽没有继承乡先贤刘因的传统，但他却私淑元代另一位理学家许衡（1209-1281，字仲平，号鲁斋，河内人，今河南沁阳）。而傅山对理学基本上持批评的态度。[3]他崇尚老庄，认为理学教条中有相当的虚伪成分。因此，他在文中写道：“吾虞静修之以理法绳道人。”又写道：“酒者也，真醇之液也。真不容伪，醇不容糅。即静修恶沉湎，岂得并真醇而斥之？”

十二条屏的最后一段文字，谈及刘因的《渡江赋》，值得玩味：

> 静修金人也，非宋人也。先贤区区于《渡江》一赋求之，即静修亦当笑之。

刘因在赋中描述了金兵准备渡江大举进攻南宋之际，一位站在金朝立场的北燕处士和一位站在宋朝立场的淮南剑客之间关于金能否灭宋、宋能否拒金的对话。北燕处士认为，金将以无坚不摧之势，一举渡江灭宋。而淮南剑客则力辩，南宋可倚长江天险，抵御金的进攻。

[1] 关于刘因的生平事迹，见宋濂等：《元史》，卷171，页4007-4010。

[2] 魏一鳌在《容城三贤集》跋中，对刘因推崇备至。见徐世昌：《大清畿辅书征》，卷9，《保定府三》。

[3] 魏宗禹、尹协理：《论傅山对理学的批判精神》。

在双方几个回合的论辩后，刘因以下述文字结束了他的《渡江赋》："(处士曰：)……今天将启，宋将危，我中国将合，我信使将归，应天顺人，有征无战。……孰谓宋之不可图耶？客于是惦然失气，循墙匍匐，口怯心碎，不知所以对矣。"[4]

刘因是生活在金朝的汉人，他的《渡江赋》在后世学者中引起了极大的争议。有的学者指责刘因站在金朝的立场上"幸宋之亡"，因为在北燕处士和淮南剑客的辩论中预祝金（异族统治者）的胜利。为之辩护者则以为刘因作此赋乃"欲存宋"，他以此警告宋朝并激励其斗志以求得生存。魏一鳌的老师孙奇逢是极力赞成后一种意见的。[5]因此，傅山才特地指出，刘因是金人而非宋人，先贤若以《渡江赋》来指责刘因，刘本人也会不以为然。这看起来多少是在为魏一鳌所景仰的乡贤开脱。但是在当时仕清被认为是不得已的行为的氛围中，傅山似乎不太可能真正地为刘因辩护。他把这个问题提出，本身就有深意。尽管人们可以用刘因是金朝人而不是宋朝人来为他的《渡江赋》和他以后的仕元开脱，但他毕竟是汉人，他是站在一个异族政权的立场上来反对宋这样一个汉族政权的。从这点来说，刘因是一位未能恪守儒家义理的哲学家，他并没有强烈的"华夷之辨"的意识。而这点又恰恰是傅山对包括刘因和许衡在内的宋元理学家批评得最尖锐的一面。傅山曾这样写道：

> 自宋入元百年间，无一个出头地人。号为贤者，不过依傍程朱皮毛蒙袂，侈口居为道学先生，以自位置。至于华夷君臣之辨，一切置之不论，尚便便言圣人《春秋》之义，真令人齿冷。[6]

对傅山来说，宋元之际的理学家虽口口声声以道德为任，却弃"华夷君臣之辨"这个最重要的道德原则于不顾。所以傅山才在魏一鳌这位好饮而又信奉理学的好友北发之际，以"真率之言饯之"。然而在当时的政治气候下，傅山并不能"真率"地表达出他的真正理念，所以他在写给魏一鳌的信中谈到这十二条屏时，希望他能"鉴之言外"。[7]

为什么傅山一方面要继续寻求仕清汉族官员的援助，而另一方面却还要谨守"华夷之辨"呢？要回答这个问题，我们必须理解魏一鳌

[4] 刘因：《刘静修先生集》，卷 5，页 15。

[5] 黄宗羲：《宋元学案》，页 3019-3026。

[6]《傅山全书》，册 1，页 778。

[7] 傅山提及这一书作的信札，幸运地保存在上文谈到的香港叶承耀医生所藏《丹崖墨翰》手卷中。

这些仕清汉族官员的内心世界。大约在1648年左右，魏一鳌在山西任官三年后回乡省亲，他在友人的陪伴下造访了净业寺，并赋诗一首：

薄宦三年今一回，故乡风景不胜哀。

旧时燕子非王谢，冷落惟余第一台。❶

❶ 魏一鳌：《考满北上偕烨蕃兄弟游净业寺》，《雪亭诗文稿》。

诗的第三句引用了唐代诗人刘禹锡（772–842）《乌衣巷》一诗中的典故。“旧时王谢堂前燕，飞入寻常百姓家。”随着朝代的更迭，六朝时极有权势的王、谢两大世族到了唐代已经式微。魏一鳌引用这一典故来喟叹鼎革后世事沧桑。在清初，北方（包括魏一鳌的家乡保定府在内）的大片土地都被满洲贵族所占有，许多汉人（包括魏一鳌的老师孙奇逢）被迫背井离乡。魏一鳌在诗中表达了江山易主后家破人亡的悲凉。诗中那句“不胜哀”，在魏一鳌的另一首诗作中也能见到。1655年，亦即魏一鳌即将离开山西的前一年，他曾在平定州拜谒汉三义祠，并作诗云：

十年飘泊并州道，几度遨游登此台。

鸟噪烟林怜客倦，人迷风雨望云开。

高山仰止威仪在，特地趋跄香火来。

今世桃园随处是，桃花冷眼不胜哀。❷

❷ 魏一鳌：《乙未春谒汉三义祠》，《平定州志》，卷13，《艺文》，页13a–b。

魏一鳌诗中使用的“不胜哀”这个忧戚的字眼，反映了他内心深处隐藏的故国之思，而这种情怀为许多仕清汉族官员所共有。

满人以少数民族入主中原，若想有效地统治中国，就必须借助汉族精英为之效力。满人深知，对许多汉人而言，在清初出仕异族政权是一种现实的考量。为巩固政权，清朝施行了偏护满人的政治制度，如在设官方面，实行复职制，一满一汉，以满为主。在这种制度下，汉族官员无论官位多高，依然是“二等公民”。因此，挫折感深植于他们的心中。使那些仕清汉官想来更为难堪的是，协助异族统治自己的同胞，还可能遭到后世的责难。而那些出仕新朝的明朝旧臣，将被后世史家称为“贰臣”。对于自幼受儒家传统教育的汉族官员来说，没有什么会比“贰臣”这个字眼更令人汗颜的了。正是在这种情况下，许多仕清汉族官员都像魏一鳌那样，在不同的程度上为困境中的明遗民提供经济援助和政治庇护。这种行为能为他们的出仕异族政权找到一些合理性，并可以缓释内心的愧疚。因此，在清初，不仅明遗民学者和艺术家需要仕清汉官，这些官员也需要明遗民，彼此依赖。仕清汉族官员还是傅山等遗民艺术家的主顾，这层关系也加强了明遗民与仕清汉族官员之间的互动。清初汉族官员对明遗民的帮助，虽说常是经济方面的，但两者的往来也有其政治和社会层面的意义，他们还抱有一些共同的文化理念，并以真挚的友谊来维系彼此的关系。[3]在清初特定的政治情势和文化中，深怀挫折感和愧疚感的仕清汉官，是保证遗民们在困境中得以生存、在学术和艺术上得以发展的一个重要的体制因素。

[3] 在论及明遗民与仕清汉族官员的复杂关系时，金红男（Hongnam Kim）指出：“遗民和仕清官员敏锐地意识到彼此的角色，且各自都有其独特的困境必须面对。事实上，遗民经常依靠仕清官员以寻求支持和保护，而仕清官员也同样依靠遗民来表达其深藏的情思。”见 Hongnam Kim, *The Life of a Patron*, p. 143。

历史记忆的典藏

1655 年，获释出狱的傅山作了《山寺病中望村侨作》一诗：

病还山寺可，生出狱门羞。
便见从今日，知能度几秋？
有头朝老母，无面对神州。
冉冉真将老，残编腼再抽。[1]

傅山在这一时期所作的其他几首诗，都同样地表现了出狱后的内疚和羞愧。他在题为《始衰示眉仁》这首诗中写道：

甲午朱衣系，自分处士殑。
死之有遗恨，不死亦羞涩。[2]

为什么傅山会对自己的获释深感愧疚呢？因为他知道，朱衣道人案中和他一起被捕的其他三位涉案人士萧峰、朱振宇、张锜，都受到了残酷的惩罚：萧氏被处绞刑，朱、张二人杖刑后流放三千里外，唯傅山未予判刑。傅山的获释，主要取决于清政府中汉族官员的营救。他的各种关系以及他作为山西文化领袖的社会影响，都使他成为重点营救对象。改朝换代能使前朝的旧贵族在政治上、经济上失去以往的特权，但由于社会文化的结构并未改变，文化精英们依然能得到降清的汉族官员和新贵们的尊重。有影响的遗民们在危难之际，总能得到比常人更多的保护和帮助。而那些有意投入或不意卷入抵抗运动的无名之辈们，却常落得个家破人亡的下场，且被人们迅速地遗忘。历史总在一遍又一遍地重复着这种不那么公平的悲剧。萧峰已死，朱、张生死未卜，对此，生还的傅山能毫无感触吗？他明

[1] 傅山：《傅山全书》，册 1，页 146。

[2] 《傅山全书》，册 1，页 42-43。

白，是他的文化声望和人脉关系保全了他的性命，但他为自己的苟活感到羞愧。虽然，他并未在诗中告诉我们，如果他牺牲的话，将会留下什么遗憾，但字里行间却似乎透露出，除了眷念年迈的母亲之外，尚有更为重要的信念驱使他忍辱偷生。从傅山在清初的言行来看，他抱定这一信念：用笔记录鼎革之际的历史，为后世留下他对这段历史的见证和见解。而这一历史责任感和对老母的孝心一样，为他生活在异族的统治之下提供了道德上的合法性。

自幼受儒家思想的熏陶，傅山对史书的重要性自然有深切的体会。在明亡前，傅山就已表现出对史学的浓厚兴趣。大约1640年代初期，他在傅眉的协助下完成了《两汉书姓名韵》的编纂。作为典藏朝代记忆的史籍，在古代中国一直扮演着重要的文化角色。许多历史著作被视为儒家经典谱系的重要构成部分，不仅治国的知识可以从中汲取，史家们也经常通过修史来表述他们对一个朝代的政治合法性的见解。尤其是在改朝换代之后，新朝的统治者常会从意识形态的角度出发，编纂前朝的历史。而前朝的遗民们也会以自己的观点来书写历史。清初也不例外。编写历史对明遗民的重要性，以遗民史学家黄宗羲（1610–1695）的阐述最为简洁透彻："国可灭，史不可灭。"[3]

[3] 黄宗羲：《南雷文定》，卷6，页101。

1644年九月，傅山避难至盂县，在那里他仔细阅读和批点了1581年由凌稚隆（活跃于1576–1587年）辑校的《汉书评林》。傅山在批注中，尖锐地批评了班彪（字叔皮，3–54）、班固（字孟坚，32–92）父子在叙述和评论朝代危亡之际的个人行为时，未能坚持儒家的道德标准。《汉书·翟方进传》记载，方进为成帝、平帝两朝的宰相。其子翟义在王莽篡汉后，曾纠合汉室的诸侯，兴兵以抗王莽。王莽发其祖坟、焚其宅第以报复，翟义本人兵败被杀。[4]班彪在传后评道："当莽之起，盖称天威，虽有贲、育，奚益于敌。义不量力，怀忠愤发，以陨其宗，悲夫！"[5]傅山对班彪的评论，极不以为然，视之为奴才之言。傅山这样批道：

[4]《汉书》，卷84，册10，页3426–3437。

[5] 同上注书，页3441。

> 傅山曰：叔皮"不量力"之言，何奴才也。孟坚必述之，以为定论耶？如此大节目，亦不与以公道之论，作史手眼安在？《汉书》诸赞引老班时甚少，而偏于烈士援兹龌龊之语。不善

干文章之蛊矣！道人去汉数千年，与刘家有甚关系，一见翟公子义举，抆涕手额，一个活跳跳底英烈士坐吾银海中不去，急滴洌泉研朱深，依希以公子热血凝处士笔端矣。甲申九月东山草堂捡敝簏再读。[1]

傅山的批注显示出他对史籍所载朝代更替之际不计成败的忠义之举予以格外重视和极力褒扬，其用心不难看出。

傅山对历史事件的关注，在很大程度上是受到他身处的政治环境的影响。他曾经告诫傅眉和傅仁要仔细阅读《史记》、《汉书》等重要的史书，并指出："廿一史，吾已尝言之矣：金、辽、元三书列之载记，不得作正史读也。"[2]金代（1115–1234）、辽代（907–1125）、元代（1279–1368）和清代一样，皆由来自北方的游牧民族所建立，他们被当时的中原汉人视为异族。因此，不把《金史》、《辽史》、《元史》视为正史，等于宣称这些朝代并非正统，其政治涵义不言而喻。

傅山对研究历史和撰写历史的热诚，从他的一方印文为"太史公牛马走"的印章也可以看出。[3]（见图 2.14）此印印文出自汉朝史学家司马迁（约公元前 145 至公元前 85）著名的《报任安书》，[4]"太史公"指的是司马迁的父亲司马谈（约卒于公元前 110 年），他在汉廷任太史令，掌理历法和修史，司马迁夙为其父助手，并于公元前 108 年继承父职任太史令。而傅山在此指的"太史公"则很显然是司马迁这位中国历史上最负盛名的史学家。在《报任安书》中，司马迁向友人任安解释，为什么他在仗义执言为投降匈奴的大将李陵辩解而遭受宫刑这一奇耻大辱后，还选择含冤忍辱地活着。司马迁宣称，支持他活下去的唯一信念，就是要完成《史记》。傅山借"太史公牛马走"这方印，[5]委婉地表达了他的忍辱偷生如同太史公，以完成见证明清鼎革的史家之责。

在强烈的责任感驱使下，傅山从清兵入关之始便着手收集历史资料。他在 1646 年写给戴廷栻的一封长信中说及，袁继咸在就义前托人带给他诗文稿，希望傅山为其保存。此外，傅山还尽力收集袁氏散佚的文稿。在同一信中，傅山还提到，当李自成的军队占领太原时，他正在盂县避难，但他还是根据别人的口述，记录了太原失

[1] 这部有傅山和傅眉朱批的《汉书评林》仍然存世。见《中国嘉德 1997 秋季拍卖会》古籍善本拍卖图录，第 542 号。傅山与班彪、班固不同的观点，还可见其为《汾二子传》所作的跋语。详见后述。

[2]《傅山全书》，册 1，页 508。

[3] 如果我们比较这方印章和册页上其他印章的篆刻风格与印色，我们基本可以肯定这方印章是傅山而非后来收藏家的。从册页小楷的书法风格来判断，这件册页可能书于 1650 年代。

[4] 见萧统编：《文选》，页 1854–1858。关于"太史公"一词是专指司马谈还是司马迁，或是同指父子二人，学者仍有争议。

[5] 笔者在明末清初其他一些文人的印章中，也发现过有"太史公牛马走"印文的印章。使用这些印章的人不见得和傅山有同样的意图。从傅山在清初的遗际，他对史学的兴趣，以及他的政治倾向来看，他使用"太史公牛马走"一印，是寓意深长的。

守的情形。当李自成攻陷北京时，戴廷栻正在国都，傅山希望戴廷栻能向他提供北京的见闻。[6]

1640年代战争频仍，战后，不少战乱中亡故者的亲属或友人请傅山为他们亡故的亲友撰写传记。[7] 1649年初，降清的前明大同总兵姜瓖起兵反清。[8]四月，姜瓖的军队抵达汾州。曾和傅山在1636年带领三立书院学生赴京请愿的薛宗周，以及傅山在三立书院时的另一位挚友王如金（薛、王皆为汾州人），参加了这次武装暴动，在太原一役中殉难。傅山在薛、王死后不久，撰写了《汾二子传》纪念友人，文中详细记录了起事的各项行动，巨细靡遗的程度使一些学者推测傅山本人曾亲自参与这次起事。[9]傅山写到，当薛、王二人准备加入攻打太原的战事时，友人曹伟曾试图说服他们打消这个念头，然而薛宗周激动地回答："极知事不无利钝，但见我明旗号尚观望，非夫也！"慷慨前行。[10]在《汾二子传》后，傅山有如下的跋语：

> 鄙夫见此等事迹，辄畏触忌讳言之。从古无不亡之国，国亡后有二三臣子信其心志，无论成败，即敌国亦敬而旌之矣。若疾之如仇，太祖何以夷、齐讥诮危素也？余阙之庙是谁建之？何鄙夫见之不广也？继起之贤断不尔。[11]

"继起之贤断不尔"正是傅山这篇传记所表达的信念。

傅山的史志和史笔都明显地受到司马迁的影响，他撰写的许多传记都遵循了司马迁在《史记》中所建立的纪传体例。司马迁通常在一个传记结尾处，以"太史公曰"为目，作一段评论。同此，傅山也在自己撰写的传记结尾处以"傅山曰"或"丹崖子曰"（"丹崖子"是傅山的号）作为短评的标目。[12]自司马迁以降，传记的叙述部分在于为传主的生平留下相对"客观"的记录（实际上，所述传主生平事迹经常是一种具有道德倾向的选择），而在传记之尾的评论中，史家可以相对自由地提出他对历史人物和事件的评断，[13]这些议论便成为理解一个史家的道德立场及其历史观的关键。

傅山明白，他对于明清鼎革之际历史事件的记述，将抵牾于清廷的官方观点，所以有时他在传记后的评赞中径以"野史氏"自称，用"野史氏曰"或"闾史氏曰"来替代"傅山曰"。[14]"野史氏"一

[6]《傅山全书》，册1，页481。

[7] 现存傅山所写的传记，多见于《傅山全书》，册1，页333-363。

[8] 关于此次起兵反清的背景，见Wakeman, *The Great Enterprise*, vol. 2, pp. 805-819。

[9] 尹协理：《新编傅山年谱》，《傅山全书》，册7，页5282-5286。

[10]《傅山全书》，册1，页355。

[11]《傅山全书》，册1，页354。太祖即明代开国皇帝朱元璋。危素是曾侍奉元廷的明代官员。

[12]《傅山全书》，册1，页345、354。

[13] 例如，傅山在其所撰《明李御使传》的传记部分中，对这位在战争中捐躯的明代官员李氏的生平及其殉难过程作了叙述。叙述生平之后，傅山用了很长的篇幅对李氏捐躯之事进行了道德色彩很重的评论。见《傅山全书》，册1，页339-342。

[14]《傅山全书》，册1，页347、362。

词在清初格外敏感，因为非官方的历史观是政治上的禁忌。前文提到的遗民理学家孙奇逢，因为在著作中使用了“野史氏”一词而遭到指控，如果不是友人营救，很可能大祸加身。[1]而傅山使用此词，说明他具有撰写不为新朝接受的野史的勇气。他郑重地记录下那些因抵抗李自成和清兵而捐躯的人们的言行，正显示出他相信明遗民记录的历史将激励“继起之贤”。

[1] 张晓虎 :《孙奇逢》，页 177–178。

颜真卿的感召力

如果说清初是一个遗民们自觉地把史学作为意识形态武器的时代，那么，这个时代的书法艺术也会折射出政治色彩。傅山有一《训子帖》，对我们了解他的书法政治观极有助益。他在帖中这样写道：

> 贫道二十岁左右，于先世所传晋唐楷书法，无所不临，而不能略肖。偶得赵子昂香山诗墨迹，❷爱其圆转流丽，遂临之，不数过而遂欲乱真。此无他，即如人学正人君子，只觉觚棱难近，降而与匪人游，神情不觉其日亲日密，而无尔我者然也。行大薄其为人，痛恶其书浅俗，如徐偃王之无骨，❸始复宗先人四五世所学之鲁公而苦为之，然腕杂矣，❹不能劲瘦挺拗如先人矣。比之匪人，不亦伤乎！不知董太史何所见而遂称孟頫为五百年中所无。贫道乃今大解，乃今大不解。写此诗仍用赵态，令儿孙辈知之，勿复犯此，是作人一着。然又须知赵却是用心于王右军者，只缘学问不正，遂流软美一途。心手之不可欺也如此。危哉！危哉！尔辈慎之。毫厘千里，何莫非然？宁拙毋巧，宁丑毋媚，宁支离毋轻滑，宁直率毋安排，足以回临池既倒之狂澜矣。

文后所附一诗也表达了相同的观点：

> 作字先作人，人奇字自古。
> 纲常叛周孔，笔墨不可补。
> 诚悬有至论，笔力不专主。❺
> 一臂加五指，乾卦六爻睹。

❷ 傅山在这里说的“香山诗”可作两种解释：它可以是咏“香山”的诗；或是白居易（白香山）的诗作。

❸ 徐偃王是西周或春秋时期徐戎的首领，统辖今淮、泗一带，向他朝贡的小国多达三十有六。但当楚国入侵时，他竟毫无抵抗，因此被讥为“无骨”。

❹ 傅山在此用“杂”这个词来描述其“腕”（即书写习惯），指的是他年轻时养成的书写习惯受品格不高的书法影响甚深。

❺ 傅山此句用典为唐代书法家柳公权（字诚悬）的名言：“用笔在心，心正则笔正。”《旧唐书》，卷165，页4310。

谁为用九者？心与掔是取。
永真遡羲文，不易柳公语。
未习鲁公书，先观鲁公诂。
平原气在中，毛颖足吞虏。[1]

《训子帖》中提出的“四宁四毋”，常常为后世书法家所引用，认为这代表了傅山的书法美学观点。傅山在文中提到，他年轻时醉心于赵孟頫的书法，年长后，他深切地意识到赵孟頫的道德问题——赵孟頫本为宋朝宗室，却在宋亡后侍奉元朝，成为“贰臣”。当傅山意识到赵孟頫的道德问题后，再看赵的书法，觉得其“浅俗”、“无骨”，便毅然回归傅氏家族世代尊奉的书家典范——颜真卿。唐代书法家颜真卿在平定叛乱中为国捐躯，被后世视为忠臣的象征。傅山的这一转变遵循着中国书学中一个根深蒂固的观念——“书，心画也”，[2]人品的高下决定着书品的高下，正如傅山在诗中提到的唐代书法家柳公权的名言：“用笔在心，心正则笔正。”

但是，我们很难证明，在历史上流行颜真卿书风的时代，尊奉颜书和当时的政治之间总是存在着明显的对应关系。[3] Amy McNair认为，颜真卿的书法在北宋时期成为书法的正统典范之一，和当时的政治情形有关。[4]即便如此，一旦颜书成为普遍接受的范本，喜好颜书就不一定以政治诉求为重要动力。例如，董其昌从十几岁起就开始学习颜真卿的书法，特别是颜体楷书，但我们找不到什么证据来说明他的这一风格选择具有强烈的政治动机。一个具有丰富象征意义的历史人物是否被人们当作政治和意识形态的工具来运用，完全因人、因时、因情境而异。需要指出的是，颜真卿的忠臣事迹早已深植于中国文人的集体记忆中，集体记忆中的这一象征资源在适当的政治情势下极容易被再度唤醒并加以利用。

傅山的《训子帖》没有纪年，[5]他也没有确切地告诉我们他从何时开始轻视赵孟頫的书法，转向了颜真卿。但他贬斥仕元的赵孟頫，赞颂“忠君爱国”的颜真卿，加上诗的最后那句“毛颖足吞虏”，皆让我们推断《训子帖》写于清军入关后。正如上文所谈到的政治环境对史书编纂的影响一样，我们认为傅山的民族意识和明遗民立场

[1]《傅山全书》，册1，页50。《训子帖》有几个不同的版本。收在《傅山全书》中的本子的标题是《作字示儿孙》，诗在前，文在后。此处所引，乃根据王又朴《诗礼堂杂纂》中记载的本子和《傅山全书》所载本子互校而成。有的本子“香山”误作“香光”。详细考证见白谦慎：《傅山是怎样评价董其昌书法的》。

[2] 扬雄：《法言》，卷5。一般来说，“书”原为“书写”之意，但后世评论家提到这句格言时，总是将“书”解释为“书法”。

[3] 关于这点，可参见 Shen C. Y. Fu, “Periodization of Yen Chen-ching's Calligraphic Influence,” pp. 103-148。傅申在此文中指出自唐以降颜真卿书法所产生的巨大影响。他指出，对颜书的兴趣曾在晚明清初时复兴，董其昌、王铎和傅山即为这一时期受颜真卿影响的三位重要的书法家。

[4] McNair 认为宋代的儒家学者崇尚颜真卿是为了要推出自己的书法艺术代表。见 McNair, *The Upright Brush*。

[5] 前面已经指出，《训子帖》有几种不同的版本，而且篇名不尽相同，其中一个存世版本题为《作字示儿孙》。这说明，傅山曾在不同时期多次书写这篇短文。傅山的独子傅眉生于1628年，此处所引《训子帖》特别指出为训“子”，以傅眉的年龄推算，很可能是写于1640年代末或1650年代。《作字示儿孙》可能是晚些的版本，当在傅山的长孙傅莲苏（生于1657年）成长到能够理解其中深意后书写的。不过，这只是一个推测，因为《训子帖》中，傅山也提到“儿孙辈”，不详《训子帖》帖名是否王又朴所加。

也影响了他对书法风格的选择。由此可知,面对清初严峻的政治情势,傅山努力将不同的文艺手段都当作政治和意识形态的武器。

我们可以从傅山的一些存世文字中，来比较准确地推断出，他对颜真卿书风的热衷始于 1640 年代后半期与 1650 年代，亦即国变之后。大约在 1670 年代中后期，傅山曾写过两则笔记来描述他临摹颜真卿书法时的心理感受。第一则笔记如下：

> 常临二王，书羲之、献之之名几千过，不以为意。唯鲁公姓名写时，便不觉肃然起敬，不知何故？亦犹读《三国志》，于关、张事，便不知不觉偏向在者里也。[6]

傅山的第二条笔记不但告诉我们为何他如此认真地研究颜真卿的书法，同时也提供了他何时开始热衷于颜真卿书法的重要线索：

> 才展鲁公帖，即不敢倾侧睥睨者。臣子之良知也。……山三十年前细细摹临，至今遂对面作梦。老矣耄矣。[7]

笔记中所用“老矣耄矣”指的是七八十岁。[8]因此，傅山书写这则笔记的时间应在 1676 年(他七十岁)至 1684/1685 年(傅山在此时去世)之间。由于文中提到“三十年前细细摹临”，我们可以把傅山开始仔细研究颜真卿书法的时间倒推至 1646 年至 1655 年这一时期。因此，虽然傅山在年轻时就很可能接触过颜真卿书法（所谓“于先世所传晋唐楷书法，无所不临”)，只是在入清后，他的明遗民处境才使他更为颜书所吸引，并开始热忱地临摹。傅山对亡明的忠诚驱使他去追寻新的书法典范，并通过艺术典范进而宣扬艺术家的忠臣品格，激励自己恪守遗民的政治立场。

傅山 1640 年代后半期至 1650 年代的书迹，正显示出颜真卿对其书法的影响日增。苏州博物馆藏有一件傅山书于甲申十二月(1645 年 1 月)的册页(图 2.1)，该册页共有十八开（其中两页为傅眉所书)。傅山在册页中抄写了二十余首诗，除了一首作于 1644 年外，其余皆作于这之前。其中十九首一组的诗写于 1642 年。傅山在其中一首的小注中提及，他是在壬午（1642）闰六月十九日他生日那天完成这些诗作的，但那天他并没有心思庆祝自己的生日，因为他想起一年前（1641）兄长傅庚为他庆生的情形，然而兄长却在傅山写此诗的

[6] 陈玠：《书法偶集》，页 11。

[7] 同上注。

[8]《国语·吴》注曰：“六十曰耆，七十曰老。”《礼·曲礼》上曰：“八十九十曰耄。”

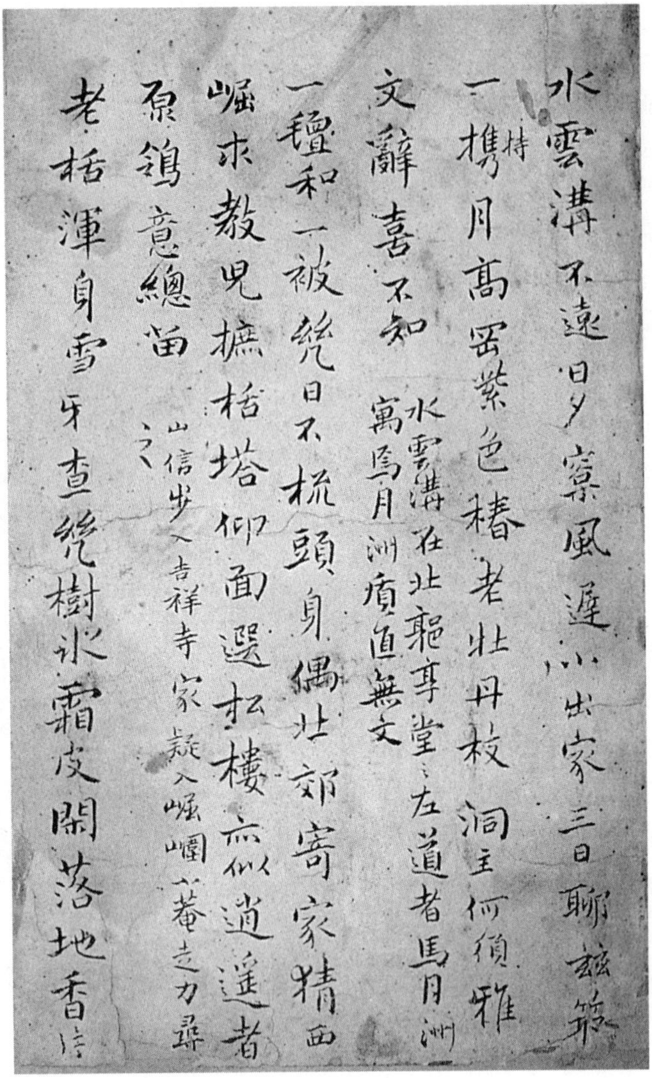

图2.1 傅山 《小楷行书诗词》 1645 局部 册页（全十八开） 纸本 每开26.3×15.5厘米 苏州博物馆 引自《中国古代书画图目》 册6 页74 苏1-251

两个月前去世了。

这件册页很可能是傅山在盂县朋友家避难时所作。在那里，他有较充裕的时间来回忆他的旧作，并将它们抄录下来。其中大部分是以钟繇和王羲之的小楷风格写成，笔画清秀圆润，结字略向右攲侧，和颜体楷书的端庄、丰腴、厚重形成鲜明对比，没有任何迹象显示颜真卿的影响。

傅山的书风从1640年代后期到1650年代初期开始发生变化。上文讨论过的1646至1652这五年间傅山写给魏一鳌的十八通信札裱成的《丹崖墨翰》手卷，即明显地呈现出书法风格转变的轨迹。研究这些信札以及这一时期的其他作品，能帮助我们对傅山书风的变化有一比较清晰的认识。

第一札约书于1646年（图2.2），与1645年的册页在书风上没有明显差异，用笔清秀，结字优雅，不禁令我们想起晚明文人那种比较传统而娟秀的信札书法。例如，将此札与晚明士大夫夏允彝（1596–1645）的一通信札比较（图2.3），可以看出两者笔法、结字乃至气息之间的某种相似性。可以说，傅山的这一信札尚未走出晚明信札的书风范围。一种可能的解释是，傅山以这种毫无戏剧性的书风给魏一鳌写信，是为了让信札的书迹便于阅读。尽管如此，我们还是可以从这件时间跨度长达九年的手卷中，来探究傅山书风转变的轨迹。

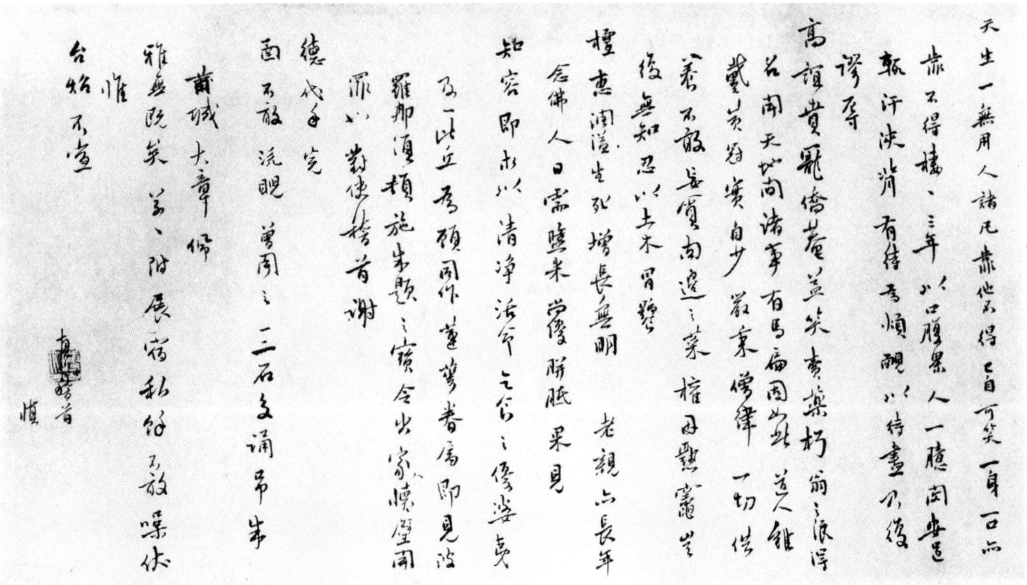

图2.2　傅山《致魏一鳌第一札》　约1646
收录于傅山《丹崖墨翰》
约1646–1652　卷　纸本
29×581厘米
香港叶承耀医生收藏

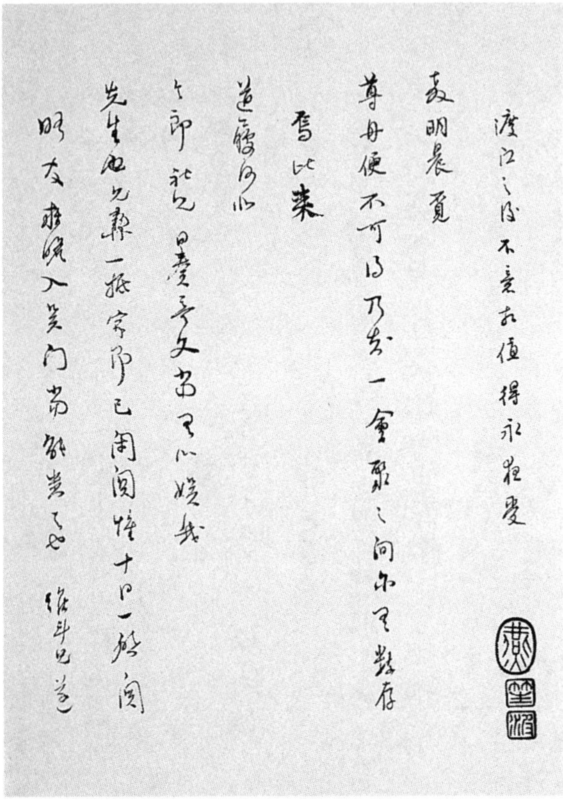

图2.3　夏允彝《行书尺牍》　局部
册页　纸本　尺寸不详
Collection of S. P. Yen
引自程曦《明贤手迹精华》　页43

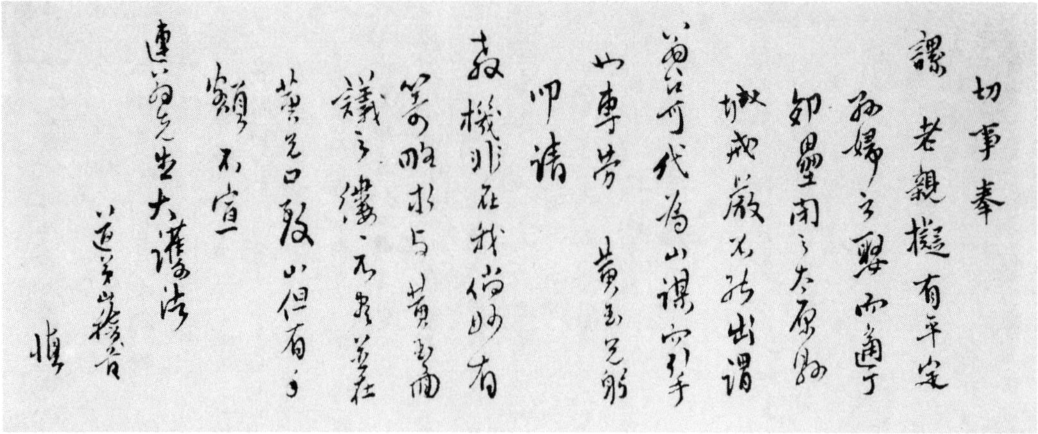

图2.4 傅山 《致魏一鳌第四札》
约1648《丹崖墨翰》

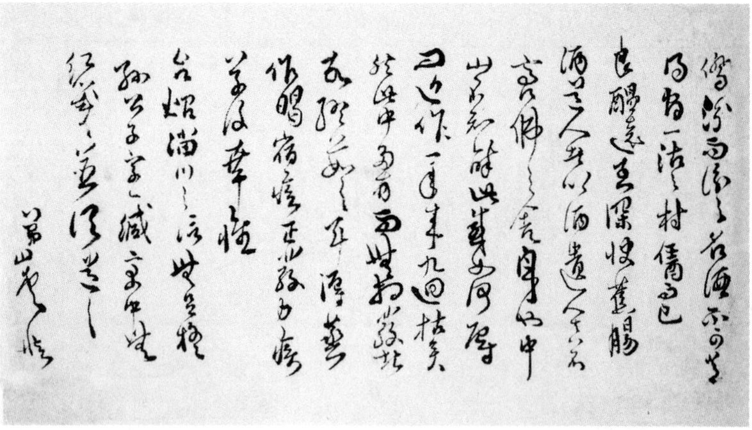

图2.5 傅山 《致魏一鳌第六札》
约1648《丹崖墨翰》

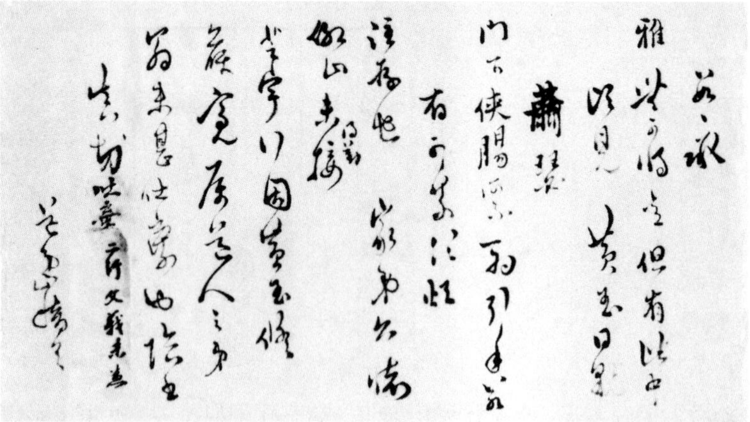

图2.6 傅山 《致魏一鳌第七札》
约1648《丹崖墨翰》

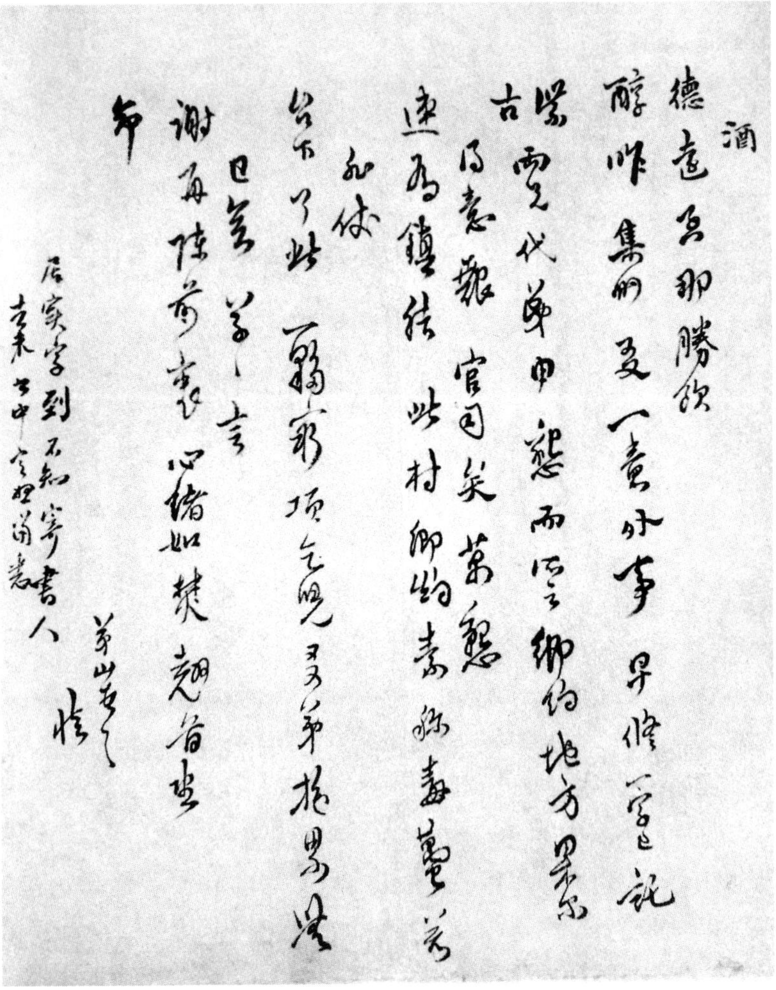

图 2.7 傅山《致魏一鳌第九札》 1650 《丹崖墨翰》

第四至第八札大约写于 1648 至 1651 年间，所呈现的书风明显与第一札有别。在第四（图 2.4）和第五札中，捺收尾时向上挑，带有章草的笔势。在第六札（图 2.5）中，我们可以清楚地看到颜真卿行书中那种不露圭角、圆通的使转笔法（见图 2.18）。有趣的是，略晚于第六札的第七札（图 2.6）中，再次出现第四和第五札中所使用的章草笔法。

这种风格上的不一致，还可以在第九至第十七札中的数札中见到。这些信书于 1650 年间，内容主要是围绕着上文提及的“朱四命案”。其中最具启发性的是第九札和第十札（图 2.7、2.8），从文字内容来看，它们应书于同一天。[1] 第九札和第四、第五札相似，捺略上扬，带有章

[1] 这两封信都提到朱四事件，但在时间上第九札应书于第十札之后。所以可能是装裱这些信札时，魏一鳌或裱工把顺序弄错了。

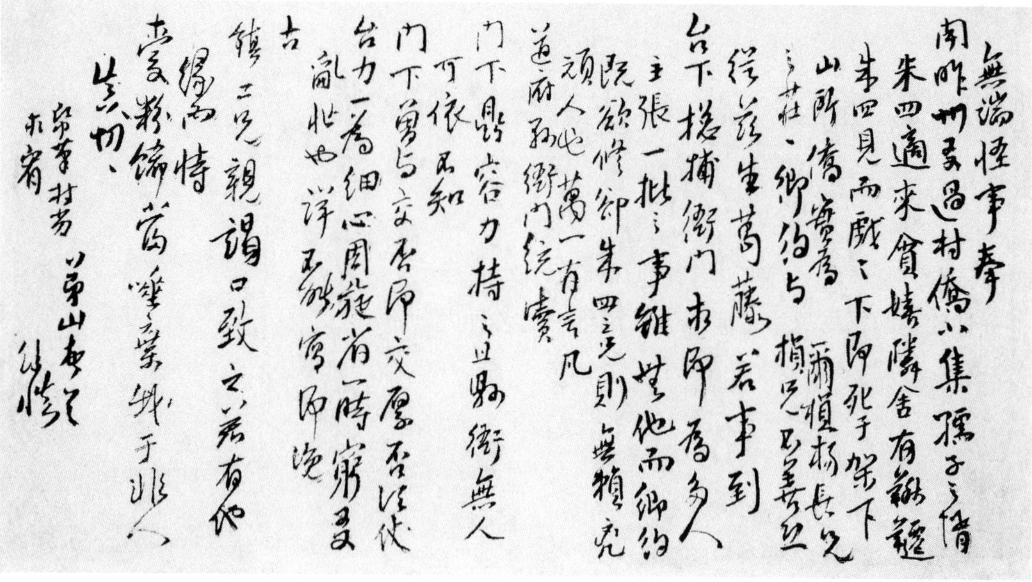

图 2.8　傅山《致魏一鳌第十札》1650《丹崖墨翰》

草笔意。此札的风格优雅，用笔细致，笔画带有弧度，中段多细瘦，收笔精到。相反地，第十札就显示出浓重的颜真卿书风，结字平稳，笔画丰满宽厚，而且没有太多细节的修饰。虽然两通信札的书写内容和书写时间相差无几，但书风却截然不同。

同一时期的书作呈现出如此大的风格差异，引导我们质疑以往学者们对于书法风格和文字内容之间关系所持的一些未加深究而又陈陈相因的成见。[1]某些研究者提出这样的论点：一个艺术家有时会根据书作的文本内容来选择一种书法风格以相匹配。例如，选择唐朝大书法家褚遂良（596–658）的楷书风格抄写佛经，因为褚遂良的楷书名作《圣教序》就和佛教有关。[2]

这种论点看似有理，但实际上不过是一种未经检验的假设或一厢情愿的推测罢了，充其量也不过是一种有趣的说法。除非我们能够证明，某位书法家能够在某个特定时期内同时掌握着两种或更多的已臻纯熟的书法风格（指能用两种风格书写同一字体），可以任其根据文字内容进行选择，否则的话，我们又怎么能够宣称他是为了其文本内容而"选择"了一种适合的风格呢？即便某位书家同时擅长多种风格，我们又如何知道他是有目的地从各种书法风格中选择一种来匹配某种文字内容呢？他是否曾使用褚遂良的风格抄写过和

[1] 以下关于书风和文字内容之间关系的讨论，多针对一些西方学者的论点而言。中国书法史和书法理论研究者（至少在中国大陆如此）多有创作经验，一般不会提出一些不太切合书法创作实际的观点。为保持文气的连贯，此处不作删改。

[2] Amy McNair, "Texts of Taoism and Buddhism and Power of Calligraphic Style," p. 228.

佛教毫不相关的文本呢？至少我们可以从现存褚遂良的书法作品中找到用以批驳那种简单地认为书风需匹配文本这种论点的反证。褚遂良在653年书写《圣教序》前，就曾用同样的风格书写过与宗教无关的《房玄龄碑》。他之所以“选择”同样的风格书写两种内容不同的文本，完全是因为他没有其他风格可以选择。褚遂良晚年形成了一种独特的楷书风格，他用这种风格书写各种内容不同的作品，不论其是宗教性的还是非宗教性的。

我们在傅山1640年代和1650年代的书作中发现的风格上的不一致，实际上反映了明代中叶以后文人开始拓展风格域的一种趋势，而这一趋势又和文人艺术家的逐渐“职业化”有关。许多明代中期的书法家虽然仍旧被视为文人或学者，但由于教育的普及和仕途的拥挤，许多文人并不再拥有官衔。一些科场失意的文人，转而发展他们的艺术才能，有些文人在相当程度上是以书画作为生计的来源。在这种情形下，他们的技巧也逐渐多样化。16世纪苏州的书法家最能反映这个趋势。如文徵明，其大行书有黄庭坚和米芾的风格因素；但其具有个人风格的小行书则由王羲之、赵孟頫优雅的书法衍变而成。文徵明的好友祝允明（1461–1527）更是擅长多家风格，并好炫耀其技巧。[3]正如祝允明的晚辈、文徵明之子文彭所说：

> 我朝善书者不可胜数，而人各一家，家各一意。惟祝京兆为集众长益。其少时于书无所不学，学亦无所不精。[4]

文彭的评论颇具启发性。16世纪的大多数书法家在书写一种字体时（如楷书），通常只精熟一种风格。然而16世纪书坛的一些领袖人物（如祝允明、文徵明等）却试图打破风格上的单一取向。17世纪的书法继续沿着这一趋势发展，如董其昌和王铎皆致力于掌握数种古代大师的风格。当王铎书写小楷时，他师法的是钟繇书风，因为钟繇的书风宜于写出古雅的小字。但以楷书写大字时，则仿效颜真卿或柳公权体，因为颜柳书风更适合书写大字。

同样是楷书，颜真卿的楷书比钟繇的楷书更适宜作牌匾榜书。这种现象表明，不同风格之间存在着一个哪一种风格更适用某种书法形式的问题。[5]当代西方艺术史的研究，过于偏重对艺术作品的文

[3] Shen C. Y. Fu et al., *Traces of the Brush*, p. 205.

[4] 卞永誉：《式古堂书画汇考》，卷25，页423。

[5] 此处的形式指的是其物质属性的一面，即英文中的format，如对联或牌匾之类。

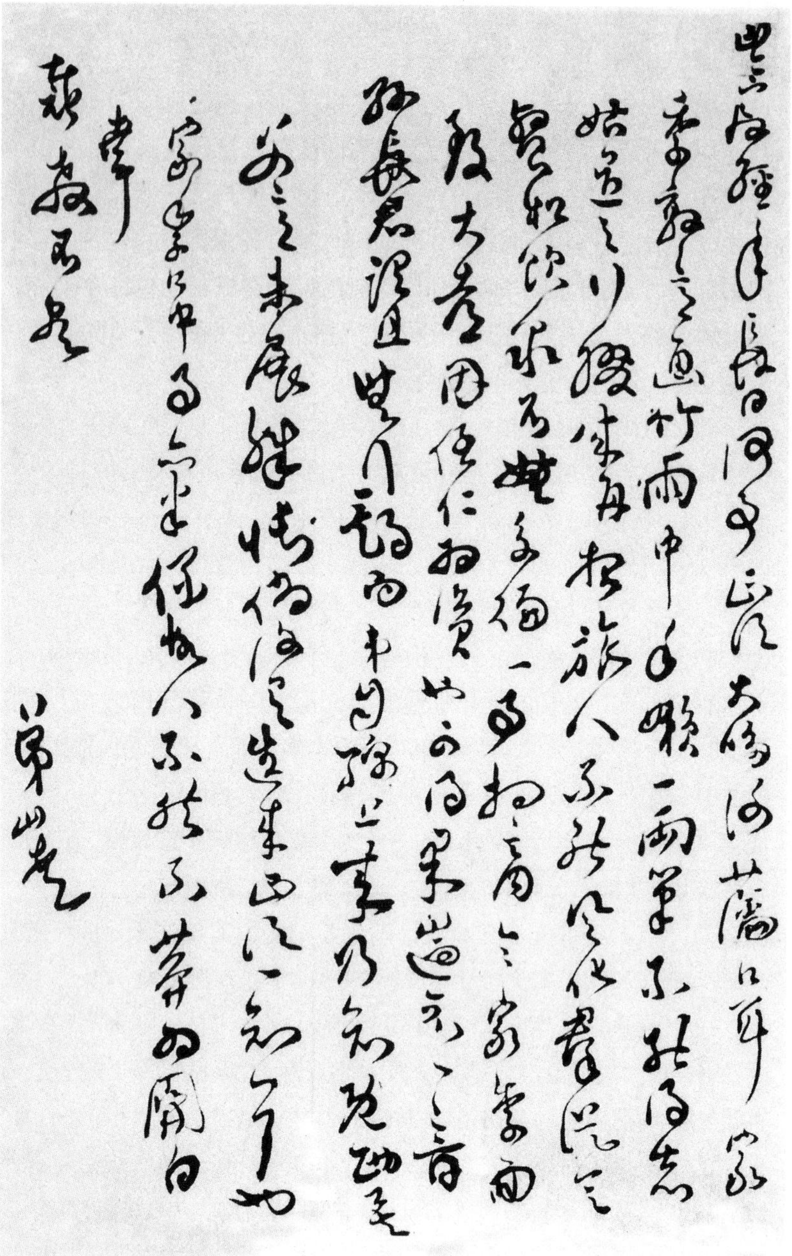

图 2.9　傅山《致魏一鳌第三札》
约1652《丹崖墨翰》

学、道德和政治意涵的发掘和阐释，往往忽略一种书法形式（如牌匾）的物质属性对书风的限制。一些书法作品中存在的文字内容和书法风格之间的歧异与张力，促使艺术史家重新思考：试图发掘文本与风格之间的对应关系、视文本为“主子”、风格为“婢女”的观点，究竟在多大的范围内和程度上能够解释中国书法的创作和欣赏？

傅山在《训子帖》中坦白地承认，其书法深受早年学习赵孟𫖯书法的不良影响，虽然他努力以颜真卿的书风矫正以往的过失，旧的书写习惯还是时时作祟，正所谓“腕杂矣”。尽管如此，1650年代后，颜真卿风格对傅山的影响与日俱增，一种新书风正逐渐形成。在一通约书于1652年的信札中，[1]用笔比早些的信札更具有颜真卿书法用笔坚实饱满的特征（图2.9）。

《丹崖墨翰》的最后一札亦即第十八札（图2.10），显示1651/1652年

[1] 这通信札可大致系于1652年，因为傅山在信中提及孙茂兰已离开山西西行（前往宁夏任巡抚），而我们从《清代职官表》得知，孙茂兰是在1652年出任宁夏巡抚的。若按年代顺序，此应为《丹崖墨翰》手卷的最后部分，但在装裱时错置于第三札的位置。

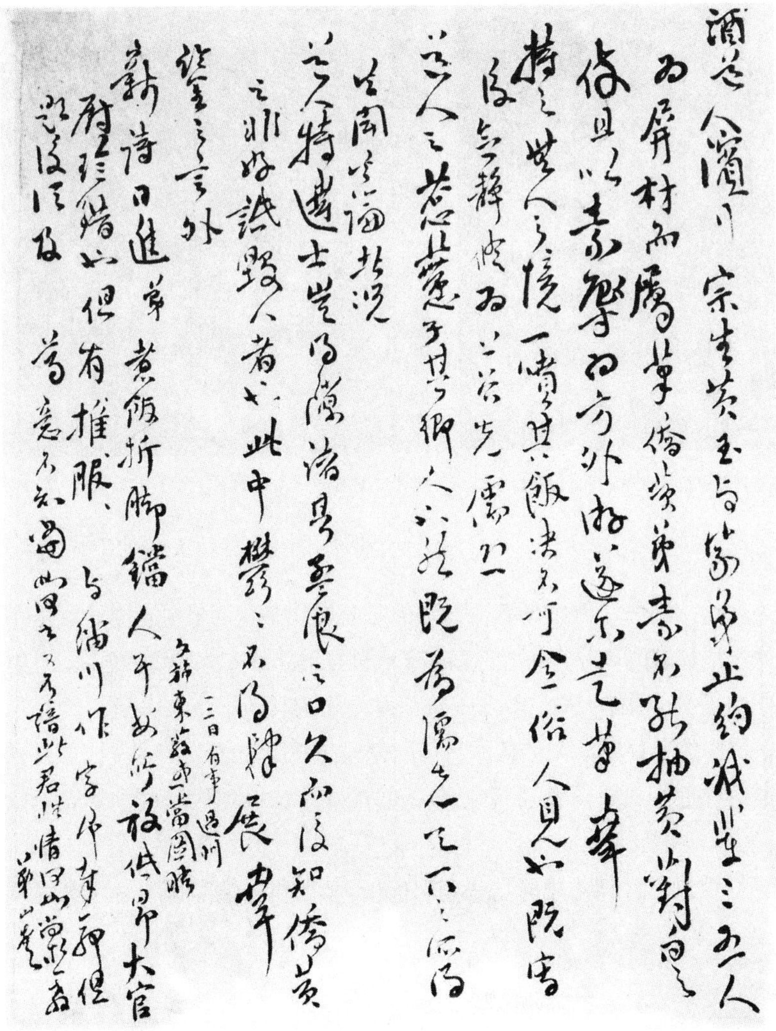

图2.10 傅山 《致魏一鳌第十八札》
约1651/1652
《丹崖墨翰》

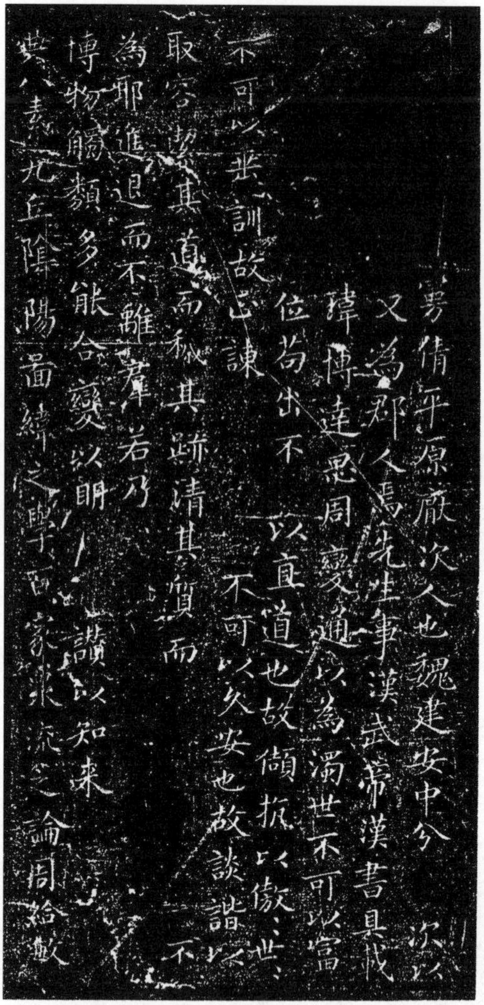

图 2.11 王羲之 《东方朔画像赞》 356 局部 拓本 册页 纸本 尺寸不详 东京国立博物馆

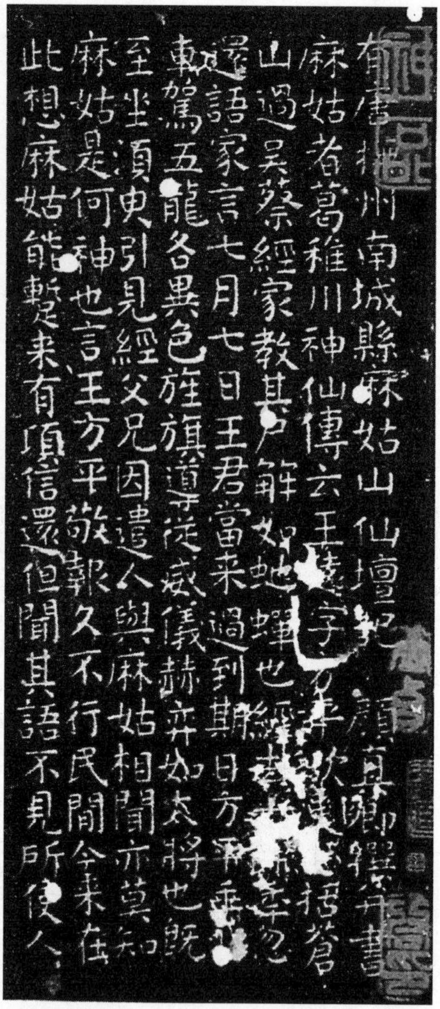

图 2.12 颜真卿 《小楷麻姑仙坛记》 局部 拓本 册页 纸本 美国纽约安思远先生收藏 (Collection of Robert H. Ellsworth, New York)

之后傅山的书法继续朝着颜体字的方向发展。这通信札在整个手卷中是风格显著的作品之一，许多字竖画外拓的弧线都来自颜真卿的笔法。信中提到傅山在 1651 年魏一鳌北发之际为其所书十二条屏。而十二条屏中的颜体笔法和结体的特征比这通信札更浓重(见图 4.8)；因此，这通信札和十二条屏都可证明傅山的书法在 1650 年代已转向了颜真卿风格。

存世三件傅山书于 1650 年代的小楷册页，清晰地显示了颜真卿

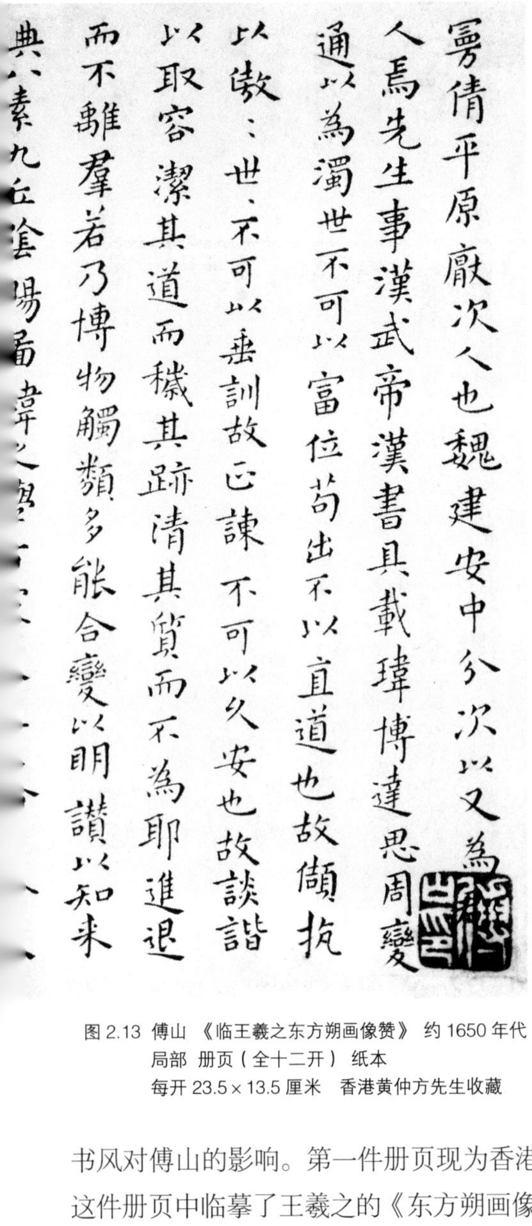

图 2.13 傅山 《临王羲之东方朔画像赞》 约 1650 年代
局部 册页（全十二开） 纸本
每开 23.5 × 13.5 厘米 香港黄仲方先生收藏

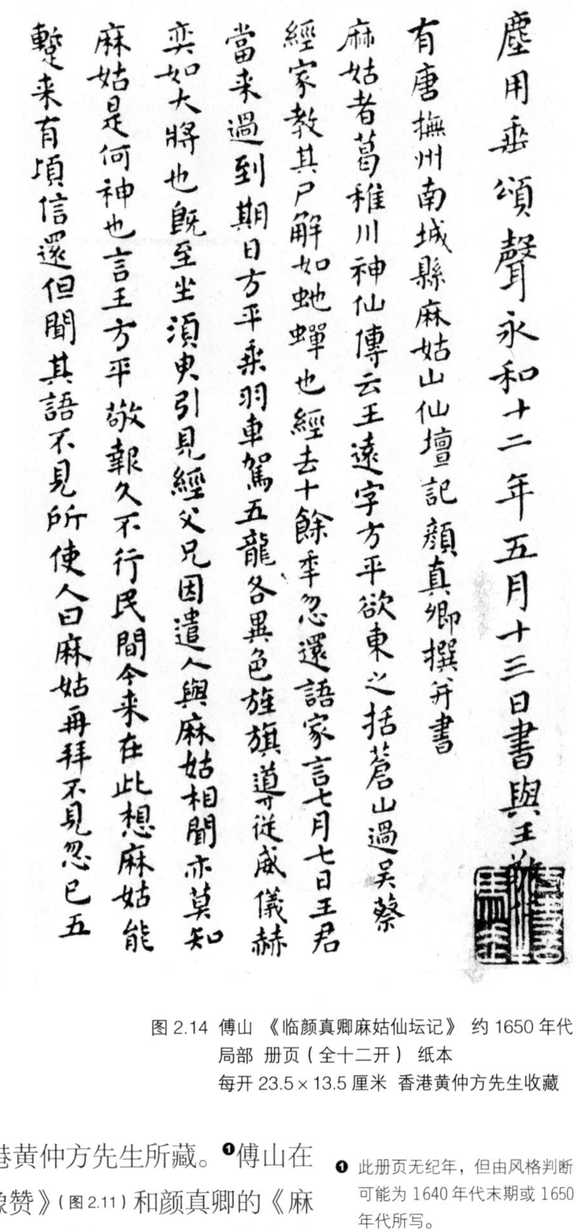

图 2.14 傅山 《临颜真卿麻姑仙坛记》 约 1650 年代
局部 册页（全十二开） 纸本
每开 23.5 × 13.5 厘米 香港黄仲方先生收藏

书风对傅山的影响。第一件册页现为香港黄仲方先生所藏。[1]傅山在这件册页中临摹了王羲之的《东方朔画像赞》（图 2.11）和颜真卿的《麻姑仙坛记》二帖（图 2.12）。在临摹《东方朔画像赞》时（图 2.13），傅山突出了原帖在结体上倾斜的特点，尽管他的临本在总体上并未失去平衡。而临摹颜真卿的《麻姑仙坛记》时（图 2.14），我们发现傅山临本的结体被拉长了，而且向左攲侧，不似颜书那样宽博稳重。可以看出，傅山在临摹颜书时，有意无意地加入了一些王羲之小楷结字和笔法的特点。

[1] 此册页无纪年，但由风格判断可能为 1640 年代末期或 1650 年代所写。

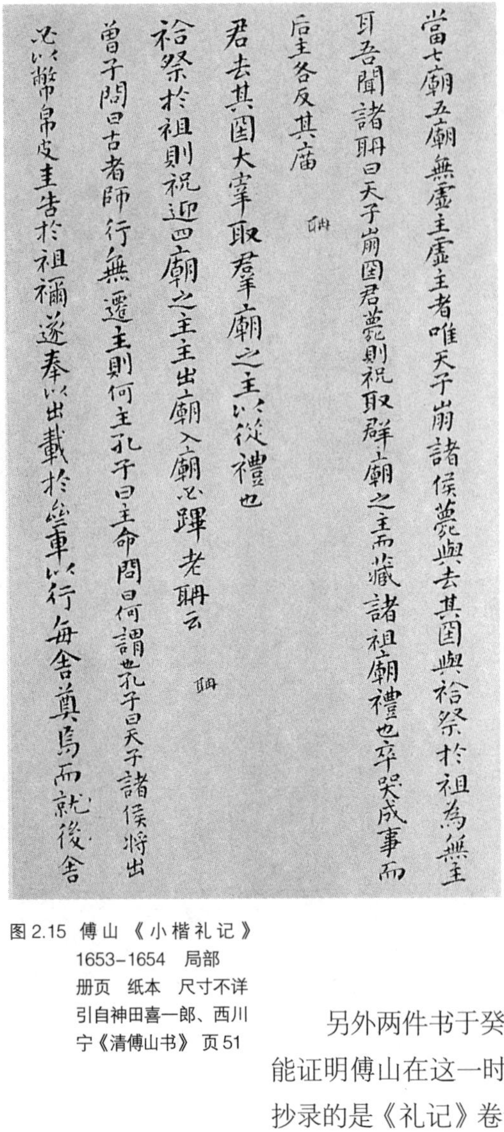

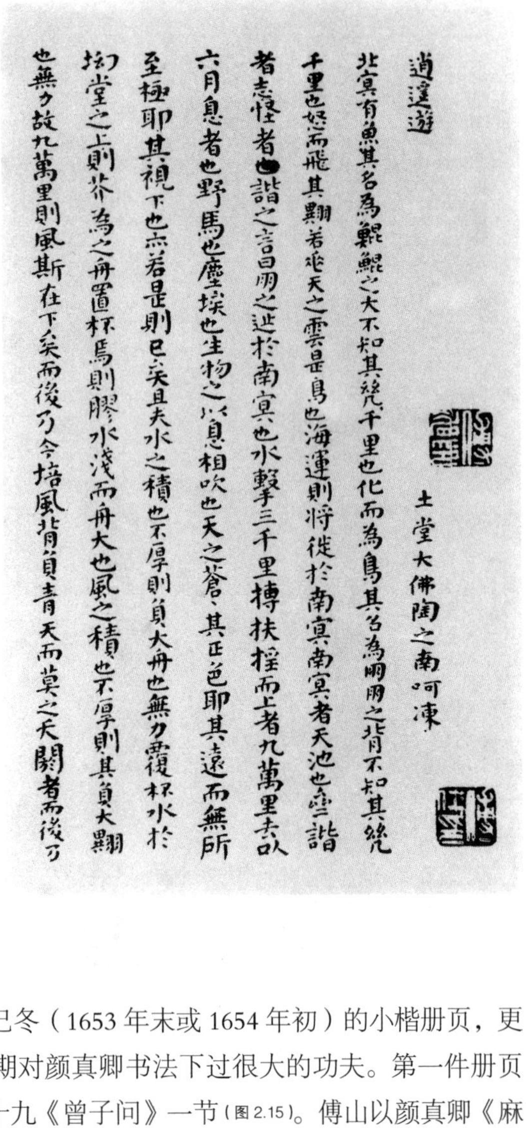

图 2.15 傅山《小楷礼记》
1653–1654 局部
册页 纸本 尺寸不详
引自神田喜一郎、西川宁《清傅山书》页 51

另外两件书于癸巳冬（1653 年末或 1654 年初）的小楷册页，更能证明傅山在这一时期对颜真卿书法下过很大的功夫。第一件册页抄录的是《礼记》卷十九《曾子问》一节（图 2.15）。傅山以颜真卿《麻姑仙坛记》的小楷笔法，仔细地书写了这件作品。这件册页的笔画具有颜书的厚实，而稍微倾斜的结体，则保留了傅山早年学习钟繇和王羲之书法的影子。第二件册页是傅山节录的《庄子》《逍遥游》篇（图 2.16），从中我们可以看出更正宗的颜真卿楷书风格：用笔厚重，结体平稳、外拓的笔画丰腴而具有“颜筋”的弹性。

傅山对颜真卿书风的热衷至老不衰。即使是他的晚年书法特别是小行书中，颜体书风仍占主导地位。例如，傅山书于 1660 年代或 1670

图 2.16 傅山 《小楷庄子》
1653–1654 局部 册页
（全八开） 纸本
每开 18.4 × 11.8 厘米
山西省博物馆
引自《傅山书法》 页 24

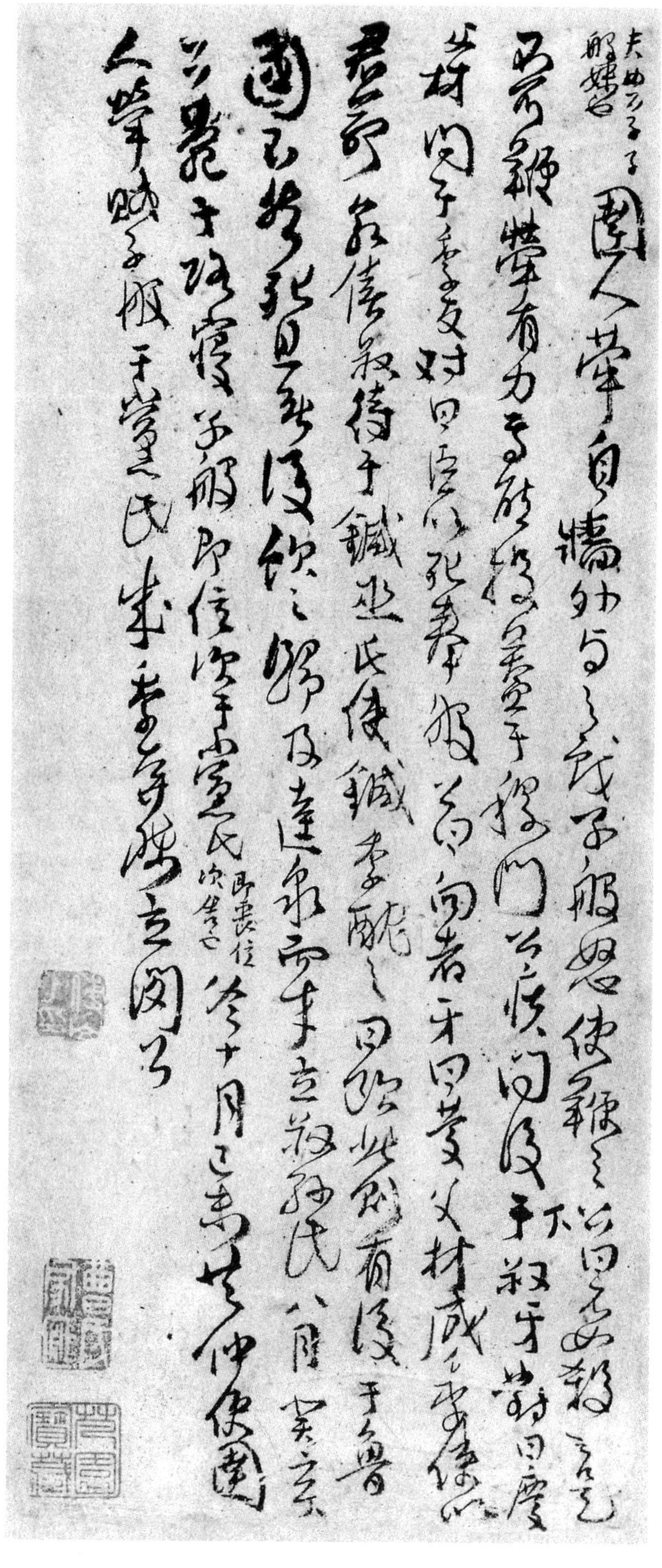

图 2.17 傅山 《左锦手稿》
约 1660 年代 局部
册页（全十八开） 纸本 墨 · 朱书
每开约 35.0 × 15.2 厘米
美国普林斯顿大学美术馆
（The Art Museum, Princeton University, Bequest of John B. Elliott, Class of 1951, Photograph by Bruce M. White, 1998–128）

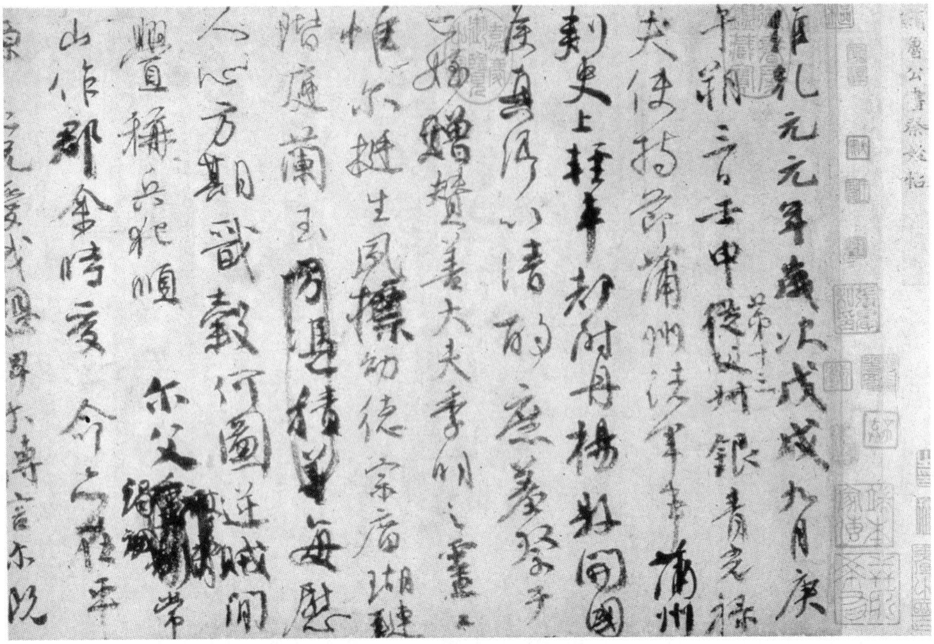

图2.18 颜真卿 《祭侄文稿》 758 局部 卷 纸本 28.2×75.5厘米 台北故宫

年代的《左锦》册页(图2.17)，与颜真卿的名作《祭侄文稿》(图2.18)的风格十分接近，笔画遒劲，涨墨的运用使一些笔画具有立体感。❶

作为明遗民的傅山选择颜真卿的书法作为典范，固然和他尊崇颜真卿的忠臣操守有关，但这并不是唯一的原因。颜真卿书风还有一些形式上的特质吸引着傅山。就傅山而言，颜真卿的书法是连接帖学传统和这一传统之外的书法资源的桥梁。长期以来，颜真卿晚年“雄秀独出，一变古法”的独特书风的形式来源，一直困扰着书学研究者。清代以降，许多六朝石刻逐渐出土，一些学者对颜真卿书风的形成有了新的认识，认为它有两个重要来源：一是颜真卿家学渊源的书法传统；一是北朝尤其是北齐的刻石书迹。

近年来，研究唐代书法的一些学者，在论证北朝石刻文字对颜真卿书法的影响时，举出了北齐《水牛山文殊般若经碑》(图2.19)和山东泰山经石峪的《金刚经》。❷就风格来说，颜真卿的晚期书法(如《勤礼碑》、《颜氏家庙碑》(图2.20)等)和《水牛山文殊般若经碑》确实相当接近，它们皆结体宽绰，用笔藏锋，线条圆融厚重，气势恢宏磅礴。

虽说颜真卿本人完全可能从未见过《水牛山文殊般若经碑》，但

❶ 这件册页乃傅山晚年研究《左传》的著作。关于这一作品的详细讨论，见Qianshen Bai, “Notes on Fu Shan’s *Selections from the Zuozhuan* Calligraphy Album”。

❷ 朱关田：《唐代书法考评》，页129，134；朱关田编：《中国书法全集》，册25，《隋唐五代编：颜真卿卷》，页20–21。Amy McNair不同意朱关田的看法(见*The Upright Brush*，p. 31)，认为：“我们没有任何证据可以说明颜真卿曾经探访过经石峪，或是看过刻石的拓本。这种联系无法用文献来证实，同时也缺乏令人信服的视觉证据。自从乾隆(1735–1796)时期金石研究兴起后，人们试图从北朝时期(368–581)一些杰出的无名氏碑刻中找出著名书家的风格来源。”如果说经石峪的《金刚经》刻石对颜真卿书风的影响还会有所争议的话，应该指出的是，朱关田所列举的颜真卿书风的另一

图2.19 《水牛山文殊般若经碑》（北齐） 局部 拓本 册页 尺寸不详 宇野雪村先生旧藏 引自神田喜一郎、西川宁《北齐镌修罗碑 / 水牛山文殊般若经碑》 页53

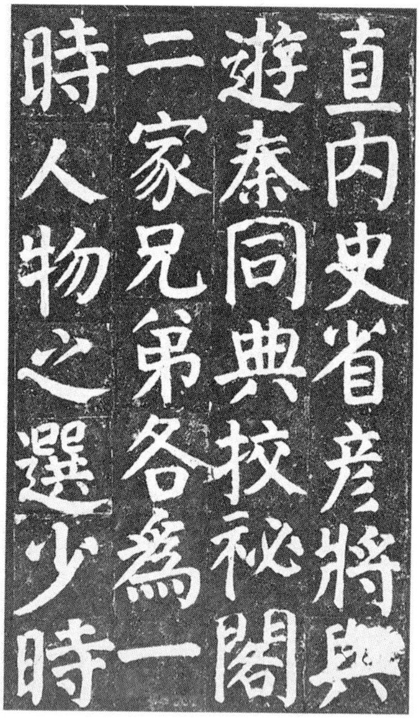

图2.20 颜真卿 《颜氏家庙碑》 780 局部 拓本 册页 纸本 尺寸不详 北京故宫 引自中国书法编辑组《颜真卿》册5 页204

傅山对颜真卿晚年书法的研究，很可能促使他欣赏北齐刻石中结体宽绰、线条厚重一路的书迹。6世纪时的山西属北齐，傅山生活的时代，山西境内仍然有数量可观的北齐碑刻存世，主要分布在盂县、平定、介休、汾阳、阳曲、绛州和凤台等地。[3]这些地方傅山大都住过，而且阳曲还是他的故乡。清初人的著作中也保存着傅山探访北齐石刻碑铭的记录。[4]如果我们把傅山的楷书册页《阿难吟》（图2.21）和《水牛山文殊般若经碑》作一比较，可以清楚地看出傅山的书法与北齐石刻文字在书风上的密切关联（图2.22）。在这两件作品中，字的笔画丰腴、宽博、浑厚。在帖学书法传统中，楷书的许多笔画的结尾带钩。而钩实际上是楷书中最具装饰性的笔画之一，去掉钩，并不影响对文字的阅读。在傅山的这一作品中，许多钩笔都被省略了，这在楷书中极不寻常。由于省去钩笔，傅山的《阿难吟》的装饰性大减，作品显得原始而古拙。而在《水牛山文殊般若经碑》中，许多字的

个重要来源——《水牛山文殊般若经碑》，确实和颜真卿晚期书风存在着明显的相似性。刘涛以为，很难说颜真卿曾经见过《水牛山文殊般若经碑》。这种风格的楷书，在北齐刻经中多见。另外，隋《曹植庙碑》虽有掺杂篆隶的怪异，其楷法亦属此类风格。《曹植庙碑》著名，又在山东东阿，地理位置更接近平原郡，假若颜真卿曾经取法此类楷书，则《曹植庙碑》似容易为颜氏所见（此处所引系笔者和刘涛 2004 年 4 月在电话中就这一问题进行的讨论）。笔者以为，颜真卿完全可能从未见过经石峪《金刚经》和《水牛山文殊般若经碑》，但他的祖先和他本人都曾在历史上为北齐领土的地区生活过，见过不少当地的北朝摩崖石刻和各种碑铭。如颜真卿的五世祖颜之推曾为北齐高官。颜氏家族代有擅书者，家族书学传统对颜真卿书风的形成影响很大。颜真卿书法与北齐风格间的某些相似处，或许有着某种历史渊源。关于河北和山东地区之北齐佛经石刻的学术讨论，读者还可参见 Tsiang, “Monumentalization of Buddhist Texts in the Northern Qi Dynasty”。

3 时至晚清，山西地区仍有十余处北齐石刻或碑铭存世。见胡聘之：《山右石刻丛编》，页 14931、14966-14977。清初山西境内保存的北齐石刻文字很可能更多。曹溶曾根据他收藏的八百多种金石拓本作《金石表》，表中列山西境内的后魏、北齐石刻文字多种。曹溶与傅山相善，傅山当见过这些拓本。如果这些拓本的原石在清初尚存世，傅山极可能曾亲访之。

4 关于傅山探访北齐佛经碑刻之事，载于朱彝尊：《曝书亭集》，卷 67，页 6。

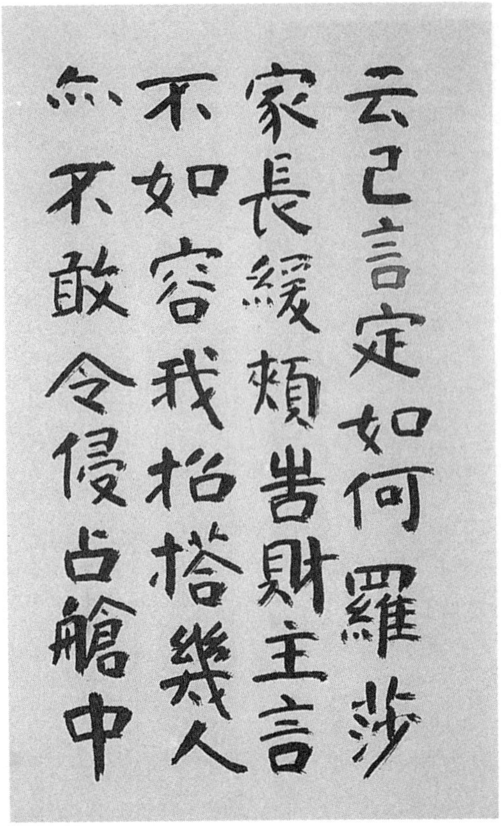

图 2.21 傅山《阿难吟》局部 册页（全二十二开，包括题跋五开） 纸本 尺寸不详 赵正楷先生收藏 引自《傅青主先生阿难吟手迹》页 4a

图2.22 （左）《水牛山文殊般若经碑》中之“罗”“我”“提”三字；（右）傅山书《阿难吟》中之“罗”“我”“扰”三字

钩笔也被减略了。可以推断，傅山处理钩的方法，很可能受到类似《水牛山文殊般若经碑》的北齐碑刻的启发。[1]此外，在傅山的《阿难吟》中，几乎所有的字都可看到颜真卿、《水牛山文殊般若经碑》的书风特色。因此，傅山的《阿难吟》表现出的不仅是他对颜真卿书风的热爱，他还以颜真卿为桥梁，进一步从帖学传统以外的北朝石刻文字中汲取营养。唐以前无名氏的石刻文字最终能够成为 17 世纪书法家艺术创作的资源，傅山功莫大焉。

颜真卿书法中还有另一个特质吸引着傅山把颜书作为重要的取法对象，这就是傅山所称的“支离”。这个概念对于了解清初明遗民的艺术，特别是傅山的书法十分重要，值得另辟一节予以专门讨论。

[1] 傅山不见得就一定见过《水牛山文殊般若经碑》或它的拓本，但他生活在山西又曾到山东河北游历，很有可能见过类似的北齐石刻文字。

支离和丑拙

傅山在《训子帖》中宣称："宁拙毋巧，宁丑毋媚，宁支离毋轻滑，宁率直毋安排，足以回临池既倒之狂澜矣。"这个简洁有力的论述，与重视和谐、优雅、精美的传统书法美学理想形成鲜明的对比。虽然对支离、丑拙及其政治意涵，中西方学者都曾有过讨论，[2]但讨论多停留在理论层面上，对相应的艺术实践的细致分析则罕见。傅山到底将哪些书法视为支离和丑拙呢？作为艺术批评的概念，它们的美学意涵又是什么？傅山本人的书法作品是否具有支离和丑拙的品质？

傅山认为颜真卿的书法具有"支离"的特质。实际上，傅山正是在比较了颜真卿和赵孟頫的书法后，提出了"四宁四毋"的美学观。颜真卿代表的是拙、丑、支离、率直，赵孟頫则体现了巧、媚、轻滑、安排。此外，从现存的文献资料中我们得知，傅山曾专门提到过两件颜真卿作品具有"支离"特质，即《大唐中兴颂》（图 2.23）与《颜氏家庙碑》（图 2.20）。[3]这两件都是颜真卿晚年的作品。假如我们把这两件作品与颜真卿早年的楷书代表作《多宝塔感应碑》（图 2.24）进行比较，就会发现其早年的作品合乎初唐已经建立的楷书传统。唐代是楷书书法的巅峰期。大多数的唐代楷书名作都法度谨严，一丝不苟。相比之下，颜真卿晚年的楷书作品更为自在开张。傅山在评价颜真卿的《大唐中兴颂》时，特别拈出"支离神迈"四字来强调颜真卿晚年书法的这种特色。《大唐中兴颂》为元结（719–772）于 761 年时为了庆祝平定安禄山（死于 757 年）之乱所撰之文，颜真卿受嘱书丹，771 年刻于湖南浯溪摩崖壁上。此颂文辞古雅，书风磊落奇伟，加之

[2] 见牛光甫：《浅释傅山书论中的四宁四毋》。

[3] 傅山曾在一篇笔记中写道："最后写鲁公《家庙》，略得其支离。"见《傅山全书》，册 1，页 520。另外在一件目前为台北私人收藏的杂书卷中，傅山称《大唐中兴颂》的书法"支离神迈"。

图2.23 颜真卿 《大唐中兴颂》 约771 局部 拓本 册页 纸本 尺寸不详 北京故宫
引自中国书法编辑组 《颜真卿》 册2 页75

图2.24 颜真卿 《多宝塔感应碑》 752 局部 拓本 册页 纸本 尺寸不详 北京故宫
引自《宋拓多宝佛塔感应碑》

摩崖粗糙的壁面和风雨剥蚀造成笔画边缘的不规整和残损，使得这件作品更为气势磅礴。而当傅山临摹它时，吸引他的不仅仅是颜书的奇特瑰丽的气势，碑文本身更能勾起他复兴大明、重建汉族王朝的梦想。

傅山把“支离”作为一种审美理想，这背后到底蕴藏着什么深意？“支离”这个词最早出现在《庄子·人间世》中对“支离疏”的描述：

> 支离疏者，颐隐于脐，肩高于顶，会撮指天，五管在上，两髀为胁。挫针治繲，足以糊口，鼓筴播精，足以食十人。上征武士，则支离攘臂而游于其间。上有大役，则支离以有常疾

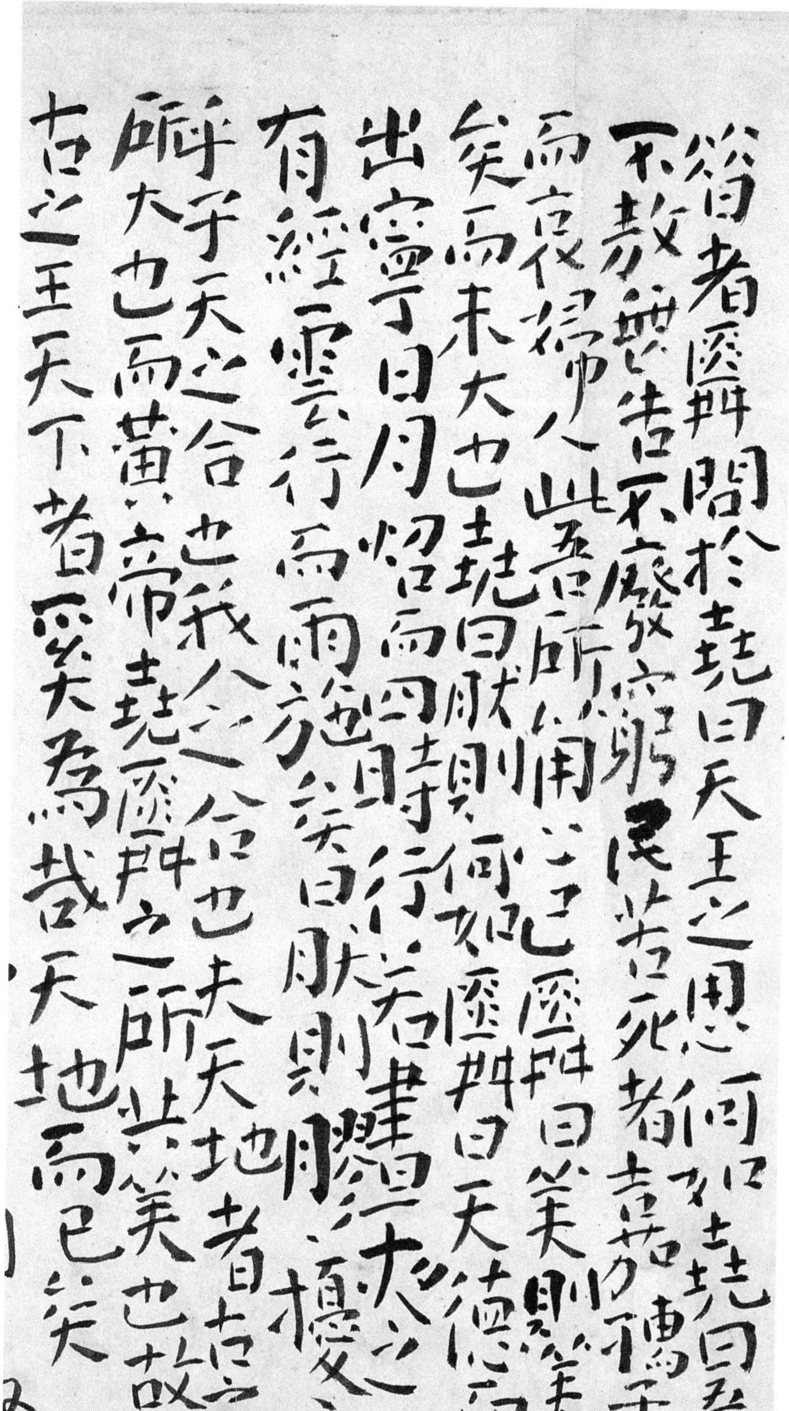

图2.25 傅山《啬庐妙翰》中的楷书部分

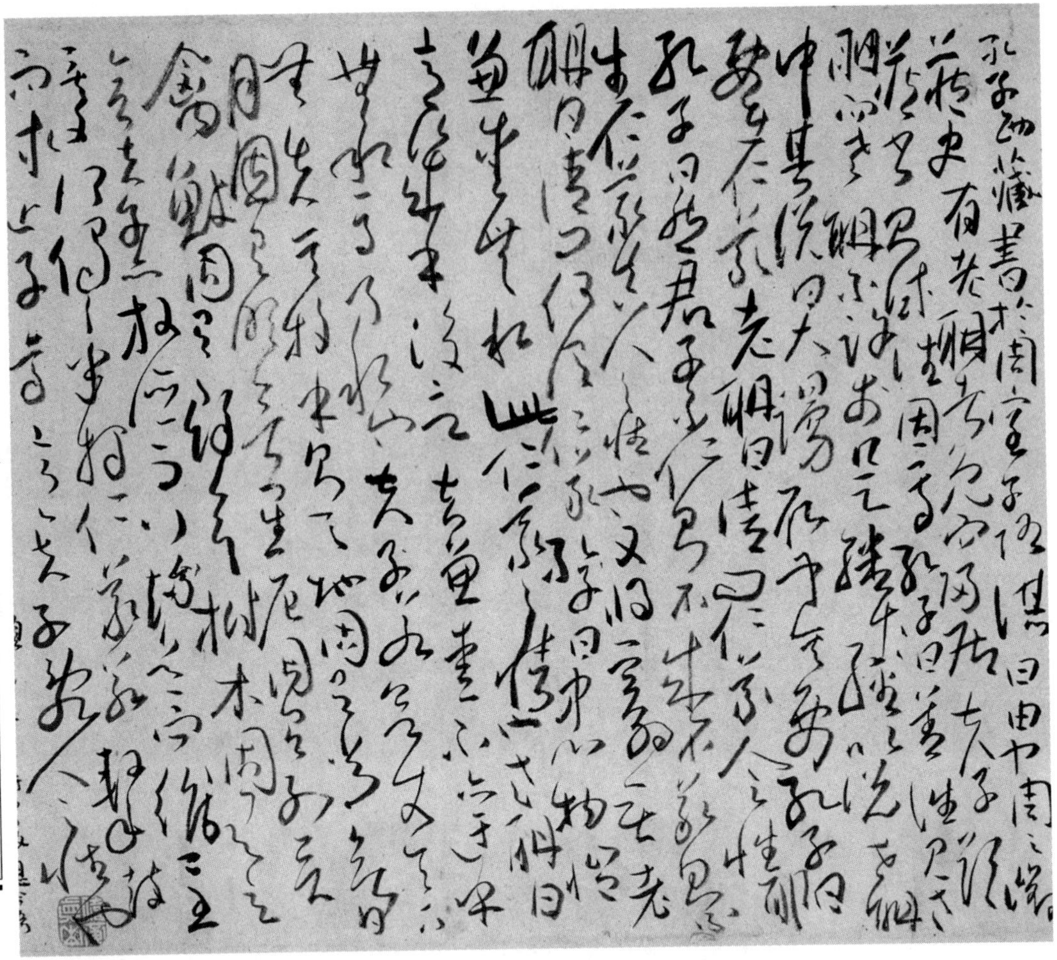

图2.26 傅山《啬庐妙翰》中的草书部分

不受功。上与病者粟，则受三钟与十束薪。夫支离其形者，犹足以养其身，终其天年，又况支离其德者乎？

毫无疑问，《庄子》中的“支离”具有政治寓意。生活在动荡不安的时代，肢体的“支离”成为“足以养其身，终其天年”的一种生存方式。“支离”由此暗示着逃避当代政治，更可以进一步引申为退隐和对现政权的消极抵抗。

傅山不仅把“支离”当作一种高层次的审美理想，他还试图将之付诸实践。在书于1650年代初的一件题为《啬庐妙翰》的杂书卷中，[1]傅山以一种近乎激进的方式演示了他的“支离”美学观。卷中以中楷书写的那部分，用笔虽有颜书的特点，但是结字和章法杂乱

[1] “啬庐”是傅山的斋室号之一。这件手卷无年款，但卷中傅山的一段笔记为其书写年代提供了粗略的线索。傅山在这条笔记中说，他已是四五十岁的老大，但老母亲还为他做馄饨吃。在另一条小记中，他又说：“杨五哥、七哥持此卷子要书。村侨无笔久矣，秃颖老掔，尽者结构。”1651-1652年左右，傅山寓居老友杨方生家中，他提及的两位杨氏兄弟即为杨方生的弟弟。傅山生于1607年，《啬庐妙翰》中所云“四五十岁老大”，正可订此卷的书写时间在1651-1652年左右。

无序（图 2.25）。字的笔画彼此脱节，结构严重变形，甚至解体，字与字互相堆砌，字的大小对比悬殊。傅山还打破行间的界限，许多写得较大的字甚至跨到另一行去。由于缺乏清晰的行距，且结体松散，使人很容易将一个字的笔画看成邻近一字的一部分，令人感到困惑。

同样的“支离”特质也出现在《啬庐妙翰》的草书部分（图 2.26）。此段的行距极不清楚，一个字有时会与另一个字合成一体，有时又一分为二。傅山的标新立异已使这段文字不易辨认，加之写的是高度简化和连绵的草书，更是加大了阅读的难度。

傅山喜欢把字进行夸张变形，一个字的每个组成部分都成为可以在字的组合中按己意拆改置换的元素。有时，他把一个字分成两个部分，使之看起来像两个字。有时，他又把两个字连在一起，写成一个字的样子。像“而不得罪于人”这一句六个字中，“于”字(《汗简》等字书有此异体字)被分解成两个几乎无关的部分（图 2.27），下面的“人”字被并入分解开来的“于”字的下半部。这种拆与合的形式应源于傅山所熟悉的商、周青铜器上的铭文，有些铭文中的字也是时而分开时而合并。

图 2.27 傅山“而不得罪于人”

傅山还常挪动字的偏旁部首，把原本在一个字中或左或右的部分，移置于上方。例如“蹔”这个字，通常写成左右两部并列，傅山有时按常规写，有时却把左半边写在右半边之上，以致原本并列的部分变成上下相叠（图 2.28）。他偶尔还会把字的偏旁旋转九十度，如对“推”字右侧的“佳”部就作了这样的处理（图 2.29）。这种变动偏旁部首的位置的做法很可能受到了篆刻的启发。在许多汉代的印章中，字的偏旁部首或组件经常会因为布局的需要，而更动正常的位置。

图 2.28 傅山“蹔”

图 2.29 傅山“推”

为力求达到“支离”，傅山还有意打破结字的平衡感。如“颜”字，由左边的“彦”和右边的“页”两个部分组成。这两个部分高度相当，通常会被并列在同一条水平线上。但傅山却把右边的“页”字放在比左边的“彦”字低得多的位置，戏剧性地让这个字向右下方倾侧（图 2.30）。傅山当然不是第一个把汉字的结构变形的书家，但他无疑是中国书法史上最经常也最极端地使用变形手法的书法家。

图 2.30 傅山“颜”

“支离”和“丑拙”同样出现在傅山的绘画中。傅山不仅是 17

图2.31 傅山 山水 局部 册页
材质、尺寸不详
藏地不明 白谦慎照片

世纪最有反叛性的书法家，也是最不循规蹈矩的画家之一。傅山的一件山水册页有着和他书法一样的“支离”特质（图2.31）。[1]这件山水册页的对面一开，为题诗，诗没有纪年，但从书风来看，作于1644年之后当无疑义，山水画也应作于入清以后。画面上，一座寺庙似的建筑坐落于悬在两山之间的石桥上，藏匿于一个如洞室般的拱形石梁下，石梁倒挂着鹰嘴般的山岩，险峻的山水将寒伧的建筑包围，陡峭的山峰插入云际。在画面的深处，一条河流忽焉跃入我们的视线之中，先是隐入石壁之后，然后又轰然地穿过石桥倾泻而下。

这些山水的狂放、荒率、粗野，呈现出傅山在书法中所追求的特质：支离和丑拙。那建筑在群山的遮蔽下，独自栖身于奔腾的河流上，面对一条无路的桥。整个画面因过于纷乱而很难找到可以游走的路径，嶙峋的山峰奇形怪状，将我们的视线分散，那座建筑显得更加孤冷。画中表现的荒疏之感，正如乔迅（Jonathan Hay）所说，成为描述明遗民心理世界的“自我放逐的空间”。[2]

傅山并不是清初唯一鼓吹“支离”和“丑拙”美学观的人。明朝旧王孙石涛（1642–1707）曾在一件梅花册页的题诗中，也使用过

[1] 1957年，吴讷逊在“The Toleration of Eccentrics”一文中首次讨论这件册页。然而这件册页目前的收藏者不详。

[2] Hay, *Shitao*, p. 41.

图2.32
石涛《梅》
约1705–1707　局部　册页（全八开）
纸本　水墨
每开29.8×36.3厘米（画心平均20.0×29.5厘米）
美国普林斯顿大学美术馆
(The Art Museum, Princeton University, gift of the Arthur M. Sackler Foundation for the Arthur M. Sackler Collection, Y1967-15 a-h)

“支离”这个词（图2.32）。他在册页的第一开上题道：

古花如见古遗民，谁遣花枝照古人？

阅历六朝惟隐逸，支离残腊倍精神。

值得注意的是，石涛像傅山一样使用“支离”来传达“残破”的意念。而诗中的梅花，明白无误地指涉遗民，我们从中再次窥视到“支离”所隐含的政治意向。

画面中的梅花也形显“支离”，左侧一个梅枝先是向上伸展，然后突然断折，断枝以不相连的三笔绘成。艺术家试图用残枝来象征前朝隐逸，可从“谁遣花枝照古人”中得到证明。而诗中“支离”一词，也准确地捕捉到此画所欲指涉的图像意义。[3]

如上所述，“支离”一词源于《庄子》中的一位残疾人“支离疏”。“支离”即“残”。有意思的是，许多用来描述残缺的词汇，也都在17世纪下半叶为艺术家和评论家所使用。[4]画僧髡残（1612–约1675）在其法号、自称中，经常使用“残”字，比如，他自称“残衲”、“残秃”。[5]除此，他也用“残”来形容自己的绘画。他曾在一幅山水画的题识中写道：“残山剩水，是我道人家些子活计。”[6]而“残山剩

[3] 关于这件册页更为详细的讨论，见Marilyn Fu and Shen C. Y. Fu, *Studies in Connoisseurship*, pp. 294-301。

[4] 关于这个现象的讨论，见Qianshen Bai, “Illness, Disability, and Deformity in Seventeenth-Century Chinese Art”。

[5] 髡残在许多绘画作品的署款和印章中称自己是“残者”、“残道人”、“天壤残者”。

[6] 周亮工：《读画录》，卷2，收录于卢辅圣等编：《中国书画全书》，册7，页953。

水”也正可用来描述那历经战乱蹂躏后的山河景象。

髡残的许多作品都在表现“残破”的山水。上海博物馆收藏的一件山水册页，即充分地体现了髡残的美学观（图2.33）。在画面的左下角，髡残以干渴而又短粗的笔触在宣纸上反复皴擦，绘出一片没有清晰轮廓线的陆地。髡残这种“破笔”不同于一些画家以淡湿的墨点来营造具有诗境的“米家山水”。我们的视线穿过河流来到画面的右上方，那里有一面陡峭的山壁俯视着流动的河川。山壁以粗犷的短皴绘成。左上角的题画诗，书法也带着粗犷和原始意味。总之，整件作品充溢着荒疏和孤寂感。

通常说来，残破的事物会被认为是丑拙的。在对支离的象征意义有所了解后，我们对傅山在《训子帖》中将“拙”和“丑”作为审美理想的关键词，就不会感到惊讶了。此道不孤，在一件山水册页中，石涛也题道：“丑墨丑山挥丑树。”一连用了三个“丑”字。[1] 17世纪下半叶，一些极具创造力的艺术家成功地将“残”、“拙”和“丑”转换和提升为中国书画的审美理想。傅山正是这一美学思潮最重要的倡导者。

傅山鼓吹“丑拙”，和他提倡“支离”一样，可以理解为在满族统治者和明遗民之间的政治对抗依然十分尖锐的情形下的情感表现。而他鼓吹的“宁拙毋巧”，也令人不难察觉其中的弦外之音。[2] 傅山最喜爱班固的《东方朔传》，在班固撰写的这篇传记中，东方朔将“拙”与“工”同政治上的抵抗和合作联系在一起。班固在详细描述了东方朔在朝廷中表演的古怪滑稽的言行，及其与汉武帝（公元前140—前87年在位）的关系之后，在传赞中总结了东方朔的处世哲学：

> 非夷、齐而是柳下惠，戒其子以上容：“首阳为拙，柱下为工，饱食安步，以仕易农，依隐玩世，诡时不逢。”[3]

在东方朔看来，伯夷和叔齐的“拒食周粟”，饿死首阳山是“拙”（愚蠢）；而老子在宫廷中当柱下史“朝隐”则为“工”（聪明）。在此，东方

[1] 这幅画的图版见于《四僧画集》，页147。

[2] 关于“巧”与“拙”的道德意涵，见 McNair, *The Upright Brush*, pp. 48-50。McNair 着眼于不同的用笔如何在书法上造成“拙”或“巧”的效果。但傅山还通过结体的变形和改变字间、行间的空间关系来达到拙与奇的效果。这点可以从上面讨论的《啬庐妙翰》手卷中看出。

[3] 班固：《汉书》，卷65，册9，页2874。

图2.33 髡残　山水　局部　册页（全十七开）　纸本　水墨设色
每开21.9×15.9厘米　上海博物馆
引自《四僧画集：渐江、髡残、石涛、八大山人》　页40

朔所用“拙”、“工”，和傅山所用“拙”、“巧”同义。此“拙”似乎含有政治抵抗的意义。

傅山“四宁四毋”的每一句都包含了两个对立的审美观念，人们可以对两种不同的审美观进行选择。而傅山的抉择是“宁拙毋巧”。对傅山来说，精熟优美的赵孟頫书法是“巧”，厚重浑朴的颜真卿书法为“拙”。而在为这两个书家作美学评断的同时，傅山还对他们的道德作了评判，他也借此表达了自己的政治立场。[1]正如清代著名史学家全祖望（1705-1755）所指出，“四宁四毋”之论，“君子以为先生非止言书也。”[2]

以上分析了“支离”和“丑拙”在清初艺术中的政治意蕴。然而，《啬庐妙翰》手卷是傅山寓居老友杨方生家时，写给杨方生的两个弟弟的作品，实际上是为了报答提供居所的应酬之作，并无明显的政治意图。那么，杨氏兄弟是否会在这一手卷中读出我们前文所讨论的政治喻意呢？他们完全可能并不这样解读。虽然驱使傅山在清初研究颜真卿书法、鼓吹“支离”和“丑拙”的动机与他所处的政治环境有关，但他作为一个艺术家，实在没必要让每位友人或观众都将其艺术作政治性的解读。[3]

我们可以傅山如何看待杜甫（712-770）的诗作为例。由于杜甫的许多诗作乃对当时的政治事件而发，自宋代以来，许多文人都把杜甫的诗当作政治史来解读。但傅山在一条笔记中说：“史之一字，掩却杜先生，遂用记事之法读其诗。”他批评人们把杜诗当作历史而非诗来读，认为这实在是忽略了杜甫卓越的诗才。傅山接着又说：“老夫不知史，仍以诗读其诗。”然后他援引杜诗中的句子，论证其中“奇”的特质。[4]傅山对唐史和唐诗都烂熟于胸，[5]他宣称“不知史”，不过是引导人们把杜诗当成文学作品来看待的一种修辞策略。有意思的是，清初另一位坚定的明遗民吕留良（1629-1683）也曾痛诋宋儒对杜诗所作的政治性解读。他在批点杜甫《北征》诗时这样写道：“取杜诗以忠义，自是宋人一病，词家谁不可忠义？要看手段，即《离骚》亦然，且如丈夫经天纬地事业，岂只忠义云乎哉！”[6]在吕留良看来，任何诗人（甚至是平庸的诗人）都有可能成为忠臣，但诗人的文学

[1] 近年来，一些学者指出，傅山“四宁四毋”的主张，来自于宋代文学批评家陈师道（1053-1102）的文学理论。陈师道宣称：“宁拙毋巧，宁朴毋华，宁粗毋弱，宁僻毋俗，诗文皆然。”（见黄惇：《傅青主四宁四毋论之由来与其本意》）但傅山“四宁四毋”的主张是在清初特定的政治环境中提出的。

[2] 全祖望：《鲒埼亭集》，卷26，页10b。

[3] 傅山有一首题为《即事戏题》的诗，诗云：“乱嚷吾书好，吾书好在那？点波人应尽，分数自知多。汉隶中郎想，唐真鲁公科。相如颂布濩，老腕一双摩。”（《傅山全书》，册1，页119）这说明，傅山本人认为，慕其书名者，多对其书艺所知无几。那些乱嚷傅山书法好的人们，自然不会对傅山的书法作政治性的解读。

[4] 同上注书，页838。

[5] 傅山留下许多关于唐史的评注，见《傅山全书》，册1，页711-723。

[6] 周采泉：《杜集书录》，页531。

成就应该以其“手段”来衡量，而杜甫是因为其天赋而非道德才成为一位伟大的诗人。同样地，也正是颜真卿的天赋和成就使他成为一位伟大的书法家。因此，傅山希望人们能够从美学的而非政治的层面来评价他的书法。傅山鼓吹“丑拙”、“支离”固然有其政治上的倾向，但他也激赏“丑拙”和“支离”所具有的美感。当傅山评论颜真卿的《大唐中兴颂》时，称这件作品为“支离神迈”，而“神迈”正是一种美学而非政治的评价。❼

《啬庐妙翰》约作于1652年，即清军入关八年左右。在此我们会遇到这样一个问题：在明亡之前，傅山是否曾经写过具有“支离”或“丑拙”特质的书法呢？遗憾的是，傅山在1644年之前所写的作品，只有一件碑拓存世，且不具上述特质（见图1.57）。故以现存的资料，我们不可能证明傅山在1644年以前即开始书写具有“丑拙”和“支离”特征的书法。我们被迫从另一个角度提出问题：在晚明的文化环境里，“丑拙”的书法美学是否能够被人们接受？

充满异质性的晚明文化，为艺术家的标新立异提供了广阔的空间。尽管我们还没有在董其昌或王铎的作品中发现像傅山作品那样的“丑拙”，但董其昌以“奇”为“正”、贬“熟”扬“生”，已为人们对“生”作更为激进的诠释开了风气，最终导致对“丑拙”的追求。晚明篆刻家对残破的追求、王铎书法中的涨墨尝试、书法拼贴……晚明对于奇特怪异的热衷，很可能早已为“丑拙”埋下了伏笔。生活在一个艺术家们竞相争奇斗艳的时代，傅山在明亡前即先他人一步着手创作具有“丑拙”风格的书法作品，并非完全不可能。我们完全可以说，“丑拙”在尚“奇”的晚明萌芽，而在清初得到长足的发展。清代的“丑拙”美学观应被视为晚明尚“奇”品味的一种延伸，因为两者具有相似的视觉和情感特质及美学取向。只不过，晚明文化环境中生发出的一些艺术品味在经历了明清鼎革后，外在剧烈的政治变革赋予这些品味及其相关的艺术发展方向以新的意义。

即便“丑拙”、“支离”的美学观很可能在晚明艺术中就已发轫，我们也不会因此认为上文所作的政治性分析是无意义的。正如本章的分析表明，在新的政治环境下，颜真卿书法被赋予新的诠释。当

❼ 傅山关于“丑”的论点也有其历史理论渊源。比如说，苏轼就曾经在《和子由论书》这首诗中论及：“吾闻古书法，守骏莫如跛。”见苏轼：《东坡集》，卷1，页5。

一个历史时期向另一个历史时期过渡时，艺术中的某些视觉特性会被人们捕捉并加以强化，而有些特性则会被忽略而逐渐消亡。为回应新的社会文化环境，新的意义因之兴起，新的风格也因之发展。在研究 17 世纪的艺术时，我们应该仔细观察明、清之际的种种艺术现象，追踪哪些被摒弃、哪些被采用、哪些被改变，又是哪些涓涓溪流逐渐汇成主流。

然而，无论哪种风格特征被捕捉、承袭、强化或转变，都必须有其美学和社会文化的基础。社会文化（包括政治）与物质条件，都可能在艺术潮流的强化和转变中扮演重要甚至关键性的角色。但是，傅山的“宁拙毋巧，宁丑毋媚，宁支离毋轻滑，宁直率毋安排”，不只是一个政治宣言，“丑拙”、“支离”必定在视觉上有吸引他的特质。他以“风流”和“神迈”赞颂具有“丑拙”、“支离”特质的作品，正暗喻其审美愉悦是如此地深沉。对于从事艺术社会史和政治诠释的人们来说，挑战之一便是如何把审美的因素重新带进讨论。对于傅山研究来说，一个切入点就是重新思考政治色彩并非浓重的晚明文化在明清鼎革后对傅山书法持续的影响。

晚明文化生活的遗响

如果认为书法风格会因朝代的更替而在一夕之间突然发生变化，那就未免太天真了。我们可以举出许多例子来证明，某些书法家的风格并未因改朝换代而迅速改变。书法家所能够迅速改变的，是其书法的文本。这就像一些身处改朝换代之际但从未改变其绘画风格的画家，可能会通过描绘陶渊明笔下“桃花源”的田园风光，以寄托对“乌托邦”的向往，暂时忘却乱世的动荡；又如一些画家可能会用画面荒凉的景观来暗示他生活在新政权下的心境或者实际境遇。[1]同样地，书法家可能也会在自己的书法作品中书写某些批判或影射新政权的隐晦文字。一个很能说明问题的例子是傅山1648年为好友陈谧书写的一件草书册页，他在册中抄录了二十六首他作于1644至1647年间的诗作，其中不少表达了作者亡国的哀痛。但是册页的书法风格优美且平和，完全没有诗中的黍离之悲。[2]在这个册页里，对于改朝换代的反应，文字内容与书风有着明显的差异。

虽然一位书家的作品文字内容可能会在旦夕之间发生变化，而其书风则不然。个人风格和书法家根深柢固的书写习惯相关。一个书法家要建立个人风格，需要长时期的研究和练习；若要改变书风，也需要经历相当长一段时间来改变旧有的书写习惯。在大多数情况下，书风的选择、学习、改变过程，是一个书家及其家学传统（如果有的话）、书法史传统、文化氛围和当下生存环境之间持续互动的过程，而不仅仅是意识形态倾向的产物。即使一位书家为了应对政治环境而渴望改变自己的风格，书写习惯的改变也比思想的转变缓慢得多。以傅山为

[1] 关于一些明遗民画家以画作对甲申鼎革作出反应，见Hay，“The Suspension of Dynastic Time”。

[2] 关于这一册页的详细讨论，见白谦慎：《傅山为陈谧作草书诗册研究笔记》。

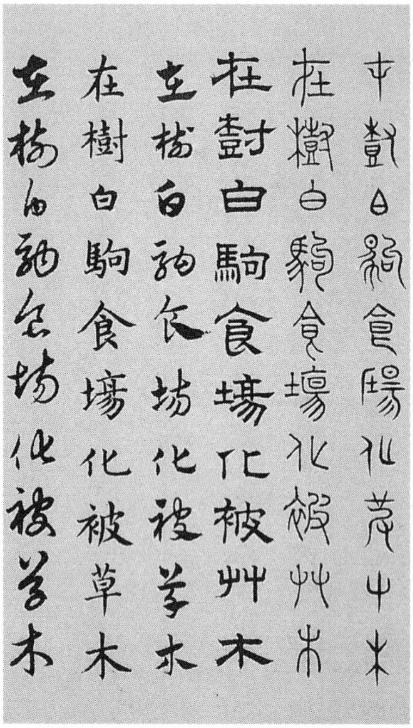

图2.34 传 赵孟頫《六体千字文》
局部 1316
形制、材质及尺寸不详
引自《赵松雪六体千文》

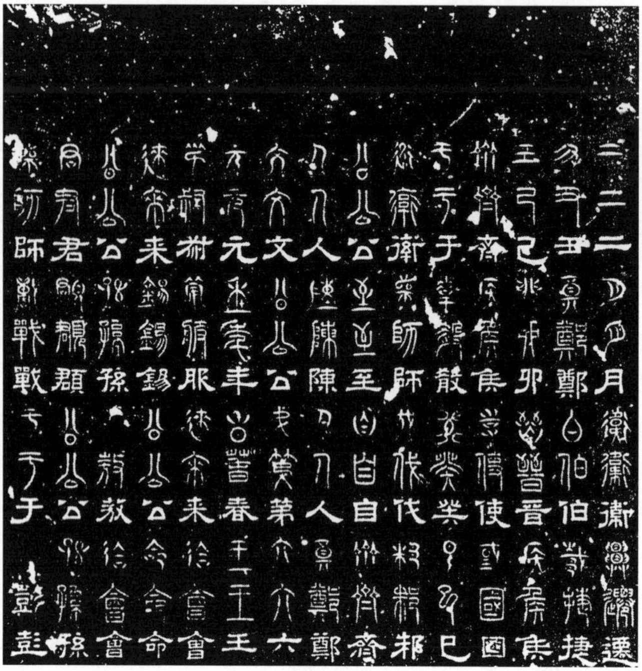

图2.35《魏三体石经》 240–248 局部
拓本 册页 纸本 尺寸不详
引自《书法丛刊》 1981年 第2期 页21

例，他是一位对周边的政治环境极为敏感，并且有意识地根据其政治观点来选择风格的书家，但如上所述，他从赵孟頫风格向颜真卿风格的转变颇费时日。[1]朝代变更很少能为书法风格划下清晰的界限。

因此，在讨论了颜真卿风格对傅山书法的影响后，我们还必须考察清初影响傅山书法的另一个因素——晚明文化的遗风。而最能反映出晚明文化对傅山持续影响的作品，便是傅山的“杂书卷册”。

“杂书卷册”是指书法家在一件手卷或册页中，使用三种或三种以上的字体书写一组内容上毫不相关且相当短小的文本。[2]“杂”意指各种不同的字体和文本在同一件卷、册里并存。有些学者根据一些书法卷册文字内容的“混杂性”来界定杂书卷册。[3]此处“杂书卷册”所用的“杂”，强调的是视觉形式上的复杂性，即从字体的使用而非文字内容来作界定，并非文本上的“混杂性”。杂书卷册的文字内容相当灵活宽泛，它们可以是古人的诗文、奇闻轶事或杂文，也可以是书写者自己的诗文、笔记，或是所有这些文本的混合。在通

[1] 即使在1669年傅山写给其友人古古的册页中，他仍以赵孟頫的风格抄录了两首诗，并加上评语：“少年曾临赵孟頫《中峰》、《香山》诸帖，遂中其俗病如此。医此俗病每用《麻姑坛》。”这件作品载于《书法丛刊》，1997年，第1期，页58。

[2] 杂书卷册这个词似乎是17世纪以后的发明。

[3] 如台北故宫藏明初书家张弼（1425–1487）所书行草卷，因文字内容集张弼致其友人司马绣衣之尺牍与诗文为一卷，此卷被有些学者称为“杂书卷”。见朱惠良：《云间书派特展目录》，图版13。

常的情况下，杂书卷册的文本比较短小，但有时也有摘录一篇或几篇较长的古代经典，但即便如此，它们也都是用不同的字体写就。

杂书卷册在视觉形式上的复杂性，使之不同于传为赵孟頫所作的《六体千字文》(图 2.34)。[4]在《六体千字文》中，《千字文》分别由古文、小篆、隶、章草、楷、草六种不同字体书写六次。然而并非以各个字体写六遍完整的内容，而是每一行重复用六种字体写一次，再继续写下一行，如此来完成《千字文》的书写，这种格式使读者可以同时看到每个字的六种不同字体。

[4] 此处所引《六体千字文》极可能是赵孟頫的学生俞和（1307–1382）的作品。见徐邦达：《古书画伪讹考辨》，册 3，页 45–46。关于俞和生平及其书法的讨论，见王连起：《俞和及其行书兰亭记》。

《六体千字文》的布局方式可以追溯到刻于三国时代（220–265）魏国的《三体石经》(图 2.35)。《三体石经》中的每个字也是以不同字体重复写三次。《三体石经》和《六体千字文》都是将由几种字体书写的同一文本整齐而有规律地排列在一起，十分严整，缺少杂书卷册的那种随意性。这一区分，也同样适用于诸体书屏条。比如，文徵明曾作篆隶真草四屏条，每一屏条都由一种字体书写，它的创作有很多的预先设计的成分。而且这种屏条用于悬挂，带有公开性，不似杂书卷册那样比较具有私人性。大多数杂书卷册的文字内容全无重复，而是随意地以不同字体书写各个段落。实际上，杂书卷册在格式上很像古代书画作品后的诸多题跋，每则题跋都是由不同人以符合其个人品味和擅长的字体写成(图 2.36)。所不同者，这里所指

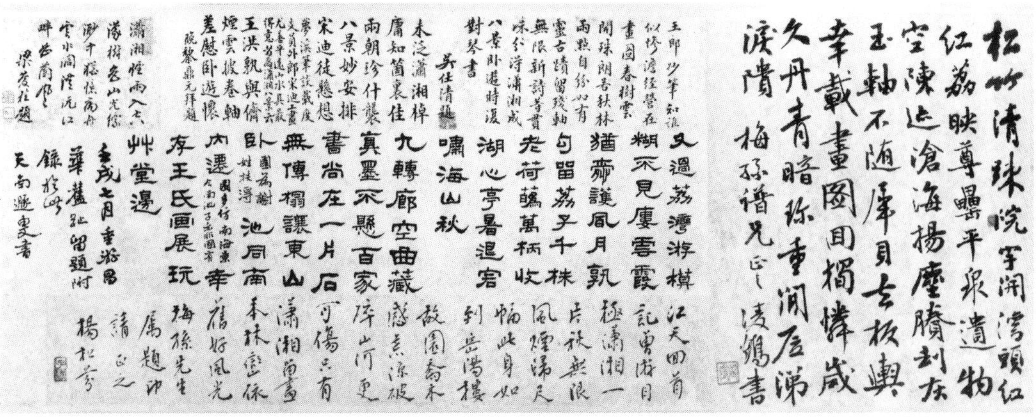

图2.36 凌鹤、天南遯叟、吴仕清、黎鼎元、梁庆桂（1858–1931）及杨松芬（以上诸人除梁庆桂外，均活动于19世纪末至20世纪初）等 跋王洪（活动于约1131–1161）《潇湘八景》 约1150 裱成两卷 绢本 水墨
每卷皆有四幅画与四则题跋
引首23.6×87.5厘米 每幅画心约23.4×90.7厘米
美国普林斯顿大学美术馆
（The Art Museum, Princeton University, Edward L. Elliott Family Collection. Museum purchase, Fowler McCormick, Class of 1921, Fund. Photograph by Bruce M. White, Y1984-14 a&b）

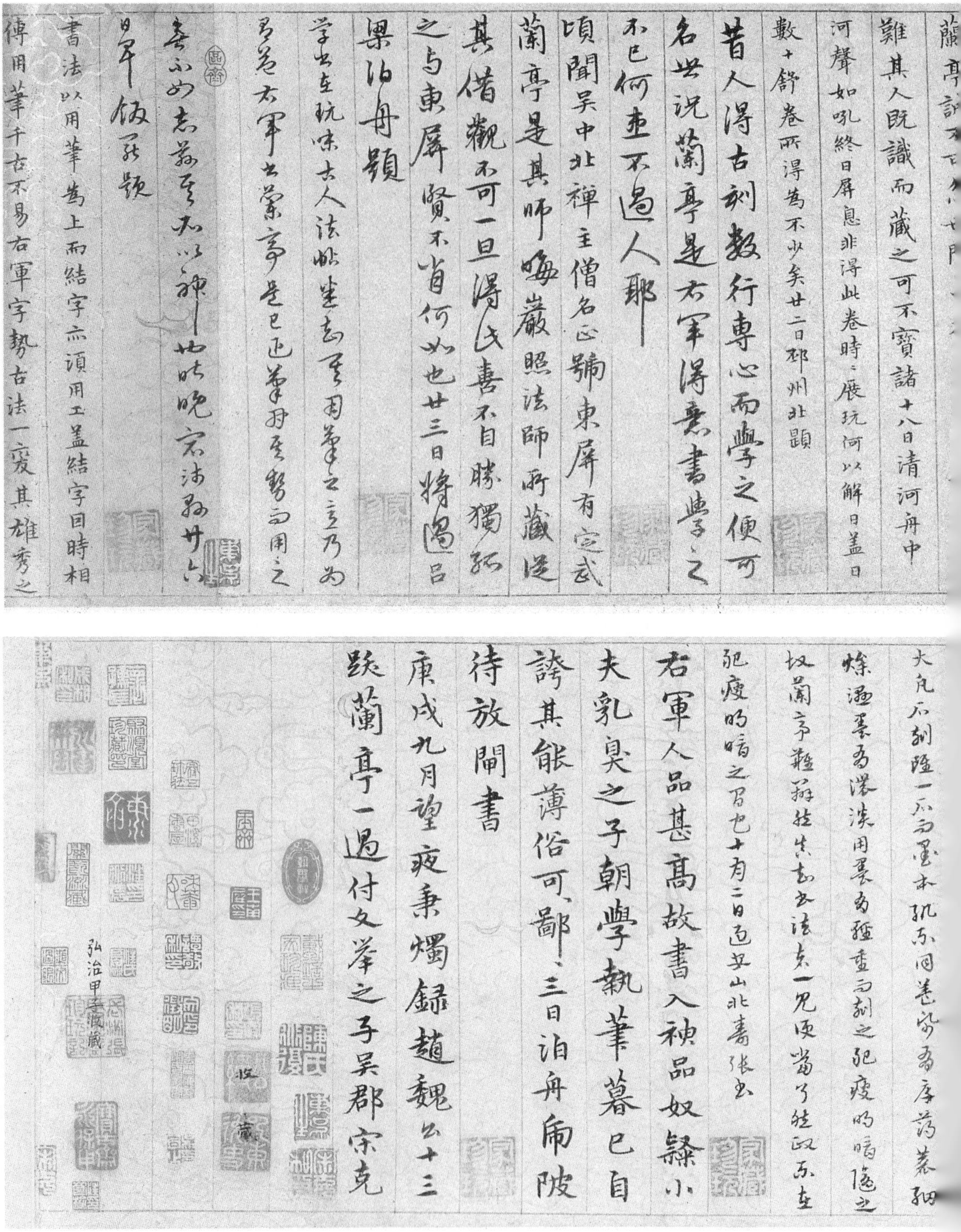

图 2.37 宋克 《赵孟頫兰亭十三跋》1370 卷 纸本 25.5x160 厘米 私人收藏

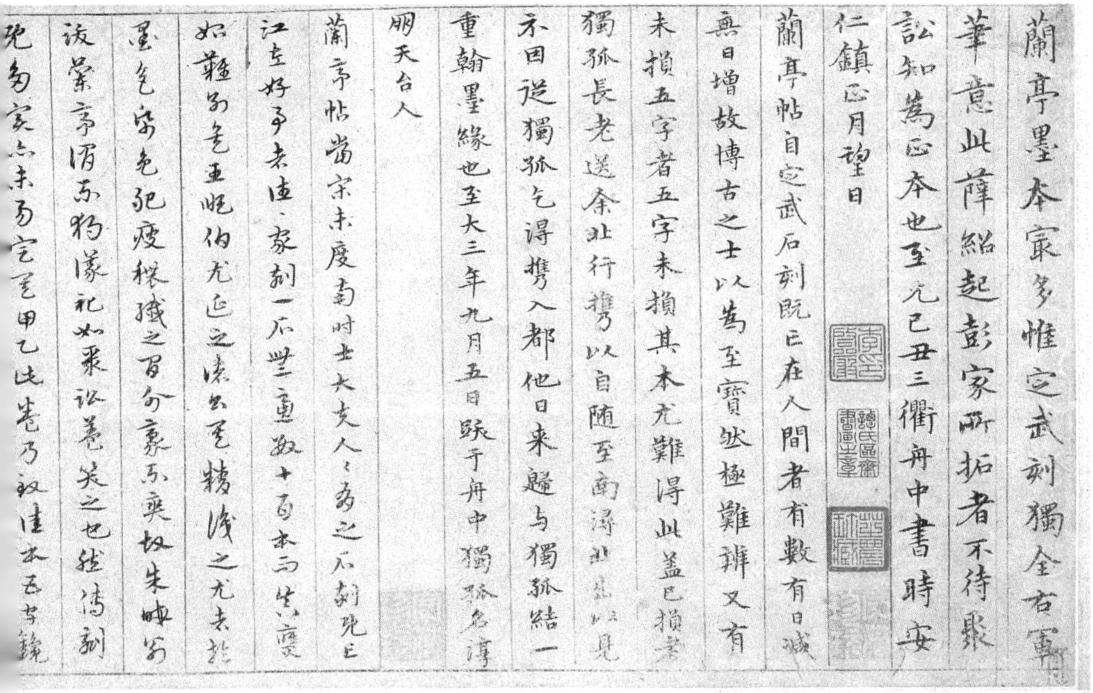

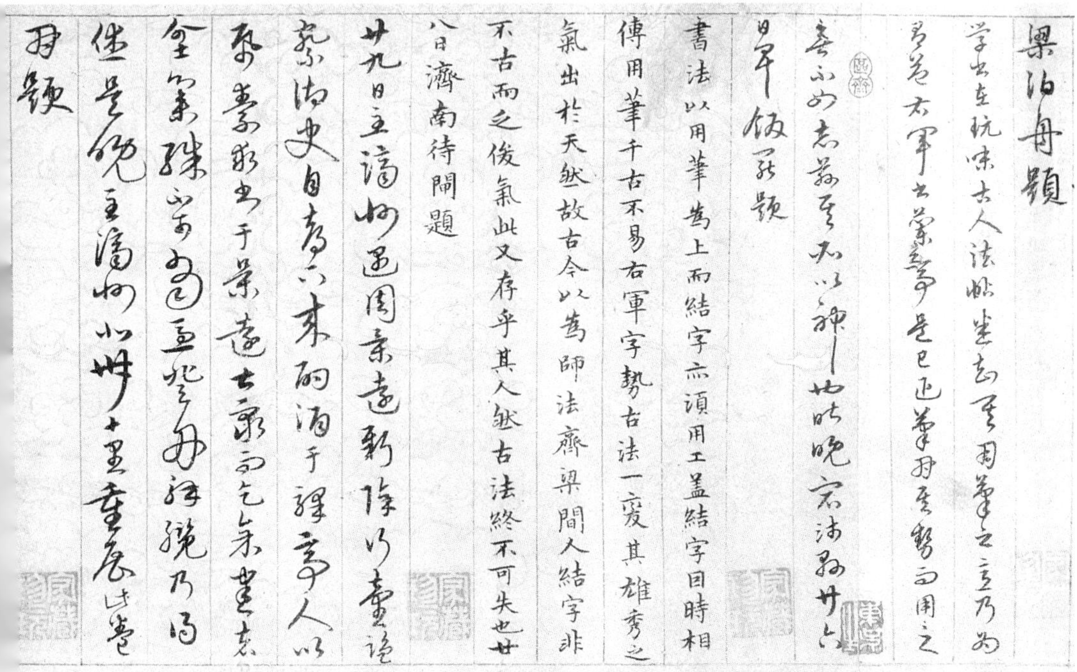

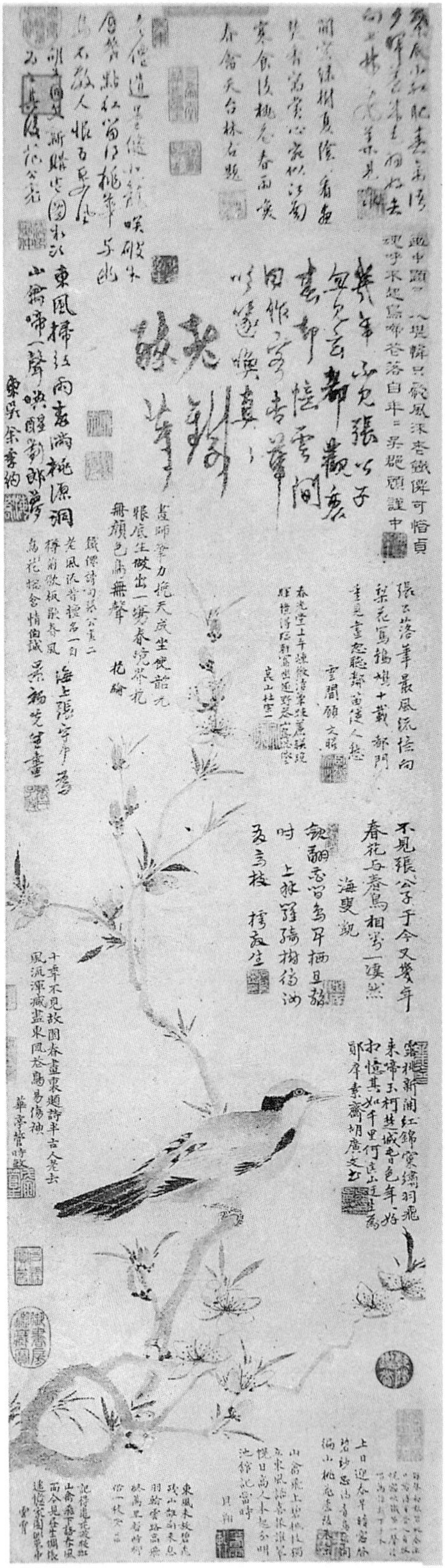

图2.38 张中 《桃花幽鸟》 轴 纸本 水墨
112.2×31.4厘米 台北故宫

的杂书卷册通常是由一个书家完成。字体的多样性使杂书卷册看起来颇为混杂，即使有时这些文本可能取自同一篇文章。

杂书卷册滥觞于何时有待进一步研究，但可能与上面提到的《六体千字文》有关。至迟在元末明初，已有一些书法家（特别是松江一带的书家）开始对此颇有尝试。当时一些兼擅数种字体的书家，在书写手卷时，有时会使用两种以上的字体。如宋克 1370 年（1327–1387）所书《赵孟頫兰亭十三跋》手卷，即以楷书、行书、草书和章草四种不同字体写就（图 2.37）。宋克并没像赵孟頫（或俞和）书写《六体千字文》那样以不同的字体重复书写一个完整的文本，他只抄录赵孟頫撰写的《兰亭十三跋》一次，但不同的跋以不同的字体写成。其中，有些题跋由一种字体书写，有些则混合了两种或两种以上的字体。宋克的学生、同样来自松江的沈度（1357–1434）和沈粲（1379–1453）兄弟，也喜欢以多种字体书写手卷。[1]关于明初松江地区书家对杂书卷册的兴趣原因何在，尚有待进一步研究。不过，这一兴趣似乎和元代的两种风气有关：其一，元代书家有不断扩展自己所掌握字体的趋势。如赵孟頫、邓文原（1259–1322）、康里巙巙（1295–1345）、杨维桢（1296–1370）等都喜爱书写章草。沈氏兄弟不但擅长章草，而且能够书写隶书。其二，元末文人进一步发展了从宋代就已开始的在书画作品上集体书写观款或跋尾的风气，众多文人在书画上集体题跋成为元代的一种时尚。台北故宫藏张中（活跃于1330–1360）的《桃花幽鸟》轴，有元、明人二十个题跋，簇拥着枝头的鸣禽（图2.38）。题跋的字体有楷书、行书、小草、章草、隶书，风格各异，错落有致，很有"杂"的意趣。[2]它反映了中国艺术家和收藏家们的视觉欣赏习惯日趋复杂。集体题跋的风气在明中期的书坛得以继续，吴派书法家也常有类似的艺术实践。

吴派书法重镇祝允明在当时就以擅长楷、行、草等字体而闻名。现藏于北京故宫的一件杂书卷，即展现了祝氏多才多艺的天赋。[3]手卷的第一段是欧阳询风格的楷书，相当谨严。第二段为祝允明自家行草书风。第三段仍为行草书，为求变化，祝允明用笔更为厚重，结字更为简约，字与字间有更多的萦带。第四段是黄庭坚的行书风格，不少向外延伸的主画颇引人注目。最后一段是略微粗放的大行书。

和祝允明同时代的文坛领袖、长沙李东阳（1447 — 1516），擅篆隶真草，也有杂书卷传世。在已故收藏家王南屏的旧藏中有一李东阳书自作《种竹诗》杂书卷，由篆、草、楷三体书成。[4]这说明在明代中叶这一实践也未曾中断过。

在晚明，杂书卷册的形式吸引了更多的书家，大江南北均有好此者。明末书坛的祭酒董其昌一生作书以楷书、行书、草书为主，一般不涉猎章草和篆隶，这就限制了他去创作杂书卷册。但董其昌一生勤于临书，他常在一个手卷或册页上临写几位书家的作品，如上海博物馆所藏的一件手卷上，董其昌临写了北宋四大家苏轼、黄庭坚、米芾和蔡襄（1012–1067）的书迹。[5]在台北故宫藏一件册页上，董其昌以楷书临写了王羲之的《乐毅论》，以行书临写了杨凝式和颜真卿的信札，用草书临写了怀素的《圣母帖》。这一临作在字体上有真、行、草三体，加之所临各家书风上的差异，因此也有杂书卷册的意趣。[6]董其昌的作品中，最接近我们所说的杂书卷册，是上海博物馆所藏一件书于1610年的《古诗十九首卷》。卷中董其昌用不同的字体抄录了古诗十九首。其中有皇象（章草）、钟繇《还示帖》（楷书）、右军《稧帖》（行书）、右军《十七帖》（今草）等字体，也可视为一个杂书卷。[7]

与晚明书写杂书卷册风气颇有关系的一件作品，是董其昌的友人、著名艺术鉴赏家李日华（1565–1635）所书的一件手卷（图2.39）。从李日

[1] 关于John B. Elliott所藏沈氏兄弟这一作品的讨论，见Harrist et al., *The Embodied Image*, pp. 148–149。

[2] 关于书法和题跋的关系，见傅申著、郑达译：《题跋与法书》。

[3] 这一手卷载于故宫博物院、刘九庵编：《中国历代书画鉴别图录》，页112–119、图版36–2。

[4] 这一手卷的图版及其讨论，见Barnhart et al., *The Jade Studio*, pp. 81–85.

[5] 见董其昌：《行书临苏黄米蔡帖》，收录于Wai-kam Ho and Judith G. Smith, *The Century of Tung Ch'i-ch'ang*, vol. 2, pp. 203–204, pl. 10。

[6] 这件作品的图版见朱惠良：《董其昌法书特展研究图录》，页88–89、图版11。当然，在董其昌以前，就已有书法家在一个手卷或册页上临写多位古代大师的法帖。上海博物馆藏有一件祝允明的册页，就是临写诸多古代大师之作而成。但祝允明与董其昌略有不同，祝允明在跋中告诉人们，他将这件作品视为习作。然而董其昌常把临作视为创作。祝允明册页的图版载于《中国古代书画图目》，册2，页262–263。

[7] 此件作品图版载于《中国古代书画图目》，册3，页246–247。古代书画鉴定小组定此件作品为真迹。然其艺术水准似比董其昌通常的作品低。

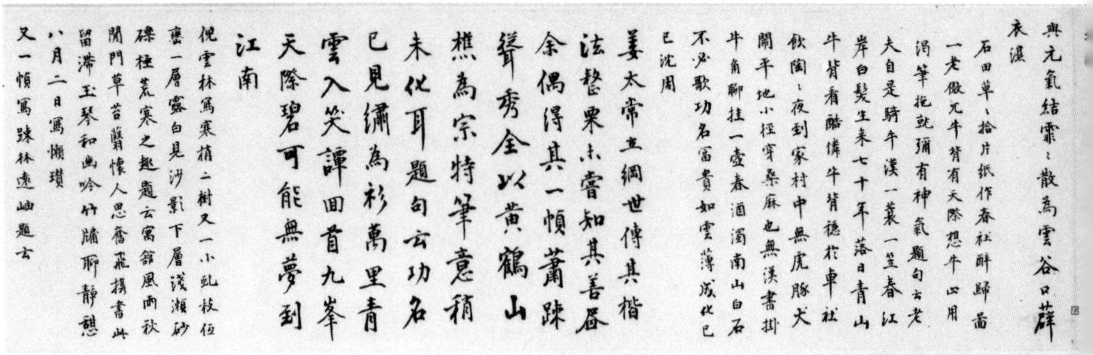

图2.39 李日华 《行楷六砚斋笔记》 1626 局部 卷 纸本 23.5×550厘米 王南屏家族收藏

华存世的书迹来看，他一生基本以楷书和行书两种字体作书。手卷所用字体基本为小行楷，从这点来说，并非我们所说的杂书卷。但此卷有两个特点和我们要讨论的明末清初的杂书卷册现象有关。其一，此卷内容为李日华本人的笔记。李为晚明笔记小品名家，著有《六研斋笔记》、《紫桃轩杂缀》等。此卷所书即《六研斋笔记》中的部分内容，相当庞杂，有书论和画论、古代名物制度的考订、道士、禅宗和尚及文人的奇闻轶事和种种掌故。“杂”字准确地点出了这件手卷内容的庞杂。其二，此卷的章法很有特点，段落感极强。虽说此卷为行楷书手卷，因其文字内容为笔记小品，所以这一手卷乃由许多段落组成。段落短者仅一行，长者可达十数行。由于汉字书写一般没有分段的格式，如果一段笔记的结尾正好在一行的底端，这一段和下一段就很难区分。为了不致发生混淆，李日华在书写时，有的段落用大字，有的用小字，有的段落上下紧挨着手卷的上下端“顶天立地”，有的段落的上端则留下相当的空间，比两旁的段落要明显矮一截，所以段落与段落之间的区分非常清晰。这样的章法处理，使人们在展玩时会以不同的段落为观赏单位。因此，李日华的手卷虽非严格意义上的杂书卷，但其章法却有杂书卷册错落有致的特点。这一手卷不被当作杂书卷的唯一原因是，它只有一种字体（行楷），而非数种不同的字体。[1]但由于这一手卷以笔记小品为其内容，也根据小品文的阅读特点来安排其章法，我们不妨把它视为晚明创作杂书卷册风气的先声。

杂书卷册大约在崇祯年间逐渐流行。这一风气也和篆、隶字体在此时开始流行有关。万历年间，《曹全碑》出土，流丽的汉隶为书

[1] 关于此件作品更详细的讨论，见 Barnhart et al., *The Jade Studio*, pp. 115-118 中笔者所写的图版解说。

家所激赏，加之此时文学艺术领域内出现了追求古趣的时尚，遂有写隶书的风气。篆书在这时也因万历年间文人篆刻的兴起而日益受到重视。当书法家们掌握了多种字体后，书写杂书卷册的可能性就大多了。

晚明书法界的关键人物王铎，留下了一些杂书卷册。王铎擅长诸体书法，在其作品中，除了楷、行、草外，还包括隶书和章草。1647年他为友人愚谷所作自书诗卷中，王铎分别用行书、章草、草书、楷书钞录了九首诗，诗与诗之间字的大小差别极大（图2.40）。例如，第一首诗和第二首诗同为行书，但第一首诗的字比第二首诗的字起码大一倍以上。第四首诗和第七首诗虽同为楷书，但第四首诗为中楷，第七首诗为大楷。因此，这一手卷给人的段落感也极强，和上述李日华手卷的章法很相似。此卷虽书于满清入主中原三年后，但王铎在此之前或已有类似的创作。王铎一生好在绢素越楮上临写《阁帖》，

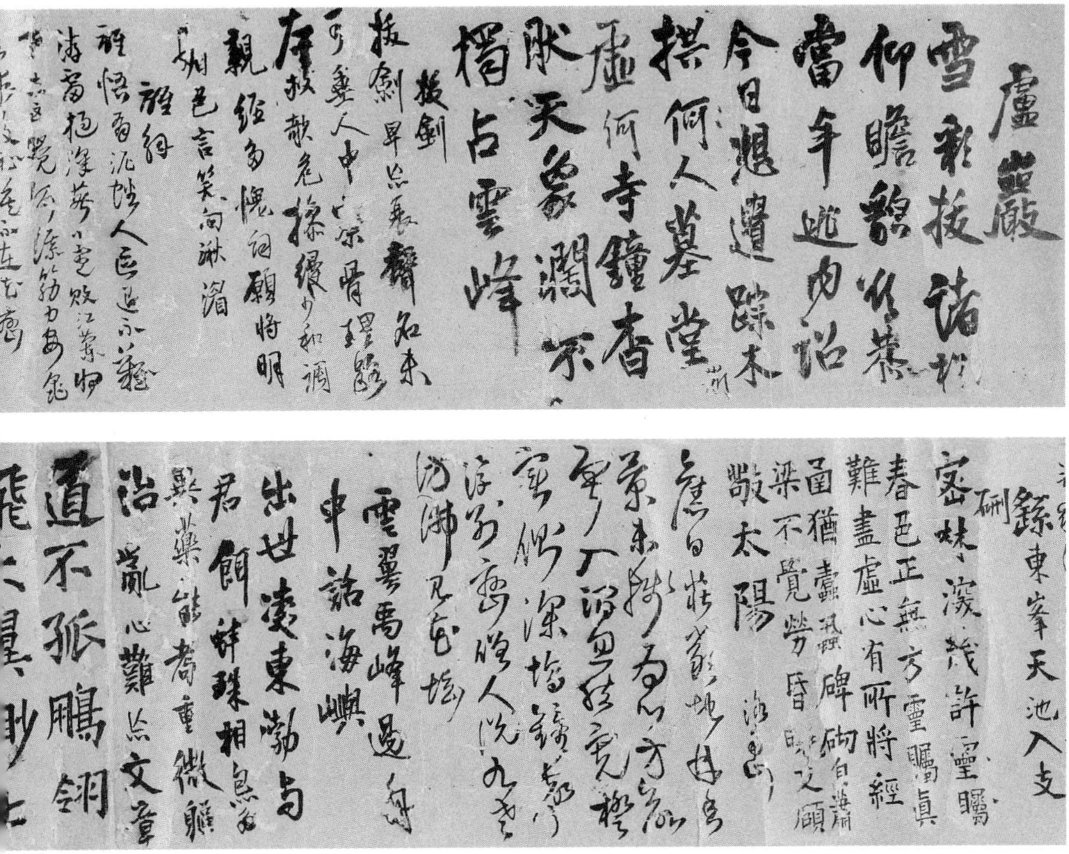

图2.40 王铎《赠愚谷诗》
1647 卷 绫本
25.6×271.7厘米
台北何创时书法艺术基金会

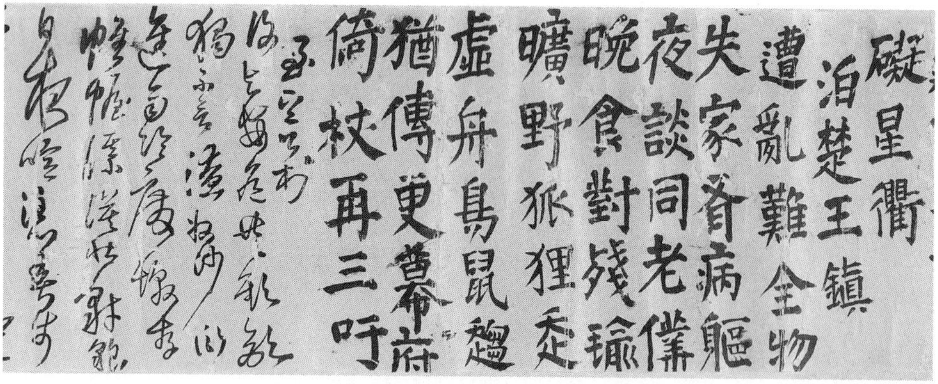

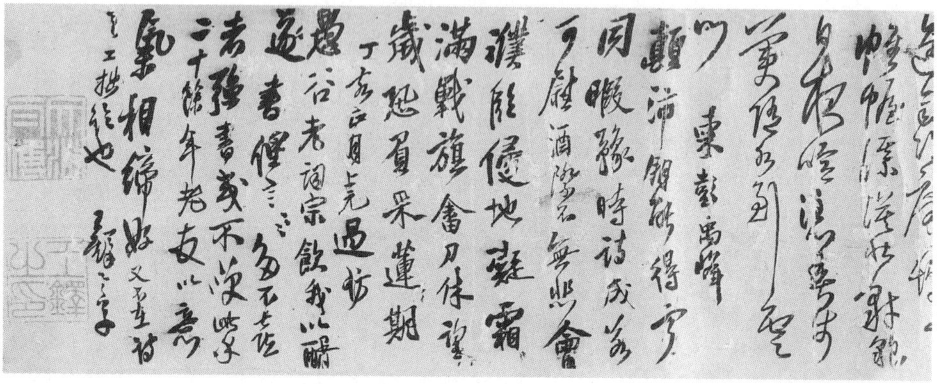

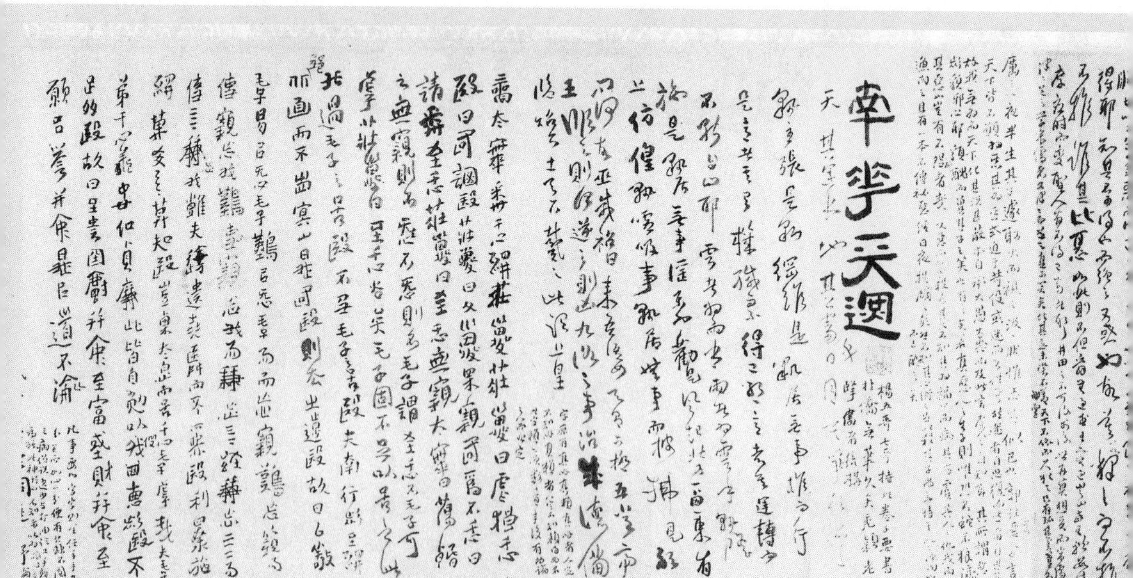

《阁帖》所收多为历代书家用不同字体书写的手札，短且杂，有时王铎将《阁帖》中的数帖临写在一个手卷上，也与杂书卷相似。

较之王铎，傅山能够书写更多的字体，他也因此成为 17 世纪书写杂书卷册最重要的书法家。傅山不但书写过比当时任何人都多的杂书卷册，他还将此种书法形式推到极致。[1] 上文介绍的《啬庐妙翰》混杂了多种字体和文本，可视为杂书卷册的代表作（图 2.41）。

《啬庐妙翰》内容庞杂，需要多用一些篇幅来分析其中的字体、异体字、结体和笔法的风格特征、文本的格式和内容。此卷共由下列几种字体写成：真、草、行、篆、隶以及傅山自创的混合体。此外，一种字体中还可能有不同的风格，例如，傅山基本上是以钟繇和王羲之的笔法写小楷，以颜真卿的风格写中楷。在字体的选择上，傅山并未按照中国古代字体的历史演变次序来安排，也就是说，他没有先写篆、隶，再写草、行、楷，而是写到哪是哪，带有很大的随意性。此卷由不同字体参差写出的二十六个段落组成，次序如下：（1）笔记，楷书为主，兼有篆书的结构；（2）傅山笔记，行草书；（3）《庄子・天地篇》片段及傅山批注，正草篆隶混

[1] 山西省的公私收藏中，能见到不少傅山的杂书卷册。此外，笔者曾在下列收藏或拍卖公司中见过傅山书杂书卷册：东京国立博物馆藏真行草册，北京故宫藏杂书册数本，原台北定远斋藏杂书册，上海博物馆藏杂书册，佳士得香港分部 1995 年春拍卖的杂书卷，宁波天一阁藏杂书册，天津市文物公司藏杂书册两本，台北私人收藏杂书卷，开封牛福润先生藏杂书册（见《书法研究》1982 年第 4 期），为友人古古作杂书册（载《书法丛刊》，1997 年第 1 期）。我们固然不能排除一部分杂书卷册是后人将零散的小幅作品装裱成杂书卷册的可能性，但从纸张、笔墨、印章和一些题识来判断，大部分傅山的杂书卷册（如《啬庐妙翰》），最初就是以杂书卷册的形式创作的。

图2.41 傅山　《啬庐妙翰》　约1650–1652　卷　纸本　31×603厘米
台北何创时书法艺术基金会

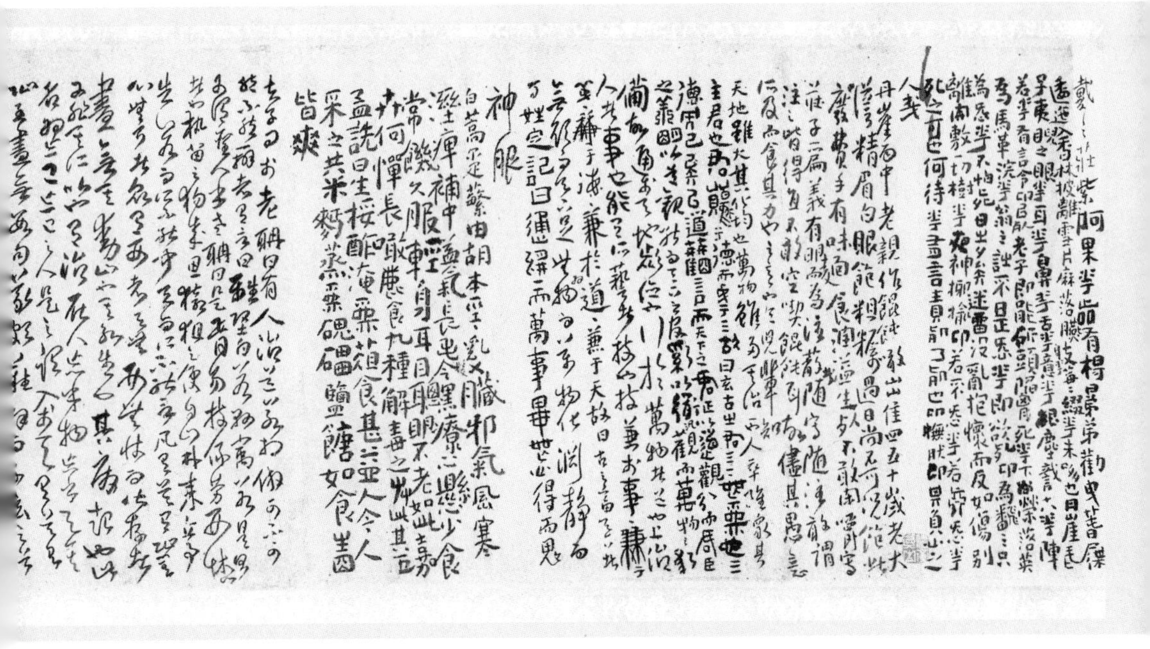

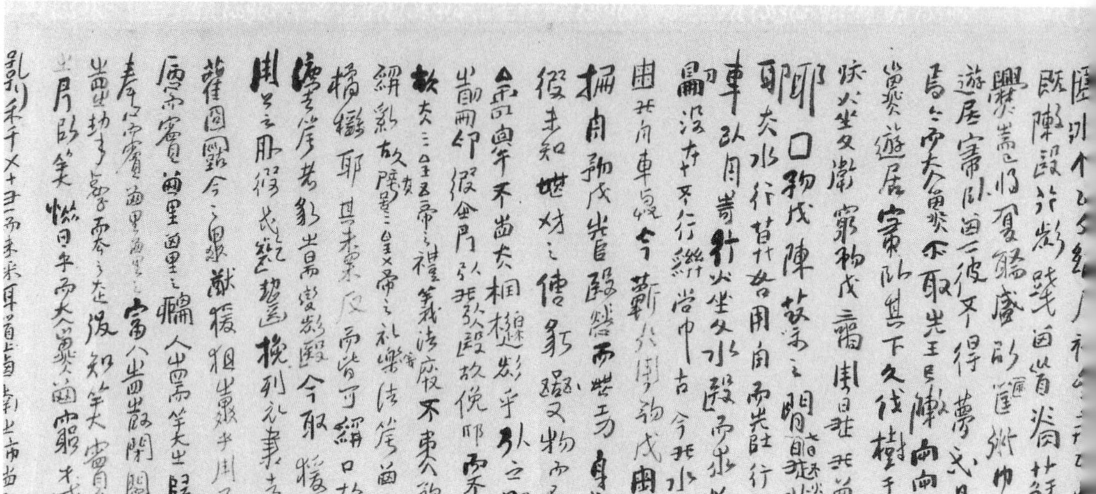

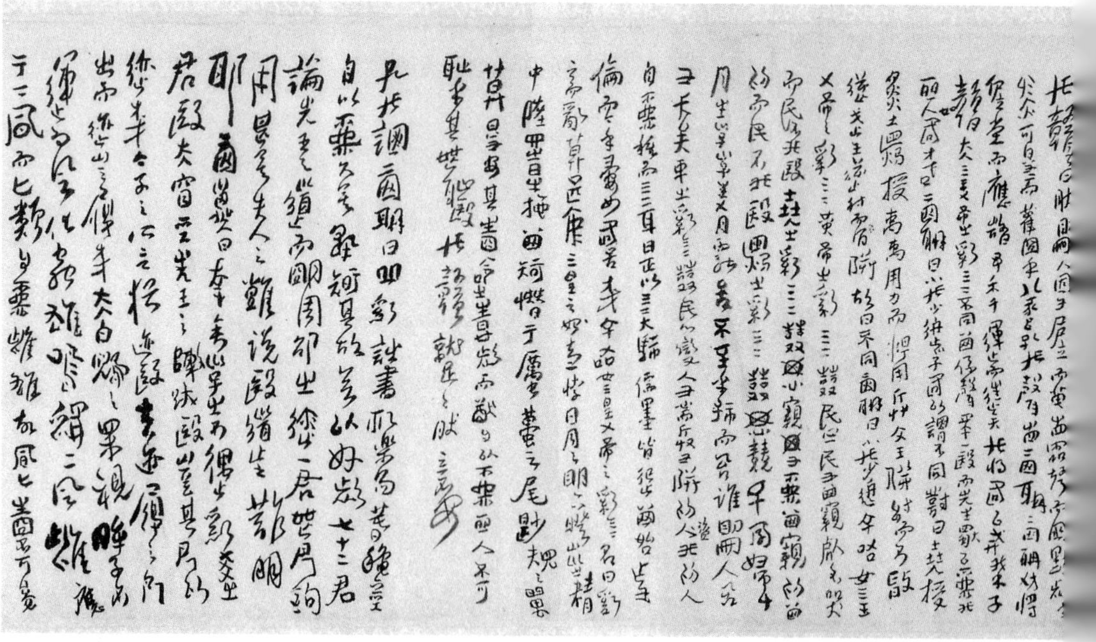

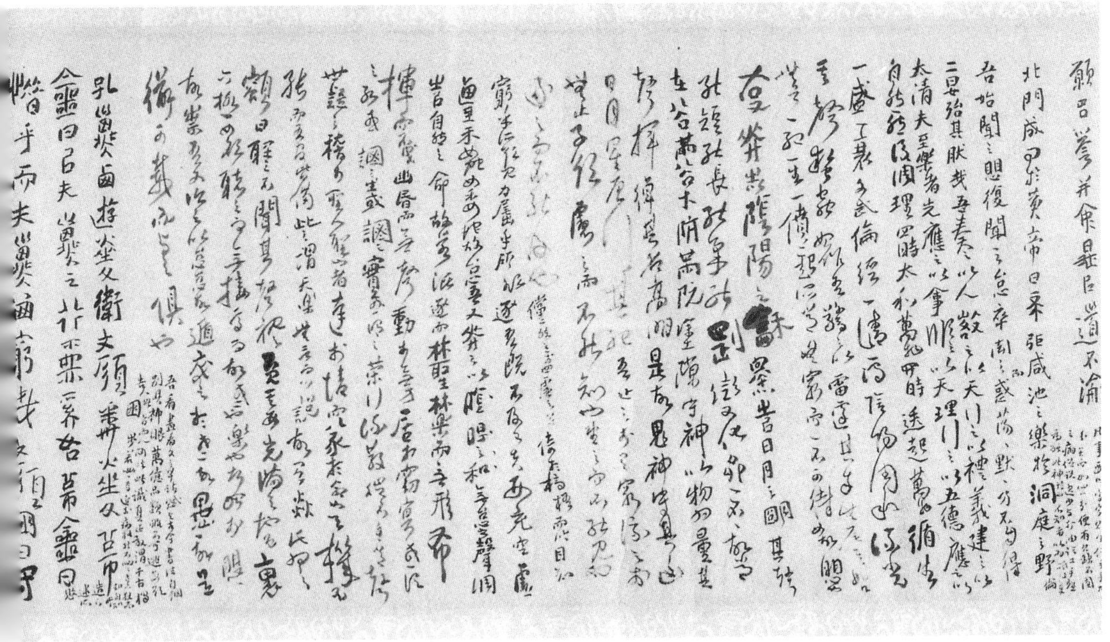

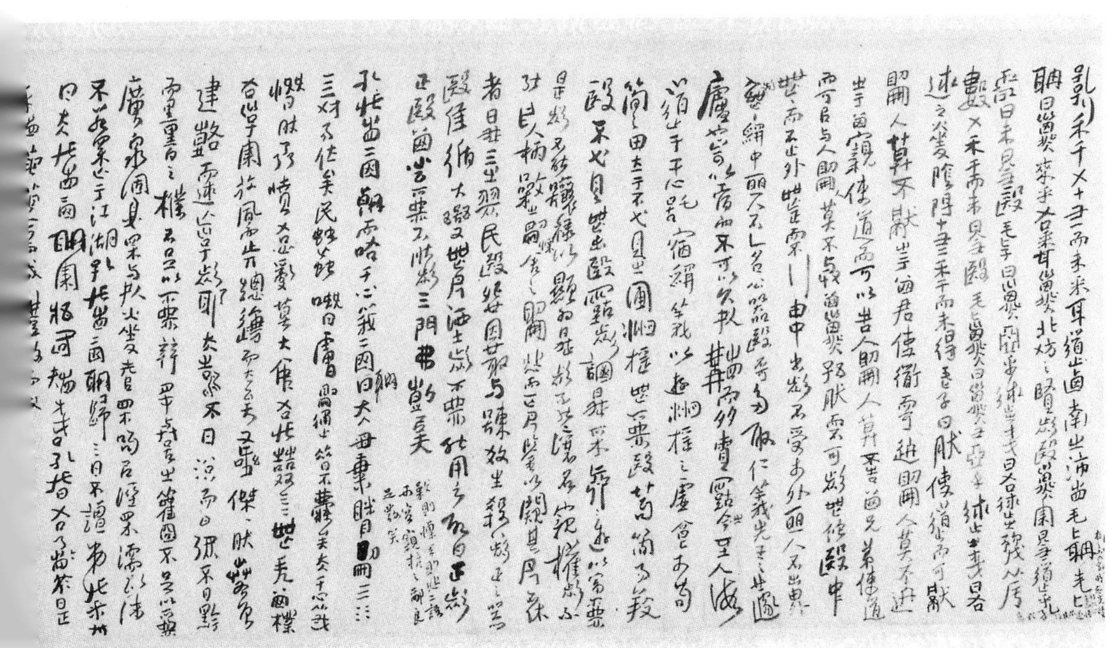

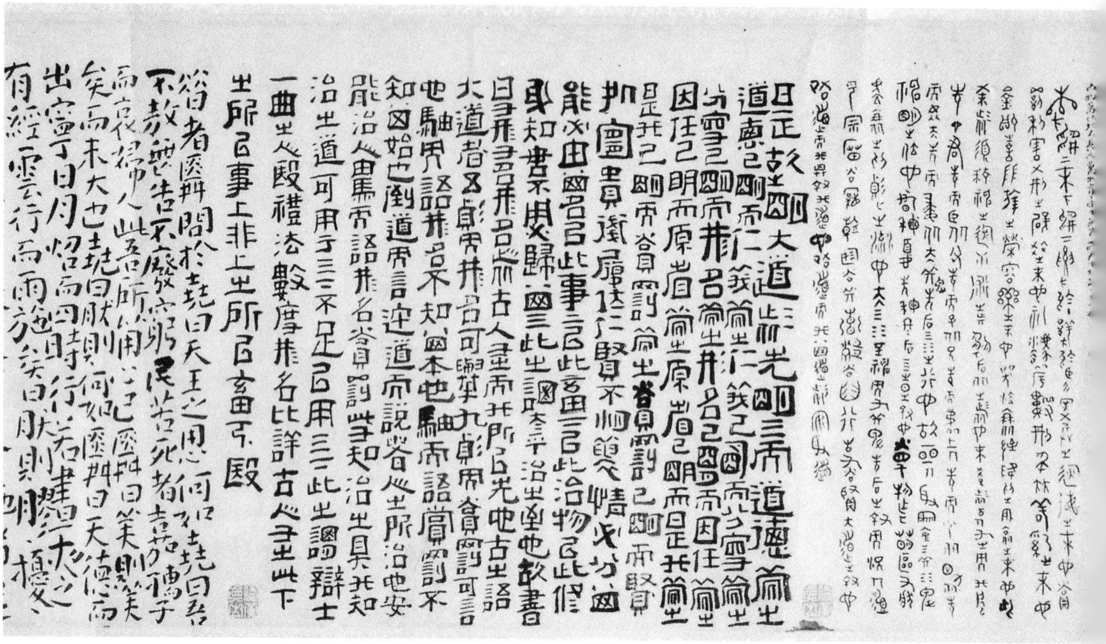

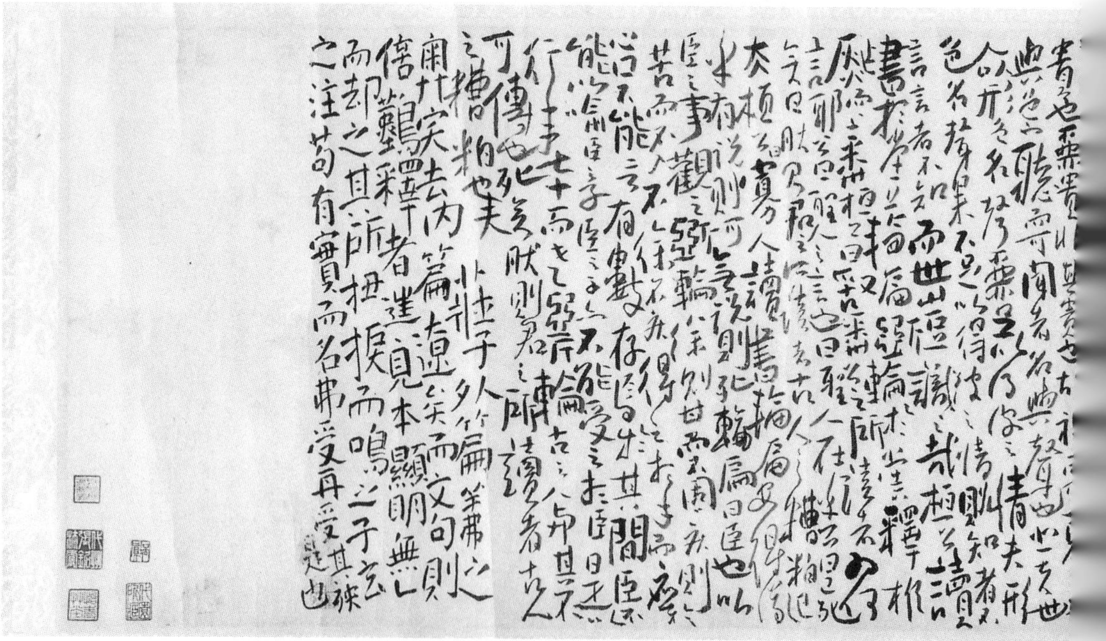

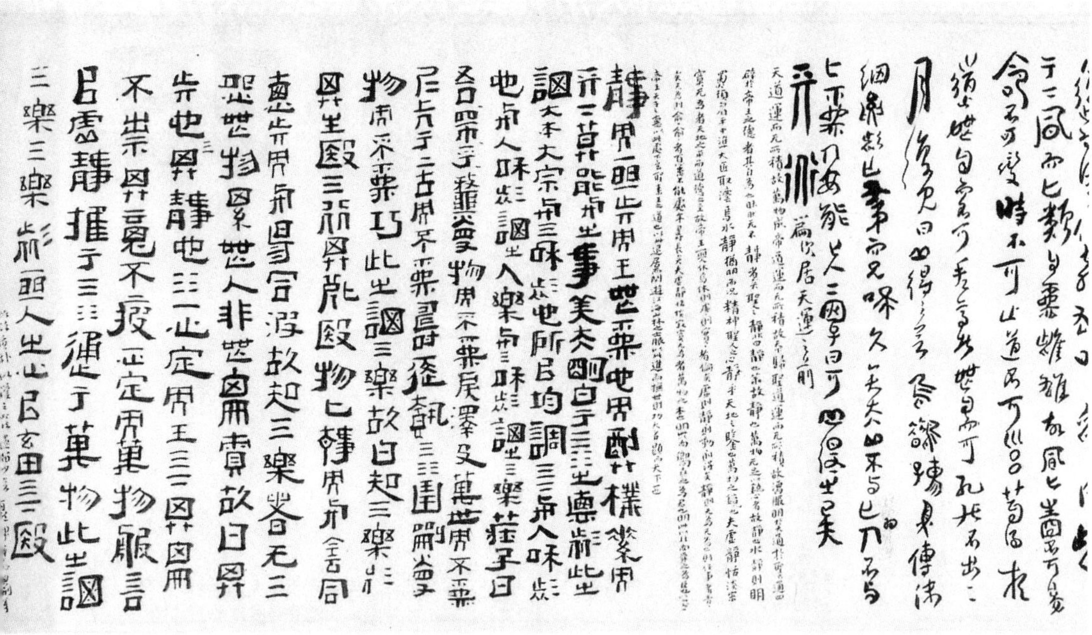

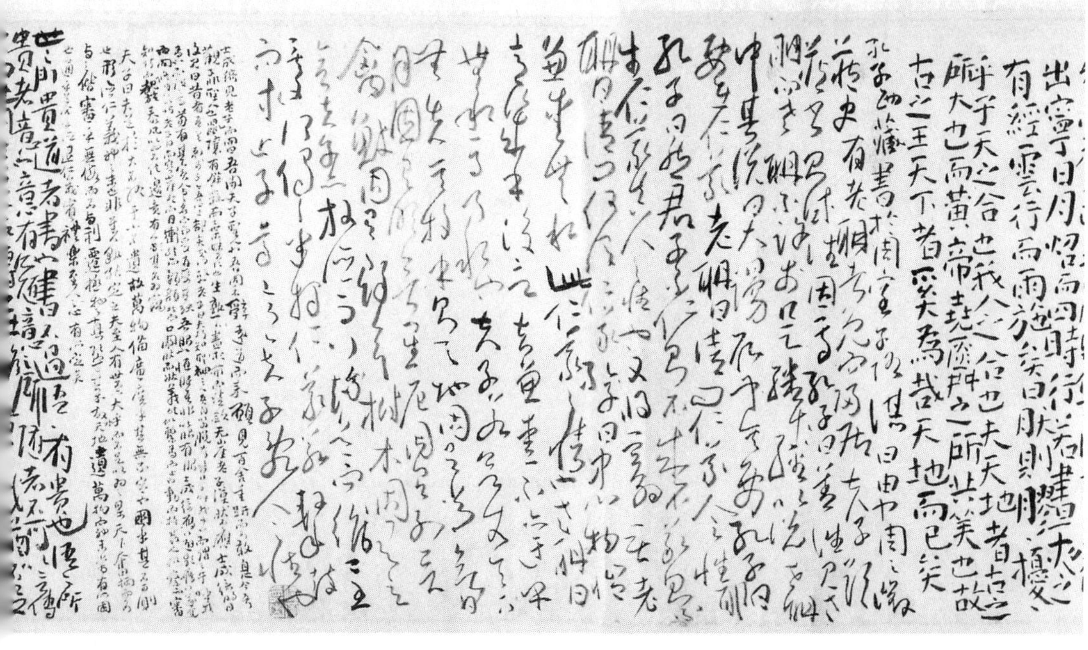

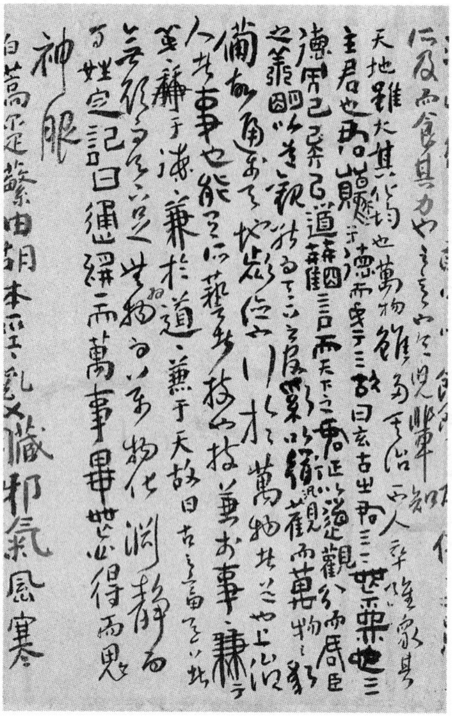

图2.42 傅山《啬庐妙翰》中各字体间相互打乱的情形

图2.43 傅山“为”

杂在一起；（4）药方一则，楷书，及《庄子·天地篇》片段和傅山注，行草书；（5）《庄子·天地篇》片段及傅山注，前半段的《庄子》以正草篆隶混杂为之，后半段批注以行草为主；（6）《庄子·天地篇》片段及傅山注，行楷书；（7）此后为《庄子·天运篇》，行草书；（8）行书为主，夹杂着大量的异体字；（9）行草书；（10）至（14）行草书，书风中有章草意味；（15）有章草意味之草书；（16）以下为《庄子·天道篇》，小楷；（17）隶书；（18）小楷；（19）大篆；（20）隶书；（21）中楷；（22）草书；（23）至（24）小行楷；（25）行草，书风殊不同于前者；（26）傅山对《庄子》内外篇发的议论，楷书。全卷章法的段落感也极强。

这件手卷的杂，不仅表现在作者同时使用了五种不同的字体，还在于字体之间的界限常被打乱，使我们无法界定某些字的字体归属（图2.42）。比如说，在书写隶书时，傅山并不完全按照隶书的规范来书写隶书，他常把传世古文、钟鼎文字，以及古代印章文字中的一些结构和用笔因素带入隶书。以“为”字为例（图2.43），字的结体是篆书，但上半部写法却像楷书，而其中的一些主笔又用楷书或隶书的笔法写成，因此我们无法界定它属于哪种字体。傅山这种打乱字体之间界限的做法，当是受到赵宧光发明“草篆”的启发，但他走得更极端，完全打破了多种字体的固有界限。

异体字的大量使用是《啬庐妙翰》最鲜明的特点，也使这个手卷成为中国书法史上最奇特且最难读的一件作品（图2.44）。也正是傅山，把当时文人书法中书写异体字的风气推到了无以复加的地步。在《啬庐妙翰》中，傅山不但从《玉篇》、《集韵》、《广韵》这些楷书的字

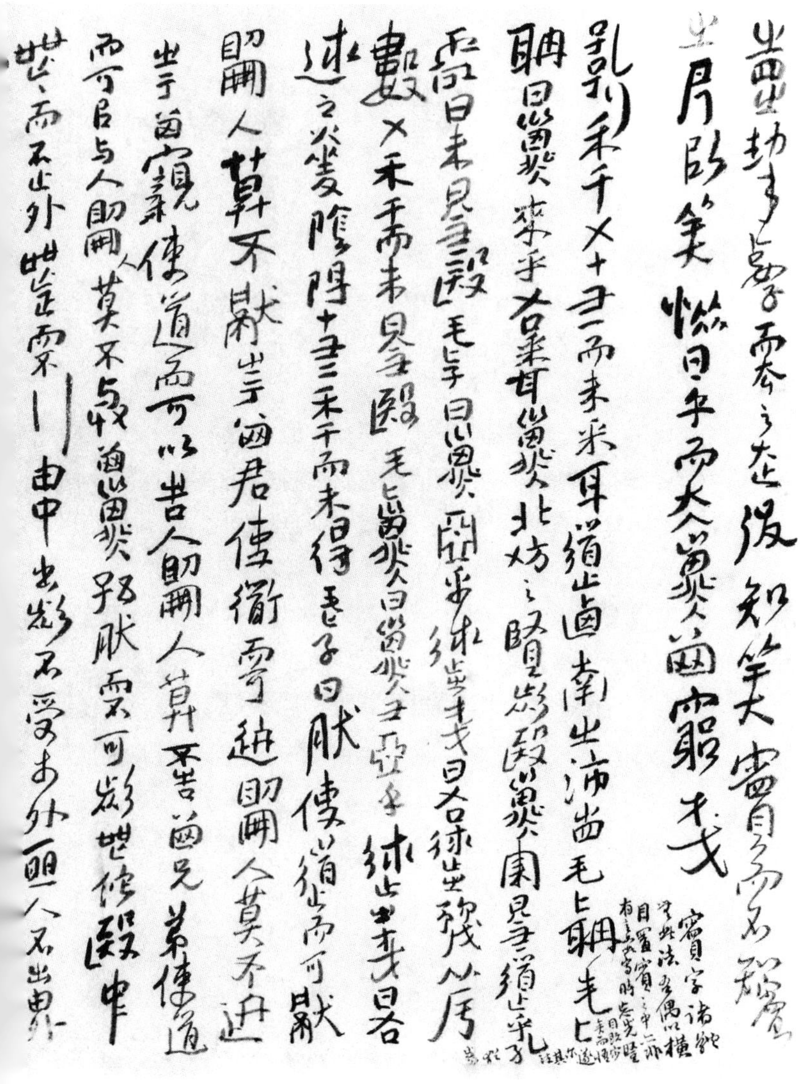

图2.44 傅山《啬庐妙翰》中有大量异体字的部分

图2.45 傅山“于”字的三种写法

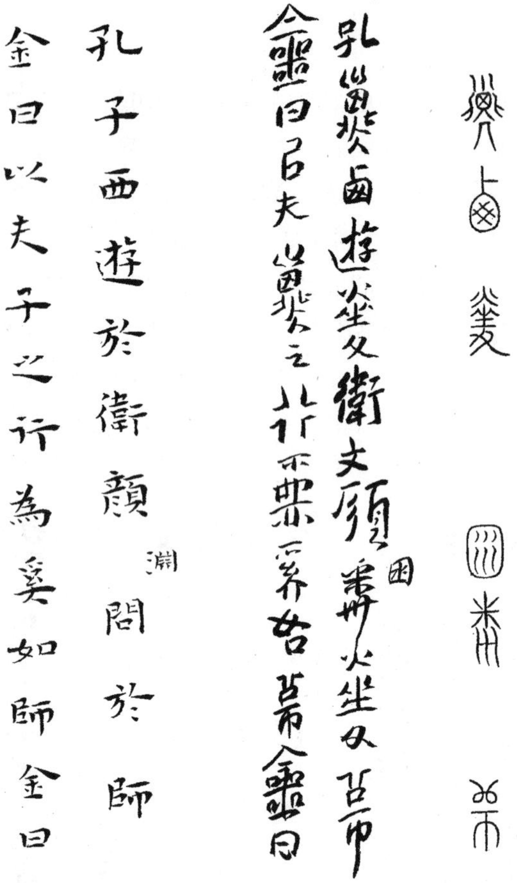

图2.46
傅山的异体字与其字源的比较：
（中行）节自《啬庐妙翰》
（左行）中行异体字的楷书释文
（右行）傅山异体字的字源

书和韵书中找出极为冷僻的异体字来书写，他还把一些字书（如许慎的《说文解字》、薛尚功的《历代钟鼎彝器款识法帖》）中收录的古文和钟鼎文之类的篆书系统文字写入他的行书。[1]有时，傅山用几种不同的异体字来书写同一个字，如“于”字，傅山用了至少三种源于篆书的不同写法（图2.45），它们不但和我们熟悉的“于”字极不相类，彼此之间在形体上也毫不相关。

《啬庐妙翰》的某些段落，因异体字过多，令人难以卒读。例如，在第十二段中有用行书书写的两行文字：“孔子西游于卫，颜渊问于师金曰：‘以夫子之行为奚如？’”（图2.46）在这二十一个字中，从许慎《说文解字》和郭忠恕《汗简》等字书中找出的古体字就多达十个：如子、西、于、渊、问、师、金、奚、为、如等。除此，其他部分还有更多的异体字，其冷僻程度当令许多颇富学养的文人都感到难以辨识。

[1] 以上所列都是较早的字书和韵书，而且傅山在其著作中提到过这些字书和韵书。明代中期、晚期都曾出版过一些古文字的书，如杨慎的《六书索引》等，傅山也非常可能从这些稍晚的字书中找出异体字来书写。

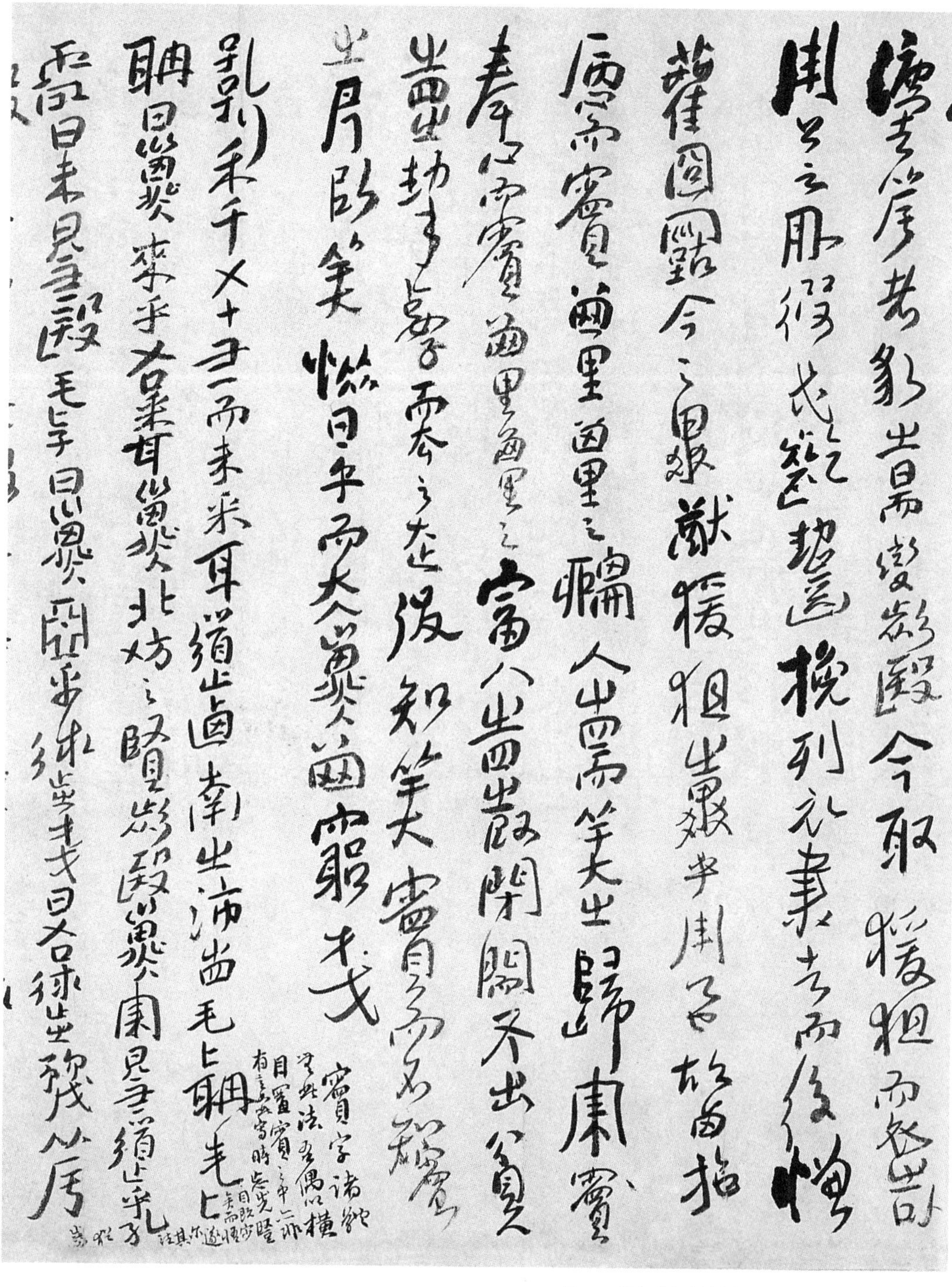

图2.47 傅山《啬庐妙翰》中包含其造字"竇"的部分

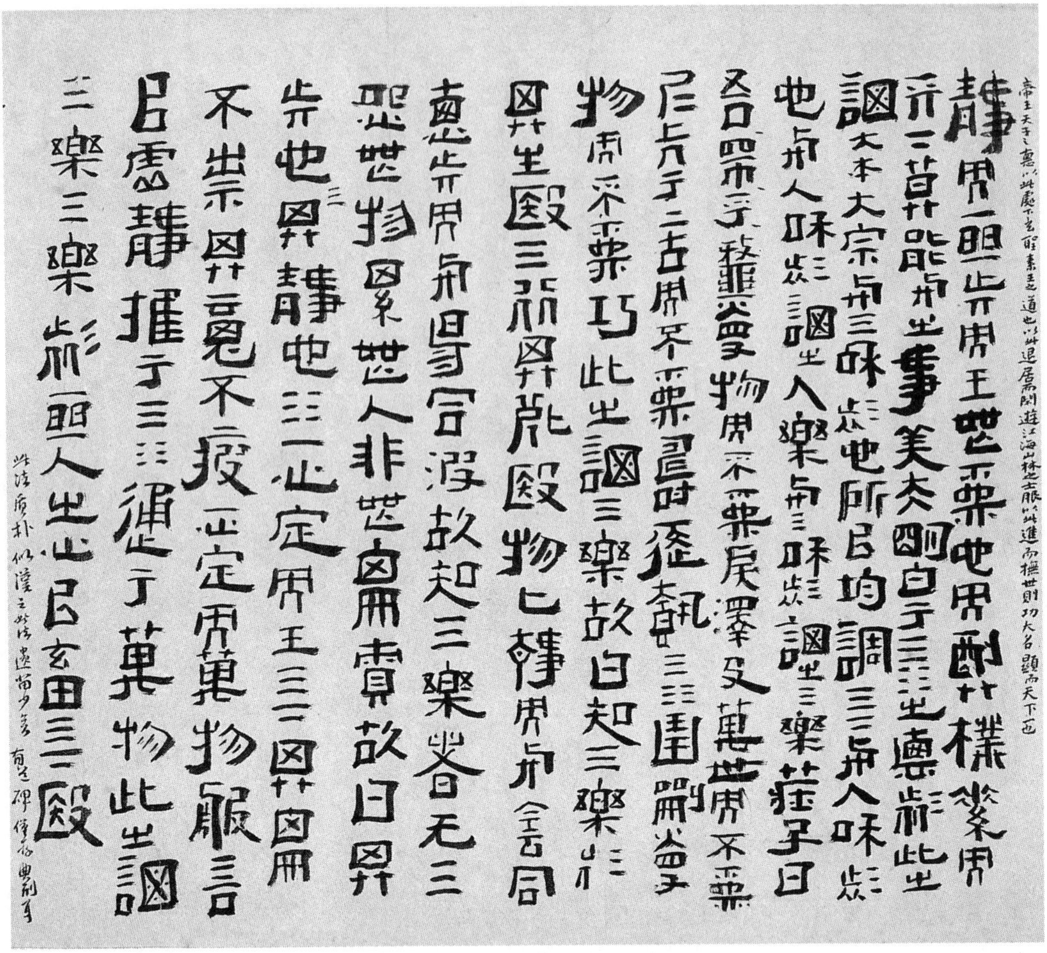

图2.48 傅山《啬庐妙翰》中的隶书部分

在玩异体字的同时，傅山还自己造字。我们在手卷的行书段落中找到一例。《庄子·天运篇》中有一段东施效颦的故事，原文中的“颦”字在通行的本子中都作“矉”，即一立“目”在左，一“賓”在右。傅山在这一段落中连着写了四次矉字（图2.47），他写矉时，将左边的立“目”横倒下，把它置入“賓”字的中部。在这段文字的后面，傅山用小字写了一段注：

> “賓”字诸体无此法。吾偶以横“目”置“賓”之中，亦非有意如此，写时忘先竖“目”，既“歺”矣而悟，遂而其法。

傅山最初写此字时，当然很可能如他自己所说，是无意的。但他接着又以同样的方法连写三次，说明他对自己的发明颇为得意。

注中“遂而其法”四字，反映出傅山实在是很清楚，古代的许多异体字、俗字也是当时人的发明，被人们写入字书，也就取得了真实存在的“字”的地位了。而许多“俗字”最早很可能是简体字，或是由一些教育程度差的人所写的错别字，[1]这些字流行并被收入字书后，也为人们所接受。对傅山来说，既然古人可以造字，凭什么今人就不能造呢？傅山不但造了，而且坦率地告诉人们。

《啬庐妙翰》第十八段的隶书，显示了傅山自由驰骋的想象力（图2.48）。我们可由这段书法的几种特征来界定它是隶书：如横画平直，有些主要横画和捺以上挑的“燕尾”收笔。但傅山在这里并未严格依循当时隶书的书写惯例。傅山深知隶书源于篆书，但在20世纪秦汉竹木简牍大量出土前，人们对由篆向隶转变过程的理解，宛如一团迷雾。为追本溯源，给自己的隶书加入“古”法，傅山可谓煞费苦心。除了当时能接触到的文献和视觉资料（如各种篆书字典和汉碑、汉印等）外，他能做的就是利用其想象力了。他的隶书向“古文”和大、小篆借用了许多结构，如“诸”、“动”、“寿”等字（图2.49）。

图2.49 傅山 “诸”“动”“寿”三字

这个段落中最奇特的是“天”、“地”二字，它们直接取自《易经》八卦中的“乾”、“坤”二卦的符号，而非取自篆体字书。长期以来，在关于先民创造文字的种种传说中，八卦被认为是中国文字的原始渊源之一。许慎的《说文解字》叙、传孔安国《尚书》序都以简略的文字暗示八卦和文字起源有密切的关系。在《易纬》“乾·凿度”中，这种关系更被具体化了：

> ☰古文天字，☷古文地字，☲古文火字，☵古文水字，☴古文风字，☳古文雷字，☶古文山字，☱古文泽字。[2]

傅山在他的隶书中把这种传说中的文字直接地写了进去，并认为这样写隶书十分古朴。傅山在这段隶书后加上了一行小注：“此法古朴，似汉之，[3]此法遗留少矣。《有道碑》仅存典刑耳。”傅山声称，这段笔法“古朴”的隶书是以著名的汉碑《郭有道碑》（即《郭林宗碑》）为范本。郭有道即郭泰（字林宗，128–169），太原介休人，东汉（25–220）末年为名震京师的太学生首领，不就官府征召，后归乡里。党锢之祸起，遂闭门教授，门下生徒以千数。郭去世后，谥“有道”。由于其为卓越

[1] 关于“俗字”的研究，见张涌泉：《汉语俗字研究》。

[2] 见李孝定：《中国文字的原始和演变》，载于李孝定：《汉字的起源与演变论丛》，页92–98。

[3] 此句疑有脱字，令人难明其义。由于汉代为隶书之鼎盛时期，傅山在此讨论的是汉代的隶书，殆无疑义。

的文化人物，据传，东汉大文学家、大书法家蔡邕（132–192）为书碑文，从此郭泰遂成为文化偶像，《郭有道碑》亦成一代名碑。借用《郭有道碑》，傅山将其极富想象力的隶书和传统的经典联系在一起。

不过，从艺术史的角度来看，傅山的这段小注实在启人疑窦。他在《啬庐妙翰》中的隶书结字，臆造成分极多，许多字的来源与汉隶无干。例如有些字从篆书化出，而“天”、“地”二字更是取自《易经》。凡此种种，都不曾见于汉碑隶书，这不禁令我们怀疑：傅山的隶书是否真的取法《郭有道碑》？

傅山的另一条笔记更加深了我们的疑问。他在1669年的一件书法册页中写道：“《郭有道碑》坏久矣。家藏一本不知为谁赝作？”❶恰与其在《啬庐妙翰》中的宣称相反，傅山承认，他所收藏的《郭有道碑》拓本实为一大赝鼎！

介休是郭泰的家乡，也曾是早已亡佚多年的《郭有道碑》最初立碑的所在地。康熙十二年（1673），傅山曾应介休人士的邀请，重书《郭有道碑》碑阴。他为此写了一段讨论《郭有道碑》的文字，我们从中得知，在17世纪，很可能没有汉刻《郭有道碑》的拓本存世。傅山写道：

> （郭有道碑，）《隶释》及《集古》、《金石录》皆不列此文，唯引《水经注》有之……每疑景伯（洪适）在南渡后，不得收北碑有之，而欧、赵二录在北宋时亦不列此，何也？洪于《水经注》所列碑后云：“其碑今不毁者，什财一二。凡欧、赵录中所无者，世不复有之矣。”乃知此碑在南渡之前已不可得矣。❷

傅山的笔记说明，《郭有道碑》很久以前就已佚失，就连原碑的拓本亦未能传世。但在《啬庐妙翰》中，傅山却声称其隶书是师法《郭有道碑》的汉隶笔法。❸傅山的这一声称实在和董其昌、王铎的“臆造性临摹”有异曲同工之妙。❹

❶ 见《书法丛刊》，1997年，第1号，页57。

❷《傅山全书》，册1，页404–405。《隶释》为洪适（1117–1184）所著，《集古录》为欧阳修（1007–1072）所著，《金石录》为赵明诚（1081–1129）所著，《水经注》为郦道元（466或472至527）所著。

❸ 人们可能会提出这样的问题，傅山在1650年代初书写《啬庐妙翰》时，还认为存世的《郭有道碑》拓本是可以信赖的，只是他后来经过认真研究才改变了看法。我们当然不能完全排除这种可能性。但笔者认为这种可能性不大。理由在于，傅山对传世《郭有道碑》拓本的怀疑主要来自洪适的《隶释》，这点他自己说得很清楚。1935年涵芬楼影印了曾为傅山收藏、批点的《隶释》（万历年间刊本）。书中有傅山名章“傅鼎臣印”。傅山原名鼎臣，1640年代以前即改名为“山”。是知傅山在明末就已收藏此书。书中批点的书法大致可分为两种：早年的细楷批点和晚年颜书意味浓重的批点。可以说，傅山很早就研读过这一重要的汉隶著作，在那时他对于《郭有道碑》的真伪应该早有定见。

❹ 这种“臆造性临摹”一直持续到17世纪末还不衰。八大山人（1626–1705）在1700年左右曾创作一件书画合册，从册中书画的风格特点及用印来看，为八大山人真迹无疑。册中有一页他写明是“临褚河南书”。然而从风格上来说，这页的书法和褚遂良全无干系。例如，褚遂良的《圣教序》，运笔提按动作分明。写横画时，两端用笔重，中段瘦劲，形成优美的弧度。笔画之间的空间疏朗，但结字依然严谨有序。提、按、转、顿兼具的运笔，使褚遂良的书法节奏分明，活泼而悦目。但八大山人对褚遂良的“临摹”全然不同。八大山人册页中的笔画并无明显的提按动作，线条粗重浑朴，在风格上很接近颜真卿书法，而颜体对八大山人的晚年书风确有深远的影响。再者，这一书法的文本乃节录唐代的《皇甫诞碑》，碑文由初唐官员于志宁（588–665）撰写，欧阳询书丹。因此，八大山人的这一作品从文字内容到书法风格均与褚遂良无涉，可八大山人偏偏称之为“临褚河南”。见白谦慎：《从八大山人临〈兰亭序〉论明末清初书法中的临书观念》。

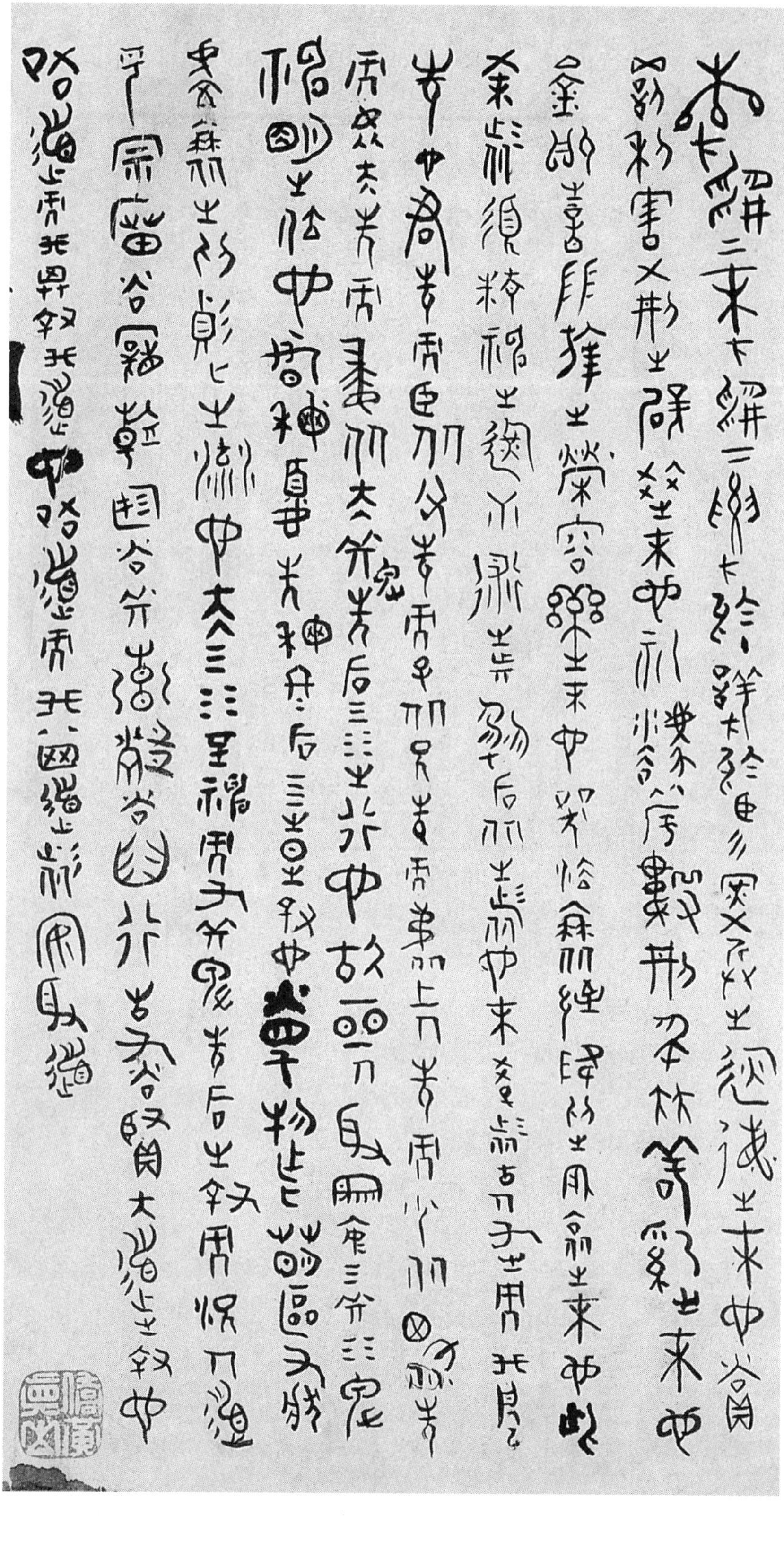

图2.50 傅山《啬庐妙翰》中的大篆部分

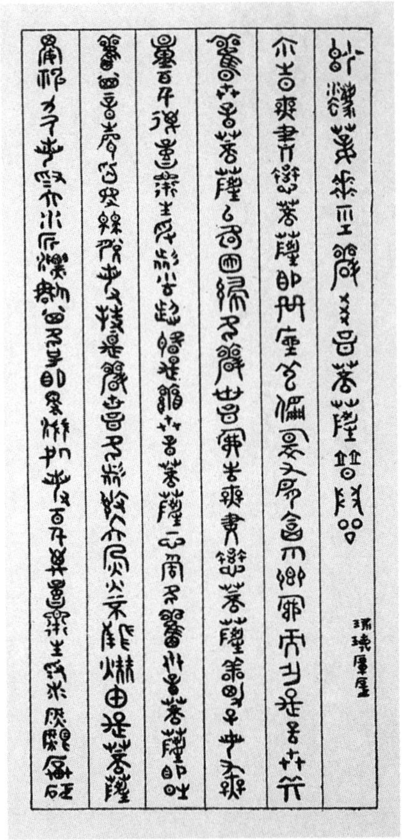

图 2.52 傅山 《篆书妙法莲华经》 1655
局部 册页 尺寸不详 藏地不明
引自《霜红龛墨宝》 页 1

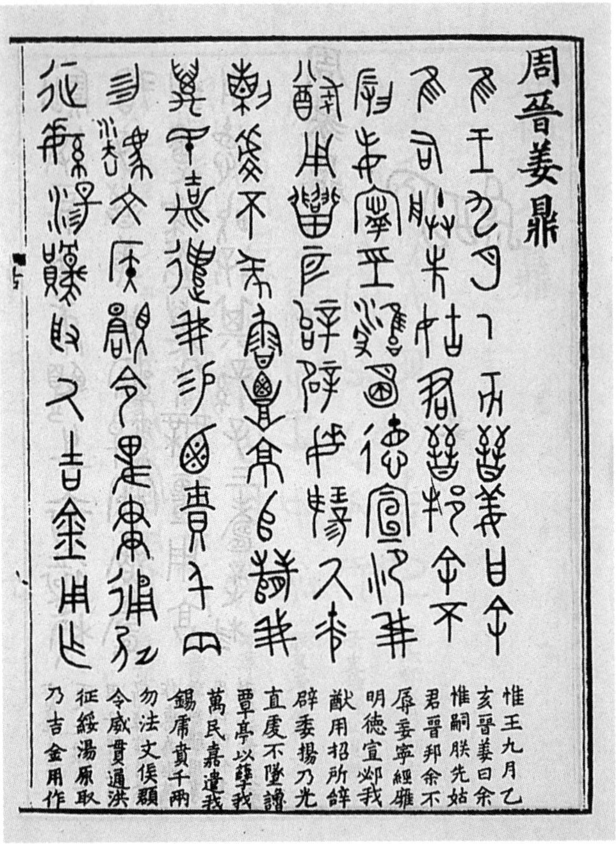

图2.53 王俅 《啸堂集古录》
引自《啸堂集古录》 页21

图2.51 傅山《啬庐妙翰》
中的象形文字

如前所述，晚明文人篆刻的兴起，刺激了人们对古字体的兴趣。《啬庐妙翰》反映的正是这个现象（图 2.50）。傅山能书写多种篆书，如小篆、大篆和晚明赵宧光发明的草篆。傅山对大篆字体的兴趣，还可由他使用青铜器上的象形文字得到证明。在《啬庐妙翰》中，傅山就书写了两个象形字——“鱼”、“象”（图 2.51）。

傅山对奇奥的古体字的兴趣，还可以在他书于 1655 年的《妙法莲华经》篆书册页中得到证明（图 2.52）。傅山抄此经时，正因“朱衣道人案”系于狱中，等待着清廷的判决，悬心未定，思念年迈的母亲，遂用篆书恭谨地抄写佛经，为老母积功德。[1]这件作品中有许多相当奇特怪异的篆书，极难释读。而用笔、结体则很明显地受到木板翻刻印刷的金文著作的影响，类似宋代王俅（活动于 1146–1176）编《啸堂集古录》所收的金文（图 2.53）。

由于《啬庐妙翰》中充斥着艰涩难解的异体字，加之来路不明的古篆，严重变形的结体，缺乏清晰的行距，……在在都增加了观赏者识读的困难。但这种困难和人们在欣赏狂草时由于作品太个性化而遇到的困难不同。《啬庐妙翰》中的绝大多数异体字并不潦草，这种明白无误的书写更令人困惑，因为观赏者在受挫时无法抱怨字迹潦草，又无从辨认，于是只得反省自己的知识能力。对有好奇心的观赏者来说，这是一个挑战。他们要不断地在记忆中搜寻异体字知识来解读文本，或根据上下文来猜测。由于此卷的主要文本为《庄子》中的《天运》、《天地》及《天道》三章，卷中一些段落又有《天运》、《天道》标题的提示，所以读者在遇到阅读困难时，可以找出《庄子》这一常见的古代经典来对照。整个的观赏过程也因此像是进行一次发现之旅，读者被迫不断地猜谜和解谜。如同王铎的书法拼凑一般，《啬庐妙翰》也充满了许多"字谜"。

文字书写是口语交流的延伸。正如 Jack Goody 在 *Literacy in Traditional Society* 一书中所言："书写最重要的功能在于使语言物体化，提供和语言相关的一套视觉符号。语言可借这种物质形式跨越空间的阻隔，并能在时间中保存下去。"[2] 但在《啬庐妙翰》中，书写符号并非那么易读，阅读的过程常常会被极为难识的异体字所阻碍。因此，具有反讽意味的是，在傅山的手卷中，文字书写的交流功能无形中已被书写本身削弱。文字的交流功能既已削弱，傅山迫使观者去关注作品中的图像内容——书法艺术本身。当辨认这些符号所引起的焦虑和挫折被破解这些异体字谜的愉悦和对书家的博学与想象力的惊叹所取代时，观看这件作品便给观者带来审美的满足。观赏这件作品的过程也因此具有知识性和娱乐性。通过这件作品，我们还看到了对"奇"的追求已从晚明延伸到了清初。

《啬庐妙翰》另一个有趣的特色，是傅山在自己的作品上所作的批点。这是明末清初批点文章风气在书法领域的延伸。郑振铎指

[1] 傅山的母亲是佛教徒。中国很早就有抄写佛经以积功德的传统。

[2] Goody, *Literacy in Traditional Society*, p.1.

出："明人批点文章之习气，自八股文之墨卷始，渐及于古文，及于史汉，最后，乃遍于经子诸古作。"[1]批点之风在晚明极盛，几乎到了无书不批的地步。许多文人，例如与傅山同时代的著名评论家金圣叹（1608–1661），就在许多书的边栏或文本的行间落下批点。而出版事业亦推波助澜，出版商争相出版由李贽、金圣叹等批点的以及假托文坛领袖之名批点的书籍。在这一时期出版的书中，我们经常可以看到这样的书名：《徐文长先生批评……》、《李卓吾先生批评……》、《钟伯敬先生批评……》。书商们热衷于斯，一定是因为经过名人批点的书籍在市场上很畅销，有利可图。这些都说明批点在明末清初拥有相当大的读者群，因而成为当时流行的写作和阅读方式。傅山本人的许多著述，就是以批点的形式保存下来的。[2]

傅山的批点和晚明书籍版式的关系也不应忽视。晚明出版的一些书籍中，由于有多人批注，采用三色或四色套印，以示区别；批中有眉批也有夹批。中国国家图书馆藏有傅山批注的《荀子》和《广韵》，所用墨色有黑、朱、蓝三种，其中有眉批也有夹批。尽管自书自评的书画手卷和册页在傅山之前就已存在，但多在卷册之尾，是谓题跋。题跋是观赏者在观赏完一件作品后才能读到的议论，但在《啬庐妙翰》中，傅山把批点写在行间（类似夹批）和卷子的下端（类似眉批），这等于直接把书籍的版式与批点方式引进了自己的书法。除此，傅山的批点都写在卷中段落之间，直接地介入观赏过程。傅山很可能是在书法作品中加上批点比较早的一位书法家。当观赏者由于卷中的古文奇字一而再、再而三地受挫时，傅山用小楷或小行书书写的评点便开始介入观赏过程，承担起舒缓紧张感的功能。尽管《啬庐妙翰》手卷中异体字极多，造成阅读上的困难，但傅山的批点则全用小行楷书写，毫无冷僻的异体字。这表明傅山希望观赏者能明白无误地了解批点所表达的意思。[3]

卷中有两段批点颇值得注意。一是：

> 字原有真好真赖，真好者人定不知好。真赖者人定不知赖。得好名者定赖。亦须数十百年后有尚论之人而始定（图2.54）。

傅山这段批点为其极端怪异的书法埋下了潜台词：即使奇异丑怪的书法

[1] 见郑振铎：《西谛书话》，下册，页384。

[2] 傅山不但喜欢在自己的书上作批点，他有时还受人之托，在他人的书上作批点。傅山在致戴廷栻一札中言及借书和批点事："弟往日所看过《国语》、《公》《穀》二传，皆遗失矣，偶一臆之如梦。求兄所藏此三书便中付弟，特为一点，不难也。"（见《傅山全书》，册1，页475）由于傅山的文化声望，经他批点的书籍自然会增值（又见《傅山全书》，册3，页2161）。

[3]《啬庐妙翰》中傅山关于《庄子》的议论全和正文写在一起，可视为正文的一部分。而夹杂在段落之间的批点文字的内容则全与书法有关。这说明，尽管傅山在创作此卷时也对《庄子》发了些议论，但书写此卷的主要目的是书法艺术而非学术思想。

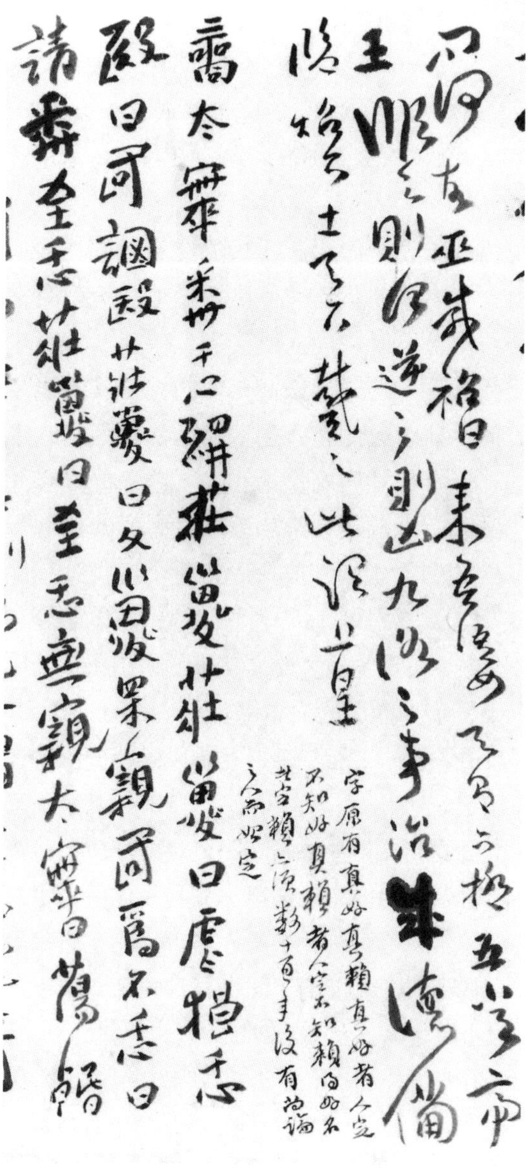

图2.54 傅山在《啬庐妙翰》中的批点

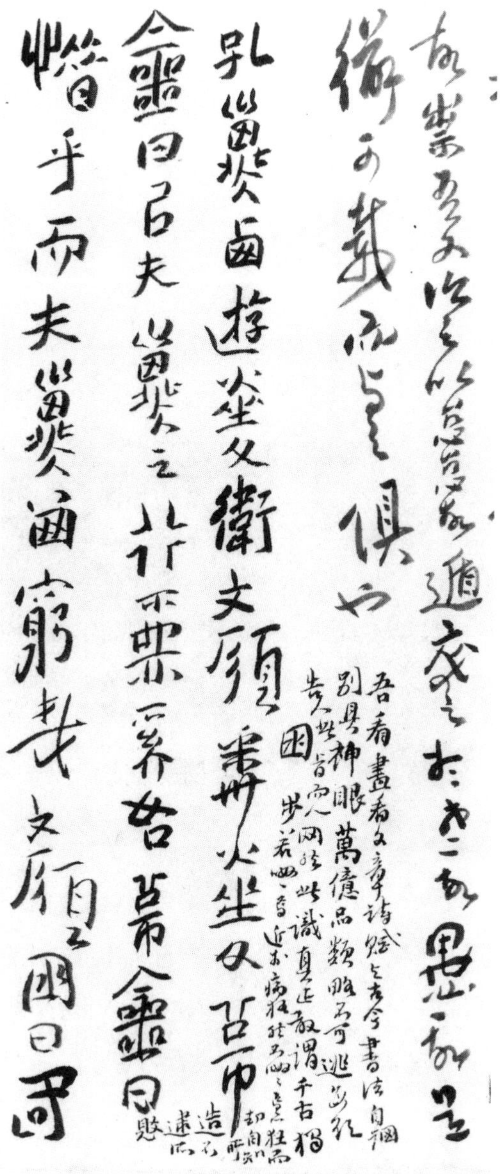

图2.55 傅山在《啬庐妙翰》中的批点

可能不为人们所接受，这没有什么关系，因为“真好者人定不知好”。

另一段是：

> 吾看画看文章诗赋与古今书法，自谓别具神眼。万亿品类略不可逃。每欲告人此旨，而人惘然。此识真正敢谓千古独步。若呶呶焉，近于病狂。然不呶呶焉亦狂。而却自知所造不逮所觉（图 2.55）。

这种自负得令人吃惊的论调立即引起我们的注意。它让我们思考，这个手卷的书法究竟有哪些优点。傅山敏锐地意识到其书法中所表现的“丑拙”很难被同时代的人所接受，但他宣称真正的好书法往往不会被当代人评为佳作。因此，他的批点其实也是一种自辩和自荐，尽管他承认自己的艺术创造力无法与他的艺术洞察力相比。傅山此处“近于病狂”的议论和晚明以来的批点并无二致，它们都是通过骇人听闻的语言来增强阅读时的戏剧性效果。这些批点和卷中怪异的书法相辅相成，成为整个观赏过程中不可分割的组成部分。

尽管杂书卷册的书写内容可以是较长的文字（如傅山所抄《庄子》），但在多数的情况下，杂书卷册的文本都较短，长者十数行，短者数行，最短者寥寥数语，仅一二行。杂书卷册段落感分明的视觉形式，显然受到了晚明笔记小品写作的影响。❶自宋代以来，笔记小品一直是中国文人所喜爱的文学形式，晚明更是蔚然成风。在众多的小品写作中，以随笔杂记为内容的杂俎小品和我们所讨论的杂书卷册在形式上最为相关。将笔记称为杂俎，当可追溯至唐代段成式（？ –863）的《酉阳杂俎》，此书所记既奇异且繁杂，几乎无所不备。晚明的一些杂俎小品也有这种特点。❷

杂书卷册与小品笔记在形式上也相仿。像《啬庐妙翰》中的《庄子》诸篇章，即为傅山依照自己选择的顺序，而非文本在书中出现的顺序抄写。依次使用的字体也非按照历史上各字体出现的次第。由此看来，“杂”和“随意”很适合用来描述手卷的文字内容和章法，而这也是大部分晚明小品笔记的特色。晚明作家华淑（1589–1643）在其《闲情小品》的题序中这样描述自己的创作过程：“长夏草庐，

❶ 傅山喜欢写笔记小品，他的许多存世作品都属于这类文字。

❷ 关于晚明小品的撰写和出版的讨论，见曹淑娟：《晚明性灵小品研究》。

随兴抽检，得古人佳言韵事，复随意摘录，适意而止，聊以伴我闲日，命曰闲情。非经非史，非子非集，自成一种闲书而已。”[3]他点明了杂俎小品是一种“随意摘录、适意而止”、“非经非史、非子非集”的杂书。同样地,杂书卷册的创作也具有“随意摘录,适意而止”这种意趣。

[3] 华淑：《闲情小品》。

小品笔记和杂书卷册的形式还反映了晚明文人的生活方式。晚明文人家居生活讲究淡而雅，追寻悠闲的情趣，但欲味淡又不令人意兴索然，就需多样。[4]曹淑娟指出，晚明小品“大量存录了文人家居生活的内容，无论是与友人相互存问的书信，随缘立题的杂文，入夜省顾的日记……都可看到晚明人家居活动的叙述，活动名目繁多”。[5]董其昌的好友陈继儒就曾列举如下种种活动：

[4] 关于晚明文人追求淡雅的生活情趣，见 James Watt, “Literati Environment,” pp. 1-13。

[5] 曹淑娟：《晚明性灵小品研究》，页 234-241。

> 凡焚香、试茶、洗砚、鼓琴、校书、候月、听雨、浇花、高卧、勘方、经行、负暄、钓鱼、对画、漱泉、支杖、礼佛、尝酒、晏坐、翻经、看山、临帖、刻竹、喂鹤，右皆一人独享之乐。[6]

[6] 陈继儒：《太平清话》，卷 2，页 13-18。

类似的文字在晚明小品文学中不胜枚举。小品文学所列的活动虽不尽相同，但却有一个共同的特点，即“名目繁多”，令人目不暇接。

精英阶层丰富的文化生活，也反映在他们对文化物品的消费上。值得注意的是，明末清初人在描绘文化活动的过程时，喜用“试”这个字。[7]试，即浅尝辄止，而非严肃投入。所强调者，在于活动进行中得以享受到的趣味本身。而晚明文人的这一“试”字，亦点出了当时文化消费模式的另一特点：短暂性。惟其活动繁多，才需短；惟其短，才可能享受多种多样的文化活动。“试”体现的是人们和所从事的活动之间一种若即若离的关系。此外，这类文化活动还带有历时性和共时性的特点。为了避免长时间从事同一活动的无聊，晚明文人常常是即兴为之，适意而止；一种完毕，再换一种，或同时进行多项活动，以保持兴趣的新鲜和身心的快适。所以，吴从先（活跃于 1613-1629 年）在列举试茗、扫落叶、展古迹等十数种赏心乐事后，以扼要的语言道出了这种种活动的目的是“乘其兴之所适，无使神情太枯”。[8]

[7] 在本书第一章所讨论的董其昌书于 1603 年的手卷后大草题款记述一天的活动时（见图 1.7），董其昌即两度用了“试”这个字：“试虎丘茶”、“试笔乱书”。第一章在讨论书写异体字的风气时曾引清初文人施清所作《芸窗雅事》一文，文中所列当时文人们所喜爱的雅事多达二十一种，其中就有“试泉茶”、“试骑射剑术”。

[8] 吴从先：《赏心乐事五则》，载刘大杰编：《明人小品集》，页 37。

台北故宫藏晚明松江画家孙克弘（1533-1611）所绘《销闲清

图2.56 孙克弘 《销闲清课图》 局部 卷 纸本 设色 27.9×1333.9厘米 台北故宫

课图》手卷，共有观史、展画、摹帖、洗砚、烹茗、焚香、灌花、夜坐、礼佛、山游、听雨等二十景，每景均有画题与识语（图 2.56）。这个手卷为我们提供了晚明文人生活形态（至少是其理想的形态）的视觉例证。❶

这样的文化生活方式，也和观赏杂书卷册的方式相通。手卷和册页是中国早期书籍的基本形式，它们的观赏方式和书籍的阅读方式相似，具有历时性。玩赏时，手卷是一段接着一段打开，册页是

❶ 明代中期吴门画派的画家已有类似的创作。

一页接着一页翻阅，而不像条幅的欣赏那样是在一个平面时空上进行，可以一目了然。这个特点又使手卷和册页的展玩可以造成悬念。在杂书卷册中，由于不同字体所书写的段落一般都较短，手卷的每一段和册页的每一页都可能同时展示出几个不同的段落，使观赏者可以在浏览中迅速地寻找最能引发自己视觉兴趣的段落。这种展玩（手卷）和翻阅（册页）的经验，可以达到“乘其兴之所适，无使神情太枯”的目的。

此外，题材的混杂在晚明的文学和艺术中相当普遍。以程君房的《程氏墨苑》和方于鲁的《方氏墨谱》为例，这两本墨谱中的内容，从文人文化到佛教、圣经的插图，几乎包罗万象（图 2.57）。[2]

[2] 关于这两种晚明墨谱的讨论，见 Li-chiang Lin, “The Proliferation of Images”。

图2.57 程君房《程氏墨苑》

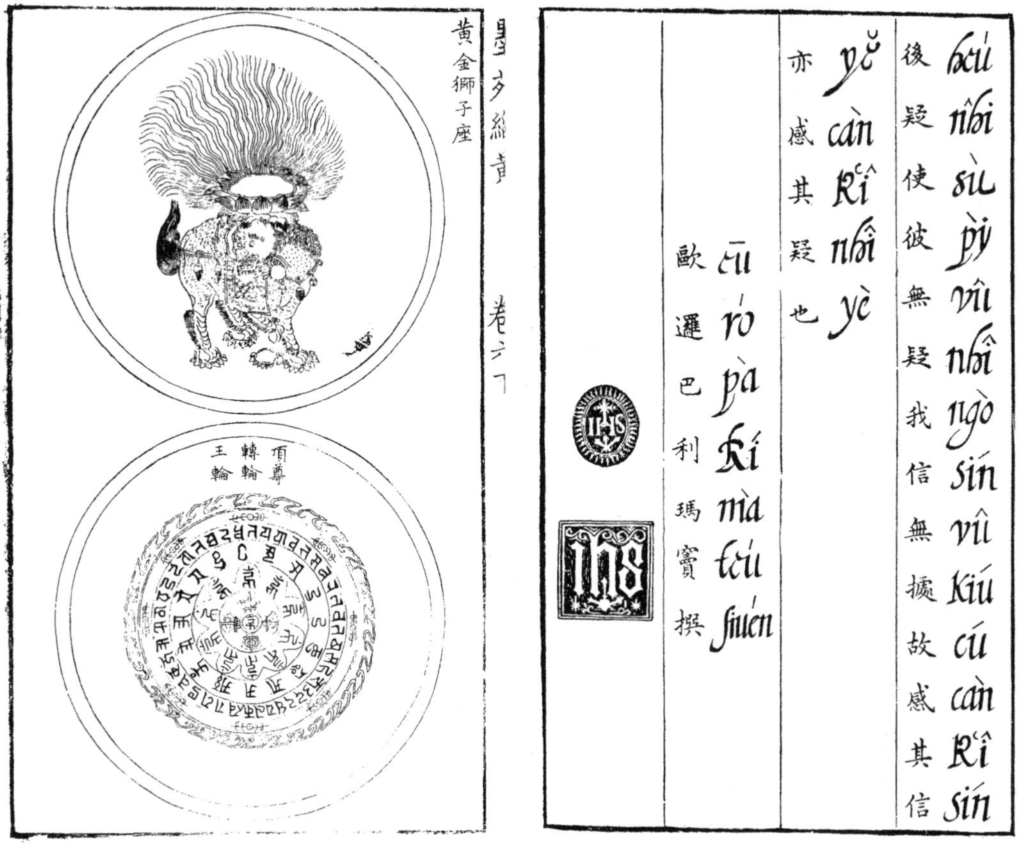

小品笔记中的“小”字，提示了文本的短小和内容的琐碎。通常每个文本不超过一段。读者可以很快从一段转向另一段。这和观赏杂书卷册的经验甚是相似。当观者展开《啬庐妙翰》时，由不同字体、书风组成的段落立即展现在眼前。手卷的混杂性（如多种不同的字体、大量的异体字、迥然相异的书风）吸引且困惑着观赏者，使其在观赏的过程中不断地调整自己的视觉注意力，并即时地在脑中搜索自己对各种字体和书体的知识。整个的观赏过程也因此得以保持高度的好奇心和兴致。

杂书卷册的流行和晚明阅读习惯的改变或有关联。高彦颐（Dorothy Ko）在研究晚明的印刷文化时指出，当时的出版业发生了一个由讲究质量到追求数量的重要变迁。[1]这一变迁对于写作、编辑及阅读的影响至巨。商伟在研究16世纪的著名小说《金瓶梅》和晚明印刷文化的关系时指出，晚明商业出版事业繁荣，大量书籍涌入市场和人们的生活，使得一些人的阅读习惯也发生了相应的变化，即：由偏重精读到喜爱浏览式的泛读。[2]晚明人吴从先曾有如下论述，颇能反映当时文人们的阅读习惯：

> 大凡读短册，恨其易竭，读累牍苦于难竟。读贬激则发欲上冲，读轩快则唾壶尽碎……故每读一册，必配以他部，用以节其枯偏之情，调悲喜愤快而各归于适，不致辍卷而叹，掩卷而笑矣。[3]

吴从先关于“每读一册，必配以他部，用以节其枯偏之情”这种阅读习惯的描述的要义在于，读书不必太专一投入，人们应在广泛浏览中调整悲喜愤快，使之各归所适。

与此同时，与新的阅读习惯相配合的页面版式也出现了。晚明时期，供给一般民众需要的通俗书籍（如日用类书和戏曲集）大为流行。这类书，“皆以诗词、笑话、新话、谜语、小曲等等为增饰，以期引起读者的更浓挚、更复杂的趣味。他们大约都是将全书的页面，分为上下两层，或上中下三层。上层所载，与中层、下层所载不同。”[4]虽说把每页的内容分成两层可以追溯到更早的时候，分三层的版式却是在万历年间才流行起来的，尤其是用在戏曲集上（图2.58）。这种版式至少有两种影响：一方面，它使缺乏组织的文本井然有序；

[1] Dorothy Ko, *Teachers of the Inner Chamber*, pp. 34–41.

[2] Shang Wei, "*Jin Ping Mei* and Late Ming Print Culture."

[3] 吴从先：《赏心乐事五则》，载刘大杰编：《明人小品集》，页37–38。

[4] 郑振铎：《西谛书话》，上册，页146–147。

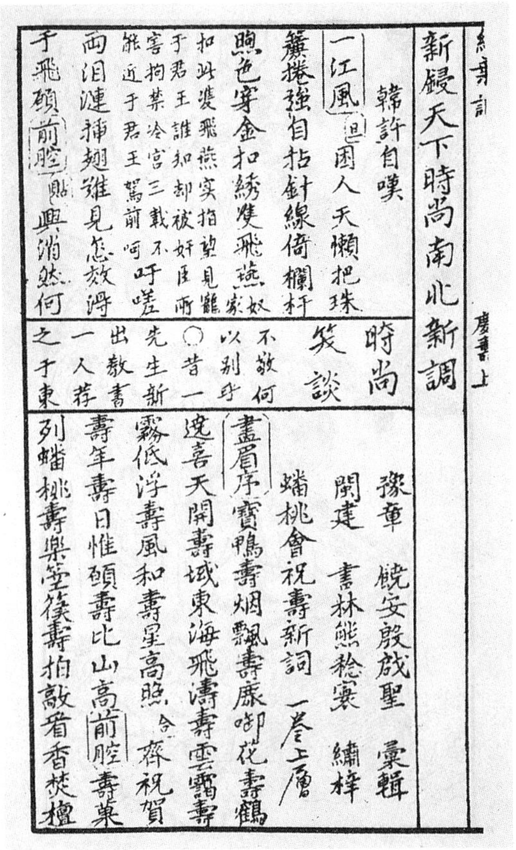

图2.58《尧天乐》（万历年间刊行）中之一页
引自王秋桂《善本戏曲丛刊》册1　页8

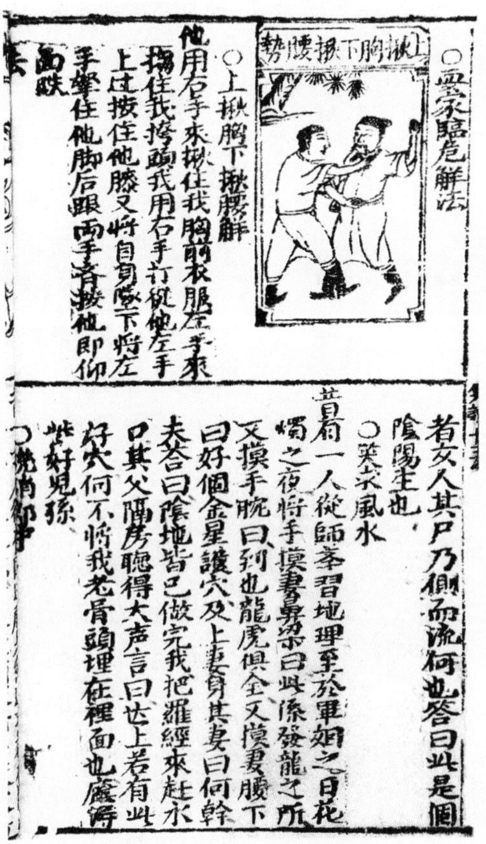

图2.59《新镌眉公陈先生编辑诸书备采万卷搜奇全书》卷13　1628　页6b
美国哈佛大学哈佛燕京图书馆

另一方面，它则允许把不相关的文本放在同一页上。商伟指出，通俗读物中的这种分层版式和当时的阅读习惯密切相关。阅读这种版式的书籍，和我们今天阅读杂志、读者文摘的经验相似，读者在阅读时可以上下浏览，跳着读书。[5]

例如在一本晚明的日用类书中，有些章节的页面被分成上下两层（图 2.59）。这里展示的一页，上层是以图文并茂的方式讲述摔跤的秘诀；下层则为嘲弄各类人（如风水师、没有胡须的男人）的笑话。这两层的内容几乎没有共同点。至于在三层的版式中，上、下二层

[5] Shang Wei, "*Jin Ping Mei* and Late Ming Print Culture."

通常是接续前页同层的小说或戏曲；而中层则大异其趣，混合了谜语、江湖切口、笑话、对妓女的品评，或其他种种类似的内容。如晚明出版的戏曲集《尧天乐》即采用了三层的版式：上下两层为不同的戏曲，当中一层则为和戏曲毫不相关的粗俗笑话（图2.58）。这种版式，可以使读者在读篇幅较长的戏曲时，浏览中层的短小笑话，用来调剂阅读时的情趣。

这种新的阅读方式和小品笔记的普及，也促进了杂书卷册的流行。像《啬庐妙翰》这种不断地从一种书风或字体向另一种书风或字体转变的作品，很可能是傅山分多次完成的。我们完全可以想象，傅山一次写下少许段落（甚至一段）就停顿下来。等到兴致高时，再写上几段。这一点，可从傅山并未按照《庄子》一书中各篇章的顺序书写来判断。

杂书卷册的形式也反映了一种观赏书法艺术的新方式。传统上，当一位书家用单一的字体书写时，其毛笔的移动是从一笔到另一笔、一个字到另一个字、一行到另一行，类似于音乐和舞蹈这类在时间中展开的表演艺术。书法中的时间流动感从头至尾贯穿于整件作品，而内行的观者可以在这一线性的流动中追寻艺术家挥运之时的愉悦。但在展玩《啬庐妙翰》中，观赏经验受到一个极为不同的形式的牵制。这个手卷分成若干个字体不同的段落，其中无论字形或书风皆截然不同，前后文本之间有时也是彼此各不相干。我们完全不需要按照这些段落的次序来阅读文本。而这些段落又十分短小，可以同时观赏，于是观者便能随时驻目观赏某一吸引他的段落，然后在比较不同段落的过程中，按其所选段落，自由地往前或往后跳跃式地观赏。《啬庐妙翰》的段落特征，引进了一种近于非线性的观赏方式，这种方式与阅读多层版式、混杂性内容的出版物的经验近似。[1]简言之，杂书卷册在17世纪的流行，实应归功于晚明的文人文化。

[1] 关于晚明非线性阅读的学术讨论，见 Shang Wei, "*Jin Ping Mei* and Late Ming Print Culture"。

虽然《啬庐妙翰》写于1650年代，但我们基本可以推断，傅山早在明亡前就写过杂书卷册。连年战争和山河变色，严重地危及像傅山这样的文人的物质和文化生活，于是乎，晚明文人的生活方式便成为清初许多文人向往的理想和怀旧的情结所在。❷ 傅山的《啬庐妙翰》不仅验证了晚明文化的遗响在政治形势剧变后仍然余韵不绝，也证明了许多晚明的书法潮流（对奇的追求、对异体字的癖好、对古代经典的挪用戏拟、对杂书卷册的兴趣等），皆在清初进入了一个新的发展阶段。然而在 1660 和 1670 年代，一个将为新的书法美学观念带来巨大影响的学术思想潮流，也开始酝酿成形。

❷ 清初的一些文人继续以笔记小品来记录文人生活。例如，1693 年八大山人在一件扇面上书写了一篇小品，描述文人隐居生活的愉悦。见 Wang and Barnhart, *Master of the Lotus Garden*, p.81。黄苗子认为这件扇面的文字内容并非八大山人所作，八大山人抄录的是一篇晚明小品。见黄苗子:《八大山人年表（八）》，页 94。

封弟叔振鐸于曹國因氏爲秦漢之際曹參夾輔王室世宗廓土斥竟子孫遷于雍州之

第三章

学术风气的转变和傅山对金石书法的提倡

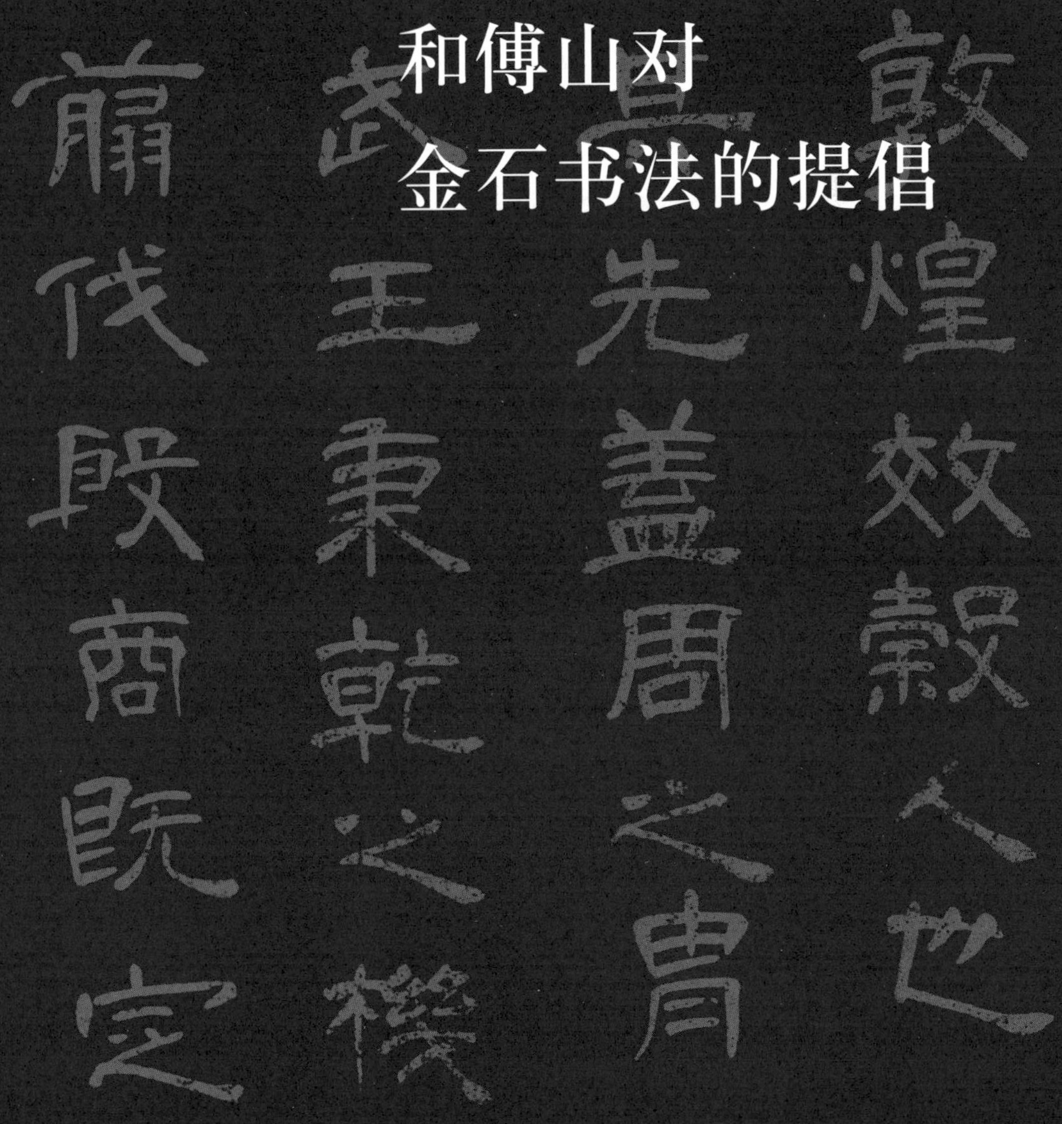

1660—1670年代山西的学术圈

大约在1656年左右，即傅山获释出狱的次年，他作了可能是他人生中唯一的一次南方之行。根据傅山的诗以及其他人的记载，我们知道他访问了山阳、沛县及南京，并和阎修龄（1617–1687）、阎尔梅（1603–1679）等明遗民有所交往。[1]

傅山此行的目的不详。在1650年代后半期，南方的反清复明活动甚是活跃。某些学者认为，傅山此行可能和反清计划有关。[2]然而到目前为止，我们还没有具体的历史文献可以证明傅山曾深入地参与当时南方的反清活动。可是有一点我们可以确知，傅山在这次旅行中结识了一些对他后来的文化活动具有重大影响的人物，从这个意义上来说，此次远行对他极为重要。

1659年，郑成功（1624–1662）与张煌言（1620–1664）领导的船队由海入江，并且溯江而上攻打南京。他们的军队攻陷了许多城池，但很快被清兵击溃。郑成功退守台湾，张煌言后被清军擒获处决。1661年，曾在1644年引清兵入关并攻下北京城的明朝叛将吴三桂（1612–1678），率领清兵前往缅甸捉拿南明政权最后一个“天子”永历帝及其独子，次年在云南将他们处决。南明政权寿终正寝。随着每次复国活动的失败，遗民们已经进一步地意识到他们在军事上的无能为力。新的政治情势对于他们思考今后采取何种形式继续反清活动，具有决定性的影响。

尽管反抗仍然持续不断，而事实却证明了军事抗争已告无望，因此，明遗民更多地是采取间接的抵抗方式。对于大部分的汉人而

[1] 《傅山全书》，册7，页5302–5305。

[2] 郝树德：《傅山传》，页33–47。

[3] 屈大均《书孝献皇帝纪后》（《翁山文外》，卷9，页7a）的原文是：“人谁非汉之臣子乎？汉虽亡，而汉之人心不亡，则皆昭烈之臣子也。”屈大均所谈虽为汉魏易代之际的事，但“汉”在此有双关之意。

[4] 这里是指西方研究清代学术思想史的学者多关注南方特别是江南的学术文化。近年来已有一些关于清初北方学者的研究，例如关于李颙的研究。见Birdwhistell, *Li Yong (1627–1705)*。

[5] 余英时认为，在清初学术思想的发展中，顾炎武是一个“典范”（paradigm）。“在任何一门学术中建立新‘典范’的人都具有两个特征：一是在具体

言，反抗，哪怕是消极的反抗，也可以稍稍抚慰异族统治之下的痛苦。那些对国家命运负有深重的使命感的人们，对抵抗则有着更为坚定的意志和长远的计划。傅山的好友屈大均（字翁山，1630–1696）用明白无误的语言将他们的态度表达了出来：“汉虽亡，而汉之人心不亡。”[3]为使“汉之人心不亡”，许多明遗民把自己的精力投入研究历史和经典，探讨历史兴衰规律，维护汉族的文化优势和种族身份，以期有朝一日，能够重新恢复汉族的统治。由于他们的努力，清初的学术风气在新的政治环境中发生了重要转变。

数个世纪以来，中国的学术中心都在南方。但在1660和1670年代的山西，却形成了一个由南北学者共同组成、对文化界产生重大影响的学术圈。迄今为止，研究清代学术思想史的学者们大多关注南方（尤其是江南地区）的学术活动，相对来说，北方的学术活动被忽略了。[4]因此，研究山西学术圈，可以扩展我们对清初学术风气的理解，更重要的是，这个研究将有利于我们阐释清初学术思想的转向对当时的书法，特别是傅山的书法创作及其书论所产生的影响。

作为山西本地文化领袖的傅山，自然就成为了当时山西学术圈的核心人物。1660到1670年代，傅山全心投入了古代文化的研究，而距太原东南八里的傅宅所在地松庄，则成为来往学者聚会的中心。

1660年代初，清初最重要的学者、思想家顾炎武（1613–1682）来到山西。这位对清代学术思想产生深远影响的文化领袖，[5]从1657年便离开了故乡昆山，多次北游。他一生中的最后二十余年，基本上是在北方度过的。1662年冬，他来到山西，次年初访傅山于太原，以后便经常旅居晋、陕一带。他在山西居住较长的地方，有代州、汾州、祁县、静乐、曲沃。虽然中外学者对于顾炎武北游是否和图谋武装反清在意见上并不一致，[6]但不可否认的是，顾炎武确实是一位借由文化事业来反清的领袖人物。顾炎武在研究儒家经典、史学、金石学、音韵学方面的杰出成就，使之成为清初学术界众望所归的领袖，他也是山西学术圈的关键人物。

追随顾炎武来到山西的潘耒（1646–1708），是山西学术圈的另一位重要学者。[7]潘耒出身于吴江一个藏书甚丰的富裕家庭，早年从

研究方面他的空前的成就对以后的学者起示范作用；一是他在该学术领域之内留下无数的工作让后人接着做下去，这样便形成了一个新的研究传统。”见余英时：《清代思想史的一个新解释》，页144–145。关于顾炎武的生平，见Peterson，“The life of Ku Yen-wu”。

[6] 关于为何在1660、1670年代有这么多学者跑到山西、陕西的原因，是一个十分有意思的问题。马晓地在解释这一历史现象时，认为明遗民是抱着反清复明的目的来到西北的（马晓地：《唱尽哀笳出塞歌》）。马晓地的看法颇能反映以往一些史学家在研究清初遗民们在西北地区活动的基本观点。王春瑜和Peterson等认为顾炎武北游和武装抗清并无直接关系。见王春瑜：《顾炎武北上抗清说考辨》；Peterson，“The life of Ku Yen-wu，” p.142。笔者也以为，马晓地的观点似有值得进一步探讨之处。如陈上年这个人物，是李因笃、顾炎武、屈大均和傅山的好友，曾给予当时活动在西北的明遗民们很多的帮助。而陈上年在1663年清政府的考绩中晋大夫第一时，李因笃曾作《伏喜祺公先生考绩晋大夫第一恭赋七言排体五十韵》（《受祺堂诗集》，卷6，页3a）一诗相贺，盛赞其为清保边的功绩。其中有句云：“高霞忽聚燕门前，大国风流说颍川。父老同心欣保塞，朝廷一意委承边。”康熙年间，吴三桂在广西称帝，陈上年当时正任广西布政司参议。吴三桂攻陷梧州后，强迫陈上年到其政权中为官，陈不从，被囚致死。见《畿辅通志》，卷230，《列传38》，册6，页8093。

[7] 关于潘耒的生平，见Hummel，*Eminent Chinese of the Ch'ing Period*，pp. 606–607。

其兄长潘柽章（1626–1663）学习经史和文学。潘柽章是一位历史学家，亦为顾炎武的挚友，1663年他因涉及庄廷钺（死于1655年）所主持的《明史辑略》而被清廷杀害。编纂前朝的历史在传统中国社会具有重大的政治意义，唐朝以来，前朝历史都由后朝官修，庄廷钺私修明史无疑是触犯了禁条，被清廷视为叛逆。潘柽章受牵连被杀，其家族的许多成员也遭到清廷的迫害。潘柽章妻沈氏被发遣宁古塔为奴，十七岁的潘耒徒步送有身孕的嫂子北行。途中，遗孤不育，沈氏引药自决。潘耒南还后化名吴琦避居山中。正在北方旅行的顾炎武听到潘柽章的死讯，遥祭于旅舍，作《汾州祭吴炎潘柽章》一诗，诗云"一代文章亡左马，千秋仁义在吴潘"。[1]顾炎武还撰写了《书吴潘二子事》一文述湖州史狱，[2]并作《寄潘节士之弟耒》一诗赠潘耒，以寄托哀悼之情。[3]1666年，潘耒致函顾炎武询及可否投其门下时，顾炎武虽极少收学生，但责无旁贷地接纳潘耒为门人。[4]在顾炎武的指导下，潘耒博通经、史、音韵学、训诂学、金石学。

对清代学术影响极大的阎若璩（1636–1704），在年龄上比傅山、顾炎武小一辈，他也是山西学术圈的成员。阎若璩祖籍山西太原，七世祖始迁居江苏山阳。阎若璩到山西的原因是，"自迁淮以来，高曾以下，类先就侨籍考试，然后归本籍。故是年附太原县学，随补廪膳生。"[5]阎若璩的父亲阎修龄是傅山的老友。1656年傅山南游过山阳时，曾馆阎修龄家。[6]1663年，阎若璩来到太原参加乡试，访傅山于松庄。在他的诗文中，也有不少和傅山讨论学问的文字。以后，阎若璩为应太原乡试，又数度到山西，并在1672年遇顾炎武于太原，与其辩论学问，深为顾氏推重。[7]

在1660、1670年代，还有一些明遗民来到山西，成为山西学术圈中的人物。其中有些人既非杰出的学者也非经济上的赞助者，由于这些人士来自不同的地域，他们的参与显得意义重大。例如广东番禺的诗人屈大均、河北永年的诗人申涵光（字凫盟，1620–1677）等。他们虽无惊人的学术建树，但在南来北往之中传播学术信息和动态。[8]如阎若璩就曾托屈大均把他的著作《尚书古文疏证》藏之广东。[9]倘若没有他们来往交流新的学术讯息，山西学术圈将无法这样活跃，甚而在清

[1] 顾炎武：《顾亭林诗文集》，页363。

[2] 同上注书，页114–116。

[3] 同上注书，页364。

[4] 周可真：《顾炎武年谱》，页336–338。此年谱述顾炎武和潘氏兄弟的关系甚详。见页290–292、297–301、336–338、389–392、449–450、470、490。

[5] 张穆：《阎若璩年谱》，页24–48。

[6]《傅山全书》，册7，页5503–5504。

[7] 阎若璩：《尚书古文疏证》，卷7，页4b。

[8] 入清后，屈大均曾游历四方，他也是1660年代山西学术圈中的一个活跃人物。见汪宗衍：《屈翁山先生年谱》，页69–89。申涵光的生平见申涵煜、申涵昐编：《申凫盟年谱》。

[9] 阎若璩：《尚书古文疏证》，卷4，页54a。

初的文化界中产生更为广泛的影响。

在山西学术圈，经济状况富裕的明遗民通常扮演着学术赞助人的角色。前面提到的傅山的至交戴廷栻，虽然在学术上无可观的成就，但他是一个有干才的文人和金石书画收藏家，傅山的学术研究常倚重戴廷栻的帮助。戴廷栻还赞助过其他学者，如顾炎武客山西时，戴曾专门为其在祁县南山建造书堂，提供学术研究的物质条件。[10]另一位北方的知名收藏家王弘撰也和山西学术圈的学者保持着密切的关系。王弘撰之父王之良为天启进士，崇祯朝官至南京兵部左侍郎。王弘撰家境殷实，“富收藏，金石文字率多旧拓，故善隶、草书”，[11]他是精于《易经》研究的学者，和顾炎武、李因笃亦为好友，顾炎武入陕时，常馆王弘撰家。王弘撰还曾多次南游，频频为北方文人圈传递文化讯息。[12]

此外，清代的明遗民学者还得到汉官的慷慨赞助。在当时山西学术圈中，有两位官员值得注意，他们是曹溶和陈上年。曹溶，字洁躬，号秋岳，浙江秀水人，崇祯十年（1637）进士，官至御史，入清后仍原官。康熙元年（1662），亦即顾炎武抵达山西的同年，曹溶出任山西按察副使兼大同兵备使。[13]曹溶和傅山在1650年代就已相知。1654年，傅山因涉嫌反清被捕入狱。案子报到三法司后，三法司中的汉官极力为之回护，当时担任都察院左副都御使的曹溶就是参加营救傅山的汉官之一。自傅、曹两人1660年代在山西相识之后，他们维持着终生的友谊。曹溶的才华主要表现在文学方面，是清初的著名词人。他同时是清初著名的金石书画收藏家和藏书家。

曹溶来到山西后不久，秀水籍学者朱彝尊（1629–1709，字锡鬯，号竹垞）也来到大同，客曹溶幕。不久，又得到山西布政使王显祚等人的聘用。[14]无论是在清初的学术界还是文坛，朱彝尊都是一个极其重要的人物。他是著名词人，学术成就则主要在经史与金石学。

另一位充当学术赞助人的清政府官员是陈上年（字祺公，1649年进士，约卒于1675年）。陈上年在顺治十六年（1659）出任泾固道兵备，1660年至1667年，任山西雁门道兵备使。陈上年本人并没有什么学术著作，但他在当时西北地区的学者中很有口碑，称他“居

[10] 李因笃：《答戴二枫仲见怀兼申绪五首》之三，自注云：“顾亭林将起山堂祁之南山，戴力任之。”《受祺堂诗集》，卷18，页4a。

[11] 转引自吴怀清撰，陈俊民校编：《关中三李年谱》页333–334所引《同州志》、《国史儒林传》。

[12] 关于王弘撰的生平，见赵俪生：《王山史年谱》，收录于赵俪生：《顾亭林与王山史》，页117–222。

[13] 见杜联喆（Tu lien-che）撰写的曹溶小传，载Hammul, *Eminent Chinese of the Ch'ing Period*, p.740。

[14] 杨谦：《朱竹垞先生年谱》，页15b–18a。

官有才有守，而豁达大度，不可一世。政事之暇，博览群籍。尤好交游，慷慨然诺，有古人之风”。[1]和曹溶一样，陈上年是以学术赞助人的身份出现在当时的山西学术圈。[2]他在雁门的寓所也是学者们经常聚会的地方。[3]陕西富平学者李因笃（字天生，改字子德，1631–1692）就一直客于陈上年幕中，担任其子的教席，因此也成为山西学术圈中的重要成员。[4]

清政府在山西的其他地方官员，如山西左布政使王显祚、太原守令周百计等，也不同程度地给予学者以各种帮助。他们礼遇、推崇和赞助有成就的学者，当是维系山西学术圈的另一个重要条件。

随着武力抗争转向低潮，汉官对明遗民的学术赞助也逐渐增加。傅山、孙奇逢及顾炎武等拒绝仕清的著名遗民学者，被一些汉官奉为精神和文化领袖，他们为遗民学者在清初的生存和研究古代文化提供了政治上的保护和经济上的赞助。这些都是清初明遗民学术文化活动取得巨大成绩的重要条件。

大约在1673年秋，顾炎武计划在山西汾州之介山筑一书堂，他在清廷任高官的外甥徐乾学（1631–1694）、徐秉义（1633–1711）、徐元文（1634–1691），作《为舅氏顾宁人征书启》，启云：

> 舅氏顾宁人先生，年逾六十，笃志五经，欲作书堂于西河之介山，聚天下之书藏之，以贻后之学者。……伏维先达名公，好事君子，如有前代刻板善本及抄本经史有用之书，或送之堂中，或借来录副，庶传习有资，坟典不坠，可胜冀幸之至。昆山徐乾学、徐秉义、徐元文谨启。[5]

徐氏兄弟的《征书启》，出现在许多汉官正以各种方式热诚地参与遗民们所发起的文化活动的时期。以顾炎武在当时士林的崇高声望，以徐氏三兄弟在康熙朝的显赫地位，[6]以类似今天公开信的方式联名向天下的官僚、藏书家、学者征书，不应被简单地视作舅甥之间的一件私事，它更是一个具有象征意义的行为：它向全国范围内的汉官呼吁，更为自觉、积极、广泛地支持明遗民的学术文化活动。

康熙年间汉官和明遗民的交往，还可从徐乾学为顺治、康熙两朝官员刘体仁（字公勇，1624–约1676，1655年进士）的诗集撰写

[1] 王弘撰：《山志》，初集，卷1，页21。

[2] 顾炎武：《钞书自序》（《顾亭林诗文集》，页30）云：“炎武之游四方十有八年，未尝干人。有贤主人以书相示者则留，或手钞，或募人钞之。子不云乎：‘多见而识之。知之，次也。’今年至都下，从孙思仁先生得《春秋纂例》、《春秋权衡》、《汉上易传》等书，清苑陈祺公资以薪米纸笔，写之以归。”陈上年对学术活动的赞助，由此可见一斑。

[3] 在傅山、屈大均、曹溶、李因笃等人的诗文中（尤以李因笃为多），多次提到在陈上年雁门寓所的聚会。详见吴怀清：《关中三李年谱》，页311–351。

[4] 同上注。

[5] 徐氏兄弟的《为舅氏顾宁人征书启》，收录于汪宗衍：《顾亭林先生年谱书后》，载于存萃学社编：《顾亭林先生年谱汇编》，页365–366。

[6] 徐元文为顺治十六年（1659）的状元，徐乾学为康熙九年（1670）的探花，徐秉义为康熙十二年（1673）的探花，三兄弟在当时有“三徐”之称，在康熙朝的政治和文化界有重要影响。关于徐氏兄弟的生平，见Hammul, *Eminent Chinese of the Ch'ing Period*, p. 310–312, 327。

的序言得见一斑。序中除了一些称颂刘体仁文学才赋的泛泛誉美之辞外，徐乾学还描述了刘体仁的高雅情怀：

颍川刘公勇先生，天下骏雄秀杰之士也。……尝游苏门见孙钟元先生，愿弃官为弟子。居弥月，筑堂留琴而去。经太原特访傅青主于松庄，坐牛屋下，相对赋诗移日，其高寄如此。故无纤尘集其笔端，而一往奇迈之气时时溢于篇幅。[7]

徐乾学提供了两个具体的例证：第一，刘体仁曾在苏门从学于孙奇逢（孙钟元），并“筑堂留琴而去”。[8]第二，他曾专程赴松庄拜访傅山，与之“相对赋诗移日”。徐乾学并没有详述刘体仁在苏门从孙奇逢学了什么、学得如何，和傅山赋诗移日的作品如何，这些都无关紧要，对徐乾学及当时的人们（包括那些汉官）而言，刘体仁曾追随著名的明遗民文化领袖这一简单的事实，就足以证明“其高寄如此”。[9]

尽管徐乾学对于刘体仁与孙奇逢、傅山交往的描述相当简略，但他的描述反映了清初政治文化中一个极为重要的现象。大量的历史文献都有这样的记载，清初的汉官不但积极赞助著名的遗民学者，其中许多人还成为后者的门生弟子。在孙奇逢被迫从家乡直隶迁徙到河南辉县的苏门之后，一些清廷高官拜到他的门下，其中包括魏裔介和汤斌（1627–1687）。虽然顾炎武和傅山并不热衷于招收弟子，但是许多汉官在途经山西时都会专程拜访致意。除此之外，顾炎武等遗民出游时，所到之地也时常受到当地官员的款待。[10]

山西学术圈对傅山晚年学术活动的影响是至关重要的。首先，傅山和这些来自其他地区的卓越学者、文人的交往，使他得以获知新的讯息并置身于学术的前沿。其次，对于山西本地文化权威的傅山来说，这些学者并非只是学术上的同道，而且是他在学术上的竞争者。1660 至 1670 年代，傅山全心投入对古代经典、音韵学和古文字学的研究，正与这个具有挑战性的学术圈的活跃气氛相呼应。[11]

[7] 徐乾学：《七颂堂诗集序》，见刘体仁：《七颂堂诗集》。

[8] 刘体仁并非唯一在苏门筑堂的孙门弟子。魏一鳌在 1657 年辞官后，也曾四度前往苏门拜访其师孙奇逢，在第三次造访时，更在苏门建“雪亭”，并自称雪亭先生。

[9] 清初官员追随遗民文化领袖的风气，还可从宜兴储方庆（1633–1683，1667 年进士）和傅山的交往中看出。储方庆在山西清源县任县令时，慕傅山名，派门人牛兆捷持信及诗作访傅山，向傅山表明自己并非一介“俗吏”，请求交往。信中这样写道：“仆非俗吏也。然其所为甚有似于俗吏。盖处斯世者，皆有不得已之心，故不得不以俗吏自居。而当世之高人伟士或鄙而远之。格于其形也。形不相接则无以自明。……仆之诗数章，亦可以见仆之志也。先生试览之，傥不以俗吏视仆，则仆与先生岂形之所能格乎？”见储方庆：《与傅青主书》，《储遯庵文集》，卷 1，页 16a–16b。

[10] Peterson, “The Life of Ku Yen-wu,” pp. 202–206. 顾炎武《答人书》（《顾亭林诗文集》，页 205）云：“壬寅以后，历晋抵秦，于是有仆从三人，马骡四匹，所至之地，虽不受馈，而薪米皆出主人。”此处所说的“主人”当也包括那些为官者。

[11] 关于山西学术圈对傅山晚年学术活动的影响，见白谦慎：《十七世纪六十、七十年代山西的学术圈对傅山学术与书法的影响》。

学术的新趋势

本书第一章开篇引用了徐世溥致友人的一通信札，徐氏在信中以无比依恋的怀旧心情对万历年间文化成就作了“天下文治响盛”的肯定。[1]遗憾的是，明王朝这一文化繁荣的太平盛世只是一段短暂的时光，随之而来的是各种各样的危机：激烈的党争、普遍的腐败、严重的饥荒，……万历皇帝死后短短的二十余年间，内乱外患的明王朝便因满族的叩关而告终。

经历了明清鼎革的清初学者，对晚明总是抱着十分复杂和矛盾的心情。一方面，他们钦羡和怀念晚明时代文化领域的种种成就。那时的文化气氛是如此的自由而充满创意，上层精英的物质文化生活又是如此的丰富精致。[2]另一方面，明朝覆亡的悲剧又迫使许多清初学者重新思考明清两代兴替的原因。无论如何，一个残酷的问题难以回避：促成晚明文化璀璨的多元性与标新立异，是否造成了儒家理想的衰败，并最终导致明王朝的覆亡？

当代的历史学者已经找出许多晚明文人不可能意识到的导致明朝灭亡的社会、政治、经济的因素。回溯起来，明代的灭亡并不能完全归因于儒家正统的衰微和多元化的文化环境，更应该归咎于无法处理那些国政乱局的朝廷以及官僚体系。晚明的社会变更与多元为文化活动提供了一个充满刺激的环境，传统的政治与思想体系是否能够接受、容忍或者排斥这样的多元，完全取决于这个系统能否有效地应付国内外政治、经济、军事的挑战。当这个系统无法应付这些挑战时，即使文化上的多元并非动摇明代国本的主要原因，也

[1] 参见第一章开篇处所引徐世溥信札。

[2] 晚明精英精致的物质和文化生活，不仅在晚明文人的笔记中多有记载，入清后明遗民的怀旧文字也屡屡可见，其中最著名者为张岱的《陶庵梦忆》。

会被轻易地视为替罪羔羊。确实，许多经历明清鼎革的人们，都将王朝的灭亡归罪于晚明鼓励多元的哲学文化思潮。正如艾尔曼（Benjamin Elman）所指出的："1644年，明朝为清朝'夷狄'所取代，这一致命的打击使许多亲身经历这场巨变的士大夫进一步认识到理学话语的陈腐和危害，他们严厉指斥理学见地荒诞，背叛儒学真谛，最终导致明末社会的大崩溃。"❸

在山西学术圈的成员中，顾炎武对晚明的文化气氛最为深恶痛绝。顾炎武认为,晚明流行的主观内省式哲学,鼓励了空洞的"清谈"，无益于切实地解决现实的问题，他直将晚明的学术风气视为国家灾难的根源。

顾炎武不但抨击作为精英文化的晚明学术思想，他还指出晚明的印刷文化和其他一些文化实践也需对道德沦丧负责。顾炎武是苏州府昆山人，苏州既是明代文人文化的中心，也是晚明通俗文化的出版重镇之一，大量小说戏曲等通俗书籍出版于此。明亡以前，顾炎武耳闻目睹了许多率以己意改动古书，以及以戏拟经典的方式来取悦大众的出版物。他认为晚明的印刷文化直接导致了道德的衰落：

> 万历间，人多好改窜古书。人心之邪，风气之变，自此而始。❹

昆山还是晚明流行用来赌博的纸牌游戏"马吊"（即今日麻将之前身）的发源地。马吊自然也成为顾炎武批判的对象：

> 万历之末，太平无事。士大夫无所用心，间有相从赌博者。至天启中，始行马吊之戏。而今之朝士，若江南、山东，几于无人不为此。❺

与徐世溥赞美万历年间的文化成就正相反，顾炎武认为万历年间是一个道德沦丧的时代。许多遗民学者都认同顾炎武对晚明学术思潮和文化风气的批判。

出于这种观点，批判晚明哲学思潮和文化实践，惩前毖后，便成为明遗民的关怀所在。为了更准确地理解古代经典和历史，"追本溯源"、"回归原典"便成为新的学术主张，❻注重经史考证的朴学逐渐成为学术的主流。由顾炎武及其友人所提倡的朴学具有强烈的道德涵义，顾炎武宣称他治学的目的是为了"正人心，拨乱世以兴太

❸ Elman, *From Philosophy to Philology*, p.3. 中译转引自艾尔曼著、赵刚译：《从理学到朴学》，页5。

❹ 顾炎武著、黄汝成校释：《日知录集释》，页672。

❺ 同上注书，页1001。

❻ 余英时认为，"回归原典"的意向在明中叶时即已萌芽，这是儒家内部"尊德性"和"道问学"两派争论合乎逻辑的必然发展结果："就儒学内在发展说，'尊德性'之境至王学末流已穷，而'道问学'在明代则始终不畅。双方争持之际，虽是前者占绝对上风，但'道问学'一派中人所提出'取证于经书'的主张却是一个有力的挑战，使对方无法完全置之不理。"见余英时：《从宋明儒学的发展论清代思想史》。然而在清代，追本溯源、回归原典才成为思想的主导模式。

平之事”。[1]

为重建他们心目中的儒学正统的权威，取得对古代儒家经典的解释权，更准确地理解古代经典和历史，清初学者集中精力研究音韵学、金石学、考据学，这三个学科逐渐成为清初学术主流最为重视的领域。

音韵学早在宋代就已是学者关注的一门学科。虽然清初学者对晚明的哲学思潮多有批判，但他们的音韵学研究仍然得益于晚明的学术成果。晚明学者陈第（1541-1617）对《诗经》古音的研究，便是这个领域中的重要贡献。[2]清初学者对音韵学的兴趣，还受到了天主教传教士（如利玛窦和金尼阁等）发明的以罗马字母为中文字注音的启发。[3]

音韵学之所以成为清初学者重视的学科并非偶然，因为它的意义远远超出了本学科的范围。早期的儒家经典都是流传了千百年的著作，虽然历代的学者花了很大功夫为早期的文献作注疏，但是人们依然经常为古代经典的确切文义发生争论。因此，在经史的研究成为清初的学术主流之后，音韵文字被认为是通往经史诸子百家的途径。顾炎武在致李因笃信中，扼要地概括了研究音韵学的意义："读九经自考文始，考文自知音始。以至诸子百家之书，亦莫不然。"[4]他又指出："诗三百篇即古人韵谱。经之与韵，本无二也。"[5]以声韵为关键的名物训诂，标志着研究古文字学和训诂学的指导思想在清代发生了重要转变。[6]

山西学术圈中的大部分学者都积极从事音韵学研究。其中顾炎武更是这个领域内无可争辩的前驱。康熙五年（1666）顾炎武完成《韵补正》，该书对宋代吴棫（约1100—1154）的音韵学著作《韵补》进行了修正。次年，顾炎武到山阳刊刻他的音韵学代表作《音学五书》。这部著作里，顾氏在分析《诗经》所收古代歌谣的用韵的基础上，对重建古音做出了重要的贡献。因此，《音学五书》成为清代古音学研究的奠基之作。同年，在陈上年的资助下，顾炎武还在山阳重刻存世最重要的一部韵书——宋代的《广韵》。[7]

在1660及1670年代，傅山对音韵学的兴趣日增，体现于他对《广韵》的研究。顾炎武在《书〈广韵〉后》中写道：

[1] 顾炎武：《初刻日知录自序》，《顾亭林诗文集》，页27。

[2] 张世禄：《中国音韵学史》，页261-301。艾尔曼：《从理学到朴学》，页147-153。林庆彰：《明代考据学的研究》，页391-430。

[3] 见罗常培：《耶稣会士在音韵学上的贡献》。

[4] 顾炎武：《顾亭林诗文集》，页73。

[5] 同上注书，页95。

[6] 胡奇光指出："从许慎到段王一千七百多年间，我国语文的指导思想发生了根本的转变：从主张字形为依据阐明本义到以声韵为关键进行名物训诂。"见胡奇光：《中国小学史》，页231。胡奇光所指的段玉裁（1735-1815）、王念孙（1744-1832）乃乾嘉时代的人物，但他所指出的转变应在清初就已开始。

[7] 王弘撰的一段笔记提供了陈上年（至少是部分地）赞助刊刻《广韵》的证据："李子德尝得《广韵》旧本。顾亭林言之陈祺公，托张力臣（张弨）为锓木淮阴。"见王弘撰：《山志》，二集，卷4，页272。

余既表《广韵》而重刻之，以见自宋以前所传之韵如此，然惜其书之不完也。……太原傅山曰："宋姚宽《战国策后序》引《广韵》七事：晋有大夫芬质，芈干者著书显名，安陵丑，雍门中大夫蓝诸，晋有亥唐，赵有大夫廧贾，齐威王时有左执法公旗蕃。"盖注中凡言又姓者，必以其人实之，而今书皆无其文。[8]

毫无疑问，顾炎武和傅山曾在一起讨论过音韵学，并且对彼此的研究成果十分熟悉。

中国国家图书馆藏有傅山批注的顾炎武重刊的《广韵》。从书后祁寯藻的跋文可知，此书极可能就是顾炎武赠送给傅山的。在这本《广韵》的首页，傅山共钤了四方印，分别是"傅山之印"、"傅公它"、"老石"、"傅氏家藏"（图 3.1），显示出他对此书的珍视。《广韵》是北宋时陈彭年等增广隋代陆法言《切韵》而成的韵书，保存了许多宋以前汉字的读音。傅山在批注《广韵》时，以唐代诗人杜甫诗中的韵尾来核对《广韵》所收字的读音。《广韵》收字二万六千一百九十四，而傅

[8] 顾炎武：《顾亭林诗文集》，页 110-111。

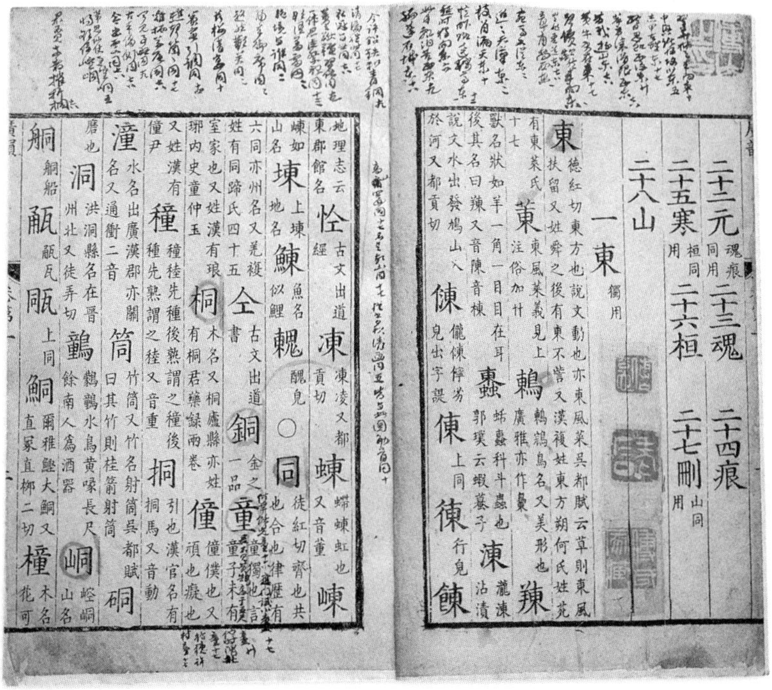

图3.1 陈彭年《广韵》1011
顾炎武1667年重印本
1667年后傅山在此版本上批注
中国国家图书馆

山在批注《广韵》时所引杜甫诗句多达一万余句。尤为令人钦佩的是，傅山在《广韵》上按韵手批的杜诗句，均为默写而出，并非照书抄来。其博闻强记，读书用功之深，由此可见一斑。❶

清初学者研究音韵学的目的是为了解读古代的名物制度。傅山写于1669年的一本行书册页，内容是关于《子虚赋》的训诂。❷册中有傅山简短的小记，他说写此册是为了教他的孙子傅莲苏阅读汉代司马相如（公元前179–前117）的《子虚赋》。傅山训读《子虚赋》时，使用的方法之一便是以声韵来通训诂。❸这和顾炎武所宣称的“考文自知音始”的学术主张完全一致。毫无疑问，傅山当时的学术研究已深深受到音韵学的影响，而且积极地投入到这个领域。从《傅山全书》收录的傅山关于文字训诂的一些札记来看，他经常征引的字书和韵书有《尔雅》、《方言》、《说文解字》、《释名》、《玉篇》、《广雅》、《干禄字书》、《一切经音义》、《广韵》、《集韵》、《隶释》、《篇海》、《韵会举要小补》、《洪武正韵》等。这些书籍，顾炎武在他的著作中也经常征引。这足以说明，在1660、1670年代，傅山的研究兴趣和顾炎武有很多共同处，这当是互相影响的结果。

山西学术圈中的两位年轻学者潘耒和李因笃也长于音韵学的研究。潘耒著《类音》一书，对汉语的音理作了十分精细的研究。李因笃著有《古今韵考》，推广阐发顾炎武的古音学说。❹顾炎武的《音学五书》也多处参考了李因笃的研究成果。❺此外，以考证见长的年轻学者阎若璩，对音韵学亦有兴趣。他的诗中有“回首松庄称韵学”句，❻当是他和傅山在松庄讨论音韵学的真实记录。

金石学是山西学术圈的学者们致力的第二个领域。金石学的研究范围包括“中国历代金石之名义、形式、制度、沿革；及其所刻文字图像之体例、作风；上自经史考订，文章义例，下至艺术鉴赏之学”。❼金石学的研究早在汉代便已萌芽，至宋代蔚然成风，卓然有成，却于元、明两代衰落。金石学在清初得以复兴的主要原因是，古代金石文字保留了原始史料，可资考订经史之用，因此引起清初学者的高度重视。利用这些金石文字来考订文献所载或失载的历史事件，成为考据学中不可或缺的部分。这一点，顾炎武《〈金石文字记〉序》作了说明：

❶ 傅山批注《广韵》，已由汪世清先生辑录，收入《傅山全书补编》一书中（见该书卷23–28）。此处所引，乃汪世清先生在1995年12月14日给笔者的信中所提供的信息。在给笔者的另一封信中（1995年6月23日），汪世清先生指出：“傅山按《广韵》手书杜诗摘句，似即为其韵学研究之一端，或亦其独创之一种研究方法，殊堪注意。”“从摘录杜句以使《广韵》之研究深入一步，此亦傅山之功。”

❷ 此册原为台湾袁守谦先生藏，现藏者不详。

❸ 关于此册的全部释文，见《傅山全书补编》，卷15。

❹ 见王力：《汉语音韵学》，页146–158、289。

❺ 顾炎武在《音学五书》后序（《音学五书》，页4–5）中说：“《诗本音》十卷，则李君因笃不远千里来相订正，而多采其言。”

❻ 阎若璩：《访马长逸》，《潜邱劄记》，卷6，页49a。

❼ 朱建新：《金石学》，页3。

余自少时，即好访求古人金石之文，而犹不甚解。及读欧阳公《集古录》，乃知其事多与史书相证明，可以阐幽表微，补阙正误，不但词翰之工而已。比二十年间，周游天下，所至名山、巨镇、祠庙、伽蓝之迹，无不寻求，登危峰，探窈壑，扪落石，履荒榛，伐颓垣，畚朽壤，其可读者，必手自钞录，得一文为前人所未见者，辄喜而不寐。一二先达之士知余好古，出其所蓄，以至兰台之坠文，天禄之逸字，旁搜博讨，夜以继日。遂乃抉剔史传，发挥经典，颇有欧阳、赵氏二录之所未具者，积为一帙，序之以贻后人。[8]

山西学术圈中的其他成员，和顾炎武一样热衷于金石文字的收集和研究，而其中更有不少是清初这一领域中最有成就的学者。例如曹溶和朱彝尊，也有访碑蓄碑的嗜好。曹溶是清初著名的金石收藏家，曾编纂《金石表》。[9]而朱彝尊则是“所至丛祠荒冢，金石断缺之文，莫不搜剔考证，与史传参互同异”。[10]曹溶和朱彝尊在山西期间多次访碑，和曹、朱同时代的金石学家叶奕苞在《金石录补》中有这样的描述：

锡鬯（朱彝尊）同曹侍郎（曹溶）历燕晋之间，访得古碑，不惮发地数尺而出之。从者皆善摹拓及装潢事。文人好古，近罕俦匹。[11]

在曹溶的《静惕堂诗集》和朱彝尊的《曝书亭集》中，有许多关于访碑拓碑的诗文。如《静惕堂诗集》中的《资耀寰入秦托其拓寄碑本》和《遣胥至曲阳拓北岳庙碑》等诗。[12]朱彝尊所著《曝书亭金石跋尾》六卷，和顾炎武的《金石文字记》一样，是清初金石学的重要著作。[13]

王弘撰是明末著名的金石学家郭宗昌的忘年交。1663年，很可能是在周亮工的帮助下，王弘撰在扬州出版了郭宗昌撰写的《金石史》。[14]郭宗昌去世后，其旧藏的一些汉碑拓本（如现藏北京故宫博物院的《曹全碑》和《华山碑》）也转入王弘撰之手。[15]顾炎武在《金石文字记》中提到最多的就是王弘撰和朱彝尊，可知王弘撰曾多次和顾炎武讨论金石文字。

[8] 顾炎武：《顾亭林诗文集》，页28–29。

[9] 叶奕苞云：“秋岳先生倦圃收藏古今碑刻名金石表约数百种，仿赵氏例自周秦至五代录入表中。”见《金石录补》，载《石刻史料新编》，册12，页9134。

[10] 王士禛：《曝书亭集》序，收录于朱彝尊：《曝书亭集》。

[11] 叶奕苞：《金石录补》，页9133。

[12] 曹溶：《静惕堂诗集》，卷6，页7b–8a。

[13] 朱建新云：“自国初顾炎武、朱彝尊辈重在考据，以为证经订史之资，此风一开，踵事者多，凡清人之言金石者，几莫不以证经订史为能事。”见朱建新：《金石学》，页35。

[14] 在一封写给周亮工的信中，王弘撰提到该书的出版计划。见王弘撰：《与周元亮司农》，《砥斋集》，卷8下，页9a–b。

[15] 这两件汉碑拓本都钤有王弘撰的印章。

早在明亡以前，傅山就已开始研究金石学，并以金石文字考订史乘。一次，在和阎若璩讨论谢承《后汉书》时，傅山说谢承《后汉书》“某家有之，永乐间扬州刻本。初郃阳《曹全碑》出，曾以谢书考证，多所裨，大胜范书。以寇乱亡失矣”。[1]不过，比较系统且深入的研究则是在1644年后，特别是1660年后。在1660和1670年代，傅山所居松庄是文人学者们聚会讨论金石文字的地方。朱彝尊、曹溶等人曾在傅山家中观赏傅山收藏的碑帖，并为之题跋。[2]

阎若璩1660年代到太原拜访傅山时，两人讨论了金石学。阎若璩在著作中记载了他和傅山讨论金石学的一些情形，可以想见当时的讨论给他留下极为深刻的印象：

> 金石文字足为史传正讹补阙。余曾与阳曲老友傅青主，极论其事。[3]

> 傅山先生长于金石遗文之学，每与余语，穷日继夜，不少衰止。[4]

傅山对金石学的热忱和他在这方面的学养，可从现藏宁波天一阁的傅山考订《石鼓文》册页得到证明。[5]从书法的风格来看，这一册页很可能书于1655年后。傅山在这本册页中先以端正的小楷抄录石鼓上的十篇刻辞，并圈出那些难辨和不识的字，再于每篇刻辞后以更小的字书写自己的考订。其内容包括：比较不同学者对《石鼓文》的隶定释文，以及傅山本人的考释。他所征引的文献有《石鼓文》石刻本、薛尚功的《历代钟鼎彝器款识法帖》、郑樵（1104–1162）的《金石略》等，也引用了《尔雅》、《玉篇》、《集韵》、《广韵》等字书、韵书。从最后一开所钤傅山名章来看，此册当为其考释《石鼓文》的一个定本。正是这样细致的研究，使傅山成为清初研究金石学的重要学者之一。

傅山对金石学，特别是汉碑的认真研究，还可从他点校、批注的《隶释》看出。宋代洪适的《隶释》历来被学者们认为是研究汉代碑刻的重要金石学著作。[6]傅山批点的本子是万历戊子（1588）刊本，上面钤有“傅鼎臣”的名章。傅山原名鼎臣，明亡以前就已改名山，所以傅山很可能在明亡前就已收藏此书。如同晚明其他粗制

[1] 阎若璩：《困学纪闻笺》，卷13，页2a。

[2] 从朱彝尊在傅山藏《尹宙碑》和《衡方碑》后的跋语，可知曹溶与朱彝尊曾在1665年秋天二度观赏傅山的收藏。见朱彝尊：《曝书亭集》，卷47，页5b–6a。

[3] 阎若璩：《移寓杂兴赠陈子寿先生五十首》自注，《潜邱劄记》，卷6，页15a。

[4] 阎若璩：《潜邱劄记》，卷1，页38b。

[5]《中国古代书画图目》，册11，浙35–94，页290。

[6] 1935年上海商务印书馆刊行了这部曾由傅山收藏和点校批注的《隶释》。

滥印的书籍，此书也颇有缺漏和错误，傅山对照其他版本作了校订。从批点和校订文字的书法风格来看，基本可以肯定，大多数批语书于1660年代以后。傅山的批点包括了许多关于汉碑用字、用词的评论，从中不难看出，傅山读此书是极为认真的，表明他在这一时期对汉碑作了比较系统的研究。傅山有关篆隶在书法艺术中的重要地

图3.2 《孔宙碑》164 局部 拓本 册页 纸本 尺寸不详 北京故宫 引自启功主编《中国美术全集》书法篆刻编1 页139 图版84

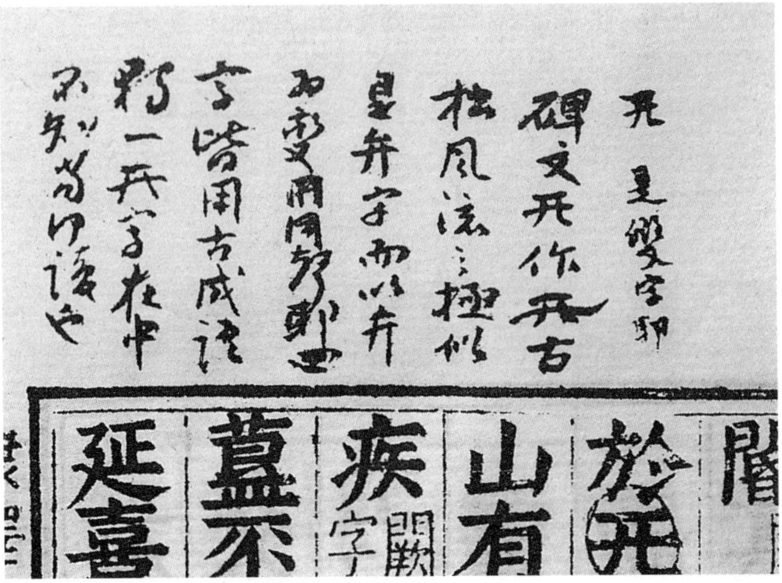

图3.3　傅山在洪适《隶释》上的评点　局部
傅山旧藏
引自洪适《隶释》

位的论述（详后），很可能是在这一时期提出的。顾炎武等学者主要关心金石文字的史料价值，傅山作为书法家，他还重视金石文字的艺术特征。譬如他在《隶释》卷七对他所藏且特别钟爱的《孔宙碑》拓本（图3.2）作了如下评语："碑文开作幵，古拙风流之极，似是弁字，而以弁为变，用同声耶。四字皆用古成语，独一幵字在中，不知当何识也。"（图3.3）正是金石学的复兴，人们有了更多的机会接触古代金石文字，于是，晚明学者对古代碑刻书法萌发起来的兴趣，在清初逐渐发展成为一种与当时的学术取向互补的书法美学观。

山西学术圈所致力的第三个学术领域是考据学，其中有几位学者不但长于考证，而且是这方面影响巨大的领袖人物。顾炎武的《日知录》、阎若璩的《潜邱劄记》就是考证古代名物制度的重要著作。傅山也和这些学者讨论过古代名物制度的考证。《潜邱劄记》中收有一通阎若璩写给傅山的信札，信中提到，1672年秋，阎若璩在太原时，傅山曾向他询问，古人登席是否既脱屦复脱袜，否则就被认为失礼。阎若璩当时没有回答出来，数年后，阎若璩考察出这一古代礼俗的变迁，专门写信给傅山，告诉自己的考证结果。[1]

[1] 阎若璩：《潜邱劄记》，卷5，页9a–b。

当时学者们热衷于考证，固然和他们的经史研究有关，但考证形成风气之后，它本身又成为衡量一个学者的学术功力和水平的标准。一旦这种标准确立，就促使更多的学者按照这种标准去从事学术活动。

当考据学日趋成熟完备，并成为新的学术范式后，即使是千载经典、盖代文豪，都可以成为怀疑批评的对象。我们经常可以读到山西学术圈的学者对前代学者的批评。阎若璩曾在傅山面前这样尖刻地批评欧阳修的学问：

> 余尝谓，盖代文人，无过欧公，而学殖之陋，亦无过公。傅山先生闻之曰："子得毋以刘原父（刘敞，1008–1069）有好个欧九之云，从而和之乎？"余曰："非敢然，实亲验之《集古录》跋尾。"❷

数个世纪以来，欧阳修的《集古录》一直被认为是金石学的重要著作，从未被如此严厉地批评过，但到了清初，这位大文豪的学术竟被斥为"陋"！

❷ 阎若璩：《潜邱劄记》，卷2，页4a–b。

被徐世溥认为代表了万历朝古文字学成就的著名学者赵宧光，这时也成为批评的对象。顾炎武在《日知录》中，对赵宧光的《说文长笺》这本晚明最风行的文字学著作进行了尖锐的批评：

> 万历末，吴中（即苏州）赵凡夫宧光作《说文长笺》，将自古相传之五经，肆意刊改，好行小慧，以求异于先儒。乃以"青青子衿"为淫奔之诗，而为"衿"即为"衾"字。（原注：诗中之有"衾"字，"抱衾与裯，锦衾烂兮。"）如此类者非一。其实四书尚未能成诵，而引《论语》"虎兕出于柙"，误作《孟子》"虎豹出亏由"（原注：兕下）。然其于六书之指，不无管窥。而适当喜新尚异之时，此书乃盛行于世。及今不辩，恐他日习非胜是，为后学之害不浅矣。故举其尤刺谬者十余条正之。❸

如同顾炎武所指出的，赵宧光于文字学"不无管窥"，但在晚明"喜新尚异"的风气中，赵宧光难免其俗，"好行小慧"，以倡新论。

❸ 顾炎武著、黄汝成校释：《日知录集释》，卷21，页755。

古人和古书可以被怀疑和批评，对于当代学者及其著述也是如此。在当时学者的著作中，我们不难读到学者们相互指正错误的文字。傅山在1671年批注《毛诗注疏》时，在“齐桓公知诸侯之归己也，故使轻其币而重其礼。诸侯之使，垂橐而入，稛载而归。言其空而来，重而归也”这一段上面用墨笔眉批：

垂橐，《管子》《小匡篇》及《齐语》皆有之。今行《国语》径作櫜，音古刀反，大诬。宋但泥《左传》“垂櫜”语，不详文义而音之。近日李天生《与顾宁人诗作》五排律中，用“垂橐”字，顾求其疵曰：“是错用矣，经传无垂橐之文，但有左氏垂櫜。”谓李以“櫜”为“橐”也。何言之易也？余不敢举此以证，恐忌也。簝士无凌谇之事则不乐。[1]

虽然，傅山说他不愿和顾炎武辩论，恐为顾氏所忌。但顾炎武挑李因笃用词不当的例子，说明当时的学者们（至少是相当一部分学者）对有关学问方面的事情，是多么地严格乃至挑剔，一个字，一个词都不轻易地放过。

不光顾炎武如此，博闻强记而又喜欢炫耀的考据学大师阎若璩在挑当代人的毛病时，更是不遗余力，乐此不疲。[2]李因笃、汪琬（1624—1691）的论述中有误，被他讥为“杜撰故事”和“私造典礼”。[3]即使是博学如顾炎武，一旦著作中有错误，阎若璩也毫不留情地当面指出。1672年，阎若璩在太原和顾炎武会面时，当面指出顾炎武所犯的一个古代地理上的错误，并记录如下：

顾宁人论幽、并、营三州在《禹贡》九州岛之外。……余时同客太原，面质正曰：此不过从肇者始也臆度耳，其实《周礼·职方氏》：“并州，其泽薮曰昭余祁。”昭余祁在今介休县东北三十二里，俗名邬城泊。吾与君所共游历者，非石岭关以南乎。[4]

在《南雷黄氏哀词》一文中，阎若璩更进一步地谈到了他和顾炎武在太原见面时，是如何激烈地争论的：

顾余遇之太原，持论岳岳不少阿，久乃屈服我。[5]

阎若璩比顾炎武小整整一辈，他能和一位学术声誉极高的前辈论辩，并“持论岳岳不少阿”，说明在山西学术圈中，学术气氛相当活跃开放，论辩之风亦兴盛一时。这种激烈的辩论造成了一种学术氛围，处于

[1]《傅山全书》，册4，页2448-2449。

[2]《尚书古文疏证》及《潜邱劄记》中此类的文字很多，此处不一一列举。

[3] 阎若璩：《潜邱劄记》，卷5，页15a-15b。

[4] 阎若璩：《潜邱劄记》，卷3，页1a-1b。阎若璩在另一则笔记中提到此事时说：“有为宁老护法者闻之，谓顾先生必有出处，未可轻议。及愚面诘宁老，果是臆说。人之好名而不务实如此。”见前引书，卷4下，页29a。

[5] 阎若璩：《南雷黄氏哀词》，《潜邱劄记》，卷4上，页34b。

其中的每一位学者都会因此感受到压力，这种压力促使他们更为谨慎地从事学术活动，并认真反思自己以往的研究成果。

和阎若璩的争论给顾炎武留下极深的印象，他在修订《日知录》时认真地参考了阎若璩的意见。[6]顾炎武在一通致友人的信札中写道：

> 《日知录》初本乃辛亥年（1671）刻。彼时读书未多，见道未广，其所刻者，较之于今，不过十分之二。非敢沽名衒世，聊以塞同人之请，代抄录之烦而已。……《记》曰："学然后知不足。"信哉斯言！今此旧编，有尘清览。知我者当为攻瑕指失，俾得刊改以遗诸后人，而不当但为称誉之辞也。[7]

辛亥年顾炎武已近六十岁。书写上引书札时，最早也在1670年代的后半期了。[8]由于治学精神严谨，年近七十的顾炎武对自己学术上的一些失误仍然耿耿于怀。这种心情在他致潘耒的一札中表露得更为坦彻：

> 读书不多，轻言著述，必误后学。吾之跋《广韵》是也。虽青主读书四五十年，亦同此见。今废之而别作一篇，并送览以志吾过。平生所著，若此者往往多有，凡在徐处旧作，可一字不存。自量精力未衰，或未遽死，迟迟自有定本也。[9]

顾炎武在信中专门提到，傅山和他对学问持有相同的谨慎态度：急于出版没有经过充分研究的著作，必定会贻害后人。因为自己一些早年著作颇有错讹，顾炎武认为"可一字不存"。

傅山对学问所持的谨慎态度，可从阎若璩的记载中得见一斑：

> 傅山先生少耽《左传》，著《左锦》一书，秘不示人。余初访之松庄，年将六十矣。[10]

傅山著《左锦》一书约在1665年至1675年间。[11]《左锦》的部分手稿现藏山西省博物馆，部分为美国收藏家John Elliott旧藏（现藏普林斯顿大学美术馆）。从Elliott所藏《左锦》手稿笔迹判断，该手稿书于晚年。从傅山本人的朱笔圈点来看，傅山在晚年仍打算修改此作（见图2.17）。因此，阎若璩所谓傅山"秘不示人"的做法，极可能就是出于慎重。学者们对己苛求如此，遑论指摘批评前人著述中的错误。

[6] 阎若璩曾为顾炎武订正《日知录》。阎若璩的《潜邱劄记》卷4下（页1a–34a），专门有《补正〈日知录〉》一节。钱大昕《阎先生传》（《潜研堂集》，卷38，页9a）云："昆山顾先生炎武游太原，以所撰《日知录》相质，即为改定数条，顾虚心从之。"

[7]《顾亭林诗文集》，页190。

[8] 顾炎武在《初刻〈日知录〉自序》（《顾亭林诗文集》，页27）中也有类似的记载："炎武所著《日知录》，因友人多欲钞写，患不能给，遂于上章阉茂之岁刻此八卷。历今六七年，老而益进，始悔向日学之不博，见之不卓，其中疏漏往往而有，而其书已行于世，不可掩。渐次增改，得二十余卷，欲更刻之，而尤未敢自以为定，故先以旧本质之同志。"

[9] 顾炎武：《顾亭林诗文集》，页169。

[10]《潜邱劄记》，卷2，页14a。

[11] 阎若璩：《尚书古文疏证》（卷5上，页10a）记载："壬子秋过阳曲松庄，傅山先生字青主者适读《左传》。"壬子为1672年。

在这种情况下，学者们对于其所持的观点、所引用的书、所依赖的证据都渐渐变得更加谨慎。这正是考据学所特有的学风。

清初的考证之风又和当时的辨伪风气紧密相关。[1]如果说考证古代的名物典章制度只是在具体的事物和制度上下功夫的话，辨伪则是运用考证的方法来辨别儒家经典的真伪。在山西学术圈中，以辨伪闻名的是阎若璩，清初最令人震惊的辨伪成果就是阎若璩的《尚书古文疏证》。尽管宋明一直有学者〔如宋代的吴棫和朱熹（1130–1200）、明代的梅鷟（？ –1513）等〕怀疑《古文尚书》是一部伪书，直到阎若璩证明了《古文尚书》并非由所谓的“古文”所写成的先秦文献，而是汉代或汉以后的伪作后，才成定案。[2]长久以来，《古文尚书》一直被认为是儒学最重要的经典，现在阎若璩却证实它是一部伪经，这一研究在学术思想界造成的巨大震动可想而知。梁启超（1873–1929）在强调阎若璩研究的重要性时，将它与19世纪达尔文的《物种进化论》（1859）对当时的欧洲社会造成的冲击相提并论。[3]

[1] 关于清初的辨伪活动，见林庆彰：《清初的群经辨伪学》；艾尔曼：《从理学到朴学》，页22。

[2] 虽然阎若璩在1683年才完成《尚书古文疏证》的第一卷，而且全书是在阎若璩去世四十一年后的1745年，由其子阎咏整理出版的，但阎若璩早在二十岁（1655年，即傅山南游访阎氏父子于山阳的前一年）时就已开始怀疑《古文尚书》。在该书正式完稿以前，他的主要观点在当时的学界已经流传。1672年，阎若璩曾在太原就《古文尚书》的真伪问题和顾炎武进行过讨论。顾炎武、朱彝尊本不疑《古文尚书》，后在阎的影响下，对《古文尚书》的态度发生一些转变，足见阎若璩对《古文尚书》的考辨在当时学术界的影响之巨。见《尚书古文疏证》，卷7。

[3] 梁启超：《清代学术概论》，页13–15。

学术思潮对书法的影响

阎若璩的《尚书古文疏证》所造成的震撼也波及儒家经典以外的研究。阎若璩对《古文尚书》的致命一击，很可能在清初就已导致这样一个连锁反应：一些学者怀疑许慎《说文解字》和某些宋代的金石学著作（例如《历代钟鼎彝器款识法帖》）未收录的那些“古文”的可靠性。❹这些文字是否也是汉以后的发明？既然一些儒家经典是伪作，难道这些经典中的古文就不是伪造的吗？

上述学术风气也不可避免地影响到书法。如前所述，傅山在1650年代的书法作品充斥着许多异体字。但是到了1660年代以后，他对书写异体字似乎日趋谨慎。如果说，一个文人在晚明玩异体字或许可以为他挣得一个博学的虚名，那么，在清初的学界却有可能被贴上一个“不识字”的标签。书法家过去可以比较随意地从字典中撷取冷僻的异体字，写入自己的作品，现在却不再那么随意了，选取异体字必须要有古文字学的依据。傅山早期书法作品中的异体字有许多出自宋、元、明的字书，但由于考据学的出现，这些字书的可靠性可能也遭到质疑。因为有些字书中所收字很庞杂，来源不明，且有许多不合六书的地方。因此，要珍惜自己名声的话，一个谨慎的作法便是在书法作品中少用，甚至完全舍弃来路不明的异体字。

傅山晚年书法的刻帖《太原段帖》似乎透露出这一讯息。《太原段帖》是傅山的学生段绛（段叔玉，活动于1674–1685）汇集傅山晚年的一些书迹所刻的一部帖。帖中大部分的作品是傅山于1675年到1683年间所书。根据帖中段绛的自序，该帖始刻于癸亥（1683）春，

❹ 李零：《汉简、古文四声韵出版后记》。李零并没有具体指出清初是否就已存在这一怀疑。由于阎若璩对《古文尚书》的研究在清初就已开始，并且阎在书出版前，已和众多的学者讨论过自己的观点，对古文的怀疑很可能在清初就已在那些接受了阎若璩观点的人们中存在了。

二载告成。傅山去世的时间在1684或1685年，段绰开始刻此帖时，傅山尚健在。《太原段帖》中收有傅山致段绰的两通信札，证明傅山曾与段绰讨论过这部帖的刻拓。[1]傅山当然知道，这很可能是他有生之年所能见到的他的最后一部书作刻帖。有趣的是，整本帖中几乎没有冷僻的异体字，在七十来页的刻帖中也未收入一件篆书作品，所有的书法都是用楷、行、草书写成。傅山很可能意识到其早年篆书作品中存在着文字学方面的问题，故弟子为其刻帖时，十分慎重。

然而，这并不意味着傅山完全舍弃了篆书和异体字。日本澄怀堂美术馆藏有一件傅山书于晚年的十二条屏，即为傅山晚年篆书的一个有趣的例子。这一作品的文本为其自作《游仙诗》。在十二条屏中，有八条是用行书书写的（第一、二、三、四、六、七、八、九屏），一条是行楷（第五屏），最后三条屏是想象力极为丰富的篆书，其中最后一条为草篆，篆法在字体和风格上都极为诡谲（图3.4）。从今天文字学的角度来看，篆书中的一些字很可能存在讹误。如第十一条屏第一行中倒数第三字字形为一圆圈，中有四小圆圈。在这首诗中，此字读为“玉”字。[2]这一字收在金代韩道昭在泰和八年（1208）修纂的《五音类聚四声篇海》（简称为《五音篇海》）中。此书“文字的异体和冷僻字，收载甚多，而舛谬亦伙”。[3]在《五音篇海》中，此字写作“圄”，注明读音为“玉”，但字义未详。杨慎《六书索引》云：“古文玉，像

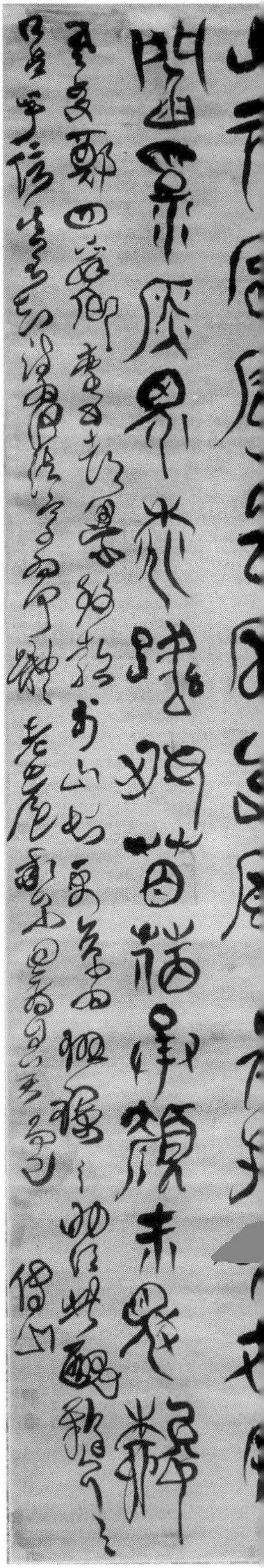

[1] 段绰是刻碑的专家，他于1674年拜入傅山门下。《太原段帖》中收有傅山致段二札：“芳斤运丑字，当重邀武骑之荣，面谢不尽。贱名写来三行，大小唯择过之。末借重芳名，礼也。叔玉文兄。弟山顿首。”“尽此字排之石上，不必辄满，宁横勿顺，在叔玉兄编排。山拜。”有一种可能性，即《太原段帖》所收，都是段绰所藏傅山的书法，作品的覆盖面有限。帖中所引乃傅山求段绰刻其他的作品，并非《太原段帖》。在此指出这种可能性，供读者参考。有关讨论，见林鹏：《丹崖书论》，页12–14。

[2] 傅山这一作品的前十条屏的诗题为《游仙十首》（《傅山全书》，册1，页277–278），最后两条屏为《赠陈十二首》（见同书，页278–279）。《傅山全书》所收诗的文字与十二条屏中的文字略有差异。

[3] 刘叶秋：《中国字典史略》，页216。《五音篇海》万历年间有重刊本，对明末清初人来说还是比较容易见到的。

图3.4 傅山《游仙诗》
约1670年代
（右）第十一条屏
（左）第十二条屏
十二条屏 绫本
每轴252.1 x 48.8厘米
日本澄怀堂

穿孔之形。”[4]但明末朱谋㙔在释此字时云：“《溯原》：鱼欲切，云未详。定为古牧字、畜字，从此声，外像藩墙，内所以分别牛羊也。”[5]傅山将其写成圆形并作“玉”解。古代的玉璧即为有圆孔的玉器。傅山的理解和杨慎的解释相同。

这件作品看来似乎与上述傅山晚年对异体字使用的谨慎心态相抵牾。但傅山在最后一条屏上的题识值得我们注意，若对傅山记录这一作品的书写情境进行一些推测，或许可以得到某种解释。他说：

> 吾友郑四舜卿、李五都梁，致款于山长，更累为斑镧（斓）之助，须此丑鸦介之。口占手信，真不知诗为何法，字为何体。老髦率尔，回看自笑而已。傅山。

“老髦率尔”说明这件作品书于傅山的晚年。但这段题识又告诉我们，此件作品是在友人的请求下所写，或是作为赠与书院或寺庙之礼的应酬作品。以书艺论之，此条屏并非傅山的最精彩之作。[6]山长、郑舜卿、李都梁为谁不详。傅山或许与郑、李二人为故交，或是欠了他们的人情，或是他们付了钱，因此挥毫。但傅山似乎对他们的请求并非那么重视。傅山很明白，人们向他求字常常只是为了他的名声，实际上并不那么在乎艺术品质。在落款时，傅山以“丑鸦”强调那只是率尔涂鸦，似乎提醒观者不必严肃地看待这件作品。

我们还可以从另一个角度来理解傅山

[4] 杨慎：《六书索引》，经 189-418。

[5] 朱谋㙔《古文奇字》，卷 12，页 10a。

[6] 傅山晚年的书法比较老到。笔者以为此件作品的前十一条屏可能出自为傅山代笔的傅眉或傅仁之手。最后一条则为傅山所书。例如第十及第十一屏，其用笔有些圆滑，缺乏运笔时笔锋受阻后产生的力量感。最后一屏应出自傅山本人之手，但某些线条仍显得不稳定，比一般作品更粗糙。由于率意挥运通常被认为是书法家不羁人格的表现，文人艺术理论也认可这样的艺术创作，对当时的人们来说，这可能是值得称赏的艺术实践。

的这一作品。傅山是一位道士，这件作品的文本又是和道教有关的“游仙诗”，这便令人联想起道教中画符的传统（图3.5）。道教画符的“字”，“无法被未受训练的人所理解。它们是秘传的神秘符号，……具有高度的原创性，并且是特别为天、地、人三个领域而创造的。”[1] 虽然篆书并不是画符的一种，但傅山为道士，又擅长书法，应该十分熟悉画符，画符对他怪异的书法应有一定影响。书写古怪难辨的篆隶，容易为宗教场所带来一种神秘的气氛。如果傅山这一作品是为寺庙创作的话，这种字体很容易让人作此联想。无论傅山此处的用意为何，“场合”与“功能”通常是傅山选择字体的重要考量。[2]

图3.5 道教符咒
引自Tseng Yuho, *A History of Chinese Calligraphy*, pp. 80–81。

我们可以见到的傅山最后一件有怪异篆字的作品，是他在1684年夏所书山西阳曲县西村庙梁题记。题记共三十四字，其中用古文书者十二字，用篆文书者一字，用楷体书者五字。住持以下姓名十六字皆用楷体。张颔认为，在这件作品中，傅山书写古文的依据仍为真赝杂出的《汗简》，用字也存在随己意假借、在字形上加以附笔的现象，但傅山有自己一套文字学的思路可寻，似不完全是不加甄别地从字书中挑出冷僻字来书写。[3]

傅山书法作品的复杂性颇能反映其复杂的人格和多元的哲学观，而哲学思想的多元性也使傅山与山西学术圈中的正统儒家学者顾炎武、阎若璩、朱彝尊等人颇为不同。顾炎武曾声称“生平不读佛书”。[4] 反观傅山，他虽自幼受儒家学说熏陶，直称孔子为“吾师”，[5] 但他却是一个戴黄冠、着朱衣的道士，同时又声称自幼遵循释家戒律。[6] 可以说，傅山的思想是晚明三教合一的具体体现。[7]

傅山思想上的多元性还有助于说明，尽管傅山在研究音韵学、金石学和考据学方面和山西学术圈的其他成员有相同的学术旨趣，但他的学术取向还是和其友人有很大的不同。顾炎武、阎若璩、朱彝尊等的学术成就主要在儒家经典和史学的研究上。而作为道士的傅山却花了不少精力研究先秦诸子乃至汉初的各种学派，包括《老子》、《庄子》、《淮南子》等。他的著作也广涉道教与佛教。杨向奎曾这样评价傅山在清初学术界的地位：

傅青主挺然而出，于学无所不能，出入老庄而杂以禅释，非荀、墨，斥程、朱而说气在理先，固未可以儒家樊篱者。[8]

当正统的儒家学者认为经学研究比子学研究更重要时，傅山则认为两者应当平等视之。傅山更提出孔孟之道原来也只是被称为“孔子”与“孟子”，他们也仅是诸子百家中的二子：

经子之争亦末矣。只因儒者知六经之名，遂以为子不如经之尊，习见之敝可见。……孔子、孟子不称为孔经、孟经，而必曰孔子、孟子者，可见有子而后有作经者。[9]

傅山对哲学广泛的兴趣，使之成为清初学术史上最独特的一位学者。[10] 傅山对经史的专精虽不及顾、朱、阎等，却更注重抽象的哲学思辨。当考据学在清初逐渐成为学术主流时，傅山率先对于这种研究方法在探求知识方面的完整性提出质疑。他有这样一段发人深省的议论：

读书难字过是老人真实话。不求甚解，亦是旷人通识，亦是懒散人自然处。顷见人士以读书博学自雄者，见其所与致辨为胜，率皆人所易晓、不劳细绎可知者，辄笔之以自鸣。至于精义奥物，寘而不论。岂得难字过不求解与宗耶？[11]

傅山的这段议论写于1667年末或1668年初（丁未冬），正当山西学术圈的主要人物如顾炎武、阎若璩、朱彝尊等身体力行地提倡考据学之际。考据学从基本的历史文献出发，排比归纳，因此，所得结论“皆人所易晓”。而“细绎”其“精义奥物”，作哲学层面上的阐释，则需有另一番格物致知的思辨本领。傅山的这一议论，很可能是针对当时已经显露出来的重考证、轻思辨的倾向所发。以后，清代学术沿着考据学的方向发展，抽象思辨为之衰落，此竟不幸为傅山言中。

以上讨论已指出，晚年的傅山对考证和训诂颇为关注。但他主要是通过批注的方式来发挥自己的观点。从这个意义上来说，和上

[1] 见 Tseng, *A History of Chinese Calligraphy*, p.80。关于道教与中国书法的讨论，见陈寅恪：《天师道与滨海地域之关系》，祁小春：《王羲之论考》，Ledderose, “Some Taoist Elements in the Calligraphy of the Six Dynasties”。关于道教画符的讨论见 Little et al., *Taoism and the Arts of China*, pp. 200–207。

[2] 关于为各种社交场合创作书法以及这些社交场合对书法创作的影响和制约，见白谦慎：《从傅山和戴廷栻的交往论及中国书法中的应酬和修辞问题》及《傅山的交往和应酬》。在1680年，傅山曾抄录《孝经》赠予已致仕的康熙朝刑部左侍郎高珩。1684年时，也曾赠魏象枢（1617–1687）自己珍藏多年的旧作《曾子问》。这两件作品都是小楷册页，其精谨的程度颇与受赠者的身份相称。

[3] 张颔：《山西阳曲县西村庙梁傅山古文题记考释》。庙梁题记，和宗教有关。书写古怪难辨的篆隶，容易给宗教的场所带来一种神秘的气氛。作为道士的傅山在书写和宗教有关的文字时，相对地放纵，人们似不以一般常情究之。

[4] 顾炎武：《顾亭林诗文集》，页242。

[5]《傅山全书》，册1，页413。

[6] 傅山曾说：“道人虽戴黄冠，实自少严秉僧律。”见香港叶承耀医师收藏的手卷《丹崖墨翰》中致魏一鳌第一札。

[7] 这种思想上的多元性还可在本书第一章所引傅山的《如何先生传》一文中见到。

[8] 杨向奎：《清儒学案新编》，页81。

[9]《傅山全书》，册1，页631。

[10] 研究中国思想史的学者们，已注意到傅山是他那个时代中思想极为宽博的十分特殊的代表。见侯外庐：《中国思想通史》，册5，页266–288。

[11] 见傅山赠其友人古古之杂书册，载《书法丛刊》，1997年，第1期，页52。

述几位学者相比，傅山的思想和写作方式更能体现出晚明文化的遗风。他对晚明自由思想空气的依恋，与他书法中狂放的一面相吻合。正因为如此，顾炎武曾这样评论傅山："萧然物外，自得天机。"[1]

若能理解傅山具有矛盾性的反叛人格，我们就不难明白为什么傅山在晚年会在某类作品中避免或减少使用冷僻的异体字，但却又在其他场合重操旧好。艺术创作毕竟和学术研究有别，在艺术领域中，想象的余地可以大些。同时我们也可看到，晚明的遗风在清初并未完全消失。晚明对古文奇字的热忱在清初的衰退，有一个逐渐降温的过程。[2]

终其一生，傅山从未停止过书写异体字。以目前所见傅山作品而言，使用异体字最多也最怪的篆、隶、行草作品，多书于1650年代。例如书于1652年左右的《啬庐妙翰》杂书卷，1655年的篆书《妙法莲华经》。这难道仅仅是一个巧合吗？时至今日，还有一些傅山的作品散在世界各地的私人收藏家手中而不为人知。上述假设有待于今后的新发现来进一步验证。

不过，我们可以肯定的是，傅山在晚年已经清醒地意识到古体字中存在的问题。最有力的证据是他本人在一首诗中的自白：

> 篆籀龙蝠费守灵，三元八会妙先形。一庵失卓无人境，老至才知不识丁。[3]

篆、籀、龙、蝠指的都是古代篆书系统的字体。这首诗表明，傅山在晚年下了不少功夫研究古篆。"老至才知不识丁"一句虽有夸张的成分，但它至少说明，随着学术研究的深入，傅山此时已明确意识到古代篆书系统的文字是极为复杂的，他也越来越感到自己在这方面的研究和知识极为有限。从一个更为宽阔的视角来看，傅山对古体字的态度发生了转变：由对"奇"的热情追寻到对"古"的细致研究，这也反映出当时文化风气变迁的总趋势。[4]

[1] 顾炎武：《广师》，《顾亭林诗文集》，页134。

[2] 关于明末清初书写异体字风气更为详细的讨论，见白谦慎：《新新无已，愈出愈奇——十七世纪书法家书写异体字风气的研究》。

[3]《傅山全书》，册1，页266。对这首诗的注释，见侯文正：《傅山诗文选注》，页26。

[4] 石守谦：《由奇趣到复古》一文亦曾指出了清初绘画中一个相似的变化。

清初的访碑活动

在清初特定的政治文化环境中，金石学的研究不仅仅是学术活动。对古器物，尤其是古代碑刻的研究还触及了清初学者的情感世界，因为古代碑刻及其所在地储存着丰富的历史记忆。

在一个冷寂孤独的夜晚，傅山做了一个奇异的梦，一块古碑进入了他的梦境。傅山在梦后用五言古诗体写下了一首《碑梦》，这首诗使我们得以了解清初学者在研究古代碑刻时的情感活动。全诗如下：

> 古碑到孤梦，断文不可读。戎字皦独大，梦回尚停睩。
>
> 《醳名》臆葶草，是为葵之蜀。炎汉在蚕丛，汉臣心焉属？
>
> 奉此向日丹，云翳安能覆？公门虽云智，须请武侯卜。[5]

这是一个梦，一个深怀亡国之恨的人所做的梦，或者更准确地说，它是一首记述梦见逝去朝代的诗。深怀亡国之恨的人似乎喜欢做梦，并用诗词记下梦境以抒发对往昔生活的追恋和悔恨。多才多艺的南唐后主李煜（937–978）被俘至汴京软禁为囚后，多次在词中写下自己的梦，抒发对江南故国的思念：

> 多少恨，昨夜梦魂中。
>
> 还似旧时游上苑，车如流水马如龙，花月正春风。[6]

梦中的君王游历了他的旧宫，那个欢愉的所在如今仅存记忆之中。在梦中，亡国之恨被短暂地忘却：

> 梦里不知身是客，一晌贪欢。[7]

然而，美梦瞬间即逝，现实却漫长而凄凉：

> 故国梦重归，觉来双泪垂。[8]

[5]《傅山全书》，册 1，页 51。《醳名》即《释名》，书名，汉代刘熙撰。蚕丛为蜀地的别称。武侯即诸葛亮。傅山该诗并无纪年，但从其中表达的情感和政治隐喻来看，可定在 1644 年鼎革之后。由于诗中提到三国时期的蜀汉，下限可能是在 1662 年南明政权灭亡之前。

[6] 李煜：《望江南》，收录于俞平伯：《唐宋词选释》，页 59。

[7] 李煜：《浪淘沙》，同上注书，页 61。

[8] 李煜：《菩萨蛮》，同上注书，页 60。

又是那已逝的故国—— 那梦中才能重游的家园！

当北宋皇帝宋徽宗（赵佶，1082–1135）被金人掳为阶下囚时，也在梦中作了故国之游：

> 天遥地远，万水千山，知他故宫何处？
>
> 怎不思量，除梦里有时曾去。[1]

在读了这些词后，我们不难理解为什么思念故国的梦会成为傅山这位明遗民的诗章。

梦境存在睡眠中，而诗的写作却在诗人清醒的时候。就算一首诗是梦境的忠实记录，它也是有意识的表现。傅山的《碑梦》充满隐喻和象征，需要仔细解读。诗中，一块古碑进入夜梦，饱经岁月风霜的侵袭，古碑残断，文字泐灭不可卒读。但在漫漶的碑文中，有一个字却如此醒目，以至傅山在回转流动的梦中依然驻目凝视。这是“莪”字，《释名》释为戎葵，即蜀葵；由于蜀葵总是向着太阳，而阳光又代表着君王的恩泽，向阳的蜀葵成为忠心的象征。[2]但傅山在《碑梦》中使用蜀葵的用意更为复杂。由蜀葵联想到蜀地（诗中的“蚕丛”为蜀地的古称），由蜀地又想到三国时承继汉室正朔的蜀汉。而蜀汉的存在，维系着效忠汉室的那些臣子们的希望。

所以，傅山《碑梦》中的“蜀葵”所象征的忠诚并不是一般的臣之于君的忠诚，而是专指对蜀汉的忠诚。汉代是中国历史上最强大的王朝之一，承两本伟大的历史著作——《史记》和《汉书》之赐，其强盛与辉煌已经深植于后世文人的集体记忆中。在傅山的诗中，有两个字点出了历史背景。“蜀葵”的“蜀”指涉“蜀汉”，“炎汉”则同时指涉“汉代”和汉人统治的朝代。在傅山的时代，使用“汉”这个字意味深长。当时，满洲人称为满人，汉族人称为汉人，“满—汉”对称，代表“满人与汉人”，是常用的字眼。如今，傅山生活的山西，正在满人的铁蹄之下，“只有在梦中，我傅山才依然是一个汉臣呵！”因此，傅山在诗中借着炎汉子孙永远忠于汉室的表述来暗示自己将永远忠于明朝。

我们在此讨论《碑梦》，主要不是为了说明傅山对明朝是多么忠诚。傅山完全可以用各种不同的梦境来表达他对于明朝矢志不移的

[1] 赵佶：《燕山亭·北行见杏花》，收录于胡云翼编：《宋词选》，页125–126。

[2] 在艺术中把蜀葵作为忠诚的象征，尚可在早于傅山的明代中期吴门画家沈周（1427–1509）的一件扇面中见到。见Barnhart et al., *The Jade Studio*, pp.78–79。

忠诚和反清复明的热烈期望。如果傅山要表达一个汉臣的忠心，“蜀葵”这一意象已足矣，他为什么要做一个和碑有关的梦呢？碑在清初的政治文化语境中，是否具有特殊的象征意义呢？我们所要探讨的正是亡国之痛和古碑之间的关系。

虽说古代碑碣的形制、铭文、所在地点、立碑原因各有不同，但是所有碑碣都有一个共通点：它们都是用来铭功记事，具有纪念功能。[3]由于石材具有历久不灭的性质，一些古代碑碣历经战乱、天灾与朝代兴替而幸存，成为历史的见证。古代碑碣不仅仅是历史学的重要文献来源，其本身也是悠久的中国历史和文化的象征。

研究中国诗歌的学者早已注意到，在中国古代的诗歌中，忠于前朝的遗民经常被描绘成“徘徊在颓圮的京垣不忍遽去，一方面又吁请读者体恤他‘内心’的悲怆。中国上古诗歌总集《诗经》之中，便有如此忠国的一位周吏。他踽踽走访旧京的断垣残壁，覆盖其上的已是黍稷一片：

彼黍离离，彼稷之苗；
行迈靡靡，中心摇摇！
知我者，谓我心忧。
不知我者，谓我何求？
悠悠苍天，此人何哉！[4]

这就是遗民的“黍离之悲”。

顾炎武是清初这类遗民的典型。在1650与1660年代，他曾十多次拜谒南京与北京的明代皇陵，尤其是南京的孝陵（明太祖与马皇后的陵寝）和北京的长陵（明成祖的陵墓）。1660年，当他第七次造访孝陵时，写下了《重谒孝陵》一诗：

旧识中官及老僧，相看多怪往来曾。
问君何事三千里？春谒长陵秋孝陵。[5]

在孝陵，顾炎武再次见到了永乐皇帝在1413年竖立的一块丰碑。这一丰碑坐落在大门内北向道路中央的碑亭里，而早在1653年，顾炎武在拜谒孝陵时所作的《孝陵图》一诗中，就曾提及：“其外有穹碑，巍然当御路。”[6]

[3] 关于古代碑刻与其他石刻的讨论，见马衡：《凡将斋金石丛稿》，页65-101。

[4] Kang-i Sun Chang, *The Late-Ming Poet Ch'en Tzu-lung*, pp.102-104. 中译引自孙康宜著、李奭学译：《陈子龙柳如是诗词情缘》，页252-253。引文中的诗乃《诗经·王风》中《黍离》篇。有关讨论又见Owen, *Remembrance*, p.21。

[5] 顾炎武：《顾亭林诗文集》，页348。

[6] 同上注书，页306。

顾炎武并非山西学术圈中唯一拜谒明代皇陵者，屈大均与李因笃等也有相同的经历。1669年清明节，为了哀悼亡明，李因笃和顾炎武一起前往北京昌平拜谒明陵。为纪念这次活动，顾炎武撰写了《谒攒宫文三》，文曰：

臣炎武，臣因笃，江左竖儒，关中下士。相逢燕市，悲一剑之犹存；旅拜桥山，痛遗弓之不见。时当春暮，敬撷村蔬，聊摅草莽之心，式荐园陵之事。告四方之水旱，及此弥年；乘千载之风云，未知何日？付惟昭格，俯鉴丹诚！[1]

然而这并不是李因笃第一次拜谒明陵。在这之前，李因笃于1665年、1667年、1668年三次在昌平谒十三陵，并作军都诗十三首咏十三陵。傅山深为友人的行为所感动，他向李因笃许诺，要用楷书庄重地抄录李诗，并配以十三景，寄托明遗民的故国之思。[2]

虽然对心怀故国的人来说，祭拜于皇陵之前，徘徊于故都残垣之上，是悼念旧朝最具象征意义的仪式，但是，对任何历史遗迹的凭吊都可能唤起类似深沉的情感。我们在傅山、顾炎武、朱彝尊、李因笃、屈大均等人的著作中可以找到许多这样的凭吊古迹的诗文。在著名的历史遗址上吊古时，他们经常见到的就是碑碣，正如顾炎武在孝陵所见穹碑那样。对于深抱怀旧情思的遗民们来说，碑碣象征着永远逝去的旧日辉煌。

早在南宋，词人张炎（1248–1320）就曾用残碑来隐喻故国的悲凉。1275年，蒙古人攻占南宋的京城杭州。1278年，张炎过西湖庆乐园，当时，宋朝的全面覆亡已不可避免。他在荒烟漫草中发现了一座石碑，于是作《高阳台》词来抒发故园沦丧的哀痛，其中几句是：

故国已是愁如许，抚残碑，却又伤今。[3]

词中那个“抚”字值得注意。抚残碑以伤今，词人在过去与现在之间建立起一个联结点：逝者已往，现实却仍在哀鸣。那些惶惶游荡在古迹残垣间的人们，似乎都尝试着在历史中找寻自己的位置。不论是否接受王朝衰败的现实，古迹都成为他们沉思前人如何回应改朝换代悲剧的地点。

山西学术圈成员留下的诗作，足以显示张炎的“抚残碑”在清初

[1] 顾炎武：《顾亭林诗文集》，页120。

[2] 李因笃：《复许学宪》(《受祺堂文集》，卷3，页13a)一札云：“拙集内篇颇多散叶。军都诗其在太原征君家者，尝许作楷书又绘十三图。”然而李因笃所作诗和傅山所作书画似皆未能传世。

[3] 张炎：《山中白云词》，页55。

明遗民中引起的共鸣。屈大均所作《耒阳观诸葛武侯碑》有如下诗句：

终古英雄客，看碑泪泫然！[4]

在碑前潸然落泪的情境，可以追溯到3世纪中期为羊祜（221–278）所立的“堕泪碑”。羊祜曾都督荆州，镇守襄阳，其辖区包括岘山一带，备受当地百姓爱戴。根据《晋书》记载：

（羊祜死后）襄阳百姓于岘山祜平生游憩之所建碑立庙，岁时飨祭焉。望其碑者莫不流涕，杜预因名为堕泪碑。[5]

此后，堕泪碑成为著名的纪念碑，时常出现在后人的怀古诗中。唐代诗人孟浩然（689–约740）亦曾写下《与诸子登岘山》诗：

人事有代谢，往来成古今。江山留胜迹，我辈复登临。
水落鱼梁浅，天寒梦泽深。羊公碑尚在，读罢泪沾襟。[6]

在讨论读碑和古今的关系时，石慢（Peter Sturman）指出：“读碑是一种吊古的行为，是对过去历史、伟人的沉思，读碑者以此来反思自己在历史上的角色。这种模式反复地在岘山重现，当人们经过襄阳时，总会访读堕泪碑。”[7]屈大均在诸葛武侯碑前潸然落泪，也落入这一怀古的模式中。

在顾炎武的诗中，读碑与凭吊朝代兴废之间的联系尤其明显。1674年，顾炎武在傅山的学生胡庭（活动于1640年代至1670年代）的陪同下，前往山西汾阳寻访北齐碑。顾炎武有《与胡处士庭访北齐碑》一诗记其事：

春霾乱青山，卉木苞未吐。绕郭号荒鸡，中田散野鼠。
策杖向郊垧，幽人在岩户。未达隐者心，聊进苍生语。
一自永嘉来，神州久无主。十姓迭兴亡，高光竟何许？
栖栖世事迫，草草朋侪聚。相与读残碑，含愁吊今古。[8]

访读残碑在这里成为一个“含愁吊今古”的仪式。

至此，我们已不难理解为什么傅山会做一个和古碑有关的梦。傅山的诗作涵括了以上讨论过的种种意象：一块古碑进入了亡国者的梦；它是一块残碑，漫漶的碑文隐喻着残破的家国与孤臣孽子破碎的心；这样的残碑勾起了诗人的吊古情思；在吊古的沉思中，诗人反观自己在历史上的角色。

[4] 屈大均：《翁山诗外》，卷8，页15b。

[5] 房玄龄等：《晋书》，册4，页1020、1022。

[6] 孟浩然著、李景白校注：《孟浩然诗校注》，页24。有关讨论见 Owen, *Remembrance*, p. 24。

[7] Sturman, “The Donkey Rider as Icon,” pp. 86–87.

[8] 顾炎武：《顾亭林诗文集》，页234。

孙康宜（Kang-i Sun Chang）在讨论朝代覆亡对遗民的意义时指出："对中国人而言，朝代的覆亡是人间悲剧惨烈的象征。特别是对那些拒绝承认旧秩序崩解的仁人志士来说，朝代的更替更是历史悲剧，在这场悲剧中他们将面对以身殉国或苟延残喘的难题。"[1]对于那些心怀故国的人，朝代的覆亡无疑是一场大灾难，而凭吊废墟、访造古迹、抚读残碑也就提供了一个心灵上的依归。至少这种凭吊古迹作为一种超越时空限制的与历史的对话，可以为因朝代更替而受创的心灵寻求一个慰藉的场所。

如果说徘徊于历史遗迹上的吊古使得清初的文人有更多的机会"抚残碑"的话，金石学的复兴也促进了清初的访碑活动。清初学者访碑的主要地点在北方，因为从先秦至隋唐，政治文化中心多在北方，那里留存着许多早期的碑刻。阎若璩曾说："枣梨文字，南方为胜；金石文字，北方为多。"[2]这也就是说，商周吉金文字、早期的石刻文字多在北方出土，而寿之枣梨的书籍（包括刻帖），南方颇多精品。我们从学者的著录和笔记中可以发现，清初学者最常造访的大都是汉唐之间的石刻。而在北方诸省中，山东境内存有大量汉代和六朝的石刻；河南洛阳一带富于北朝石刻，而陕西西安附近则保留了大量的唐碑。[3]古代碑刻集中的地点，如泰山、孔子的故里曲阜、任城（今在山东济宁），自然成为访碑者的必到之地。[4]

山西学术圈中大部分的成员都有访碑活动，尤其是顾炎武，更将访碑作为旅途中必要的行程。1660年代中期，顾炎武游陕西，正在山西任官的曹溶作了两首诗怀念出游的友人，其中之一如下：

怀贤宣室下，歇马灞陵东。一洒兴亡泪，谁云道路穷。
冰霜曾梦草，秦汉几飞鸿。归日论碑碣，英华满橐中。[5]

曹溶深知顾炎武在旅途中必会访碑拓碑，他期待着友人满载而归，一起观赏研究新得的碑拓。由于曹溶本身亦有蓄碑之好，顾炎武在山东访碑时，曾寄赠曹溶所拓汉唐碑刻拓本。曹溶作《得宁人书，寄汉唐碑刻至》纪其事，诗中有"稽古见斯人，旷野独挥涕"，"知我嗜琳琅，穷搜到遥裔"这样的诗句。[6]

傅山也曾到他省访碑。在一通写给戴廷栻的信札中，傅山写道：

[1] Kang-i Sun Chang, *The Late-Ming Poet Ch'en Tzu-lung*, p.3. 中译参考了李奭学的译文。见孙康宜著、李奭学译：《陈子龙柳如是诗词情缘》，页45。

[2] 阎若璩：《移寓杂兴赠陈子寿先生五十首》，《潜邱劄记》，卷6，页15b。

[3] 翁闿运：《论山东汉碑》，页12。

[4] 关于该地汉碑的保存与分布，见宫衍兴：《济宁全汉碑》。

[5] 曹溶：《怀顾宁人游秦二首》，《静惕堂诗集》，卷20，页6a。

[6] 曹溶：《静惕堂诗集》，卷7，页6b-7a。

且弟欲理前约，为嵩少之游，称此老病未死，略结此案。求见一脚力度我，临时并欲劳一得力使者帮之也。……盘费欲以一二字画卖而凑之，不知贵县能有此迂人否？[7]

嵩少乃嵩山之别名，嵩山西为少室山，故称嵩少。嵩山是五岳中的中岳，千百年来，吸引了无数的朝圣者。[8]嵩山保存了古代石刻，包括著名的《嵩山泰室石阙铭》与《嵩山开母庙石阙铭》。[9]观览这座名山上的石刻文字必然是傅山此行的重要目的之一。

1671年，傅山携孙子傅莲苏造访泰山和孔子的故里曲阜。傅山必定盼望此行已久。1666年曹溶在山西任官时便曾赋诗《送傅青主恭谒孔林》。[10]孔林在曲阜，为孔子家族的陵园，距泰山很近。但没有文献证明傅山是否曾在1666年前往孔林；如果那年恭谒孔林成行，傅山必定也曾登泰山。1671年登泰山，谒孔府、孔林后，傅山写了《莲苏从登岱岳，谒圣林归，信手写此教之》一诗记述这次难忘的旅行。诗的前半段讲的是泰山：

我十五岁时，家塾严书程。眼界局小院，焉得出门庭。
今尔十五岁，独此重小丁。老病岱宗览，许尔随之乘。
先师小天下，亦于此焉登。登此不自振，虚俯齐鲁青。
嵯峨藏礨砢，疏松媪霄冥。聊堪栖海鹤，小鸟伤短翎。
培塿茂小草，但足藏苍蝇。人松不人草，后凋已自征。
况松乎泰岱，结根万仞嶒。奴人难攀援，神山阴峥嵘。
小书不屑读，小文焉足营！凌云顾八荒，浩气琅天声。[11]

从这些诗句中，我们可以感受到傅山和傅莲苏攀登泰山时的激动心情。早在东周时代，泰山就被视为中国最神圣的一座山。公元前110年，汉武帝在泰山首次举行封禅大典，感谢上天授命于他。以后的帝王也曾在泰山举行类似的祭典。[12]随着时间的推移，无数铭文被刻在山石上流传下来，泰山有如巨大的丰碑矗立在天地之间。[13]巫鸿指出："我们很难能找到比泰山更值得追忆的地点。相对于个人的或特定的事件，泰山纪念着无数的历史人物和事件，传递着不同时代的声息。"[14]阅读司马迁的《史记》，吟诵杜甫的《望岳》，泰山的传奇在中国文人的心目中始终栩栩如生。

[7]《傅山全书》，册1，页477。傅山此札并未纪年，但在另一通给戴廷栻的内容十分相似的信札中（前引书，页480），傅山也提到了他前往嵩山的计划。傅山提到他的孙子傅莲苏将与他一同前往，需搀扶才能上马。故将此札的写作时间订为1670年代初。不过，我们并不清楚傅山最终是否成行，因为他在同一信中还提到山东的李吉老邀他前往山东。但可以肯定的是，傅山梦想前往嵩山朝圣久矣。

[8] 关于五岳的缘起和嵩山在历史上的重要性的详细讨论，见Wu Hung（巫鸿），"The Competing Yue"。

[9] 顾炎武：《金石文字记》（卷1，页8–11）抄录了这些铭文。

[10] 曹溶：《静惕堂诗集》，卷28，页1b。

[11]《傅山全书》，册1，页49。

[12] Wu Hung，"The Competing Yue".

[13] 对于泰山摩崖的讨论，尤其是唐玄宗的《纪泰山铭》，见Harrist，"Records of the Eulogy on Mt. Tai"。

[14] 同注[12]。

诗的后半段描述傅氏祖孙二人在曲阜访碑的历程。泰山和曲阜一直是保存许多古代碑刻（尤其是汉碑）的地方。在离曲阜不远的孟子故乡邹县，有不少北朝摩崖石刻，尤以铁山、尖山、葛山、冈山的北朝刻经著名。在曲阜西南的济宁，当地的孔庙也有许多著名的汉碑，顾炎武和朱彝尊等都曾来此访碑。傅山祖孙二人在泰安的岱庙和曲阜的孔庙并不只是观赏那里的汉碑，很可能还制作拓本。[1]在曲阜，傅山祖孙见到了西汉五凤二年（公元前 56 年）所立的《五凤二年刻石》（图 3.6）。傅山的诗继续写道：

桧北雄一碣，独罹地震掏。有字驳难识，抚心领师灵。

尔爱五凤字，戈法奇一成。当其摸拟时，髣髴游西京。[2]

《五凤二年刻石》因年代久远而剥蚀残损严重，但正是这种残碑上漫

[1] 从傅山的著作，尤其是他的《孔宙碑》跋语中，我们知道傅山收藏并临摹过《孔宙碑》。（见《傅山全书》，册 1，页 411、862）不详其所藏《孔宙碑》拓本是否是亲自手拓而得。

[2] 傅山：《莲苏从登岱岳、谒圣林、归、信手写此教之》，《傅山全书》，册 1，页 49。《五凤二年刻石》最后一字为“成”。

图3.6《五凤刻石》 公元前56 拓本 册页 纸本 尺寸不详 北京故宫 引自启功主编 《中国美术全集》书法篆刻编1 页64 图版45

漶的金石趣味，吸引着傅山和清初的书法家。临摹古代碑拓，也像抚碑一样，勾起了书法家的怀古情感。由于《五凤二年刻石》是西汉的石刻，“当其摸拟时，髣髴游西京”，傅氏祖孙在临摹这一石刻时，想象自己在游览汉代的都城长安。又是汉代，一个汉人的辉煌时代。

访碑和收集金石铭文拓本，并非始自清代文人。根据北宋学者赵彦卫（活动于1195年左右）的记载，北宋初的著名古文字学家徐铉（916–991）曾访《徐詸碑》。[3]北宋时期，收藏和著录碑拓在文人中形成风尚，[4]当时的金石学著作也零星记载了学者的访碑活动。例如，欧阳修在他的《集古录》中提及，他在景佑年间（1034–1037）赴乾德县令任时，途中曾访东汉《玄儒娄碑》。[5]北宋金石学家赵明诚在他的《金石录》中，也记载了他寻访古碑的旅程。[6]然而，学者们主要通过文物市场获得拓片。[7]访碑的规模也不及清初那些在野学者。

宋代金石学学者用金石文字考证经史，为以后的金石学建立了典范。正如韩文彬（Robert Harrist）所指出：“在北宋，对古代器物及铭文的研究是学术生活中的一个重要部分。”[8]不过，比之宋代，清初金石学的研究和学术思想界的关系更加密切，产生的影响也更为重大。

在宋代，与收藏拓本的热忱相呼应的是文人读碑图的出现；其中有些读碑图被认为隋唐时期的作品。大阪市立美术馆所藏《读碑窠石图》（图3.7），是现存年代最早的这类作品。虽然这件作品向来都被归在李成（919–967）名下，但很可能是元人仿李成画风的作品。在早期的绘画著录中，记载着比大阪《读碑窠石图》年代更早的同类作品。北宋的《宣和画谱》记载着四件归于隋代郑法士名下的《读碑图》，[9]两件归在唐代韦偃（活动于7至8世纪）名下的《读碑图》，[10]以及两件李成名下的《窠石读碑图》。[11]不论这些画作是否真由那些画家所绘，《宣和画谱》著录这些画起码说明这一画题的普遍性。至少在北宋末年，文人读碑图已成为由诗歌首先建立起的文人怀古传统的一部分。

金石学在元、明两代衰落。明代尚有一些学者，如都穆（1459–1525）、杨慎（1488–1559）、郭宗昌、赵崡（活动于1573–1620）等，继续从事金石学的研究，并有访碑活动。譬如，住在陕西的赵崡，经常寻访“周畿汉甸”的汉唐碑刻。康万民（1634年进士）在为赵

[3] 赵彦卫：《云麓漫钞》，卷9，页11–12。

[4] 关于金石学在北宋时期的兴盛，见夏超雄：《宋代金石学的主要贡献及其兴起的原因》，页66–76。

[5] 欧阳修：《欧阳修全集》，册2，页1126。

[6] 赵明诚著、金文明校证：《金石录校证》，页333、441、461。

[7] 全汉升：《北宋汴梁的输出贸易》。这并不是说清初就没有经营碑拓的文物市场。

[8] Harrist, “The Artist as Antiquarian,” p.237.

[9] 《宣和画谱》，页76。

[10] 同上注书，页102。

[11] 同上注书，页92。

图3.7 （传）李成《读碑窠石图》 轴 绫本水墨设色 126.3×104.9厘米日本大阪市立美术馆阿部氏藏品

崡所著《石墨镌华》作的序中这样描述赵崡的访碑活动：

（赵崡）深心嗜古，博求远购，时跨一蹇，挂偏提，注浓酝，童子负锦囊、拓工携楮墨从，周畿汉甸，足迹追遍。每得一碑，亲为拭洗，椎拓精致，内之行簏。遇胜景韵士，辄出所携酒，把臂欣赏。得佳句即投囊中。❶

赵崡对金石学的态度反映出许多晚明文人的消闲心态。收藏与鉴赏通常在舒适的书斋和园林中进行，明代文人以“玩古”为题的画作，描绘的都是宁静雅致的环境（图3.8）。如果这些画作是可靠的视觉记录，那么明代的许多文化活动，包括赏玩金石拓片，正是在这种优雅而闲散的氛围中进行的。明代文人也喜欢谈论“古”，但在他们的心目中，

❶ 赵崡：《石墨镌华》，页18583。

图3.8　尤求《松荫博古图》
轴　纸本　水墨
108.6×33.6厘米
台北故宫

“古”和“雅”总是密切相关，具有精致和把玩的特质，反映出文人们闲雅的生活情趣。[1]对于那些高雅的文人而言，研究和玩赏古代的铭文并不涉及恶劣的物质环境中的种种艰辛。

然而，在清初从事访碑活动的主要是明遗民，[2]他们并没有宋代或明代文人在官职、经济方面的优越条件。正如顾炎武的自述：“以布衣之贱，出无仆马，往往怀毫舐墨，踯躅于山林猿鸟之间。”[3]他

图3.9 张风《读碑图》 1659 扇面裱成册页 纸本 水墨设色
16.6×50.1厘米 苏州市博物馆
引自《中国古代书画图目》册6 页64 苏1-213

们有时会提到访碑时遇到的艰苦、危险、孤寂。例如顾炎武就曾“登危峰，探窈壑，扪落石，履荒榛，伐颓垣，畚朽壤”，这样艰难地搜访古代金石文字。有时候，这种活动如同探险，会有惊人的意外发现。朱彝尊曾经记载一则傅山的逸事：

> 予友太原傅山，行平定山中，误坠崖谷，见洞口石经林列，与风峪等皆北齐天保间（550–559）字。[4]

清初南京画家张风（卒于1662年）1659年所绘《读碑图》扇面，就抓住了这种时常弥漫在访碑过程中的孤寂气氛（图3.9）。如同顾炎武，明亡后张风曾北游，在天寿山拜谒明皇陵。[5]可以想见，他也曾在

[1] 对于晚明文人的生活环境，见James C. Y. Watt与李铸晋先生分别在*The Chinese Scholar's Studio*中的文章，页1-13、37-51。

[2] 访碑是一种游历。晚明便有旅行的风气。在清初，明遗民拒绝参加科举考试，也有时间旅行访碑。值得注意的是，在金石学、考证学开始形成风气之际，清初的历史地理学研究也很有成就。

[3] 顾炎武：《金石文字记序》，《顾亭林诗文集》，页29。

[4] 朱彝尊：《风峪石刻佛经记》，《曝书亭集》，卷67，页6a。同篇文字中，朱彝尊还描述了1666年春他自己在太原县西五里处的风峪山，在当地土人手持火把的协助下，查看一洞穴内的古代佛经。

[5] 周亮工：《读画录》，卷3，收录于卢辅圣等编：《中国书画全书》，册7，页955。

皇陵徘徊。张风很清楚古代碑刻对明遗民的意义，他也深知一些仕清汉官依然心怀旧朝。在张风的画中，一位官员装束的人双手背扣，仔细地阅读碑文，旁有一随从牵着坐骑的缰绳。我们并不清楚画中的人物是谁，可能是像曹溶那样喜爱访碑的官员。张风在画上题道："寒烟衰草，古木遥岑，丰碑特立，四无行迹，观此使人有古今之感。"张风的题跋唤起一种孤寂之感，令人作古今之叹。明代玩古图中的闲雅心境已不复见。

由书斋和庭园中赏玩碑刻拓本，到在荒野中直接访读古碑，清初的书法家身处古代碑刻真实的物质环境中，更加关注那种残破朴拙的意趣。现在的问题是，看谁能够用简洁有力的理论语言来概括这一新兴的艺术品味。

碑学思想的萌芽

当追本溯源、回归原典成为清初主流学术活动的基本认知模式，研究历史、寻访古迹不仅是学术的探索，还是怀旧的精神需求，清初书法嬗变的大环境已告成熟。学术上的追本溯源、金石学的复兴、访碑活动的活跃，都促进了审美品味的变化。巴克森达尔（Michael Baxandall）指出，人们的审美品味（taste）在很大的程度上和他们在日常生活中所珍视和运用的判断能力有关。[1]在传统中国，书法本是文化精英们最为珍视和喜爱的艺术，[2]它亦因此与学术思想有十分密切的关系。当朴实的学风在学术思想领域中受到崇尚后，先秦和秦汉的古朴书风亦开始为清初的一些书家所激赏。学术思想界的领袖人物为考证经史而提倡金石学，他们的好尚无疑促进了书家们对古代金石书法的重视。热衷古代篆隶的书法家们和金石学的领袖人物有相当直接的交往。[3]在金石文字受到尊崇的大文化环境中，频繁地接触金石文字，使清初的书家对金石文字有了更为敏锐的鉴别力。意识到书法品味正在发生重要变化的书法家们，面临着两个问题：追本溯源要溯什么源？如何对这种追本溯源进行理论上的概括？

山西学术圈的许多成员都是清初学界的领袖人物，其中，傅山在书法艺术方面最具影响力。他不仅具有这方面的天分，而且以书法维持生计。他对书法的投入和成就使他成为清初新的书法品味最雄辩的代言人。傅山从未撰写过类似《书谱》那样的长篇书论，他对书法的见解散见于其诗文、笔记和对古代碑拓的题跋中。不过，

[1] Baxandall, *Patterns of Intention*, p. 34.

[2] Ledderose, "Chinese Calligraphy: Art of the Elite."

[3] 如隶书名家郑簠就同顾炎武有交往。参见王弘撰：《寄郑谷口》，《砥斋集》，卷8下，页19a-b。

如果将这些零散的书论汇总起来仔细分析的话，可以发现其中存在着一个和清初学术界“追本溯源”相似的思维模式，这就是把学习早期篆隶作为书法艺术革新的不二法门。傅山宣称：

> 不作篆隶，虽学书三万六千日，终不到是处，昧所从来也。予以隶须宗汉，篆须熟味周秦以上鸟兽草木之形始臻上乘。[4]

> 不知篆、籀从来，而讲字学书法，皆寐也。[5]

> 楷书不自篆、隶、八分来，即奴态不足观矣。此意老索（索靖，239–303）即得，看急就大了然。所谓篆、隶、八分，不但形相，全在运笔转折活泼处论之。[6]

> 楷书不知篆、隶之变，任写到妙境，终是俗格。钟、王之不可测处，全得自阿堵。老夫实实看破，地工夫不能纯至耳，故不能得心应手。若其偶合，亦有不减古人之分厘处。及其篆、隶得意，真足吁骇，觉古籀、真、行、草、隶，本无差别。[7]

中国文字的最早字体是篆类字体，秦代以前的文字（除秦隶外）可统称为篆书。到了汉代，隶书取代篆书成为日常主要使用的文字。到了钟繇和王羲之生活的魏晋时期，篆隶在日常书写中基本被正、行、草三种字体所取代。随着这些新字体的兴起，篆隶变成了古字体。傅山等清初书法家追溯的书法本源，就是这两种比王羲之优雅的法书传统更久远的古代字体。傅山宣称，这些在钟繇、王羲之生活的魏晋时期之前通行的篆隶，是书法的最高典范。他认为钟繇、王羲之之所以成为正、行、草书的大师，正是因为他们深谙篆隶古字体向今体字的演变，并保持了古字体的方法和精神。[8]

傅山并不是第一个指出这一古代书法演变的人。宋代的黄伯思（1079–1118）就曾指出：

> 自秦易篆为佐隶，至汉世去古未远，当时正隶体尚有篆籀意象。厥后魏钟元常、士季及晋王世将、逸少、子敬作小楷法，

[4] 陈玠：《书法偶集》，页5b。

[5]《傅山全书》，册1，页853。

[6] 同上注书，页519。八分是汉代通用的字体，有些学者认为八分与隶书不同，但也有人持相反的意见。傅山在一则题为《分书隶书之别》（同上，页854）的笔记中认为，八分与隶书虽然类似却不相同，而且隶书是由八分演化而来，即“八分为小篆之捷，隶又八分之捷”。傅山的理解不见得正确。关于隶书与八分的讨论，见华人德：《中国书法史·两汉卷》，页12–13。

[7]《傅山全书》，册1，页855。

[8] 傅山同时代的学者中持有相同观点的甚多，如姜宸英（1628–1688）认为：“真出于隶，钟太傅真书妙绝古今，以其全体分隶。右军父子模仿元常，所以楷法尤妙。欲学钟王之楷而不解分隶，是谓失其原本。”见姜宸英：《湛园题跋》，收录于卢辅圣等编：《中国书画全书》，册7，页965。

皆出于迁就。汉隶运笔结体既圜劲淡雅，字率扁而弗椭。[1]

在清初人编的《佩文斋书画谱》中，有一段署名为李贽的讨论书法演变的文字，几乎和上引黄伯思的论述相同。[2]即使这段文字并不见得就出自李贽之手，但起码可以说明，黄伯思的论述在晚明引起了回响。赵宧光在《寒山帚谈》中也曾说：“真书不师篆古，行书不师章分，如人食粟衣丝，而不知蚕茧禾苗所出也。”[3]傅山虽然不是第一个提出这一观点的人，但他以极为清晰而有力的语言，反复呼吁书法家们重新认识古体字向今体字转变对书法的影响，追本溯

[1] 黄伯思：《东观余论》，页884。士季即钟繇之子钟会（225-264），王世将即王羲之叔父王廙。值得注意的是，黄伯思发表这段评语的时候，正是北宋文人（包括书家）对金石文字的兴趣高涨的时期。元代也曾有复古的书学思想，所以元人论书中也有与黄伯思类似的观点。见莫家良：《元代篆隶书法试论》，页81-84。

[2] 孙岳颁、王原祁：《佩文斋书画谱》，册2，页41。

图3.10《曹全碑》 185 局部 拓本 册页 纸本
每开24.2×12.5厘米 傅山旧藏
引自《中国嘉德拍卖图录》 2001年4月24日
北京 第775件

图3.11 王铎《河阳渡诗》 隶书 1644 局部
拓本 册页 纸本 尺寸不详
引自王铎《拟山园帖》 页172

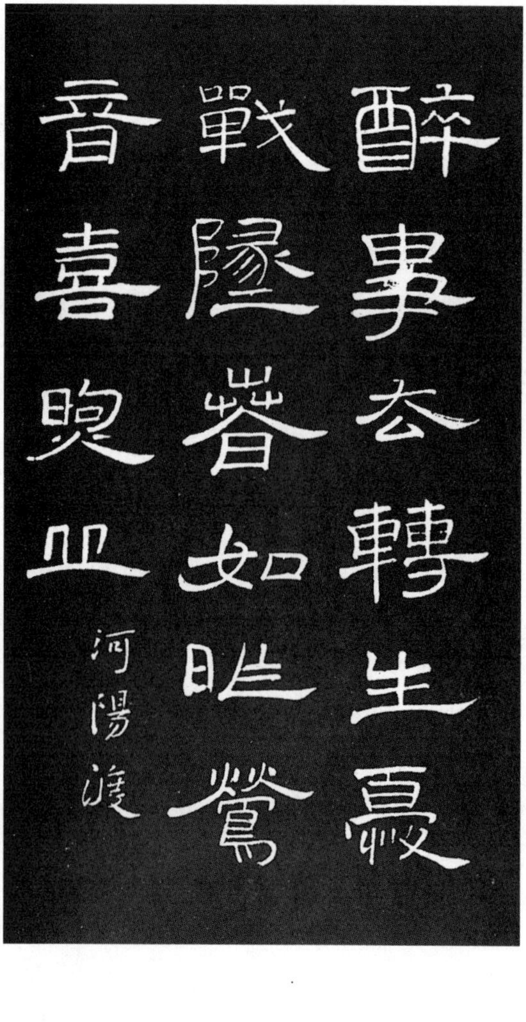

源，以篆隶为本来实现书法的创新。他还将这一理论认识付诸具体的书法实践，并汇合当时其他学者的论述，逐渐形成深入人心的美学潮流。这是傅山的贡献。

虽然傅山强调篆书在书法创造方面的重要性，但大部分的清初书家，包括傅山本人，对隶书的兴趣似乎比篆书来得高。[4]这可能有两个原因。其一，古代篆书的原拓只有两个来源——石碑与青铜器。在傅山的时代，所能见到早于王羲之，且具有考古依据的篆书碑刻很稀有，仅有石鼓文与少数严重泐损的秦碑，而要获得拓本就更难了。此外，商周青铜器铭文的拓本也很少在文人间流传。顾炎武的《金石文字记》只记载了两件青铜器和五件先秦碑刻，而且其中几件甚至被认为可能是后代的仿作。宋代出版的《历代钟鼎彝器款识法帖》等金石学著作以及晚明的翻刻本，只保存了字形，无法玩索笔法，而且没有拓本的那种古朴的金石气，它们可以用来研究金文，但不宜作为临摹的范本。

不同的是，明末清初时，不但仍有许多存世的隶书汉碑可供椎拓，尚有新的隶书汉碑出土。如《曹全碑》(图3.10)在万历年间出土后，其娟秀的书风与精致的刻工立刻引起书法家们的兴趣。[5]例如王铎，曾对这块新出土的汉碑下过功夫，《拟山园帖》所收王铎1644年的隶书(图3.11)，优雅的结字和笔画，都会令人联想到《曹全碑》。曾经收藏《曹全碑》善拓的陕西收藏家郭宗昌，[6]是另一位以隶书闻名的晚明书法家。晚明出版的书籍中，用隶书刊刻的序言、题记很多。著名的晚明墨谱《程氏墨苑》和《方氏墨谱》中就有不少隶书书写的文字说明和作品(图3.12)，这都反映出当时人们对隶书的兴趣。有意思的是，隶书在清初的复兴，却是延续了晚明人的兴趣。虽然清代学者抨击晚明学术的不严密，但是明代自由多元的文化氛围首先给予隶书以广阔的发展空间。

清初的学者、收藏家、书法家都对汉碑拓本予以青睐。山西学术圈的成员如傅山、曹溶、朱彝尊、王弘撰、阎若璩等都有所收藏。傅山至少藏有九种汉碑的原拓：《张迁碑》(图3.13)、《尹宙碑》、《孔宙碑》、《夏承碑》、《梁鹄碑》、《史晨碑》、《曹全碑》、《衡方碑》、《乙

[3] 见崔尔平：《明清书法论文选》，上册，页264。董其昌在《孙虔礼千文跋》中也说："观其结字，犹存汉魏间法，盖得之章草为多，即永师《千文》亦尔。乃知作楷书必自八分大篆入门，沿流讨源，见过于师，方堪传授。学过庭者，又自右军求之可也。"(《画禅室随笔》，卷1，载卢辅圣等编：《中国书画全书》，册3，页1011。）虽说董其昌在理论上可以这样认识，但他本人似乎并没有从大篆八分入手学习楷书。

[4] 近年来，关于清代隶书的学术讨论甚多，见王冬龄：《清代隶书要论》，王珅（Shen Wang），关于朱彝尊隶书的论文，"The Intellectual Climate of the Early Qing and Zhu Yizun's Clerical Script Calligraphy"，何碧琪：《清代隶书与伊秉绶》。

[5]《曹全碑》在万历年间的出土是当时书坛的一件大事。周亮工曾这样说："《郃阳碑》近今始出，人因《郃阳》而始崇重《礼器》，是天留汉隶一线，至今日始显矣。"见周亮工：《赖古堂集》，册下，卷20，页19a。

[6] 郭宗昌的许多收藏后来转入王弘撰之手。曾经郭宗昌和王弘撰收藏的《曹全碑》，是存世最好的拓本，目前藏北京故宫博物院。

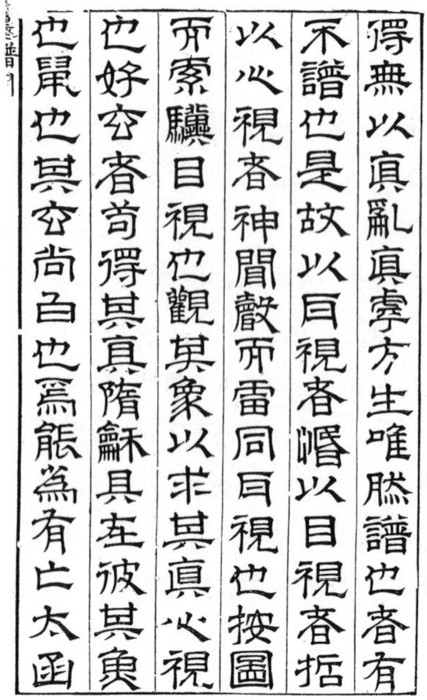

图3.12 汪道昆《方氏墨谱》序
隶书 1583 局部
美国哈佛大学哈佛燕京图书馆

图3.13《张迁碑》 185 局部 拓本 册页
纸本 尺寸不详 北京故宫
引自《汉张迁碑》

瑛碑》。[1]对于清初的书法家来说，数量可观的汉碑存世是复兴隶书的必要条件。

篆书在清初不如隶书那样热门的另一个可能的原因是，虽然清初对研究古文字的兴趣渐增，但迟至18世纪下半叶，古文字学的研究才真正进入高峰。清初最重要的学者顾炎武、黄宗羲、朱彝尊、阎若璩等并没有留下重要的研究篆书的古文字学专著。此时还没有出现对汉代最重要的小学著作——许慎《说文解字》的系统研究，[2]对商周青铜器铭文的编纂和研究，也同样缺乏系统化。[3]在缺乏可靠的古文字研究的情况下，受考据学影响的书法家大概是不会轻易地去书写篆书的。而小篆系统的字也比较规整，不似汉隶的古朴奇肆更能够吸引受过晚明尚奇文化洗礼的清初书法家。

清初是宋代以来汉隶研究最为鼎盛的时期。前文已经提到，傅山曾对洪适的《隶释》作过认真研究。傅山临习汉隶似乎也多于临习篆书。[4]傅山极为自信地认为自己深得汉隶三昧。1666年，李因笃在跋王弘撰收藏的《华山碑》拓本时提到，他最近在太原和傅山

❶ 我们从傅山和朱彝尊的著作中，得知傅山藏有这九种碑拓。

❷ 清代研究《说文解字》的许学一直要到18世纪才成为显学。见林明波：《清代许学考》。

❸ 傅山在晚年从事古文字的研究，但并没有比较系统的研究成果。

❹ 傅山与傅眉都曾临习小篆《峄山碑》，所据拓本不详。从存世的傅山大篆作品来看，傅山的篆书充满想象力，从字书中学习的东西要比原拓来得多。不过如前所述，他到晚年时，已经意识到自己以往对篆书的理解存在着问题。

❺ 李因笃题跋的原文为："顷在太原，傅公之它数为予言汉分法，自云颇得数千年不传之秘。"该拓本目前藏在北京故宫。李因笃的题跋虽无年款，但写明是夏天时在西安所写，因而我们得以将之定为1666年。因为李因笃于该年春天经太原返老家陕西富平，并在夏天访西安。见吴怀清：《关中三李年谱》，页337-338。

见面时，两人谈及汉隶，傅山多次对他讲起自己已经体悟到了失传千年的汉隶笔法。[5]

在傅山的传世作品中，有数量可观的隶书，包括一些汉碑的临作。傅山曾作一杂书卷，其中包括临汉隶《梁鹄碑》、《夏承碑》、《曹全碑》的部分（图 3.14）。[6] 此卷没有纪年，但从笔墨鉴之，当是 1660 年代晚期或者 1670 年代之间的作品。[7] 目前存世的一本曾经傅山收藏的《曹全碑》拓本（见图 3.10），很可能就是我们讨论的杂书手卷中所临的范本。《夏承碑》、《梁鹄碑》、《曹全碑》都是著名的汉碑。虽然自明代以来，就有学者对《夏承碑》的真伪提出质疑，但包括傅山在内的许多学者和书法家，依旧认为《夏承碑》是可靠的汉隶。[8] 傅山曾多次临摹《夏承碑》，并曾这样写道：

> 三复《淳于长碑》，[9] 而悟篆、隶、楷一法，先存不得一结构配合之意。有意结构配合，心手离而字真遁矣。[10]

傅山认为书写汉隶不得先存“结构配合之意”，和他鼓吹的“四宁四毋”中的“宁直率毋安排”的思想是一致的。当我们比较傅山临本与《夏承碑》和《曹全碑》拓本时，可以明显地看出，傅山是在大致形似的基础上捕捉范本的神韵。

《曹全碑》属于规整娟秀一路的汉碑。汉碑中尚有丑拙古朴的一路。这后一路汉碑更受到傅山的激赏。傅山曾用隶书书写过一段讨

图3.14 傅山《临曹全碑》 局部 卷 纸本 26.5×626厘米 藏地不明
引自《佳士德纽约拍卖图录》 1990年5月 第84件

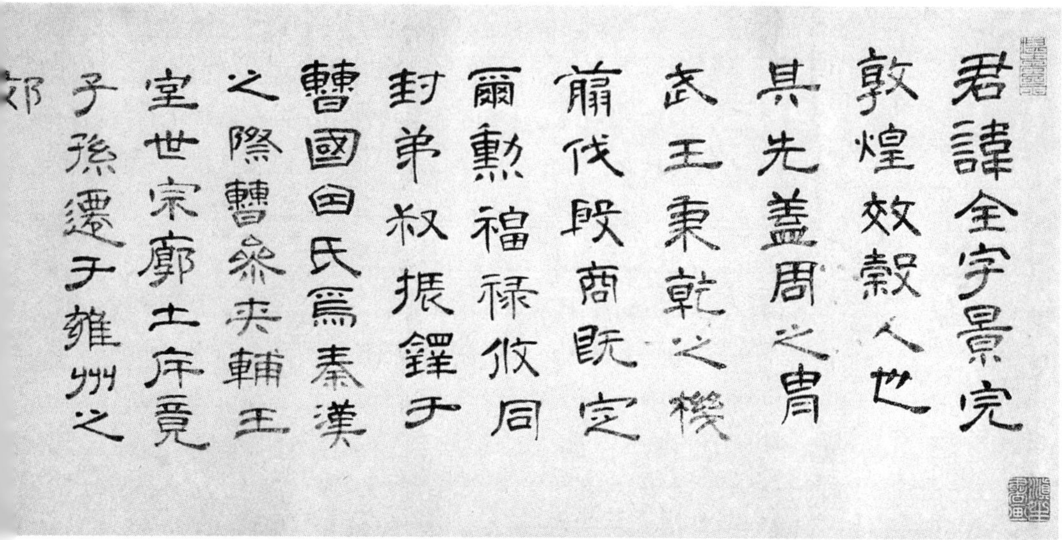

[6] 从笔墨来看，此卷可能是一件摹本。

[7] 太原晋祠博物馆藏傅山题《曹全碑》手稿(《傅山全书》,册 1，页 414）云：“乙巳冬（1665 或 1666）郃阳范年家寄来。”根据阎若璩的说法，傅山在明末就曾收藏过一件万历年间的《曹全碑》拓本，但却在战乱中遗失了。本卷中所临的《曹全碑》拓本应是 1665 或 1666 年傅山所得到的另一本拓本。见阎若璩：《困学纪闻笺》，卷 13，页 2a。

[8] 明代学者都穆，在他的《金薤琳琅》中提到《夏承碑》可能有伪本。我们知道唐曜在嘉靖二十四年（1545）翻刻了《夏承碑》（顾炎武：《金石文字记》，页 9201）。而现存的所谓宋拓《夏承碑》是否为原拓仍然有争议。见方若、王壮弘：《增补校碑随笔》，页 95–96。

[9] 即《夏承碑》。《夏承碑》的全名为《淳于长夏承碑》。

[10]《傅山全书》，册 1，页 856。

论汉隶的文字：

> 汉隶之妙，拙朴精神。如见一丑人，初见时村野可笑，再视则古怪不俗，细细丁补，风流转折，不衫不履，似更妩媚。始觉后世楷法标致，摆列而已。故楷书妙者，亦须悟得隶法，方免俗气。[1]

但是在清初，这种丑拙古朴的汉隶并没有被大多数人所接受。傅山在另一段论汉隶的文字中写道：

> 至于汉隶一法，三世皆能造奥，每秘而不肯见诸人，妙在人不知此法之丑拙古朴也。吾幼习唐隶，稍变其肥扁，又似非蔡、李之类。[2]既一宗汉法，回视昔书，真足唾弃。眉得《荡阴令》、《梁鹄》方劲玺法，莲和尚（傅莲苏）则独得《淳于长碑》之妙，而参之《百石卒史》、《孔宙》，虽带森秀，其实无一笔唐气杂之于中，信足自娱，难与人言也。吾尝戒之，不许乱为作书，辱此法也。[3]

尽管傅眉和傅莲苏的隶书作品已不易见到，但是傅氏三代确实认真地研习过汉隶。不过，上引文字告诉我们，在清初接受傅山的汉隶品味的人并不多，因为"人不知此法之丑拙古朴"。而欣赏这种风格独具的汉隶在清初仍需要特殊的知识背景。在讨论艺术品味的本质时，巴克森达尔指出：

> 我们通常所说的"品味"（taste）在很大程度上建筑在一件画作所必需的鉴赏力和一位观众所掌握的鉴赏技巧之间的一致性。我们在运用技巧时感到愉悦，尤其是当我们以游戏的心态运用我们日常生活最喜欢运用的技巧时，我们感到格外的愉悦。如果一件画作赋予我们运用被人们珍视的技巧的机会，使我们得以洞见画家的巧思，我们的好奇心由于这一高超的洞见而得到报偿，乐在其中：这就是我们的品味。[4]

巴克森达尔所言虽为绘画，但对我们理解书法的品味也有启发。在收藏傅山书法的乡绅、商人、官员中，似乎只有一小部分人具有足够的知识和鉴赏力来真正欣赏傅山追仿汉碑意趣的隶书作品。但在山西学术圈中，大部分傅山的友人都是汉隶的鉴赏家，他们的鉴别

[1] 这段文字在一杂书册页中，册页现藏上海博物馆。

[2] 文中提到的蔡、李应指蔡有邻和李潮，唐代开元、天宝年间两位擅长隶书的书法家。

[3]《傅山全书》，册1，页862。

[4] Baxandall, *Painting and Experience in Fifteenth-Century Italy*, p.34. 巴氏重视的是生活中受人们珍视的技巧和品味形成之间的关系。此处 taste 一词，大陆学者多译成趣味。

力得自于他们对金石学这一在当时的知识界受到尊崇的学术领域。在顾炎武、王弘撰、朱彝尊等的著作中都可见到对汉隶的讨论，而朱彝尊更是用他自己的语汇对各种汉隶书法进行了艺术分类：

> 汉隶凡三种，一种方整，《鸿都石经》、《尹宙》、《鲁峻》、《武荣》、《郑固》、《衡方》、《刘熊》、《白石神君》诸碑是已；一种流丽，《韩勅》、《曹全》、《史晨》、《乙瑛》、《张表》、《张迁》、《孔彪》、《孔伷》诸碑是已；一种奇古，《夏承》、《戚伯著》诸碑是已。惟《延熹华山碑》（图3.15），正变乖合，靡所不有，兼三者之长，当为汉隶第一品。[5]

朱彝尊对各种汉碑隶书特色的描述，和傅山的见解不尽相同。比如，傅山认为《张迁碑》古拙，[6]朱彝尊却将之归为“流丽”一类。尽管朱彝尊和傅山的评论并不完全一致，他们都对汉碑的艺术特色进行了描述并加以分类，这就加入了清初的一种集体性努力：用语言来整理、描述和概括对汉隶的审美感受，将一种新兴的、尚未定型的书法品味理论化。[7]

图3.15 郭香察《华山碑》165
局部 拓本
册页 纸本 尺寸不详
王弘撰旧藏 北京故宫
引自《宋拓华山庙碑三种合璧》

[5] 朱彝尊：《跋汉华山碑》，《曝书亭集》，卷47，页7a–b。

[6]《傅山全书》，册1，页421。

[7] 用语言来概括我们的审美经验十分重要。关于艺术语言对人们丰富的审美经验的概括，或简单化，甚至歪曲，以及语言在视觉经验中的提示作用，见Baxandall, *Painting and Experience in Fifteenth-Century Italy*, p.29–38。

打破唐楷图式

傅山和朱彝尊关于隶书的讨论，显示出和学术思想界追本溯源学术方法的一致性。但是，为什么追本溯源一定要上至汉代呢？汉代之后的隶书有什么缺陷呢？傅山并没有给予具体的说明，但是他的朋友王弘撰回答了我们的问题：

> 汉隶古雅雄逸，有自然韵度。魏稍变以方整，乏其蕴藉。唐人规模之，而结体运笔失之矜滞，去汉人不衫不履之致已远。降至宋元，古法益亡。[1]

王弘撰用来描述汉隶的语汇和傅山的十分相似，有些甚至完全相同。比如说，傅山和王弘撰都用“不衫不履”来形容汉隶。对王弘撰来说，唐代书法的问题在于僵化的法则导致汉隶那种无拘无束的“自然韵度”的丧失。

在清初人对唐代书法，尤其是唐代隶书的评论中，王弘撰并非独弹此调。唐代书法常被清初的一些学者和文人拿来衬托汉代书法的辉煌。如前所引，傅山说他幼习唐隶，但自从学了汉隶后，“回视昔书，真足唾弃”。他还因傅莲苏的隶书毫无唐代习气而深感欣慰。[2]在《曹全碑》的跋尾上，傅山曾简短地评论道：“至于质拙不事安排处，唐碑必不能到也。”[3]这和王弘撰把隶书的衰落归因于唐人严苛的法则如出一辙。[4]

朱彝尊对于唐代隶书的批评更为尖锐。他指出，由于魏晋以后行草开始流行，习隶书的虽说代有其人，但境况大不如先前。隶书没落的真正转折点发生在唐代的开元年间（713–741），当时发展出

[1] 王弘撰：《书乡饮酒碑后》，《砥斋集》，卷2，页26b。

[2] 朱彝尊也有类似傅山的经验。康熙四十一年（1702）他在为宋荦临写的《曹全碑》手卷后，用行书题道：“余九龄学八分书，先舍人授以《石台孝经》，几案墙壁涂写殆遍。及壮睹汉隶，始大悔之，然不能变而古矣。”《中国古代书画图目》，册22，页197，京1-4293。

[3] 《傅山全书》，册1，页414。

[4] 在清初，划分汉唐隶书的区别在书法家中甚是流行。在康熙年间成长的隶书名家万经在《分隶偶存》曾这样描述汉唐隶书的异同：“汉多拙朴，唐则日趋光润；汉多错杂，唐则专取整齐；汉多简便如真书，唐则偏增笔画为变体，神情气韵之间，迥不相同耳。”可以说，清初人的这些讨论开了以后“卑唐说”的先河。

来的书写隶书的新方法，已丧失古法。朱彝尊在赠清初隶书名家郑簠的诗中，这样写道：

> 黄初以来尚行草，此道不绝真如丝。
> 开元君臣虽具体，边幅渐整趋肥痴。
> 寥寥知解八百祺，尽失古法成今斯。[5]

朱彝尊诗中所提到的开元君臣即唐玄宗（685–762）及一些擅长隶书的廷臣。文献记载与存世的碑刻都证实唐玄宗好写隶书，[6]例如他书于745年的《石台孝经》（图3.16），除了篆额之外，全篇皆以一丝不苟的隶书写成。然而在朱彝尊看来，唐玄宗的隶书太过整饬且“肥痴”，失去了古法。

朱彝尊的诗作并非细致的艺术史分析，作者没有详述古法在唐代丧失的原因。王弘撰虽然指出那是由于“唐人规模之”所造成，但却没有说明唐人是以何种法则规模了隶书。

然而，如果我们循着中国书写的演变史来看，朱彝尊和王弘撰所说的隶书古法式微的时期也正是楷书滥觞为新的书写典范的三国时期，亦即真书之祖、魏国大臣钟繇出现的时代。在诗中，朱彝尊只提到行草自魏之后成为风尚，但是事实上，魏以后取代隶书成为日常正体字的是楷书。即使是行书和草书也都受到楷书笔法的影响。[7]

早期的楷书和隶书有千丝万缕的联系，保留了许多隶书的因素。我们可以在传为钟繇的楷书作品中看出这点（图3.17），例如笔画厚实，起笔收笔简朴，横折呈圆转之势。正如清初的书法评论家冯行贤（？–1687之

[5] 朱彝尊：《赠郑簠》，《曝书亭集》，卷10，页2b。黄初（220–226）为魏文帝曹丕的年号。

[6] 窦泉、窦蒙：《述书赋并注》，见《历代书法论文选》，册1，页255。

[7] 行书和今草始于东汉末年，和楷书的形成差不多同时，可能略早些。但在楷书成为日常的正体字和学习书写的入门字体后，楷书的笔法影响到行草。

图3.16 唐玄宗《石台孝经》 745 局部 拓本 册页 纸本 尺寸不详 引自神田喜一郎、西川宁《唐玄宗石台孝经》册1 页50

后）所说："钟王二家，去古未远，锋在画中，尤与篆隶近。而宋元专以侧锋取妍，所以古意渐减，而字学亡。"[1]由于"去古未远"，所以魏晋时期的楷书尚能"与篆隶近"。傅山也认为，钟繇和王羲之书法的可贵之处在于它们保留了早期篆隶的元素。[2]

经过数百年的演变，楷书在唐代进入全盛时期，建立了严密的笔法与结字规则。[3]当楷书成为日常使用的正体字后，它的书写也影响到了包括隶书在内的其他字体。在此我们毋需详细解说唐代楷书的法则，只要将唐玄宗的隶书和唐楷、汉隶作些比较，就足以显示唐楷对唐隶的影响。

我们先以横折笔画为例。汉隶中的横折笔画，不是以圆笔转折，就是以横竖二笔相接（图3.18），这是通常的两种写法。第一种写法在横画接近右角时，不是提笔后再下按以调整笔锋走向，而是采用"使转"笔法，令转折略带圆弧。隶书的这一笔法承自篆书平稳圆转的笔法。第二种写法在横画抵达右角时打住，逆锋向上在高于横画之处翻笔向下书写竖画，使一横折笔画看似两笔完成。[4]

在唐楷中，书写"横折"时，先将笔稍稍抬起，向右下侧斜顿后，调整笔锋，再垂直向下走笔。这一先提后按的笔法会在转折点外侧留下一个斜角。在唐楷的影响下，唐代隶书的横折写法已经不同于汉隶。比较唐玄宗《石台孝经》和颜真卿早期楷书作品《多宝塔感应碑》中的转折，我们就可以发现两者使用的是相同的笔法。此外，两者还有其

[1] 冯行贤：《余事集》。

[2]《傅山全书》，册1，页855。

[3] 潘良桢认为楷书在唐代法度化的趋势并不是一个孤立的艺术现象，而是和唐代统治者在战乱后重建帝国秩序（包括复杂的法典和高度发展的官僚体系）的一系列政治文化政策有关。见潘良桢：《学王管见》。关于中国书法史中的笔法演变，尤其是楷书笔法发展对其他几种字体书写的影响，见邱振中：《关于笔法演变的若干问题》。

图3.17 钟繇《宣示表》 局部 拓本 册页 纸本 尺寸不详 引自《书道全集》册3 图版107

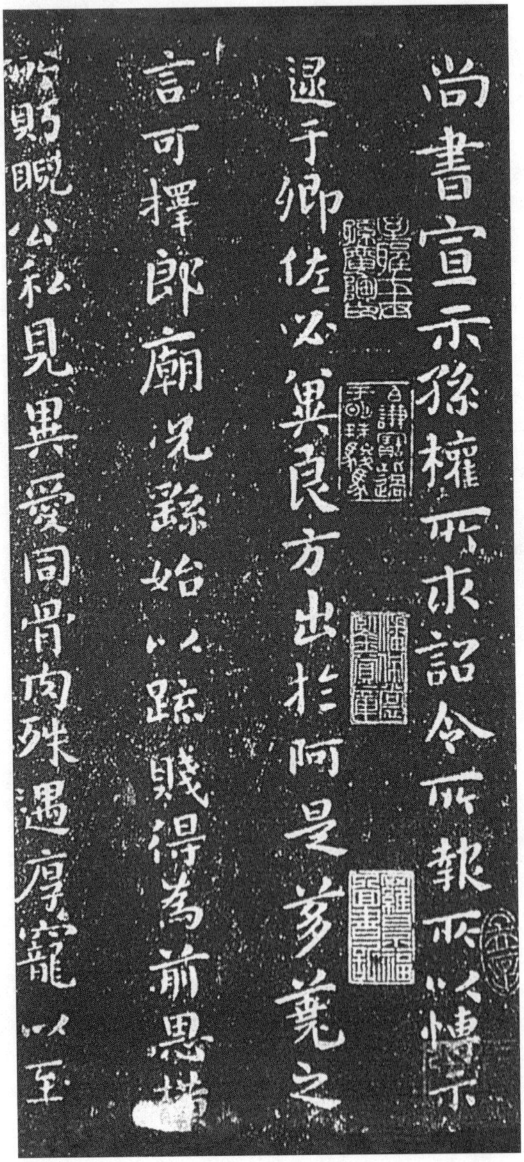

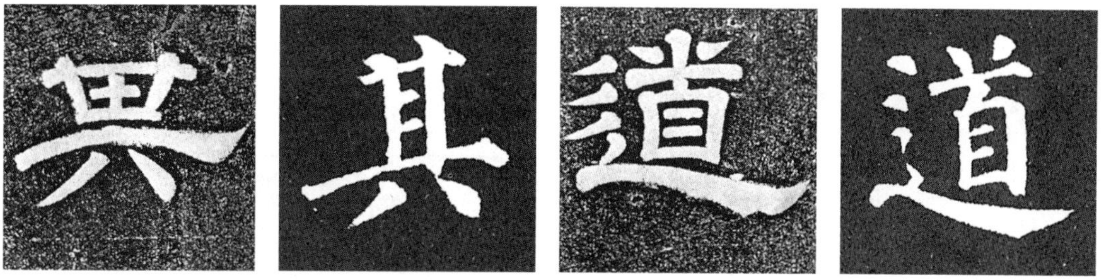

图3.19 （从左至右第一、第三个字）唐玄宗隶书“其”和“道”；（第二、第四个字）颜真卿楷书“其”和“道”

他一些相似处。如唐玄宗书写“其”字下方两点的方法和楷书的方法一样。在结体方面，唐玄宗的字也有唐代楷书的意味。像唐玄宗书写的“道”字，“首”中的短横是如此均匀地分布着，如同唐楷那样精确（图3.19）。无论有意还是无意，唐代楷书的基本笔法和结体的原则已被带入唐玄宗的隶书，我们找不出任何丑拙、古朴的特质。而丑拙、古朴正是傅山和王弘撰认定的汉隶精神之所在。

我们难免会遇到这样一个问题：如果傅山如此厌恶深受唐楷影响的唐隶，那么他又为何要临习颜真卿这位唐代书法家的楷书呢？上面用作比较的颜真卿楷书，选自他书于公元752年的早期作品《多宝塔感应碑》（见图2.24）。[5]而颜真卿的书风在晚年发生了重要的变化。颜氏家族向有研习篆书的传统，颜真卿在这一家族传统的影响下，晚年作品中的笔画变得厚重圆浑，有篆籀遗意。[6]如本书第二章所论，傅山推崇的《大唐中兴颂》（见图2.23）、《颜氏家庙碑》（见图2.20）、《麻姑仙坛记》（见图2.12）都是颜真卿晚年的作品。吸引傅山的不仅是颜真卿的忠义形象，还有颜真卿晚年的笔法，因为傅山认为杰出的书法必须根植于篆隶，而颜真卿的晚期书风既验证了他的理论，也给他以启示。所以傅山称颂颜真卿的书法“支离神迈”，绝非偶然。

按朱彝尊的说法，隶书的古法在开元至晚明这八百年间丧失殆尽。在这几百年间，文人们对隶书兴趣虽说不绝如缕，但仅有少数著名者，如元代的赵孟頫和明代的文徵明。但他们的隶书深受楷书笔法的桎梏，更甚于唐代开元君臣。[7]当唐隶被拿来与汉隶相比而不能差强人意时，这些书法家，尤其是文徵明，就成了众矢之的。周亮工曾这样尖刻地批评文徵明的隶书：“汉隶至唐已卑弱，至宋元而汉隶绝矣。明文衡山诸君稍振之，然方板可厌，何尝梦见汉人

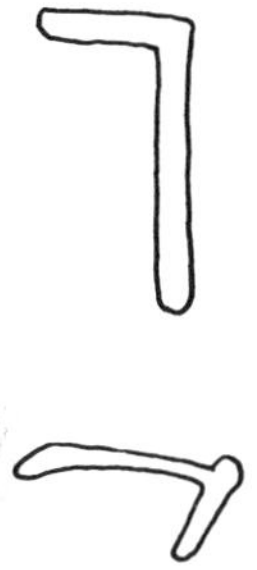

图3.18 汉隶《熹平石经》和《曹全碑》中的“横折”双钩

[4] 关于汉隶笔法和结字特征的讨论，见华人德：《中国书法史·两汉卷》，页153-160。

[5] 关于颜真卿的早期作品和唐玄宗朝书法品味间的关系，见McNair, *The Upright Brush*, p. 29。

[6] 关于颜氏家族研习篆书的传统，见朱关田：《唐代书法考评》，页122。篆书对颜真卿晚期风格的影响，见McNair, *The Upright Brush*, p.118-120。

[7] 元代有不少书家写篆隶，但莫家良也指出他们的隶书深受楷书的影响。见莫家良：《元代篆隶书法试论》，页92。

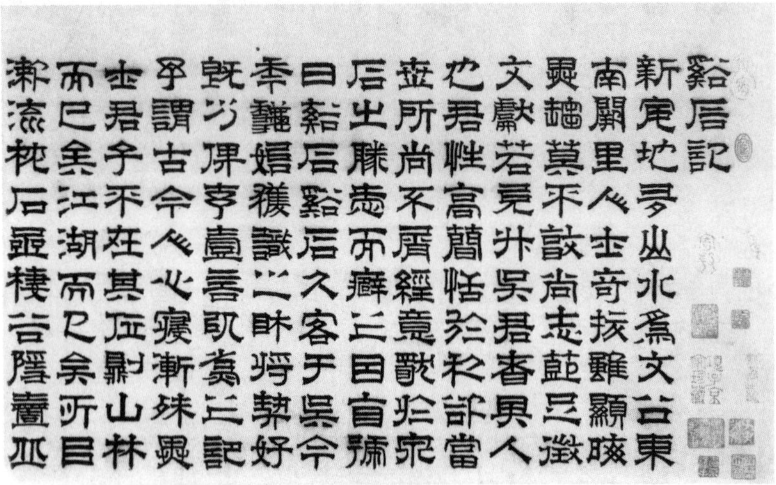

图3.20 文徵明《谿石记》隶书　局部　接于陆治（1496-1576）的一幅画作之后　卷　绢本（画）　水墨设色　31.43×85.72厘米美国纳尔逊美术馆（The Nelson Atkins Museum of Art, Kansas City, Missouri, F75-44. Acquired through the 40th Anniversary Memorial Acquisition Fund）

一笔。”[1] 当我们看到文徵明的隶书后，就可以理解，为什么他会受到清初书家这样尖刻的批评。纳尔逊博物馆藏有一件陆治（1496-1576）的山水卷，卷后有文徵明用隶书书写的《谿石记》（图 3.20）。通篇的布局是如此小心翼翼，“状如布算”。结字也相当拘谨，令人想起唐楷严格的法度。

楷书笔法的影响在文徵明的隶书中也显而易见。在汉隶中，竖画的起笔较为简朴。而文徵明的竖画通常会以钉头起笔，那正是书写楷书时所用的复杂笔法。《谿石记》中的横折也有类似唐玄宗隶书的锐角，这同样是楷书影响的结果（图 3.21）。

明代的文献记载，文徵明也收集汉隶碑拓。[2] 既然如此，何以在周亮工看来，文徵明连汉隶的一笔都不曾梦见？究竟是什么挡住了文徵明的视野，使他连一点汉隶的影子都抓不到？文徵明必定十分珍惜自己收藏的那些汉隶碑拓，否则他不会收藏。即便如此，他并非以一双纯真如婴的眼睛来观看汉隶。文徵明的视觉经验已受到唐楷图式的制约，[3] 唐楷笔法和结字的法则深入他的心中手上，有意无意间就显示到他的隶书作品上，并以此为美。

清初人称文徵明“何尝梦见汉人一笔”，也颇能由清代中期的学者钱泳（1759-1844）的一段话来解释：

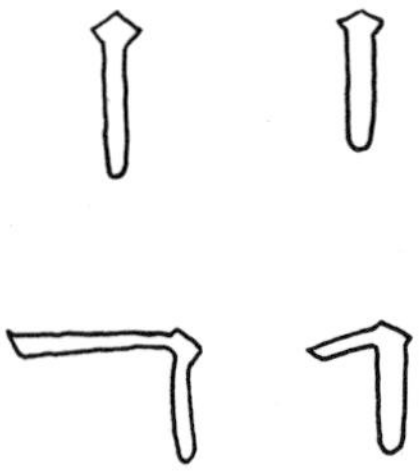

图3.21 竖画与“横折”：左行　文徵明隶书《谿石记》双钩　右行　颜真卿《多宝塔感应碑》楷书双钩

[1] 周亮工：《与倪师留》，《赖古堂集》，册 2，卷 20，页 19a。王弘撰也有类似的评语：“汉隶之失也久矣，衡山（文徵明）尚不辨，自馀可知。”见王弘撰《书郭胤伯藏〈华山碑〉后》，《砥斋集》，卷 2，页 1a。

唐人以楷法作隶书，固不如汉人以篆法作隶书也。或问汉人隶书碑碣俱在，何唐、宋、元、明人若未见者？余答曰：犹之说经，宋儒既立，汉学不行。至本朝顾亭林、江慎修（江永，1681–1762）、毛西河（毛奇龄，1623–1716）辈出，始通汉学，至今而大盛也。[4]

因此，与其说清初学术风气的转向提供给清初书法以新的范本（如汉碑），还不如说是一种新的思路，一种重新审视中国书法特别是王羲之以前的书法的角度。

有了一种新的角度，傅山等清初书法家看书法史就不同于前代书法家了。对傅山等来说，唐楷复杂严谨的法度造就了重安排的书法，这使他们所激赏的自然古朴之趣荡然无存。因此，他们告诫人们，不要像唐代以后的书法家那样，让晚出的字体影响古朴的隶书。善学书者应该按照中国书写的历史演进次序来学习各种字体，先熟悉较早的一种字体，然后练习下一种字体，这才能够在写后一种字体时，得古朴自然的旨趣。这种观点由傅山同时代的冯班（1602–1671）付诸文字："学前人书从后人入手，便得他门户；学后人书从前人落下，便有拏把。"[5]因此，问题的关键不在于学习的对象而更在于学习的方法。方法不同，就算临习对象相同，也会收到不同的效果。一个书法家在研习了较早的字体后，再去研习较晚的字体时，就能够得到人们珍视的古意。倘若反其道而行之，则可能重蹈文徵明之覆辙，用楷书而非篆书的法则来写隶书，结果便是"何尝梦见汉人一笔"。

因此，傅山在讨论书法时，常使用"从来"这个词。在傅山看来，人们在书写某一字体的时候，都应该将更早的字体的笔意融会其中。每一种字体都非无源之水，而有其历史渊源。因此，写小篆的时候，应该融合大篆的笔意。写隶书的时候，应该具备篆书的技法。书写楷书时，也同样应该融合较早的字体使之显得古朴。笔法和结字都应暗示其所从来，才有古意。但是这种暗示却可能不被一般大众所理解和赏识。欣赏书法的能力部分地得自于书法史的知识，就像赏析古典诗歌那样，同样依赖于知识，只有了解了诗中的用典后，其层层意蕴才得以彰显。

但是，克服唐代的影响并非简单的事情。因为楷书在清初是日

[2] 明代学者杨慎曾提及文徵明赠与他《张迁碑》的拓本。见杨慎：《金石古文》，卷7，页8b。

[3] 这里使用的"图式"（schema）乃借用英国艺术史家贡布里希提出的一个重要的理论概念。关于这一理论的讨论，见林夕等译贡布里希的名著《艺术与错觉》。在林夕等中译本后，附有译者的《译后记》，对帮助中文读者阅读《艺术与错觉》甚有助益。在《译后记》中有这样一段文字（页593–594），和我这里的讨论有直接的关系："艺术家习得的图式对知觉组织有巨大影响，我们的心灵是根据已知的概念去分类和记录我们的新经验。"

[4] 钱泳：《书学》，收录于《历代书法论文选》，下册，页619。

[5] 冯班：《钝吟书要》，收录于《历代书法论文选》，下册，页557。书法家的追本溯源与学术界的理念完全一致。例如顾炎武对《诗经》的研究是为了重建古代的音韵系统，以期能更深入地研究五经。傅山用杜甫诗中的用韵来勘比《广韵》也是同样的道理。

常使用的正体字，而且在学书时，唐代大师的楷书作品总是被拿来作为入门教材，可以说唐楷笼罩着日常的书写。当傅山说他的隶书“秘而不肯见诸人”，因为其中的丑拙古朴“难与人言”时，他实际上已经承认了唐法在日常生活中的支配优势。正因为如此，傅山和其他清代书法家大声疾呼要打破唐法。傅山不但反复贬斥唐法的弊端，而且在书写隶书时，还刻意追求汉隶“不衫不履”的浪漫自在。他的隶书有时显得过于夸张，也许是矫枉过正的结果。

上海博物馆所藏一件傅山的杂书册，有隶书数开（图3.22），虽不见得是傅山的隶书代表作，但将它与文徵明的隶书《豁石记》作一对比，也颇能说明问题。在傅山的作品中，字形长扁各异，结字严重变形。用笔时而豪放，时而厚重，时而轻盈，不拘一格。如第六行的“后世”二字，“世”字用笔厚实，而上面的“后”字则相对纤细，圆转的线条令人想起篆书的笔法。这一轻重之间的对比，增加了细节上的变化。而全篇变化多端，颇具戏剧性。也正因为如此，朱彝尊在推崇傅山的隶书时说：“太原傅山最奇崛，鱼颃鹰跱势不羁。”[1]

傅山等书法家对汉隶的钟爱，推崇汉隶胜于唐隶，标志着书法品味在清初发生了一个重大转变。随着新的艺术品味的倡导和宣扬，人们开始用新的目光来审视隶书，新的艺术标准也开始逐步建立。当书法家努力把汉碑隶书的特质融入自己的书法时，就意味着唐代书法在书法创作中的主导地位开始削弱。一旦回溯到汉，“古朴”不再只是理解和学习古代书法的一个认知架构，对书法家而言，它还是一种孜孜以求的创作目标。

对“古朴”的追求并不限于书法领域。文学领域中也有着相同的趋势。申涵光在写给周亮工的信札中说：“先生‘宁质’二字，真救时良药也。”[2]潘耒在《李天生诗集序》中这样评论李因笃的诗风：

> 百余年来，学者之弊，佻而为公安，纤而为竟陵，浮而为云间。流派各别，去古滋远。……先生尝慨世不乏才人，而争新斗巧，日趋于衰飒。故其为诗，宁拙毋纤，宁朴毋艳，宁厚毋漓。[3]

潘耒和李因笃的艺术见解，与傅山在《训子帖》（见第二章）中提出

❶ 朱彝尊：《赠郑簠》，《曝书亭集》，卷10，页2b。

❷ 申涵光：《与周减斋》，收录于周亮工：《尺牍新钞》，册2，页17。

❸ 潘耒：《遂初堂集》，卷8，页36a-b。

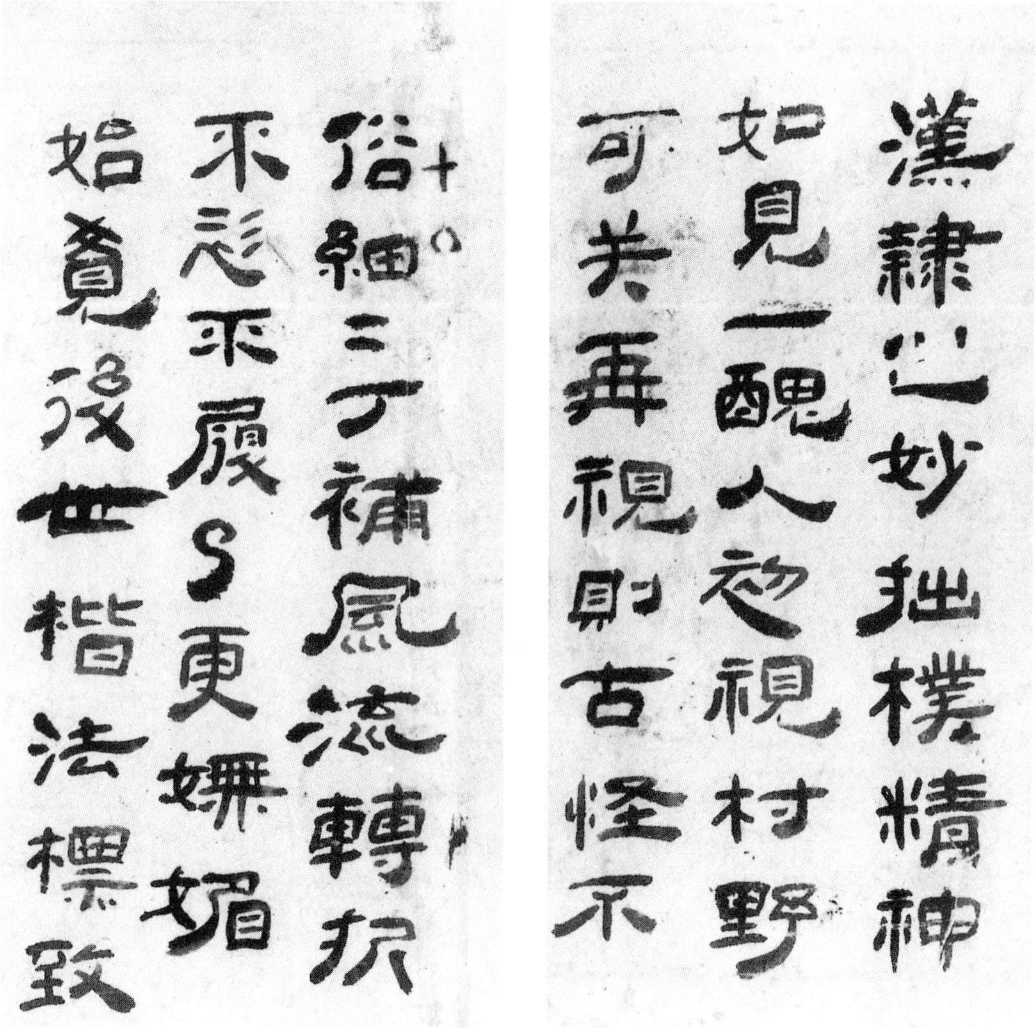

图3.22 傅山《论汉隶》 隶书
局部 册页 纸本
尺寸不详 上海博物馆

的“宁拙毋巧，宁丑毋媚，宁支离毋轻滑，宁直率毋安排”不但内容一样，连语言都如出一辙。然而，书法和文学上的这些观念又都以学术上“朴学”的兴起为最重要的文化背景。

南方的回应

当我们用更宏观的视野来看待清初碑学书法的萌芽时，南方书法家对上述学术新潮的反应也必须纳入观察的范围。虽说清初学者和书法家们的访碑活动主要在北方进行，而且当时碑学思想的主要倡导者傅山也是北方人，但山西学术圈中的许多成员，诸如顾炎武、曹溶、朱彝尊、阎若璩等，都是南方人。[1]这些学者也是江南学术圈的主要成员。17 世纪下半叶，研究隶书和书写隶书的风气在江南也相当兴盛。来自文人文化重镇苏州一带的学者，对金石学的贡献尤大。顾炎武的同乡昆山叶奕苞编撰了《金石录补》这部清初卷帙最大的金石学著作。1718 年，苏州顾霭吉出版了《隶辨》，此书至今仍是最重要的一本隶书字书。福建的林侗（1627–1714）不仅四处访碑，还编纂了《来斋金石刻考略》。

朱彝尊曾在一首赞扬郑簠（1622–1693）的诗中，列举了明末清初以隶书闻名的书家，其中包括安徽程邃、[2]苏州顾苓（1609–1682 以后）、金陵郑簠、广东谭汉等南方人。[3]此外，在南京，以收藏印章和汉碑拓本著称的周亮工也写隶书（图 3.23）。在南昌，明皇室后裔八大山人也从事金石学的研究，并且写隶书。[4]在浙江，鄞县的万经（1659–1741）是康熙朝晚期重要的隶书名家。

南方文人对隶书的兴趣是如此浓厚，以至隶书成为当时文人们诗酒文会上讨论的话题。1666 年清明节，居住在扬州的著名诗人孙枝蔚（1620–1687）和陈维崧（1626–1682）、方文（字尔止，1612–1669）等在程康庄（昆仑）的官署小聚，孙枝蔚在记载这次雅集的诗

[1] 阎若璩祖籍山西，但在南方的山阳长大。

[2] 程邃传世的隶书作品不多。在安徽省博物馆与歙县博物馆所藏的两本册页上，有程邃用隶书书写的题款，其风格类似郑簠，但更加厚重古拙。关于程邃的生平和绘画艺术的研究，见李志纲：《程邃（1607–1692）绘画研究》。

[3] 朱彝尊：《赠郑簠》，《曝书亭集》，卷 10，页 2b。

[4] 八大山人的早期书法明显受到董其昌的影响。但是在 1680 年代后期，他的书法开始出现浓重的篆隶意味。关于八大山人晚年书风和金石学复兴的关系，见白谦慎：《清初金石学的复兴对八大山人晚年书风的影响》。

的小注中这样写着："是日尔止讲篆隶八分。"[5]这一记载虽极为简略，但透露的文化讯息却值得注意。从某种意义上来说，由于有了某位参与者围绕着一个主题发表议论，文人们的诗酒文会也就成为了学术聚会。而孙枝蔚和方文他们那次聚会的话题不是别的，正是篆隶八分。这说明在1660年代，亦即傅山等在北方热烈地讨论隶书之际，

[5] 孙枝蔚：《清明同方尔止陈其年饮程昆仑署中》，《溉堂集》（续集），卷1，页21a。

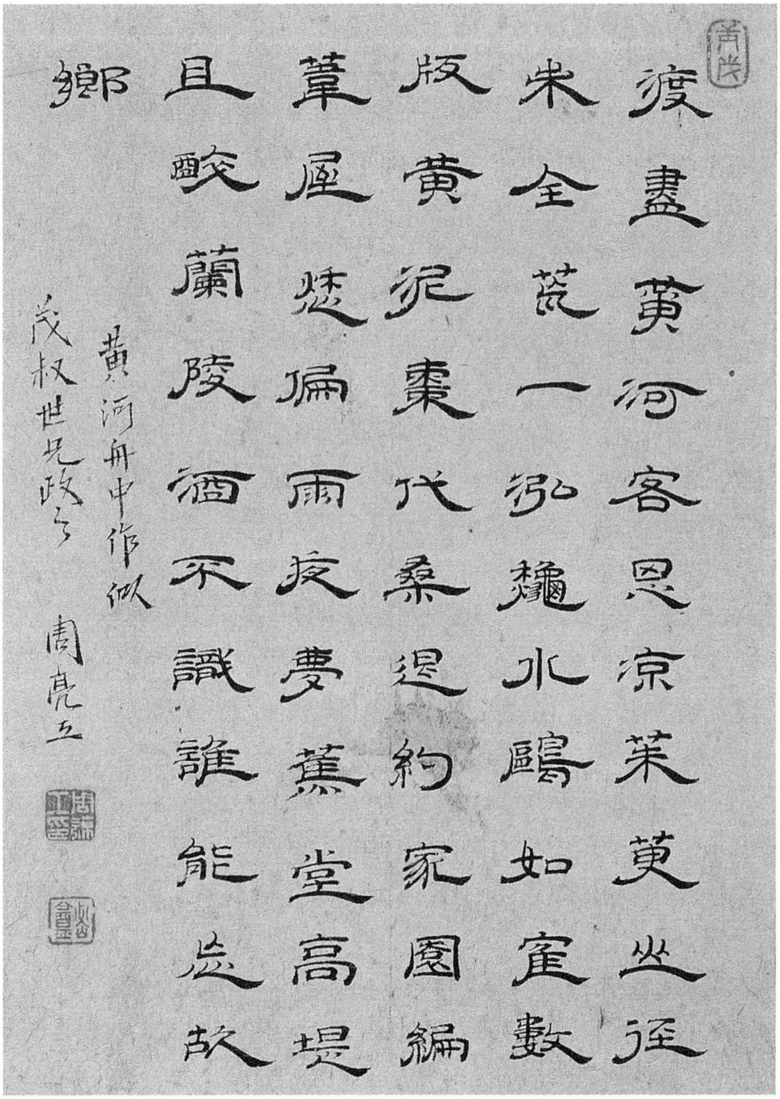

图3.23 周亮工 为茂叔书《黄河舟中作》《清初金陵名家山水花鸟书法》 1660年代 册页（共二十六开） 纸本 25.3x17厘米 私人收藏

南方的文人们也有相似的活动。

在书法理论方面，南方学者和书法家讨论隶书时使用的语汇也和傅山十分相似。常熟冯行贤曾作《隶字诀》，开头几行便是："枯老古拙，枯中有硬，老中有健，古中有奇，拙中有巧。"[1]

在这一理论背景下，清初出现了一些以专擅隶书而成名家的书法家，其中以南京的郑簠最有成就。[2]郑簠也是著名的碑拓收藏者，并出游四方访碑拓碑。大约在1676年，郑簠在山东曲阜、济宁等地拓了许多汉碑。朱彝尊认为郑簠制作的拓本，在墨色、质感等方面都远胜于一般工匠所拓。[3]除了自己收藏，郑簠还将亲自制作的拓本分赠友人（见图3.6）。郑簠也请朋友帮他收集碑拓。王弘撰在写给郑簠的一通信札中，对郑簠的隶书备加赞赏并提到郑簠索碑拓一事：

> 曩在白门，从李董自处得承教绪，独以未获从容游宴，挹汪汪千顷之度为怅耳。嗣是每睹墨翰，分法直逼汉人，私拟为近代第一手，太原傅青主、敝乡郭胤伯两先生差堪伯仲，王孟津所不逮也。弟有所求者，望即挥赐为感。顾亭林先生云，索古碑刻，今以案头所有《豆卢恩》、《冯刺史》二幅附寄。当涂令系弟至戚，凡有尊札，于彼寄之，易也。亭林嘱致意，待《嵩山碑》拓到，当有耑札耳。[4]

按照王弘撰的说法，郑簠为清初隶书第一高手，仅郭宗昌（胤伯）和傅山能与之匹敌，而王铎（孟津）则要略逊一筹。如果王弘撰所言不虚，而且能代表清初书坛对郑簠的基本评价，那么，对于郑簠作品的分析，可使我们进一步了解清初文人理想中的优秀隶书的基本形态。

郑簠书于1682年的一件隶书立轴，颇能体现清初书家努力追寻唐代以后被忽视的一些汉隶特征（图3.24）。比如说，唐楷的字形偏瘦长，大多数汉碑中的字形则呈扁平的矩形。而汉隶相对于唐隶，通常显得自在开放，甚至古朴丑拙。郑簠力图重现汉隶这些特质。立轴中，字的大小对比悬殊，引人注目。郑簠追随汉隶中恣肆一路，将字的结构变形，左右部位常不作平衡处理。我们在前面曾讨论过汉隶中处理横折笔画的两种方法（见图3.18）。郑簠书写"阳"、"家"等字的横

[1] 冯行贤：《隶字诀》，载《余事集》。冯行贤是清初书法理论家、常熟冯班的长子。1678年，他在北京参加博学鸿词特科考试时结识傅山。

[2] 目前存世的郑簠作品，除一件篆书外，其余的都是隶书。关于郑簠的隶书及其访碑活动，见何传馨：《清初隶书名家郑簠》，页132-135。还见胡艺：《郑簠年谱》。虽然我们无法确定郑簠和傅山是否相识，但郑簠和傅山的一些朋友熟识。

[3] 朱彝尊：《书韩敕孔子庙前后二碑并阴足本》(《曝书亭集》，卷47，页10a）云："阙里孔子庙庭，汉鲁相韩敕叔节建碑二。……金陵郑簠汝器相其陷文深浅，手拓以归，胜工人椎拓者百倍。"

[4] 王弘撰：《寄郑谷口》，《砥斋集》，卷8下，页19a-b。

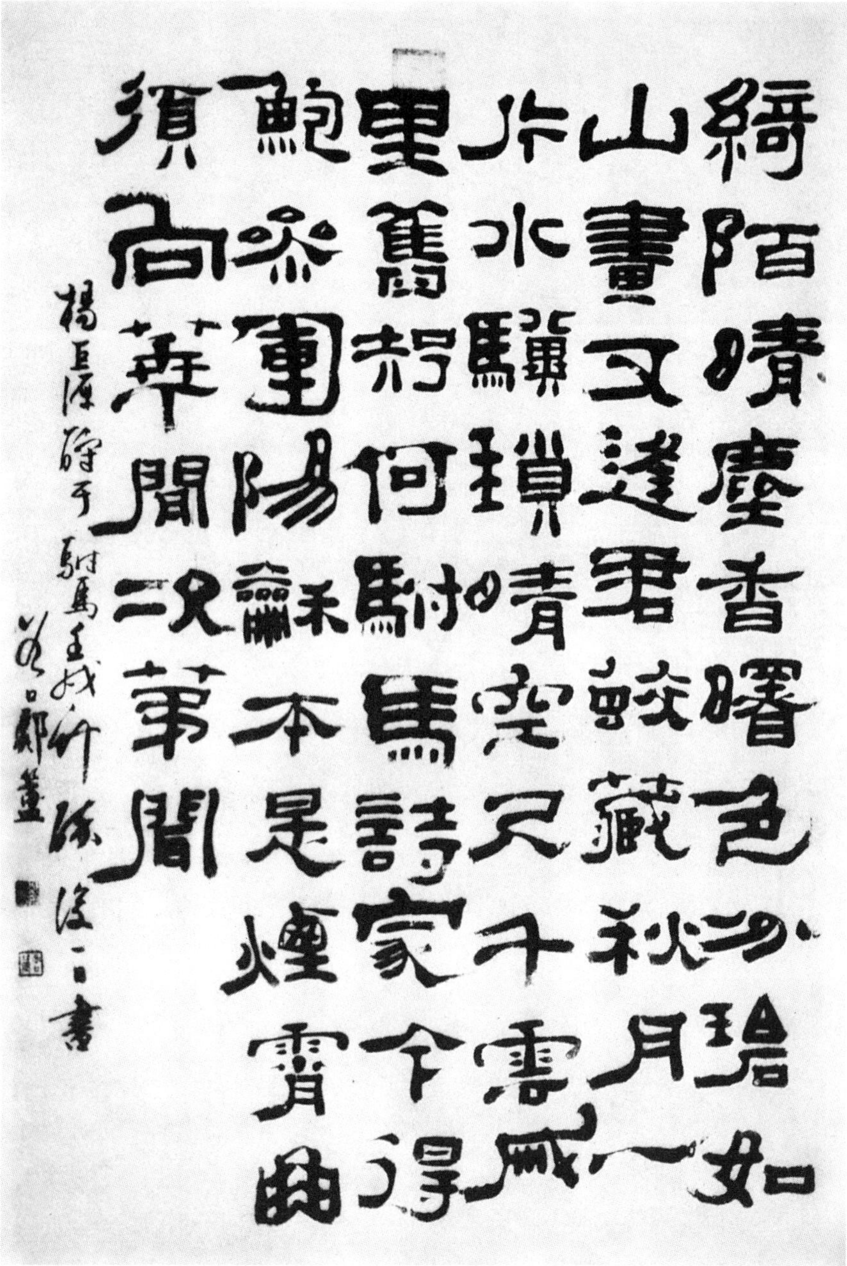

图3.24 郑簠《杨巨源诗》
1682 轴 尺寸不详
台北故宫

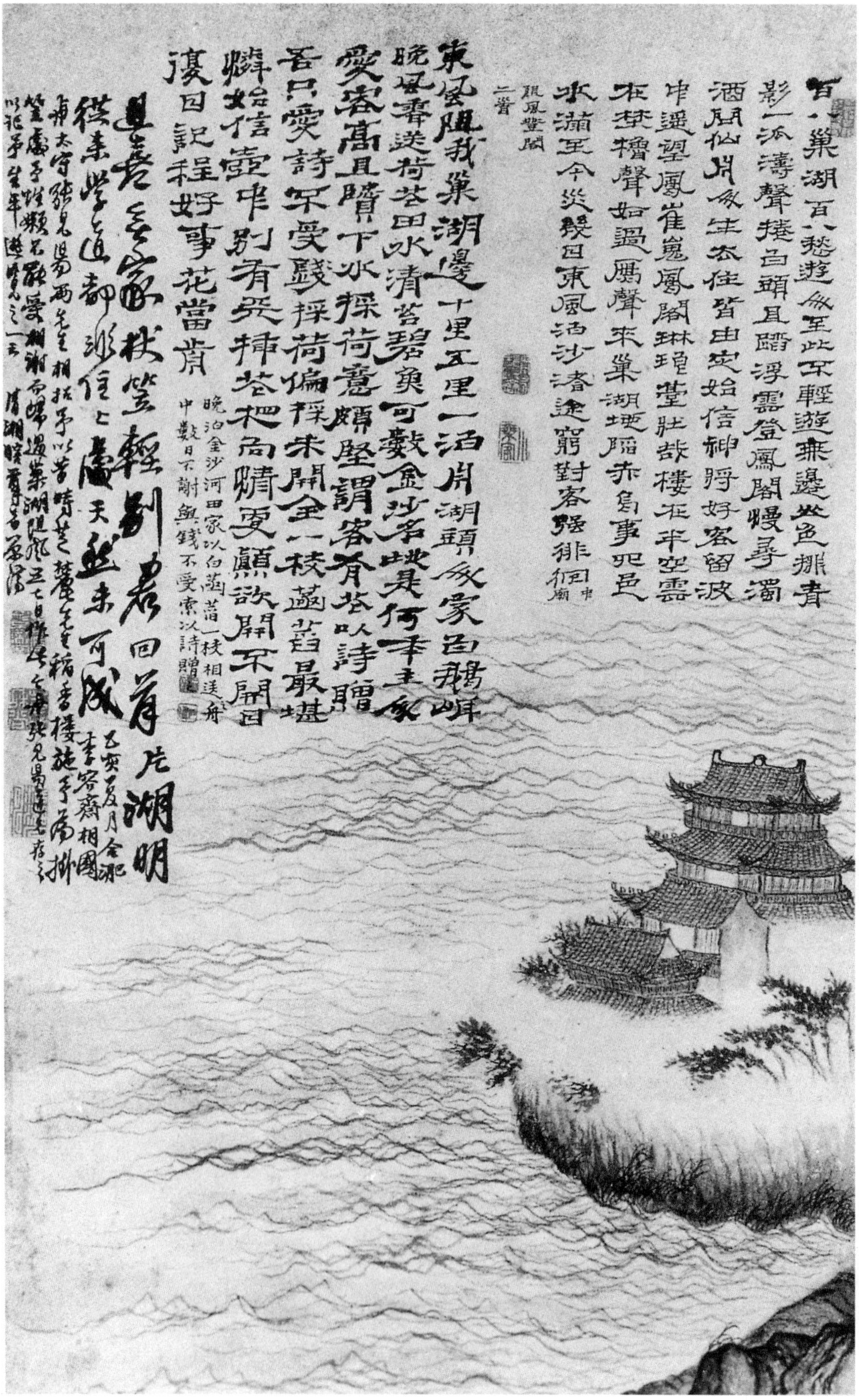

图3.25 石涛《巢湖图》 1695 局部 轴 纸本 水墨设色 96.5×41.5厘米 天津市立艺术博物馆 引自《四僧画集：渐江、髡残、石涛、八大山人》 页165

折时就运用了汉隶的方法。

为了追求古代金石残损古朴的效果，郑簠的线条墨色饱满，用笔迅捷（一定程度地受到草书的影响），由于用的是软毫和生宣，笔画边缘呈残缺状，令人想起汉碑上残断的笔画。这件作品予人的整体印象是粗放古朴。清初文人汪琬（1624–1691）用“尽破唐以来方整之习”来评论郑簠的隶书。[1]

随着书写隶书热情的逐日增长，南方的一些画家也喜欢用隶书来书写画上的题跋。其中最著名的是石涛，这位才情横溢的艺术家似乎比其他画家更为经常地在画上用隶书题款跋尾。天津市博物馆藏石涛1695年为张纯修（字子敏，号见阳）所绘《巢湖图》，上有石涛四首题诗（图3.25），其中三首是隶书写的，一首是楷书写的。大概是受到程邃和郑簠两位前辈的影响，石涛的隶书也带有即兴的特色。这种即兴挥洒常能产生出乎意料的效果。在墨色方面，有些字的墨晕染到周遭的纸面，有些字则墨色干枯，犹如老藤。

对笔墨偶然产生的“自然”效果的欣赏与日俱增，那些易于产生偶然效果的材料也受到欢迎。用黄鼠狼毛和兔毛等制造的硬毫笔弹性好，笔在运行时受到不同的压力后，笔锋比较容易归复原位，适合书写帖学传统精致的字。而羊毛制作的软毫笔则不易归位，使训练有素的书法家在书写时处于一种控制与非控制之间的状态，容易出现无法预知的偶然性效果。而书法家的控制能力又能把这种偶然性限制在可以接受的范围。所以这种出乎意料的偶然效果，又在乎情理之中。出于对偶然效果的欣赏，清初一些书法家对羊毫笔多有偏爱。[2]石涛曾在《为微五作山水》的题识中记下他用羊毫笔写字时的乐趣：

> 打鼓用杉木之捶，写字拈羊毫之笔，却也快意一时。千载之下，得失难言。[3]

从书画用纸上也可看出这种转变。石涛的绝大部分作品都是使用吸水性强的生宣，这对其艺术产生了明显的效果。天津市立博物馆所藏《巢湖图》的四首题诗之一，就是由涨墨的笔画起始。若是在明代以前，这种情形可能被认为是败笔。然而生宣在清初的广泛使用和涨墨笔画的频繁出现，显示出人们欣赏这种效果。生宣比上矾的熟纸或

[1] 见何传馨：《清初隶书大家郑簠》。汪琬和傅山应相识，因为1678–1679年博学鸿词特科考试期间，俩人都应荐在北京。汪琬和傅山的许多朋友（如顾炎武、朱彝尊、阎若璩、李因笃等）相熟。

[2] 关于羊毫笔对清代书法的影响，见华人德：《论长锋羊毫》；《回顾二千年以来的文房四宝》。

[3] 该画目前藏于四川省博物馆，见《石涛书画全集》，卷上，图58。

者绢绫吸水性强，更容易产生意料之外的效果。同时，羊毫笔蓄墨多，笔毫容易铺开，写出的笔画厚重。[1]书法家用软毫笔在生宣上作书，更容易摆脱唐楷的整饬洁净，制造出残损漫漶的金石气。

本书第一章中曾论及，晚明一些书法家喜欢用涨墨作书，造成笔画边缘漶漫的效果，可能导因于晚明对古玺印的兴趣。流传到16、17世纪的先秦、秦汉玺印，因历时久远而常有残损。晚明文人对于奇和古的爱好使他们试图在篆刻中重现古印残破的意趣。石章的肌理和刀法的运用，使篆刻常能取得无法预测的偶然效果。晚明和清初的篆刻家故意敲击摔打新刻的印面，就是为了模仿古印经过时间洗礼留下的残损效果（见图1.53）。篆刻中的这种癖好，可能就是书法家开始用羊毫、生宣、涨墨来取得偶然效果的先声。石涛和许多清初的书法家一样，都对篆刻极有兴趣。石涛在一首诗中这样写道：

书画图章本一体，精雄老丑贵传神。[2]

石涛的诗句说明，在清初，书画印这三门文人艺术的基本追求是一致的，"老"与"丑"已成为当时常见且被赞赏的特质。

石涛的作品也能说明这一点。在北京故宫藏石涛1680年秋所画的山水册的题跋中（图3.26），不但许多字的结体都严重变形，石涛还用颤笔来追求残破的效果，整个作品因此显得"老丑"。

石守谦在讨论17世纪的南京绘画时指出，入清后，南京弥漫着怀旧的气氛，在这一文化氛围中，艺术品味出现了由晚明的"奇"向清初的"古"的转变。[3]类似的转变也发生在书法领域。金石文字由于可资经史考证而重新得到重视，书法家们也试图去捕捉古代金石文字的古朴气息。然而，在这一转变的初始阶段，"奇"与"古"依然彼此兼容。正如傅山的《训子帖》所说："人奇字自古。"古是奇的某一个面向，奇也是古的一部分，所以冯行贤在《隶字诀》中说："古中有奇。"傅山、石涛等清初书画家也常常在他们的作品中讨论奇与古，[4]此时的古并不具有迂腐的学究气。直到清代中期，书法家逐渐将重点放在古而非奇上，对奇的追求才失去了往日的光彩。

1676年，郑簠应一位高官之邀赴京，沿途曾在山东等地访碑拓碑。赴京前，郑簠和清初著名诗人施闰章（1619–1683）小聚。酒席

[1] 谢肇淛（1567-1624）在《五杂俎》（页130）中说："近代书者，柔笔多于刚笔，柔则易运腕也；偏锋多于正锋，则易取态也。然古今之不相及，或政坐此。"虽然谢肇淛所阐述的软毫笔受欢迎的原因与笔者不同，但他的评论显示出晚明以后软毫笔的流行。清初著名诗人王士禛（1634-1711）在《香祖笔记》（卷2，页35）中说："近日湖州专用羊毛，殊柔软无骨，形貌亦丑。"王士禛虽和清初的艺术家（包括傅山）有广泛的交往，但很显然，他并不欣赏丑拙的书法。不过，他的笔记证实了羊毫笔在清初的流行。

[2] 见上海博物馆藏石涛1693年所作书画册。收录于《石涛书画全集》，卷上，图98，《书画合璧》之十三。

[3] 石守谦：《由奇趣到复古——十七世纪金陵绘画的一个切面》。

[4] 傅山：《傅山全书》，册4，页2781。本书图3.26石涛的题诗中也有"三十余年立画禅，搜奇索怪岂无巅"句。

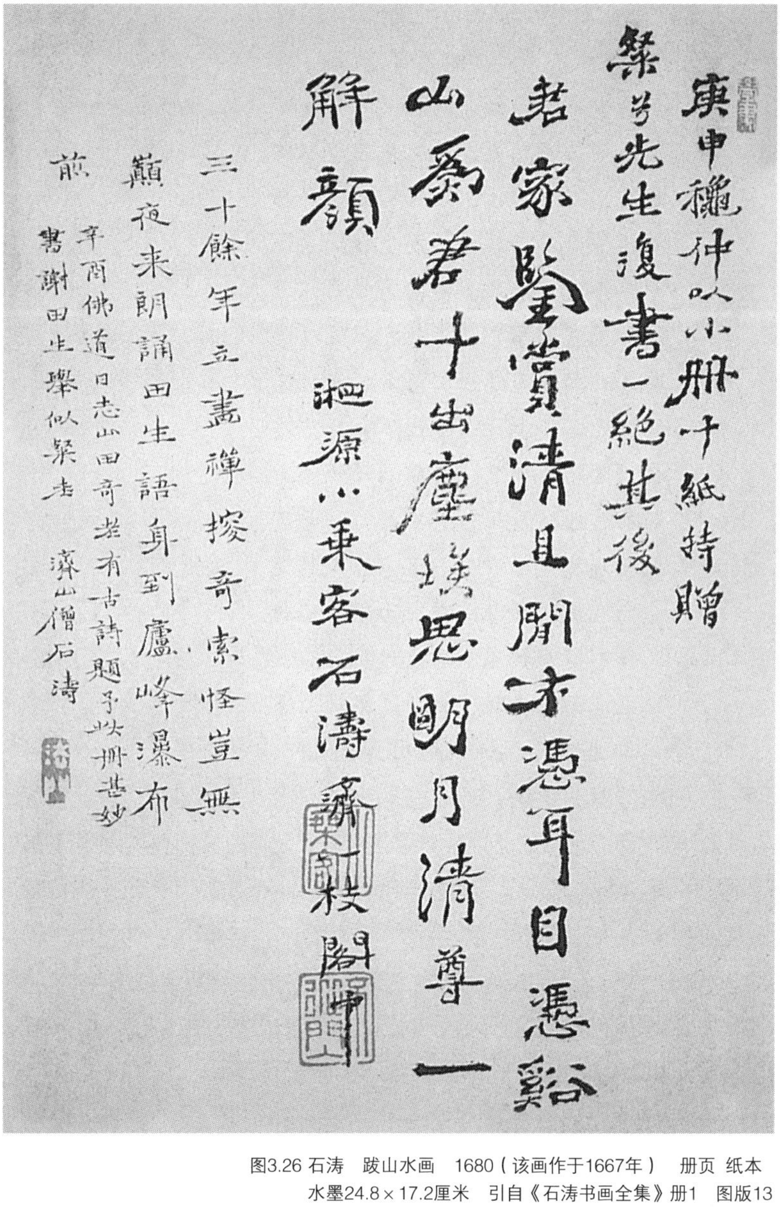

图3.26 石涛　跋山水画　1680（该画作于1667年）　册页 纸本
水墨24.8×17.2厘米　引自《石涛书画全集》册1　图版13

间，郑簠“历叙八分及汉隶诸碑书法”，给施闰章留下了深刻印象，[1]施闰章即席作七言古诗《酒间赠郑谷口》：

八分健手天下知，片纸尺璧传京师。
诸王列第遍题楔，五岳名蓝半写碑。
收藏富有罗百代，上穷岣嵝下李斯。
篆籀铜盘及石鼓，铭刻重搜太子池。
中年惨淡工汉隶，借问苦心摹阿谁？
溧阳校官郃阳令，石门礼器皆神奇。（以上皆古碑名）
摩挲软劲非笔墨，剥落金石光迷离。
锦帙牙签尽书画，旁通不合兼轩歧。
公侯延伫争倒屣，车骑刺促无闲时。
劳人作达转清暇，解衣挥翰明灯下。
匹绢残笺气磅礴，态迟势速人惊诧。
义急穷交不顾身，兴耽古物宁论价。
高斋别墅夏犹花，留我过从每凉夜。
饮君卮酒颜欲酡，火云满眼鼓鼙多。
单车见说燕山去，谷口闲园奈若何？[2]

按照施闰章的说法，郑簠在北上前，已在京师享有相当高的知名度。这位擅长隶书的艺术家所到之处皆受到各界精英的热烈欢迎，他题写的碑匾也遍布全国各地。郑簠从京师南归时，当时正在潞河（今北京通州）的朱彝尊作长歌《赠郑簠》。[3]诗是这样开始的：“金陵郑簠隐作医，八分入妙堪吾师。朅来卖药长安市，衮衮诸公多莫知。”[4]虽然朱彝尊描述郑簠初到京师时，公侯们对他的艺术还不甚了解，但他本人在诗中却倾诉了对郑簠隶书成就的仰慕。

朱彝尊和施闰章都是清初著名的学者和诗人，在当时的文化艺术界有很大的影响。尽管他们关于郑簠在北京享有的名声的描述不尽相同，但对郑簠的隶书成就却都极口称赞，无一异词。由于对汉隶的重视和书写隶书风气的兴盛是以金石学的复兴为学术思想背景，所以清初的知识界和书法界之间存在着极为密切的关系。正因为如此，当阎若璩在列举包括顾炎武、黄宗羲等人在内的十四位当代“圣

[1] 这种在诗酒文会中以隶书艺术为话题的现象，和前引十年前方文等在雅集中讨论篆隶八分的情形相似。

[2] 施闰章：《酒间赠郑谷口（时谷口历叙八分汉隶诸碑书法，又被大司马敦促入都）》，《施愚山集》，册2，页418。施闰章的诗并没有纪年，但是根据胡艺编《郑簠年谱》，郑簠赴京只有一次。而朱彝尊作于1676年的《赠郑簠》一诗，专门提到郑簠到达了北京。因此将郑簠赴京系于1676。大司马为兵部尚书的别称，而当时任兵部尚书的是王熙（1628–1703）。著名艺术收藏家梁清标（1620–1691）曾在1656年至1666年任兵部尚书。所以，邀请郑簠赴京的也可能是梁清标。

[3] 朱彝尊是年在潞河。见杨谦：《朱竹垞先生年谱》，页22。由于朱彝尊的诗中有“子今南去生凌澌”句，所以诗似在郑簠南归之际写的。

[4] 朱彝尊：《赠郑簠》，《曝书亭集》，卷10，页2b。

人”时，郑簠也荣列其中。[5]书法虽为中国文人最重要的艺术爱好之一，但向来被认为是小技。以阎若璩在当时知识界的地位，由他把书法家郑簠和钱谦益、顾炎武、黄宗羲等大文豪、大儒一起列为“圣人”，可谓史无前例。这标志着，不但金石学是清初学术生活中不可或缺的一部分，以古代金石文字为典范的隶书在清初的学术和文化生活中也扮演着越来越重要的角色。

然而，傅山这位碑学书法萌芽期的中坚人物，却不在阎若璩的名单上。很可能是因为傅山的道家背景不符合阎若璩的圣哲形象，也可能阎若璩认为傅山的学术与书法成就不足以和名单上的其他人物匹敌。但是这并不影响我们对傅山的基本评价。和其同时代人相比，傅山对于碑学书法的阐述，最直接明了、简洁有力，也最能反映他那个时代的审美观念。

[5] 阎若璩的原文如下：“十二圣人者：钱牧斋（谦益）、冯定远（班）、黄南雷（宗羲）、吕晚村（留良）、魏叔子（禧）、汪苕文（琬）、朱锡鬯（彝尊）、顾梁汾（贞观）、顾宁人（炎武）、杜于皇（濬）、程子上、郑汝器（簠），更增喻嘉言（昌）、黄龙士（虬）凡十四人。谓之圣人，乃唐人以萧统为圣人之圣，非周孔也。”见《潜邱劄记》，卷5，页93b。原版因避文字狱，挖去数字，无“钱牧”和“晚村”，笔者根据当时名人的字与号推测而补。括号内的名也为笔者所加。

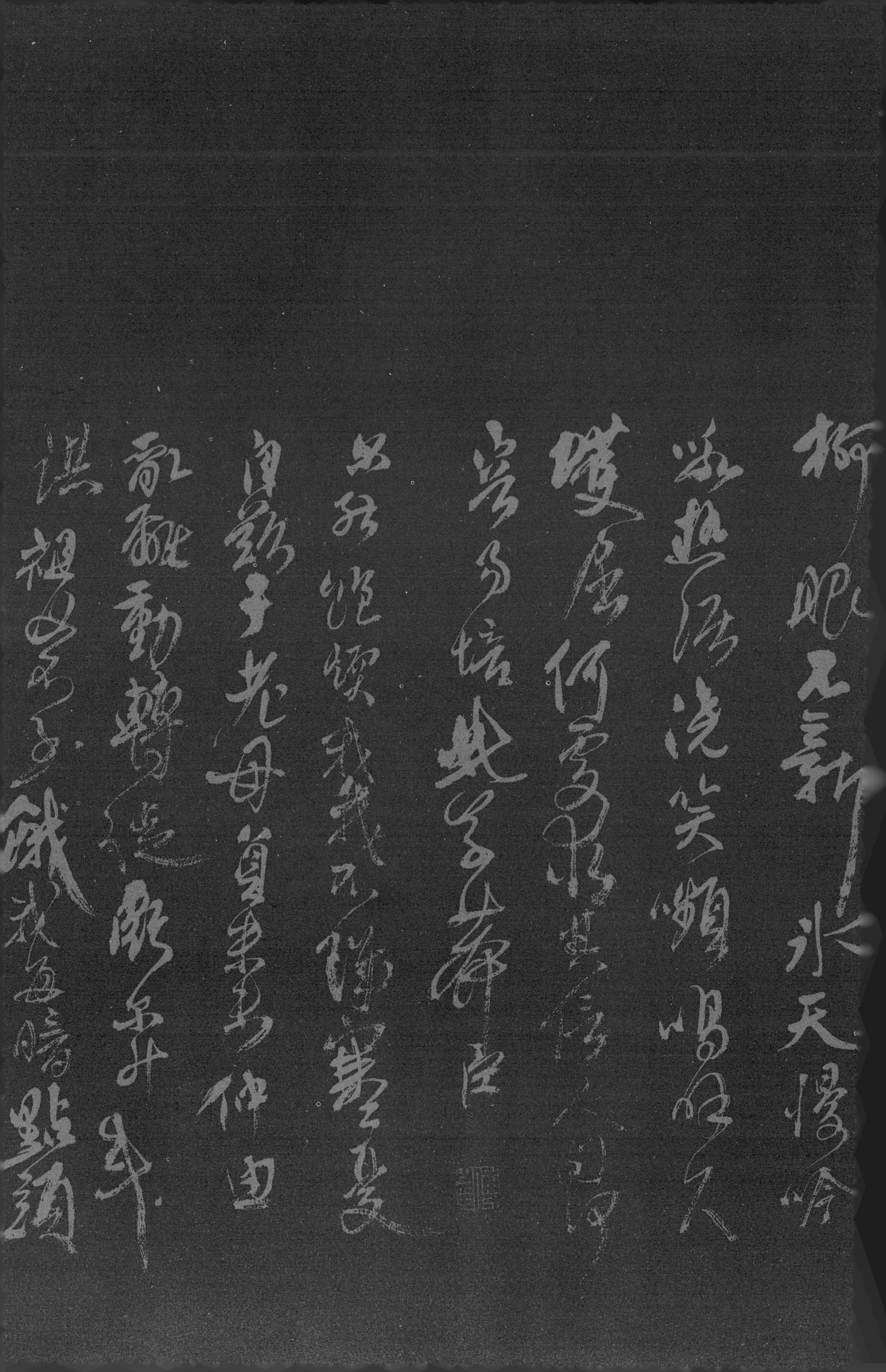

第四章

文化景观的改变和草书

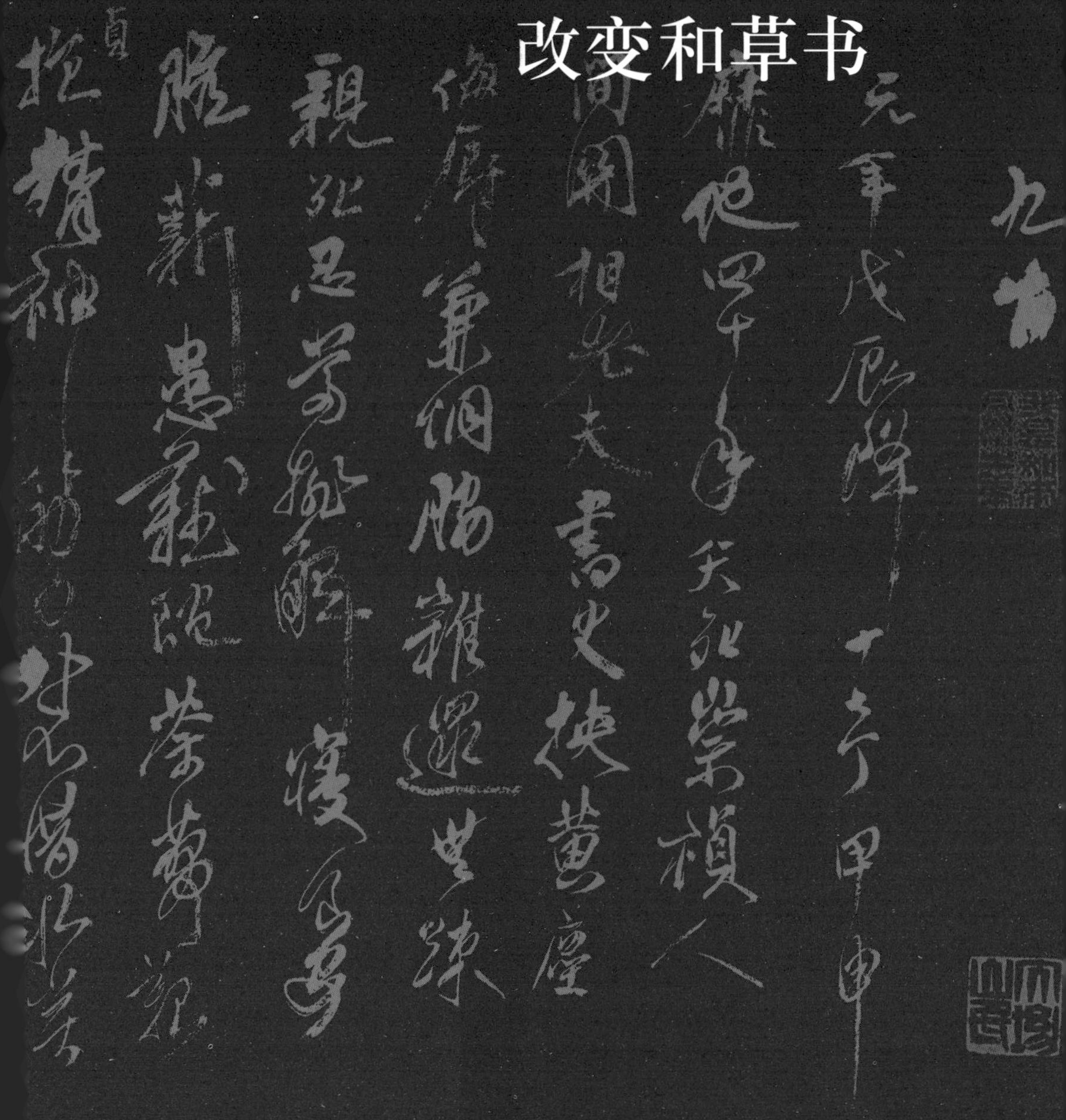

本书前两章，已经讨论了清初政治文化背景中傅山对颜真卿书法、书写异体字、杂书卷册和古代金石书法的兴趣。然而，傅山留给后世印象最深刻的还是他的行书和草书。在他存世作品中，不但行草书的数量最多，而且有些作品的幅面很大，书风特征非常鲜明，给观者留下极其深刻的印象。本书在最后一章才讨论傅山的行草，是因为傅山被视为明末清初最后一位草书大师，[1]对其草书作品的研究，将可阐明碑学在清初开始萌芽之后，其他字体的书法发生了哪些变化。可以说，草书在傅山身后开始的衰落，实际上反映出文化景观的变化导致了美学价值的重大转变。而标志着清初文化景观变化的一个关键事件，就是发生在傅山晚年的博学鸿儒特科考试（1679 年）。

[1] 傅山和倪元璐的学生许友（约 1620-1663）被视为狂草的最后两位大师，但许友比傅山早二十年逝世，仅留下极少量的作品。关于许友的生平和艺术，见杉村邦彦：《许友の生涯と书法》；张佳杰：《明末清初福建地区书风探究——以许友为中心》。

傅山的晚年生活

到 1670 年代，满族人入主中原已有三十年。虽然全国局势尚未完全稳定——1674 年，仕清将近三十年的吴三桂和另外两位藩王叛乱（史称“三藩之乱”），[2]对清廷构成相当的威胁，但是，许多遗民对匡复明室已经不抱任何希望。抗争日渐减少，紧张的情势随着时间推移趋于和缓，清廷在全国范围内已经逐步巩固了统治。当其政权稳固之际，汉族精英对于清政府的态度也在发生改变。虽然不少遗民继续效忠业已覆亡的明朝，拒绝与清廷合作，但他们的子弟却很少继承他们的衣钵。正如与傅山同时代的徐介（1627-1698）所言，

[2] 关于“三藩之乱”的讨论，详见 Wakeman, *The Great Enterprise*, vol. 2, pp. 1099-1127。虽然叛乱之初的确对清廷构成威胁，却没有得到汉族精英的广泛支持。顾炎武甚至对之嗤之以鼻。（见前引书，p. 1110）然而，屈大均参与了在广东的叛乱。见汪宗衍：《屈翁山先生年谱》，页 111-116。

遗民身份是无法世袭的。[3]在清朝的统治下成长起来的遗民后嗣，已经失去了父辈效忠明朝的那种道德责任感，对他们而言，效忠前朝是个比较陌生的话题。时代的变迁迫使他们去适应新的生活环境，在康熙朝，已有相当多的遗民子弟投身科举，即使当时他们的父辈仍然在世。清初文人戴名世（1653–1713）曾说："自明之亡，东南旧臣多义不仕宦，而其家子弟仍习举业取科第，多不以为非。"[4]有些遗民子弟成为府、州、县学的生员，有些则在中进士后任高官，享厚禄。最显著的例子是，顾炎武的七个侄甥中有五人考取了进士（三名成为高官），其余二人，一为诸生，一为太学生。[5]

赵园指出，遗民是一个时间现象。[6]随着时间的推移，有的明遗民死去，有的改变了对前朝的忠诚，转而与新政权合作，明遗民的人数因此逐渐减少。变节行为在那些固守忠贞的遗民中引发了焦虑感。顾炎武在1673年为戴廷栻撰写的傅山小传所题的跋语中，再次提起了儒家行为规范中"行藏"这个重要问题。顾炎武写道："行藏两途是人一生大节目，古圣前贤皆于此间着意，一失其身，百事瓦裂，戒之戒之。"[7]

次年，顾炎武寄赠傅山一首诗，其中有如下诗句：

太行之西一遗老，楚国两龚秦四皓。[8]

春来洞口见桃花，傥许相随拾芝草。[9]

顾炎武把"太行之西一遗老"的傅山比作古代著名的遗民，并以"相随拾芝草"相期许，他的诗字里行间透露出明遗民通过相互鼓励来坚定自己的道德信念。从理论上来说，人们应当坚持道德原则，但在实际生活中，心志脆弱的人们却常常会因为周边环境的变化而摇摆不定。虽然同侪中的变节确实导致了一些人的犹豫和动摇，但许多遗民仍从彼此的鼓励中获取力量。这种鼓励包括像顾炎武那样援引为人传颂的古代遗民事迹，相信他们的选择将赢得后世的敬仰，名垂青史。

1674年夏，傅仁去世，享年三十六岁。傅仁是傅山的兄长傅庚的儿子，四岁失怙，由傅山抚养成人。傅山教其读书识字，为其娶亲，视同亲生骨肉。在1670年代以前，傅眉已有子女多人，并在太原城中经营傅家的药铺。所以傅山出外旅游时，常由傅仁为伴，叔侄之

[3] 全祖望《题徐狷石传后》引徐氏言："吾辈不能永锢其子弟以世袭遗民也。"《鲒埼亭集》（外编），卷30，页13a。

[4] 戴名世：《朱铭德传》，《戴名世集》，卷7，页209。

[5] 关于明遗民后代仕清的讨论，见何冠彪：《论明遗民子弟之出仕》，载于《明末清初学术思想研究》，页125–167。

[6] 赵园：《明清之际士大夫研究》，页373–401。

[7] 戴廷栻：《石道人别传》，《傅山全书》，册7，页5026。

[8] "楚国两龚"指龚胜与龚舍是两位不愿臣服于新莽的汉代遗民。王莽篡汉时，二人俱谢病不仕。"秦四皓"指四位由秦入汉的隐士，因四人须眉皆白，故称四皓。秦时，他们为避乱而隐居商山。汉初吕后曾用张良计，欲迎四皓侍太子，但后罢此议。

[9] 顾炎武：《寄问傅处士土堂山中》，《顾亭林诗文集》，页394。

间的感情极深。[1]傅仁的英年早逝，对傅山打击极大，悲痛中他觉得自己一下子衰老了许多,因此萌生隐居深山之意。在傅仁去世后不久，傅山写信给戴廷栻，请老友帮他卖画筹款在山中结茅以度残年。傅山在信中这样写道：

> 弟老矣。遭此小阮之痛，筋骨衰惫十倍于前。柳栗一肩，无复远意。欲结茅丹崖之下，送此残年。而苦无芰苍凿翠之资，未免有待于我辈。而我辈之可烦者，莫过吾兄。而吾兄此时之囊政复羞涩，可当奈何！自过河西分单破梵，外境内情，逐处不堪，无聊排遣，作得绢画数幅，烦枫仲道丈为我作一风流头陀，代为韵募。[2]

1675年秋，即傅仁去世一年后，山西著名理学家范鄗鼎（1667年进士）晤傅山于太原。范鄗鼎在其所编《三晋诗选》中所收傅山《题自画兰》诗后有段小跋记其事：

> 乙卯秋（1675）晤先生于大卤山庙，黄冠破衲，门外蒿草成林。言及著作，便云搁笔已久，旧有一二，亦付之断崖深谷中矣。归而索诸枫仲，乃得诗章一百一十张，皆从断崖深谷中掇出。今虽寿木，出于枫仲之手，图藏名山，非传海内也。余恐来世无传，谨采其可解者，以见大略。附识。[3]

这段小跋说明，傅山此时还隐居在山中的寺庙里，未能从傅仁去世的打击中振作起来。

上引致戴廷栻的信中，傅山请戴为其筹款，以在山中筑室隐居。此事是否办成不详。但有一点可以肯定，傅山晚年常住山中。范鄗鼎长子范翼也有《谒傅公他先生归，赋此就正》一诗，记在山中拜访傅山：

> 传云险绝处，高士隐其中。断峡愁飞鸟，梵堂爱老翁。
> 畏人甚畏虎，常色亦常空。不意桃源路，偶然为我通。
> （原注：先生居东山古庙）[4]

范翼的诗很可能作于1670年代的下半期，[5]“不意桃源路，偶然为我通”这两句说明，显贵者如范家子弟，此时要见隐居中的傅山也不那么容易了。

[1] 傅仁去世后，傅山作诗《哭侄仁六首》，其中有“卅年风雨共，此侄比人亲”，“自喜习吾字，人看乱老苍”等句。《傅山全书》，册1，页182。

[2] 陆心源：《穰梨馆过眼续录》，卷11，载卢辅圣：《中国书画全书》，册13，页329。如同傅山其他存世的书札一样，此札无年月日。但札中所谓“小阮之痛”使我们可以把此札的书写日期订为1674年傅仁去世后不久。信中傅山的落款为“期服弟山顿首”，说明傅山写此信时，尚在为傅仁服丧期间。

[3] 范鄗鼎编：《三晋诗选》，卷9，页18b-19a。

[4] 范翼：《敬天斋诗稿》，载于范鄗鼎等：《五经堂合集》。

[5] 范鄗鼎初次结识傅山在1672年。见《五经堂合集》中载范翻编撰：《先子类记》“壬子年”条。

[6] 傅山为古古书杂书册载《书法丛刊》，1997年第1期，页56。

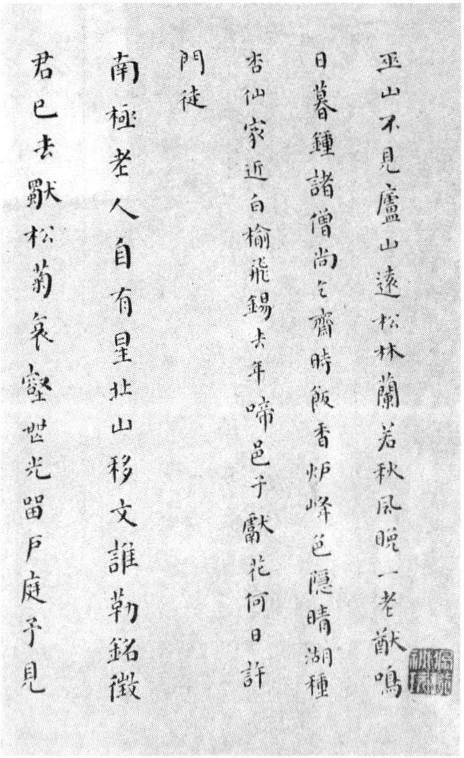

图4.2
傅仁《小楷杂诗四首》
局部　册页（共二开）
纸本　24.5x13.8厘米
太原晋祠博物馆
引自林鹏等《中国书法全集》册63《清代编：傅山卷》　页354
图版77

图4.1
傅眉《行草自作诗》
轴　绌本
220x50厘米
日本桥本大乙收藏

为什么傅山会“畏人甚畏虎”呢？傅山在1660年代已享有很高的文化声誉，加之战后的经济也在逐渐复苏，各地前来拜访和求字的人也越来越多。傅山在1660年代末，已对知名度之大所带来的麻烦颇有感慨。他在为友人作的一个册页上这样写道：“莫愁前路无知己，天下何人不识君，常笑此两句。知己遍天下，尚有已哉！何人不识，与鸦噪鲍佐何异！”❻傅山名气大，应酬就多。于是，这里便出现了一个中国社会常见的矛盾：当一个文化人年事越来越高，身体越来越弱时，他的名气却随着年龄与日俱增，越来越大，应酬之类的事也越来越多。这样的状况令傅山感到窘迫，因此，他不得不依靠别人代笔来完成他的书债。

傅山有两个代笔人，一是其子傅眉（图4.1），一是其侄傅仁。傅仁虽然自幼身体羸弱，但天资很高，写得一笔好字（图4.2）。傅山晚年时，傅仁常为他代笔。1675年夏天，傅山在一篇札记中写道：

> 又辄云能辨吾父子书法，吾犹为之掩口。大概以墨重笔放、满黑桠杈者为父，以墨轻笔韶、行间明媔者为子。每闻其论，正诗痴耳。三二年来，代吾笔者，实多出侄仁，人辄云真我书。人但知子，不知侄，往往为吾省劳。悲哉！仁径舍我去一年矣。每受属抚笔，酸然痛心，如何赎此小阮也？乙卯五月偶记。[1]

傅仁的逝世不仅是情感上的打击，还使傅山突然失去了为他省劳的主要臂膀，导致他无法有效率地对付种种应酬。所以，年迈的傅山“畏人甚畏虎”，尽量回避访客的打扰。范翼曾写过一首题为《闻有访公他（傅山）先生者，先生辞以疾》的诗，诗的第一句便是：“客来病即发。”[2]

傅山声称自己“搁笔已久”，不过是个借口。其实，傅山的家中保存着一些他的学术著作，但他并不愿意将此公诸于世。他这样做大概出于以下几个原因：一是傅仁刚去世，他无心与人论学。二是他像顾炎武一样，不轻言著作。三是他尽量避免外界的烦扰。实际上，傅山在晚年仍然在钻研古代文化。他对哲学、史学的研究主要保存在他的笔记以及《荀子》和《淮南子》等书的批注中。如本书第三章所述，傅山在晚年意识到早期篆书中存在着许多问题，花了不少时间研究古文字。傅山对于《说文解字》这部重要的古文字学著作的兴趣渐增，在其晚年的著作中，他常常引用《说文解字》。18世纪，文字学成为重要的学术领域，而傅山对《说文解字》的兴趣正是这股学术潮流的先声。

除了学术研究外，傅山还花了不少精力来教育他的两个孙子傅莲苏和傅莲宝。他亲自传授经、史、文学、书法，并教导他们遵循儒家的伦理道德处世行事。入清后，傅山一直过着相当清贫的生活，他教导两个孙子要对学者的朴素生活感到知足，“粗茶淡饭，布衣茅屋度日，尽可打遣”，不要汲汲于积累财富。[3]虽然傅山一直想在平静的环境中以教育孙儿和著述终其天年，但他的名声却依然给他带来了意想不到的麻烦。

[1] 傅山：《傅山全书》，册1，页864。

[2] 范翼：《谒傅公他先生归，赋此就正》，《敬天斋诗稿》，载于范鄗鼎等：《五经堂合集》。

[3] 《傅山全书》，册1，页522。

博学鸿儒特科考试

康熙十七年戊午（1678年）正月二十一日，康熙皇帝谕内阁：

自古一代之兴，必有博学鸿儒，振起文运，阐发经史，润色词章，以备顾问著作之选。朕万几时暇游心文翰，思得博洽之士，用资典学。我朝定鼎以来，崇儒重道，培养人材。四海之广，岂无奇才硕彦，学问渊通，文藻瑰丽，可以追踪前哲者？凡有学行兼优、文词卓越之人，无论已仕未仕，着在京三品以上及科道官员，在外督、抚、布、按各举所知，朕将亲试录用。其余内外各官，果有真知灼见，在内开送吏部，在外开报督、抚，代为题荐，务令虚公延访，期得真才，以副朕求贤右文之意。[4]

这次考试就是康熙朝著名的博学鸿儒特科考试。[5]各地荐举的一百八十余位学者中，包括傅山、朱彝尊、阎若璩、李因笃、王弘撰、潘耒、曹溶。[6]

被荐举的学者政治背景不同，对这次考试的反应也各异。有七十六人在清代进士及第，十八人为举人，另两位是已仕清的明代进士。因此，约有五成的人员已是新朝政治精英阶层的成员。此外，还有不少被荐学者，如傅山的友人、直隶陈僖（活跃于1640至1680年代），曾多次参加清政府举行的科举考试，但屡屡落榜。[7]对这些人来说，参加清廷主持的这次特科考试并不涉及政治立场的改变。

但是，对于那些依然效忠明王朝的人士，特别是那些在成年后才遭逢易代之变的遗民们，是否参与博学鸿儒特科考试却是一个重大的考验。对他们而言，姑且不论考试的结果如何，参加博学鸿儒

[4] 李集：《鹤征前录》，页5a–b。

[5] 关于1678–1679年这次考试的讨论，见孟森：《己未词科录外录》；Kessler, "Chinese Scholars and the Early Manchu State"；赵刚：《康熙博学鸿词科与清初政治变迁》；Bai, "Turning Point"。关于特科考试的讨论，见，Miyazaki, *China's Examination Hell*, chap. 9, "The Special Examinations"。商衍鎏：《清代科举考试述录》，页142–143。

[6] 曹溶也被荐举，但以丁忧为由，未赴北京。

[7] 陈僖曾多次乡试落第，见陈僖：《己未出都留别诸公》，《燕山草堂集》，卷5，页14a–b。

特科考试本身就等于承认了清政府的合法性，是一种向新朝妥协的行为。如果坚守遗民立场，除了拒绝，他们别无选择。顾炎武得知自己可能被荐举后，再三致书有关官员，表达了宁死也不参加考试的决心。有关官员知其志不可屈，才没有将其列入荐举名单。[1]顾炎武的友人、陕西遗民李颙（1627–1705）则被迫采取了更激烈的行动来抵制这次特科考试。被荐之后，李颙便称病不赴，当地方政府持续向他施加压力时，他绝食五天，迫使地方官员知难而退。[2]

年轻的学者对荐举的反应不一。在清朝统治下成长的新一代，对明代的忠诚和眷念自然远不如他们的父辈。许多明遗民并没有要求他们的子弟克绍箕裘，对子弟们参加新朝的科举采取默许的态度。如傅山的友人阎修龄，在明亡后便过着隐遁的生活。他的儿子阎若璩却汲汲于功名，曾经屡次参加科举，尽管总是名落孙山。[3]当阎若璩听说自己被荐举参加博学鸿儒特科考试时，极为兴奋地写了一封信给友人刘理（刘超宗）：

> 见开送单有仁和吴志伊（吴任臣，1628–1689），深快人意。……作字与季贞（丘象随）云：安得将杜于皇浚（1611–1687）、阎古古尔梅、周茂三容（1619–1679）、屈翁山大均、姜西溟宸英（1628–1699）、彭躬庵士望（1610–1683）、邱邦士维屏（1614–1679）、顾景范祖禹（1631–1692）、刘超宗某、顾宁人炎武、严荪友绳孙（1623–1702）、彭爰琴桂、顾梁汾贞观（1637–1714）一辈数十人，尽登启事，齐集金马门，真可贺野无遗贤矣！[4]

阎若璩在1678年被荐举时，尚没有通过正常的科举获取功名，博学鸿儒特科为他提供了一个极好的入仕机会。

并非所有的年青学者都像阎若璩那样兴奋。潘耒对特科考试的态度就十分矛盾。为了抵制这个曾经诛杀其兄的政权，潘耒一直拒绝参加清代的科举。当被荐举的消息传来，他颇感吃惊，以老母需人服侍和自己体弱多病为由予以拒绝。在一首给曹溶的诗中，潘耒表达了要像古代隐者那样平静地度过一生的愿望。[5]

然而地方政府无视潘耒的意愿，要求他前往北京。潘耒担心，

[1] 张穆《顾亭林先生年谱》（页262）云："时朝议以纂修《明史》，特开博学宏儒科，征举海内名儒，官为资送，以是年冬，齐集都门候试。先生同邑叶庵阁学及长洲韩慕庐侍讲，欲以先生名应荐，已而知先生志不可屈，乃已。"顾炎武还写信给大学士李天馥和户部尚书梁清标，为李因笃陈情，以李母年迈多病为由，请他们为李因笃疏通，使他可以避免参加博学鸿儒考试。见《顾亭林诗文集》，页50、198。博学鸿儒后，又有人欲推荐顾炎武参与纂修《明史》，顾炎武致函叶方蔼云："七十老翁何所求？正欠一死！若必相逼，则以身殉之矣！"见《顾亭林诗文集》，页53。

[2] 吴怀清：《关中三李年谱》，页79–85。

[3] 见张穆：《阎若璩年谱》，页24、27、34、37、48。

[4] 阎若璩：《与刘超宗书》，《潜邱劄记》，卷6，页88a。

[5] 潘耒《曹秋岳先生招饮倦圃作四首》有诗句："五株杨柳千株桔，安稳菟裘足此生。"诗中小注云："先生守制不赴召，余亦以病辞荐举。"见《遂初堂诗集》，卷2，页25b。

若一再拒绝可能会触怒政府反而招致覆巢的危险——十余年前兄长死于文字狱的情形依然记忆犹新。他作于这一时期的一组《写怀》诗也透露出矛盾的心情：

昔贤心迹太分明，蹈海焚山事可惊。
桑树挂书人不见，羊裘把钓水长清。
吾生岂得孤行意，隐去何当复啖名。
只合从容求放免，林泉深处好偷生。[6]

潘耒的进退两难可能还另有原因。当时他年仅三十三岁，如果他像老师顾炎武那样选择退隐，其一生只能过着朴素的生活。然而，出仕总是吸引着儒家学者，辅佐君王治理天下本来就是儒家的责任，官职毕竟还能带来物质利益，更可以光宗耀祖，而且潘耒出生于明清鼎革后。不管是屈从地方官员的压力还是抵抗不住官场的诱惑，年轻的潘耒最后选择了前往北京。

在各级政府的不懈努力下，约有一百五十名被荐学者前往北京赴试。傅山由京官李宗孔（1618–1701）和刘沛先举荐，最初他也称病拒绝赴京。在一首作于1678年六月题为《病极待死》的诗中，傅山清楚地表明了自己的心志：

生既须笃挚，死亦要精神。
…………
誓以此愿力，而不坏此身。[7]

虽说傅山屡辞荐举，地方政府并没有因此放弃努力。七月，阳曲县知县戴梦熊（卒于1680年）亲备驴车，极力劝行。[8]戴梦熊是傅山的朋友，大概平时曾在各方面给傅家提供过不少方便，若傅山拒绝赴京，会令这位地方官难堪。傅山勉强接受了戴氏提供的驴车，在傅眉和两个孙子的陪同下启程前往北京。[9]大概在启程前或在旅途中，傅山致函戴梦熊，“累累数百言，虑其衰老不复能把握也。”[10]很显然，傅山虽已同意赴京，但依然不打算参加考试，他写信给戴梦熊是希望戴有所准备。当一行人接近北京时，傅山声称身体不适无法继续前行，停宿在崇文门外的一个荒寺中。这是一个具有象征性的行动——拒绝入城。在这段时间，傅山写了

[6] 潘耒：《写怀十首》，《遂初堂诗集》，卷3，页1b–2a。

[7]《傅山全书》，册1，页74。

[8] 戴梦熊：《傅征君传》，《傅山全书》，册7，页5028。

[9] 储方庆：《我诗集原序》，《傅山全书》，册7，页5113。

[10] 同注[8]。

不少以死亡为题的诗。[1]死亡在这里具有双重意义，借着谈老死，傅山为他拒绝参加考试制造借口，同时他也表达了这样的决心，倘若清廷执意逼他参加考试，他准备以死殉节。

由于傅山的名望，他到达的消息很快在北京传开，被荐学者和汉族官员纷纷前去拜访。[2]访客中包括老友阎若璩和李因笃，但更多的是彼此仰慕已久但不曾谋面的新知。傅山下榻的寺庙一时成为文人聚会的地点。[3]

康熙年间的这次博学鸿儒特科考试向来为治清史的学者所注意，但以往的研究大多着眼于这次考试的政治意义，对它在清初的学术和艺术方面的重要意义则重视不够。这次特科与一般的会试有所不同。第一，参加会试的举人中虽然也有已经成名的学者，而大多数特科的被荐者早已在士林声名卓著。第二，会试的考试日期有规定，[4]参加会试的举人如果想节省开支，不会太早地抵达北京。清朝的科举考试，会试以四书五经和论、表、判、策为内容，殿试考策问，[5]赴考者到了京城之后仍然可能会孜孜不倦地读书备考。但是参加博学鸿儒特科的学者被荐抵京后，并不知道考试将在何时举行。[6]其中有一半左右的被荐者已是进士，特科的试题若不同于会试和殿试，大概也无从准备。况且，许多被荐举的学者很有成就，让他们参加考试，与其说是对他们的才学作严格的测试，倒不如说更像是拉拢他们进入朝廷的手段。此外，参加会试全属自愿，赴试者当然愿意中式。而特科被荐者中有些人并不情愿仕清，自然也不会去备考。总之，参加博学鸿儒特科的学者应比参加会试的学子们有更充裕的时间自由打发。

大部分博学鸿儒特科的应荐者在1678年秋天抵京，但考试却在次年三月才举行，学者们有长达六七个月的时间交游、讨论学术。结果，这次特科考试变成了一次长达数月的学术聚会。被荐者和在京任官的知名文化人物如著名诗人王士禛（1634–1711）、收藏家高士奇（1645–1704）、诗人兼收藏家宋荦（1634–1713）等也有不少的互动交流。[7]在这些互动中，有些是为了学术交流，但更多的人是在结交权贵，谋取晋升的机会。王士禛在写给王弘撰的一信中，描述了当时在京学者的种种行径："顷征聘之举，四方名流，云会辇下，蒲车玄纁之盛，古

[1]《傅山全书》，册1，页74–75、199、221。

[2] 钮琇：《傅征君》，《傅山全书》，册7，页5034。

[3] 不少被荐学者和在京官员的诗文集中收录了他们拜访傅山的文字。如阎若璩：《与李天生书》，《潜邱劄记》，卷5，页8a；陈僖：《与傅青主先生书》，《燕山草堂集》，卷1；吴雯（1644–1704）：《秋日同叶九来、徐胜力、冯圃芝访傅青主先生》，《莲洋诗钞》，卷8，页4b；陈维崧（1625–1682）：《除夕前二日，同储广期过慈云寺访傅青主先生》，《湖海楼诗集》，卷6，页11b–12a；冯溥：《奉赠征君傅青主先生二首》，《佳山堂诗集》卷4，页24a–24b；叶奕苞：《戊午暮秋呈征君傅老先生》，《傅山全书》，册7，页5011；张穆：《阎若璩年谱》（页19）引《行述》云："十七年，应鸿词制科，日与傅山人青主处游。"

[4] 商衍鎏：《清代科举考试述录》，页102–103。

[5] 商衍鎏：《清代科举考试述录》，页63，103，109–116。

[6]《施愚山集》（册4，页122–123）载施闰章1678年十月十六日写给儿子的一通信札，札云："御试杳无定期。"信札无年款，但"御试"二字应指1678–1679年的博学鸿儒特科考试。

[7] 在博学鸿儒特科考试的这段时间，王士禛、高士奇、宋荦正在北京。见王士禛：《王士禛年谱》，页37–38；又见王弘撰：《北行日札》中写与王士禛的信札；张穆：《阎若璩年谱》，页55；宋荦：《西陂类稿》，册6，页2361–2364。大约在1686年，宋荦在陈僖的要求下，在傅山为陈僖作的画后题诗（前引书，册2，页474）。陈僖与宋荦很

所未有。然自有心者观之，士风之卑，惟今日为甚。如孙樵所云：'走健仆，囊大轴，肥马四驰，门门求知者，盖什有七八。'"[8]

明代文人好结社，聚会也多。[9]崇祯六年春（1634），复社在苏州虎丘举行大会，以舟车至者数千余人，堪称一时盛举。[10]入清后，清政府禁止士子立盟结社，虽说一些文人社团采取了隐蔽的方式，文人的诗酒文会也从未断过，[11]但要想举行跨地区的大型聚会已很难了。博学鸿儒特科考试绝不是为结社的目的而开，实际上却为来自全国各地的学者文人提供了聚会的条件。如此众多的杰出文化人物聚集一地，必然引起全国文化艺术界的注意。在此期间，不但一些被荐学者将自己收藏的艺术品带到北京，一些艺术家和收藏家也携带着自己的作品或藏品来到北京，向被荐学者和在京的汉官索求题跋，请益交流，拓展自己及藏品在文人圈中的知名度。王弘撰把自己收藏的定武《兰亭》五字未损本、宋克临赵孟頫十七跋、《汉华山碑》拓本、李成《古木图》、沈周《秋实图》、唐棣《水仙图》等名迹带到了北京。[12]戴廷栻也在此时来到北京探视傅山，[13]可能在京城购买了一些书画。在戴廷栻收藏的一本安徽画家戴本孝所绘十二开的山水册上，傅山在每开的对页题了诗。这本册页应为戴廷栻在京城所得。[14]戴廷栻在京期间，还请人为他的收藏题跋，如戊午冬戴廷栻请王弘撰为他题丹枫阁画册。[15]扬州篆刻家童昌龄（字鹿游，活跃于17世纪晚期）也在此时来到北京宣传自己的篆刻，并成功地得到韩菼、朱彝尊、梁清标（1620–1691）、高士奇、陈僖、王弘撰、徐元文等在内的多位学者和官员为他的印谱撰写的题词。[16]

在那些带有学术性质的聚会中，曾参与山西学术圈的学者们扮演了重要的角色。阎若璩时常出入各种聚会，和其他学者论辩古代经典和名物制度，由于他"博物洽闻，精于考证经史，独为诸君所推重。过从质疑，殆无虚日"。[17]傅山虽然称病蜗居在崇文门外的寺

可能就是在博学鸿儒特科考试期间结识的。

[8] 王弘撰：《山史》，2集，卷5，页280–281。

[9] 见谢国桢：《明清党社运动考》，页119–208；郭绍虞：《明代文人结社年表》，《明代文人集团》。

[10] 郭绍虞：《明代文人集团》，页604。

[11] 谢国桢：《明清党社运动考》，页204–208。

[12] 王士禛：《池北偶谈》，下册，页296；王士禛：《同施愚山、陈蔼公集山史从兄昊天寺寓，观唐子华水仙图》，《带经堂集》，"戊午稿"，页15a–15b。

[13] 储方庆：《太原傅先生病卧燕京，其友戴君不远千里来视之。余高戴君之义，亦知先生能择友也，赋诗纪其事》，载《傅山全书》册7，页5008。

[14] 傅山在最后一开上题款："旧作忆书，不复计戴晋人之笑我。七十三岁病夫傅山。"傅山七十三岁时正是1679年。而自称"病夫"正说明此时傅山在北京称病拒试。由于戴廷栻此时在北京，所以傅山题款中所言"戴晋人"为戴廷栻无疑。戴本孝是年不在北京，画很可能由他人携至北京求售。此册目前为上海博物馆所藏。

[15] 见王弘撰：《书戴枫仲丹枫阁册子》，载《北行日札》，页16b–17a。

[16] 童昌龄的印谱《史印》现藏西泠印社。承余正先生帮助，得见印谱全部题词。部分题词收录于韩天衡：《历代印学论文选》，下册，页530–531。梁清标的题词云：童子鹿游"来游长安，荐绅长者竞相引重"。由此可知，童昌龄是在博学鸿儒期间来到北京的。

[17] 张穆：《阎若璩年谱》，页49。

庙中，但由于学者们频频造访，他仍然得以参与许多学术交流。例如，阎若璩“日与傅山人青主游处”，[1]和许多前去拜访傅山的学者们讨论学术问题。一些同样称病不出的学者不能前来拜访傅山，傅眉则代表其父前往拜访。如傅山和王弘撰就通过双方的儿子传递书信，就《易经》交换学术意见。[2]

考据学和金石学也是这些文人学术聚会的重要话题。阎若璩的著作中收录了不少他在北京和其他学者考证古代经典和名物制度的笔记和信札。[3]长于金石学的昆山学者叶奕苞在博学鸿儒特考落榜后，返回故里，完成了金石学专著《金石录补》。叶奕苞在北京曾拜访过傅山，[4]并与朱彝尊、阎若璩、王弘撰、陈僖等讨论过金石学，《金石录补》有简略的记载。[5]从书中征引的他人研究成果来看，叶奕苞非常熟悉当代学术研究。由此可见，博学鸿儒特科考试的目的虽不是为了促进学术，但在客观上为学者们提供了一个交流学术的绝好机会。

与金石学息息相关的取法古代金石书法的观念，也必定随着来自全国各地的学者间的交流得到进一步发展。当时，董其昌书风深受康熙皇帝和一些廷臣的青睐，但1680年代之后，金石书法的品味便开始在艺术家中更为广泛地流行起来。[6]

博学鸿儒特科还使被荐学者和在京汉官有了更广泛的接触。许多官员（其中不乏饱学之士）曾前往寺庙拜访傅山。在被荐学者与清廷之间，汉官扮演了调停者的角色。他们向朝廷报告某些明遗民因年迈病重而无法赴考，以成全这些为数不多的遗民的道德名节，缓解了遗民和清廷的紧张关系。傅山和王弘撰虽称病抵制考试，却与大学士冯溥（1609-1692）、刑部侍郎高珩（1612-1697）以及户部郎中王士禛等不少汉官结为友人。冯溥是特科考试的主持人之一，曾专门前往寺庙拜访傅山，并赋诗二首称颂傅山。[7]他和众多被荐学者过从甚密，并因为人谦恭而在学者中有很好的口碑，许多文人都曾前往他的别墅万柳堂参加诗酒文会。1678年十二月五日（1679年1月16日）冯溥七秩大寿时，包括傅山、王弘撰在内的被荐学者，或赋诗文、或作书画为冯溥祝寿。[8]被荐学者和汉官之间的交往一直

[1] 张穆：《阎若璩年谱》，页49。

[2] 王弘撰《北行日札》（页4b）有《答王阮亭太史》一札，云：“病夫不出寺门左右。”可知，王弘撰也称病不出。王弘撰《北行日札》（页11b-13a）又有《答傅青主先生》一札，札云：“昨小儿归，承先生问《易》中义，弟故不知《易》，小儿语又不甚详。今据其词以复，不知竟合否？……前令郎匆匆行，未及作答，并谅。”可知傅眉和王弘撰的儿子为傅、王传递信息。

[3] 阎若璩和其他学者间的学术交流记录在阎若璩此时写给其他被荐学者的信中，见阎若璩：《潜邱劄记》，卷6。

[4] 叶奕苞曾和徐嘉炎（生于1632年）、冯行贤、吴雯造访傅山。见吴雯：《秋日同叶九来、徐胜力、冯圃之访傅青主先生》，《莲洋诗钞》，卷8，页4b。

[5] 叶奕苞：《金石录补》，页8989（卷1），9003（卷3），9046（卷12），9070（卷17），9091（卷21），9135（卷27），9136（卷27），9140（卷27）。

[6] 见白谦慎：《清初金石学的复兴对八大山人晚年书风的影响》，页98-100。

[7] 冯溥：《佳山堂诗集》，卷4，页24a-b。当傅山离开北京回太原时，冯溥又赋诗二首为傅山送行，诗中将傅山比作陶渊明。见《佳山堂诗集》，卷6，页20a-b。

[8] 李因笃在其为冯溥七十寿辰所作贺诗的小注中写道：“时屡承杜顾并见招。”见《受祺堂诗》，卷20，页6a-b。李因笃尚有《益都冯相国万柳堂五首》。见《受祺堂诗》，卷21，页4a-6a。潘耒在《寿冯益都相公》一诗的小注中也写

延续到考试结束之后，如傅山和高珩、王士禛还保持着联系。[9]一些学者以后还参与了当时在北京结交的官员所主持的学术项目。

1679 年三月一日，博学鸿儒考试在体仁阁举行，试题为《璇玑玉衡赋》（四六序）和《省耕诗》（五言排律二十韵）。试题的政治寓意一目了然。璇玑玉衡是以玉为饰的天体观测仪器，《尚书·舜典》云“在璇玑玉衡，以齐七政”，是王者正天文之器。省耕是指古代帝王巡视春耕。让应试学者以这两个题目作诗赋，无疑是让他们承认清朝是受命于天的合法统治者，并为康熙皇帝歌功颂德。而从目前与试学者的诗文集收录的《璇玑玉衡赋》和《省耕诗》来看，大都充溢着称颂大清王朝和康熙皇帝的文词。

一百四十三个与试者中有五十名通过，包括朱彝尊、李因笃、潘耒。最终未能逃避考试但又不愿出仕的王弘撰在作《省耕诗》时，写下了“素志怀丘陇，不才媿稻粱”句，得旨回籍。据说，王弘撰得知放归后，欣然曰：“余今归去，宁敢言高，庶几得免‘无耻’二字焉。”[10]而傅山称病未试。当傅山的老友、都察院左都御史魏象枢（1617–1687）向康熙皇帝报告傅山等老病无法与试，皇帝非但未予深究，还授予傅山等内阁中书的头衔。[11]

当傅山返乡之际，许多在京学者与官员前往送行。傅山对孙茂兰的孙子孙川说：“此去脱然无累矣！”[12]他知道，由于自己年届高龄，清政府不会再打扰他了。1679 年八月，即放归后的五个月，傅山前往陕西旅行，这次没听说他有任何疾病。

许多研究清史的学者都认为，康熙十九年的这次特科考试是清政府拉拢汉族精英尤其是南方文人的重要举措，标志着清政府调整治国政策的一个转折点。[13]在五十名上榜的学者中，有二十六名来自江南（即江苏、安徽二省），[14]十四名来自浙江，三名来自江西，南方学者占了绝大部分。这一结果除了反映出江南的文化学术水准高于其他地域外，还反映出清政府力图寻求汉官阶层构成的平衡。顺治初年的反清运动主要发生在南方，而“江阴惨案”、“嘉定三屠”、“扬州十日”的惨痛记忆仍无法从南方学者的脑海中抹去。虽然有一些南方的前明官员在顺治朝为官，但是来自北方的汉官在朝中占据着

道：“未抵京，辱公先赐顾。”见《遂初堂集》，卷 3，页 5b。当时在北京的文人的诗文集中，收录了不少咏万柳堂的诗文。如毛际可的《万柳堂记》，见《安序堂文钞》，卷 17，页 8a；储方庆的《万柳堂记》，见《储遯庵文集》，卷 3，页 13a–15a；邵长蘅的《万柳堂记》，见《青门旅稿》，卷 4，页 4a。王弘撰为冯溥贺寿的文章收于《北行日札》。傅山也为冯溥作一手卷（是书法还是绘画不详），并请王弘撰题引首。见王弘撰《北行日札》中所收王弘撰致傅山札。冯溥的门人陈玉璂将祝寿的诗文辑成《佳山堂寿册》。章培恒先生在他的《洪升年谱》（页 180，注 15）中引用了这一寿册。

[9] 1680 年，傅山用小楷书《孝经》册页赠高珩，该册目前藏于南京市博物馆。傅山和高珩两人应在北京曾有交往。傅山和王士禛的交往也应始于博学鸿儒特科考试期间。1680 年，傅山寄赠王士禛一幅水墨荷竹图，王作诗答谢。见《傅青主征君写荷竹见寄奉答，兼怀戴枫仲》，载《渔洋精华录集释》，卷 9，下册，页 1442。

[10] 陈僖：《送王山史归华阴序》，载《燕山草堂集》，卷 2，17b–18a。

[11] 据说，傅山未领此衔。李元度：《国朝先正事略》，册 2，页 1186。

[12]《傅山全书》，册 7，页 5013。

[13] Kessler, “Chinese Scholars and the Early Manchu State.”

[14] 清顺治二年改明南直隶为江南省。康熙六年（1667）分置为江苏、安徽二省。但此后习惯上仍合称此二省为江南。李集的《鹤征前录》在提及中取的五十名学者的省籍时，也称江苏、安徽学者为江南人。

更为重要的职位。当时清廷出于全局的考虑，将辽沈、华北士绅集团列为首要的争取对象，所以华北、辽东士绅在顺治和康熙初年的汉官阶层中据有绝对的政治优势。清朝于1646年举行的第一次会试中，大多数进士为北方人，因为当时南方的一些省份还在南明的领导下进行着抗清活动。

康熙登基之初，鳌拜摄政八年（1661 — 1669），南方文人先后经历了“哭庙案”和“奏销案”两个事件的重大打击。[1]这两个事件发生在清政府的政策本应由武功开始转向文治的时期。此时，“虽然东南沿海地区的反叛仍骚扰着清朝的统治者，但满洲统治者与汉人精英间的社会和政治关系却呈现出更严重、更急迫的问题。”鳌拜实行的政策进一步加剧了满汉矛盾，说明满洲统治集团中的一些人关心的只是满洲人的短期利益，而对清王朝的长远战略目标却视而不见。[2]康熙皇帝主持的特科考试是清廷政策上的重要转变，它通过特科的途径将一批南方的文化人才纳入朝廷，以此来消弭政府和汉族精英之间的对立。

博学鸿儒特科考试后，所有通过考试的学者皆授予翰林院官职，根据他们以往的官职和这次考试的成绩，分别任命为翰林院侍读、侍讲、编修、检讨，皆入史馆纂修《明史》。顾炎武的外甥、翰林院大学士徐元文出任《明史》监修，其余总裁也全部任用汉人。一些明遗民和没有参加特科考试的优秀学者也被邀参加《明史》的纂修，史馆一时人才济济。[3]

许多明遗民在明朝覆亡之初就已开始着手纂写明朝历史，有的则专门记载明清鼎革史迹，如谷应泰（1620—1690）作《明史纪事本末》、黄宗羲作《行朝录》、王夫之（1619 — 1692）作《永历实录》、顾炎武作《圣安纪事》、计六奇（活跃于1662—1671）作《明季南略》、《明季北略》，“有关明代历史的著作纷纷问世，形成了清初私修明史的高潮。”[4]但私修明史在政治和意识形态上都为清政府所不容，鳌拜摄政之初发生的震惊全国的庄廷钺“明史案”，完全可以看做是清廷向全国发出的严禁私修明史的明确信号。当私修明史的风气被遏制后，官方主持的《明史》修纂计划却兼顾了清政府和汉族学者的利益。

[1] 关于这两个事件及其政治意义的讨论，请见上页注⑬。

[2] Kessler, “Chinese Scholars and the Early Manchu State,” pp. 179–180.

[3] 黄爱平：《〈明史〉纂修与清初史学》；乔治忠：《清朝官方史学研究》，页177–236。

[4] 黄爱平：《〈明史〉纂修与清初史学》，页84。

对于清政府而言，这无疑是用以笼络人心的举措。对于汉族文人而言，由汉族学者修纂《明史》，追述逝去的王朝，是他们深重的职责，可以平复他们内心对前朝那种永无休止的负疚感。[5]《明史》计划是满清政策步入一个新阶段的标志，而康熙皇帝扮演了重新塑造政治与文化环境的重要角色。

[5] 同上注；Struve, "Ambivalence and Action"。

清政府其他的政策也影响着清初的文化景观。早在顺治九年（1652），清政府就下令禁止话本小说的流传。虽然我们还不十分清楚这一禁令的实际效果如何，但可以肯定，清政府视晚明以来流行的戏曲、话本小说为伤风败俗的琐语淫词，把它们作为影响社会稳定的因素而加以讨伐。康熙时期则更广泛且严厉地执行该项政策，烧书毁版，惩罚印刷和贩卖这类书籍的坊肆、书贾，以及执行不力的官员。[6]江苏曾是晚明通俗文化的出版中心之一，当孙奇逢的弟子汤斌在康熙年间（1684–1686）出任江宁巡抚（即后来之江苏巡抚）时，他严令禁止小说戏曲的出版。在《严禁私刻淫邪小说戏文告谕》中，汤斌怀着一个卫道士的沉重使命感这样写道：

[6] 来新夏等：《中国古代图书事业史》，页319。

> 为政莫先于正人心，正人心莫先于正学术。朝廷崇儒重道，文治修明，表章经术，罢斥邪说，斯道如日中天。独江苏坊贾，惟知射利，专结一种无品无学、希图苟得之徒，编纂小说传奇，宣淫诲诈，备极秽亵，污人耳目。绣像镂版，极巧穷工，致游佚无行与年少志趣未定之人，血气摇荡，淫邪之念日生，奸伪之习滋甚。风俗凌替，莫能救正，深可痛恨。合令严禁。……若仍前编刻淫词小说戏曲，坏乱人心、伤风败俗者，许人据实出首，将书板立行焚毁，其编次者、刊刻者、发卖者一并重责，枷号通衢，仍追原工价，勒限另刻古书一部，完日发落。[7]

在严禁小说戏曲的同时，汤斌还令书坊用旧版印十三经、二十一史，如旧版已毁失，照原式翻刻，"不得听信狂妄后生轻易增删，致失古人著作意旨。"[8]显然，汤斌和顾炎武一样，对晚明改窜古书的风气深恶痛绝，认为"人心之邪，风气之变，自此而始"，[9]并企图以"正学术"来"正人心"。

[7] 汤斌：《汤子遗书》，卷9，页23b–24b。

[8] 同上注。

[9] 顾炎武著，黄汝成校释：《日知录集释》，页672。

汤斌和顾炎武一样，也厌恶晚明开始流行的其他一些娱乐活动。

被顾炎武所批评的马吊也是他在任上所严令禁止的：

> 民生于勤，荒于嬉，故礼有游惰之罚，律严赌博之禁。何意乃有马吊纸牌一事，士农工商各有本业，一执纸牌，旷时废业。无赖棍徒引诱富豪子弟，一幅之内，动经数千，一夕之间，输辄盈万。夜以继日，叫呼若狂，主仆混杂，上下无分。奸淫窃盗，乘间而起，真可痛恨。合行严饬以后，概不许印造纸牌，如再不遵，立拿重究。[1]

[1] 汤斌：《禁印造马吊纸牌告谕》，《汤子遗书》，卷9，页21b-22a。

我们不能简单地把汤斌看成只是一个朝廷命官。他不但是清初大儒孙奇逢的入室弟子，而且和顾炎武、黄宗羲等许多遗民学者交往颇深，他是一个在仕途上取得高位的正统儒家学者，所以，他对小说戏曲和马吊纸牌下的禁令和顾炎武的口诛笔伐十分相像。如果说，顾炎武只能以其学术领袖的身份来批判晚明文化，汤斌则可以利用体制的力量来发布和推行禁令。那些曾在晚明孕育出讽刺、挑战古代经典的小说戏曲和尚奇美学观念的城市文化，遭到了来自清政府和正统儒家学者的夹击。在这方面，清政府和明遗民（至少是部分明遗民）的立场一致。如果说晚明是一个礼崩乐坏、经典权威衰落的时代，那么它也是文学与书画艺术的创作空前活跃的时代。道德的松弛有时与创造的活力并驾齐驱；当对传统经典的敬畏感消解之际，肆无忌惮地戏拟经典的慧黠很快到达了高峰。印刷出版业的扩展，朝廷管束的松动，也刺激和加速了新思潮的产生和传播。虽然晚明文化时常流于浅薄、轻浮、无聊、怪诞，乃至愚蠢，但它却有蓬蓬勃勃的一面，冲击着人的耳目和心智，于是有些人振奋，有些人困惑，有些人痛恨。晚明的文化风尚终于在清初开始发生改变，晚明的余音遗响正在消逝。

虽然政治环境和文化氛围都在康熙年间逐渐改变，但这些变化对书法的冲击却不是那样清晰，文化景观的变化给书法领域带来的后果要等到数十年之后才彰显出来。

傅山的行草与草书

明末清初草书中的理想和现实冲突

谈起傅山的书法，今天人们印象最深的便是他的连绵草书。傅山一生留下了数量众多的草书作品，其中很多是条幅。由于尺幅高大，用笔狂肆，这类作品具有强烈的视觉冲击力，很容易攫取观者的注意力。然而，如果我们关注的不仅仅是傅山草书作品的风格，而且还有它们的社会背景和功能的话，我们必然会发现这样一个事实：许多傅山的草书立轴是应酬之作。[2]“应酬”的“应”是对某种需求或期待的“回应”；“酬”则带有“报偿”或“酬谢”之意。应酬一语点出了书写者和受书者之间的互惠关系。这种互惠的关系在中国社会中是以“报”为其道德基础。[3]在中国传统社会，固然有类似商品的书法作品，但书法经常被用于各种社交应酬。在书法的创作和收藏中，应酬书法是一个极为普遍的现象。我们甚至可以这样说，在现存的中国古代书法作品特别是明清以后的作品中，除去书家们的信札、手稿和日课作品，为应酬而书写的作品在数量上很可能多于为适情自娱而创作的作品。应酬是一个能涵盖相当广泛的社会现象的概念，我们这里的应酬书法的概念，比通常理解的应酬还要宽泛。因为在艺术品的买卖中，由于有人情的参与，很可能是半卖半送，或是象征性地收一点钱。因此，凡创作时不是为抒情写意，而旨在应付各种外在的社会关系——如出于维系友情，人情的往还，物品的交换，甚至买卖——而书写的作品，

[2] 关于应酬书法的讨论，见白谦慎：《傅山的交往和应酬》。笔者对于应酬现象的研究是受了龚继遂对中国文化背景中应酬画的研究所启发。龚继遂的研究见 Gong Jisui, "*Yingchouhua*: A Study of Gift Painting"（《论应酬画》）。

[3] 《礼记》云：“太上贵德，其次务施报。礼尚往来。往而不来，非礼也；来而不往，亦非礼也。”见《礼记正义》，载于阮元校刻《十三经注疏》，上册，页 1231。关于中国社会中以“报”为基础的互惠关系的讨论，见 Lien-sheng Yang, "The Concept of 'Pao'as a Basis for Social Relations in China"。中译本见杨联陞，《报——中国社会关系的一个基础》，载于费正清：《中国思想与制度论集》，页 350。

广义地来说，都可以视为应酬作品。

和应酬作品相对应的，便是那些为抒情写意而创作的作品。文人艺术家声称他们的艺术是为了“适情自娱”，如倪瓒所称：“仆之所谓画者，不过逸笔草草，不求形似，聊以自娱耳。”❶尽管我们不应漠视文人艺术中具有的实用因素，在文人艺术创作中，以自娱、抒情为主要动机的创作一直存在。而且自娱和应酬在书法创作中的比例，也会依时代的变更而有所不同。简言之，我们在此把“适情自娱”以外的作品都统称为应酬作品。❷

虽说每一位书法家在日常生活中都曾书写过应酬作品，艺术史学者却极少关注书法艺术中的应酬现象。部分的原因是，许多世纪以来，书法一直被视为“心画”—— 一种表现和反映自我的艺术。虽说草书在日常生活中常用于应酬，但从唐代开始，草书便不断地被历代的文人神秘化，将草书从“尘世”之中分离出来。这一分离过程当然和字体的书写特征不无关系。楷、隶、篆是正体字，书写时通常被置放于大小基本相同的平面空间中，笔画的长短与形状也受限于约定俗成的规矩，这种局限留给书家的自由发挥空间远少于变化多端的草书。草书源于日常生活中文书尺牍的速写，书写速度通常较快。由于是草体字，其结字和章法得以享受更大的自由。草书作品中，字与字之间的大小变化幅度，有时可以相差十倍以上。在手卷或册页上，有时一个字可能会占据一整行（见图1.7）。为了艺术效果，书法家可以更为自由地改变字的形状，调整笔画的长短，让一行中的字偏离中轴线左右欹侧，墨色干湿浓淡的变化也更丰富。由于书写速度快，少假思索，如从胸中倾泻而出。这些特点使人们相信草书能够比其他字体的书法更直接、更淋漓尽致地表现书家的内在世界。

然而，这种认为草书比其他字体更具表现力的观念本身就是一个历史发展的结果。在初唐书法评论家孙过庭（约648 — 687至702）的书论名著《书谱》中，有一段文字经常为人们所引用：

> 写《乐毅》则情多怫郁；书《画赞》则意涉瑰奇；《黄庭经》则怡怿虚无；《太史箴》又纵横争折；暨乎兰亭兴集（《兰亭序》），思逸神超；私门诫誓（《告誓文》），情拘志惨。所谓涉乐方笑，

❶ 倪瓒：《答张藻仲书》，载于《清閟阁全集》，卷10，页7a-7b。

❷ 在讨论应酬书法时，我们还要注意到这种现象，即一些原本不是用来应酬的作品，以后也可能被用作应酬。一些书家平时的日课习作和尝试性的作品，因名气大了，也常有人索要。一些信札、笔记、药方，兴致所至挥毫自娱的作品，也都会被用作应酬。但这些书法和为应酬而创作的作品不同，这是在讨论应酬书法时应予以注意的。

言哀已叹。[3]

孙过庭在这段文字中涉及了六件王羲之的作品，用以说明王羲之的不同作品是如何呈现了他书写时的不同情绪的，其中四件是楷书，《兰亭序》是行书，《太史箴》不传已久，故不知其字体为何。孙过庭的评论表明，他认为用不同字体书写的作品都能够反映书家的内在世界。在这里，楷书的表现力并不亚于行草。

孙过庭的下一个世纪，亦即盛唐时期，伴随着狂草的出现，人们开始认为草书在抒发人们的情感方面更为直接、畅达。书法理论家张怀瓘（活跃于714–760年）把草书和楷书作了如下的比较：

> 草与真有异，真则字终意亦终，草则行尽势未尽。……或寄以骋纵横之志，或托以散郁结之怀……可以心契，不可以言宣。[4]

唐代散文大家韩愈（768–824）评论张旭的书法时，草书在张颠的笔下已是一种能够酣畅地表现宇宙万物和人们喜怒哀乐的艺术：

> 往时张旭善草书，不治他技。喜怒窘穷，忧悲愉佚，怨恨思慕，酣醉无聊、不平有动于心，必于草书焉发之。观于物，见山水崖谷，鸟兽虫鱼，草木之花实，日月列星，风雨水火，雷霆霹雳，歌舞战斗，天地事物之变，可喜可愕，一寓于书。故旭之书，变动犹鬼神，不可端倪，以此终其身而名后世。[5]

从那时开始，人们便相信草书具有神奇的魔力，草书几乎变成了一个文化神话。

然而，草书的神奇性，并不能保证其书写者免于批评。宋代书法家米芾在评价唐代的草书时说："张颠俗子，变乱古法，惊诸凡夫。自有识者。怀素少加平淡，稍到天成，而时代压之，不能高古。高闲而下，但可悬之酒肆。䛒光尤可憎恶也！"五百年后，当晚明书法家王铎在他的《草书颂》中以无限的热情讴歌草书时（见第一章有关讨论），他的忘年交董其昌却坦白地承认自己的许多行草作品不过是应酬之作：

> 吾书无所不临仿，最得意在小楷书。而懒于拈笔，但以行草行世，亦多非作意书，第率尔酬应耳。[6]

在另一段笔记中，董其昌又谈到了应酬：

> 作书不能不拣择，或闲窗游戏，都有着精神处。惟应酬作

[3]《历代书法论文选》，上册，页128。

[4] 张怀瓘：《书议》，见《历代书法论文选》，上册，页148。

[5] 韩愈：《送高闲上人序》，见《历代书法论文选》，册1，页292。关于草书传统的两个基本转变的讨论，见 Sturman, *Mi Fu*, pp. 129–132。

[6] 董其昌：《容台别集》，卷4，页29a。

答，皆率易苟完，此最是病。今后遇笔研，便当起矜庄想。古人无一笔不怕千载后人指摘，故能成名。[1]

董其昌的笔记指出了两种现象：其一，在古人的书法中有率尔酬应之作和提笔时作"矜庄想"的严肃创作，对艺术史学者来说，两者的差异不可不辨。其二，应酬之作常以行草书书写。这两种字体在董其昌的时代特别受欢迎，除了它们易于张扬个性外，还因为书写速度快，书法家可以在最短的时间内完成应酬作品。

应酬书法早已存在，但在晚明人的题跋和笔记中，我们可以看到对于应酬活动越来越多的抱怨和讨论。[2]这种情形并非偶然，因为书法创作的社会文化环境正在改变。一般说来，在社会阶层的分野比较清晰严格的历史时期，书法是精英专擅的领域，那时虽然也有应酬书法，但是应酬之作主要使用、周转于具有相同文化背景和审美观念的社会阶层。不但在数量上可能会相对少，而且由于受书人和观众的艺术鉴赏力比较高，从而约束应酬之作的品质保持在比较高的水准上。像东晋时期士大夫那样的书作，应和那时等级森严的门阀制度造成的文化环境有关。但在有的历史时期，社会阶层的分野由于社会经济文化的急剧发展和社会错位而变得模糊，上下文化之间的互动也因此变得频繁，这也给书法的创作和使用带来影响。[3]晚明就是一个明显的例子。由于教育的发展，普通民众的识字率提高，粗通文墨的人数增多。出版业推出的文化书籍向民众提供了一些精英阶层生活方式的知识，而经济的发展又为生活优裕的人们提供了追求艺术的物质条件，他们模仿社会精英，[4]附庸风雅，收藏书画。王正华在一篇讨论晚明通俗版日用类书中的《书法门》和《绘画门》的论文中，对当时识字率的提高，出版业的发达，书画知识的商业化，粗通文墨的人们通过何种途径来获取书画知识，文人士大夫处在上下阶层界限变得模糊的时代所采取的应对策略等等，都有深入的探讨。[5]晚明书法家面临着一个书法需求不断增长的局面。许多书法家大概也像董其昌那样，多以行草书来应酬。万历年间改编、出版的草书入门读物《草诀百韵歌》，比宋元两朝的《草诀百韵歌》篇幅都长。[6]而这一时期出版的家庭日用类书常收入草诀歌的部分内容，这一事实

[1] 董其昌：《画禅室随笔》，收录于卢辅圣等编：《中国书画全书》，册3，页1001。

[2] 王铎书法的题跋中常谈及应酬事。见刘正成、高文龙：《中国书法全集》，卷61，《清代编：王铎》，页605-607、640。关于傅山应酬书法的讨论，见白谦慎：《从傅山和戴廷栻的交往论及中国书法中的应酬和修辞问题》，《傅山的交往和应酬》。

[3] 宋代可能是中国应酬书法史的分水岭。

[4] Ko, *Teachers of the Inner Chambers*, pp. 45-47.

[5] 王正华：《生活、知识与社会空间：晚明福建版〈日用类书〉与其书画门》。

[6] 梁披云：《中国书法大辞典》，下册，页1939。

既说明了草书知识的普及，大概也可证明对草书的需求在增长。[7]

在这种情况下，认为草书是表现内在自我的最佳艺术形式的理念，便与草书在现实生活中的应酬功能发生了冲突。特别是当书法家为生计所迫而增加书写的数量时，这一压力会迫使他们在一些基本原则上妥协。不但文人书法家有时候成为为人所役的书奴，这种负担更导致其有意识地制作草率的作品，或者让代笔人来完成应酬作品。

傅山正是这样一个典型。当改朝换代使他的经济陷入窘境时，他不得不靠鬻书赠字来换取日常生活所需要的物品和帮助。傅山曾说："因无贷之难，遂令老夫役人之役。凡人来，不忠厚者多。"[8]他还说自己时常被"俗物面逼"，当场挥毫。[9]那么，"俗物"为何要"面逼"呢？因为他们想要确定买到的作品不是出自代笔之手。[10]"俗物"可能指的是山西的商贾，或是一些尚能买得起傅山的字但文化修养又不那么高的地方士绅。他们在文化事业方面出手可能并不大方，[11]即便付得起钱，大概也吝于付给书家所期望的价码。

对傅山而言，应付那些缺乏文化教养和品位的客户不啻是一种烦扰。但对那些求书人来说，傅山的书法对他们的附庸风雅却颇具意义。傅山是在全国享有声誉的学者、山西文坛的祭酒、著名书画家、名医，在家中悬挂傅山的书法意味着一种社会身份。从这个意义上说，书写者的名气常比作品本身的品质还要重要。傅山也很清楚，许多向他索取书作的人，关心的只是他的名声而非作品的品质。而那些人又缺乏基本的鉴赏知识来判别优劣，所以傅山为他们挥毫不必太经意。存世许多傅山无上款的狂放的巨幅行草书屏条，可能就是他为迅速地打发那些烦扰不休的"俗物"而草率应付的产物。傅山曾说，他在书写应酬作品时，由于有"俗物面逼"，"先有忿懑于中"，写出的字"一无可观"，[12]甚至把自己的一些应酬作品明明白白地称为"死字"：

> 凡字画、诗文，皆天机浩气所发。一犯酬措请祝，编派催勒，机气远矣。无机无气，死字、死画、死诗文也。徒苦人耳。[13]

傅山告诉我们他写过死字，画过死画，作过死诗文，而他的那些"一无可观"的"死字"因傅山的名声留传后世。当然，同样是因为这些作品，傅山也常常受到尖刻的批评。[14]

[7] 关于明清之际出版的日用类书中介绍书法艺术的部分，见吴蕙芳：《万宝全书：明清时期的民间生活实录》，页488-497。

[8]《傅山全书》，册1，页866。

[9] 同上注书，页864。

[10] 同上注书，页866。

[11] 一个相关的研究，见赵汝泳：《明清山西俊秀之士何以"弃仕从商"》。

[12]《傅山全书》，册1，页863-864。

[13] 同上注书，页819。

[14] 稍晚于傅山的清代学者何焯（1661-1722）曾这样评价傅山的书法："景州了无旧帖，仅得见傅青主临王大令字一手卷，又楷书杜诗一册页。王帖极熟，乃是其皮毛，功夫虽多，犯冯先生楷字之病，不及慈溪先生远甚。楷书专使退笔，求古而适得风沙气。"见何焯：《与友人书》，《义门先生集》，卷4，页6b。何焯称傅山的作品有风沙气，绝非妄言。傅山有相当部分的作品十分粗糙。如果我们比较一下傅山早期的书法精品，如台北何创时书法艺术基金会所藏为陈谧作草书册（书于1648，详见下节讨论），我们会看出，傅山早年的作品虽不及晚年一些精品（如第二章所引美国普林斯顿大学藏行草《左锦》手稿）那样老到成熟，但显得精致。这说明，长期频繁地书写应酬书法，直接地影响了一个书法家的艺术水准。

在傅山那里，“俗物面逼”时的挥毫以草书最为适用，因为草书的书写具有戏剧性效果，能成为米芾所说的“惊诸凡夫”的表演。[1]傅山在清初被誉为“奇士”、“高士”，[2]书写狂放奇肆的作品也和他的“奇士”声誉颇为吻合。这种颇具戏剧性的当场挥毫可以一箭数雕：在巨幅的纸张或绫绢上书写墨气淋漓的连绵大草，这样的表演极有观赏性；狂肆的草书也更容易掩饰书法本身的草率；而书写的迅捷还可大大缩短“俗物面逼”的时间。思及这种场景，傅山禁不住玩世不恭地嘲弄道：

> 西村住一无用老人，人络绎来不了，不是要药方，即是要写字者。老人不知治杀多少人，污坏多少绫绢扇子，此辈可谓不爱命、不惜财，亦愚矣。[3]

傅山自己已经坦白地承认他的许多草书作品是粗陋的，当我们评价其草书艺术时，又该如何将其粗制滥造的作品区分出来呢？毫无疑问，鉴定的训练依然是分辨优劣的关键。[4]研究中国书法的德国学者雷德侯指出：“每个书法家都熟谙那些经典名作，学习这些作品，并在此基础上发展个人的书风。每个书法家也因此可以用衡量自己的书法的同一标准去评断其他书法家。当一个可以体现风格和美学标准的经典系统建立后，不同时代的书法家都会用相同物质材料，遵守相同的规则，展开一场竞技。每位书法家在看任何一件书法作品时，犹如挨着作者的肩膀看他挥毫，尽管他们相去千里或相隔几个世纪。”[5]在分析傅山的作品时，我们可以在技术的层面上来判断一些作品是否逾越了长期以来书法家们遵循的规则，以及那些反常的笔墨形式究竟是有意识的美学创新还是草率应酬的失误。如果是有意识的创新，应能找到反复出现的基本模式；如果只是偶发性的，可能是技术上的失误。例如，在晚明以前，涨墨在书法中仅为偶见，很明显不是有意识的追求。然而到了晚明，书法中经常出现涨墨，由此我们可以肯定，这是一种新的艺术尝试和审美标准的发轫。当然，反复出现的某些笔墨特征，也可能是由功力不够引起的重复性失误，或是一种习气。

傅山的许多粗糙作品都是巨大的条幅。其中有一件相当平庸的

[1] Sturman, “Wine and Cursive,” p. 203.

[2] 在1650年代，已经致仕的仕清汉官、汾州朱之俊（约1594-1663年后，1622年进士）在一首诗中称赞傅山是一位“高士”。见邓之诚：《清诗纪事初编》，下册，页723。在甲申冬（1664年末或1665年初），南京诗人纪映钟（活跃于17世纪下半）在给傅山的一通信札中说：“仆闻太行之右，有傅青主先生，奇士也。为文磊落峭峻如其人，如其地。”见纪映钟：《寄傅青主》，收于周亮工：《尺牍新钞》，册3，页170-171。

[3]《傅山全书》，册1，页900。

[4] 这里提出这个问题有两个原因。一是针对近年来西方艺术史界对艺术鉴定工作的日益忽视。二是曾有西方学者提出这样的问题，生活在傅山三百多年后的人们，如何能够以17世纪的标准来判断傅山作品的优劣。由于中国书法史的研究者过去多为书法家（大陆的书法研究仍然带有这种特点），所以一般不会提这样的问题。因为对技法的熟悉使他们相信，能够对古代书法的优劣作基本的判断。

[5] Lothar Ledderose, “Chinese Calligraphy: Its Aesthetic Dimension and Social Function,” p. 43. 中译参考了张观教的译文。见雷德侯著、张观教译：《晋唐书法考》，页10-11。

[6] 关于这一观点更为详细的讨论，见白谦慎：《傅山的交往和应酬》，页134-140。

作品是写在高178厘米的绫上（图4.3）。此作用笔相当草率，许多运笔的细节都没有到位。第二行的“天人”二字，用笔十分轻浮，捺笔显得薄弱。“人”的左撇细且尖，呈现“鼠尾”形的败笔。从书风来看，应为傅家的作品。此作究竟是傅山的真迹还是代笔仍有待研究，但有一点可以肯定，傅山及其代笔人书写过许多质量不高的作品。

然而，指出书法中的应酬现象以及草书在明末清初应酬书法中的角色，并不意味着中国文人对草书的讴歌只是些美丽而空泛的修辞。许多人珍惜艺术中的自我表现，并且高悬为理想，一旦环境允许，他们便会努力地去追求。也正是意识到了理想和现实之间的冲突，董其昌才会提醒自己“今后遇笔研，便当起矜庄想”。艺术史研究的任务之一，正在于分辨出一个时代的艺术理想与现实之间会发生怎样的冲突，观察两者在什么情况下、在多大的程度上相互妥协。认为中国文人鼓吹书法中的自我表现是侈言空洞的理想，和否认最杰出的大师书法有时也有世俗的一面一样，是片面武断的。❻

因此，傅山虽然常用草书来打发那些他认为是“俗物”的求书者，但这并不等于他不珍视草书。正是出于热爱和天分，傅山才创作了那么多的草书作品。为应酬而书写并不见得与自我表现扞格不入，许多为应酬而作的草书并不一定因为应酬的功能而削弱其表现力。有时，当书法家为其所敬佩或喜爱的人们作书时，同一个创作过程可以同时达

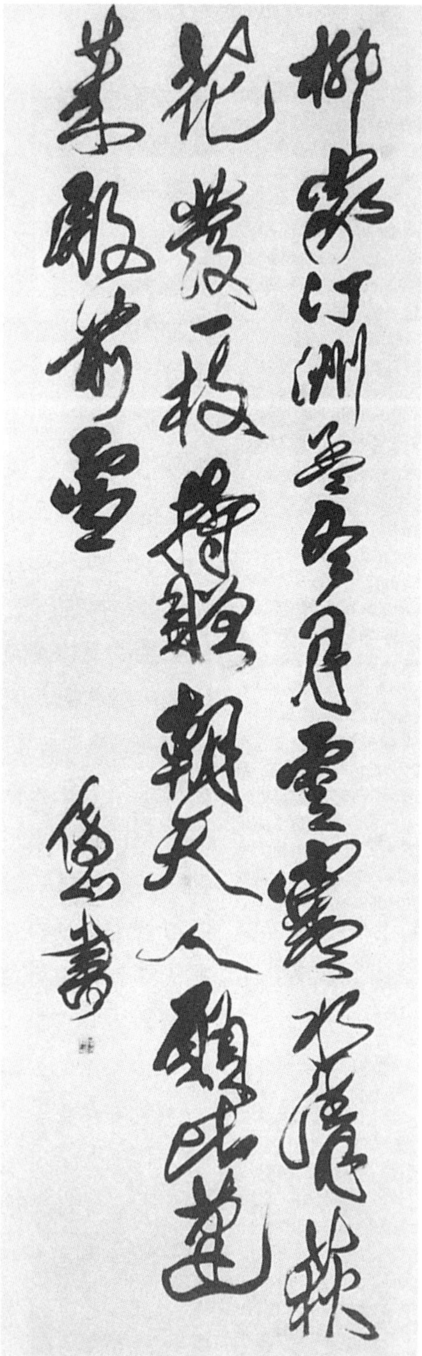

图4.3　傅山《柳家汀诗》　行书　轴　绫本
178×50厘米　山西省博物馆
引自《傅山书画选》　页10

到应酬和表现这两个目标。在应酬时，艺术家也完全有可能自由地表现自己，与同道或友人作精神上的沟通。即使是一些无上款的连绵草书条幅，书写时若神态平静，心手双畅，笔墨相发，也会产生佳构。傅山七十六岁时（1682）所临王羲之《诸怀帖》草书条幅（图4.4），无上款，全篇用笔翻转自如，流畅飞动，字形欹侧多姿，章法疏密相间，是难得的一件晚年精品。此作不似"俗物面逼"的产物，也可能是闲时偶然欲书，用以应酬或备日后出售或赠人。

许多书法作品带有包括受书人上款的题跋，我们可以从中辨别出受书人的社会文化背景，进而了解作品的大致创作情景。对傅山作品的仔细分类研究，也可以帮助我们辨识出漫不经心的作品。我们可以假设，那些没有上款的粗糙之作乃为文化教养不高且喜欢在傅山经济拮据时迫使傅山压低价钱的"不忠厚者"所作。[1]而赠给比较重要的文化精英的作品，通常会比较精致。换言之，并非所有傅山的应酬作品都是粗劣之作，其中有些也相当精彩。总而言之，傅山在书写应酬作品时是否作"矜庄想"，和受书人为谁有一定的关联，这应是一个合乎情理的假设。

请注意，这里把受书人的社会文化背景和为他们书写的作品的艺术品质作对应，只是一个总体性的判断，而涉及每一件具体作品，则影响创作过程及其结果的因素甚多。比如说，王铎曾为他所敬重的德国传教士汤若望书一诗册，在第六首诗后的题款中，王铎这样写道：

> 书时，二稚子戏于前，遂落数（如）龙、形、万、壑等字，亦可嚎也。书画事，须深山中松涛云影中挥洒乃为愉快。安可得乎？

在诗册末尾的款识中，王铎又写道：

> 月来病，力疾，勉书。时粮绝，书数条卖之，得五斗粟，买墨，墨不佳耳，奈何。[2]

此时，王铎正在窘迫中，为汤若望所书诗册也不能佳。

存世的傅山为好友戴廷栻所书《草书千字文》也颇能说明问题。戴廷栻托傅山用草书书写《千字文》，傅山拖了三四年，某年春，傅

[1] Kathlyn Liscomb 在"Social Status and Art Collecting"(p. 133)一文中作过一个有趣的观察，当她比较明代中期文人画家沈周（1427–1509）和商人王镇（1424–1495）的绘画收藏时，她说："王镇的收藏中没有一件画是为他制作的，构成他的收藏核心的作品是他购买来的艺术家为他人所作的画作，这点显示出他并非精英艺术圈中的成员。"

[2] 见刘正成、高文龙：《中国书法全集》，册61，《清代编：王铎卷》(1)，页220；册62，《清代编：王铎卷》(2)，页606。关于这一作品的讨论，又见黄一农：《王铎书赠汤若望诗翰研究》。

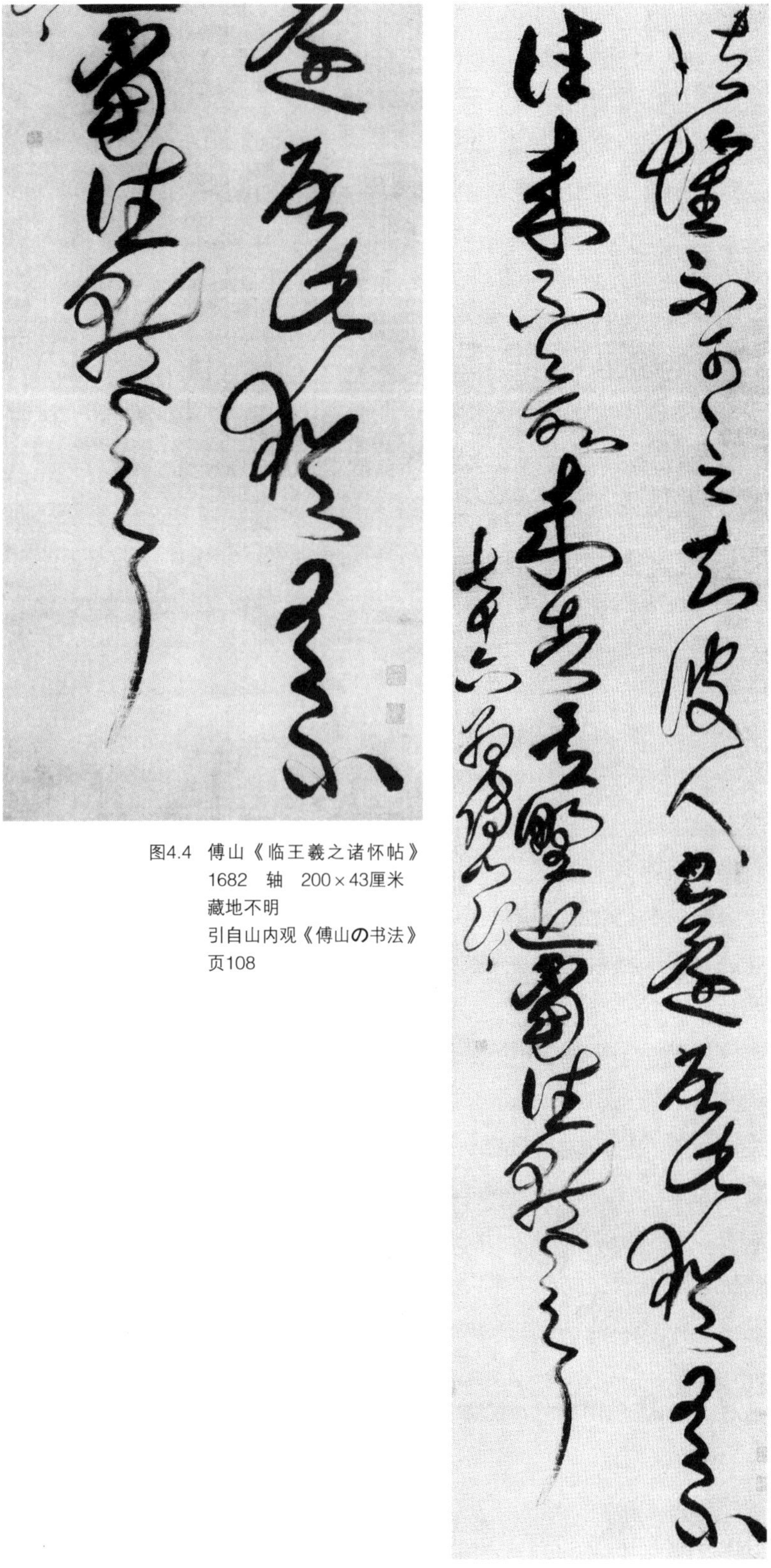

图4.4　傅山《临王羲之诸怀帖》
1682　轴　200×43厘米
藏地不明
引自山内观《傅山の书法》
页108

山将入山，戴遣人来催，傅山匆匆应命，作品显得也不那么精致。[1]即使是1657年在魏一鳌辞官北还之际，傅山代表山西的朋友的赠别之作（见第二章和本章下一节有关讨论），算得是在十分郑重的场合书写的作品，但笔墨和章法也有不够协调处。即使是下笔时作“矜庄想”，主观上希望能够写好，结果也并非总如人意。

选择某种字体来书写应酬作品，除了和受书人有关，[2]还和时代风气有关。晚明的应酬作品喜欢使用草书的原因，除了书写速度的考虑外，还和时代的风尚有关。清代中叶以后，许多书家以楷书、隶书或篆书书写对联作应酬。尽管用草书创作的速度较快，但这一时期留下的奔放的连绵草书作品并不多。随着金石学和文字学的发展，在一般有教养的公众中，古文字占有重要的文化地位。其结果便是篆、隶两种古代字体取代草书而成为应酬书法中受珍视的字体。文化环境明显地影响了字体与风格的喜好和选择。一个时代中最精致与最草率的作品可能出自同类的字体（如明代的行、草，清代的篆、隶）写成的作品，因为这些字体在当时最受欢迎。

意识到应酬书法的问题，对我们将采取何种方法来分析傅山的草书作品大有关系。以下所要讨论的草书作品，是从傅山存世的数百件书法中遴选出来，有的作品有明确纪年，有的有题跋而无纪年，但可从题跋或书写风格推断出书写的大约时间，并大致可判断受书人的身份。这些作品虽属应酬之作，但我们可以假设，它们并不是傅山在“忿懑于中”时当众挥毫的作品。选择傅山为友人所书作品来分析其草书艺术，也可以暂时搁置傅山书法中的代笔问题，因为对熟识的友人，傅山会亲自挥毫。迄今为止，书法史学者和文物鉴定家还不能有效地解决如何判别傅山和他的两个代笔人的作品。这有两个原因：第一，从存世极为有限署款傅眉和傅仁的作品来看，极似署款傅山的作品。第二，没有足够的傅眉和傅仁的作品来排比分析，进而找出傅山和代笔人之间的区别。傅山本人在世时，就曾有人试图找出他的书法和傅眉的书法的差别。傅山讥笑这些人的努力是徒劳。[3]除了这些题赠友人的作品外，本书还将一些没有纪年和上款，但尚属可靠的作品纳入讨论，以展示傅山草书的其他面貌。

[1] 关于这件作品的图版，见林鹏等：《中国书法全集》，册63，《清代编：傅山卷》，页231-266。

[2] 譬如，傅山常为有学养的汉官书写小楷。

[3] 傅山：《傅山全书》，册1，页864。

[4] 林鹏等：《中国书法全集》，册63，《清代编：傅山卷》，页370。

[5] 关于这一册页的详细讨论，见白谦慎：《傅山为陈谧作草书诗册研究笔记》。原文误将傅山的另一位友人文玄锡（玄道人）的生卒年当作陈谧的生卒年。关于文玄锡和傅山交往的考证，见姚国瑾：《傅山〈天泉舞柏图〉赠与人考》。

傅山的行草书

作为一个擅长草书的书法家，傅山娴熟章草和今草（包括小草和狂草）。在讨论傅山的草书时，有一个问题需要在这里说明一下。从字体的分类来看，在傅山一些被今人归为草书的作品中，有一些是纯粹的草书，如前面提到的他为老友戴廷栻书写的草书《千字文》。但也有许多作品从字的结构来定义的话，算是行草书，其中有不少字的结构并不是草书体，却是草书的笔势，如傅山为老友郝德新（字旧甫，号鉴盘）所书《五峰山草书碑》（又作《题书自笑八韵》），其中的许多字是行书的结体，但有学者视其为“傅山连绵大草中最具代表性的作品”，[4]大概是从连绵的草书笔势来界定的（见图4.5）。傅山的这种创作方式和晚明的书法传统有关，即：在追求草书奔放不羁之气势的同时，增加单字结构和全篇章法的视觉复杂性。这里我们也将这类作品放到草书里来讨论。

目前所知傅山最早的一件行草作品，纪年为1641，是件以拓本传世的立轴（见图1.57）。但最能反映傅山早年草书训练的是傅山书赠挚友陈谧的一个册页（共三十八开，其中傅山书二十八开）。[5]陈谧，字右玄，山西阳曲人，从傅山游。甲申冬，傅山避难山西盂县，陈谧追随傅山来到盂县，向傅山学诗和学医。

图4.5　傅山《五峰山草书碑》　拓本
纸本　178×61厘米　藏地不明
引自《傅山书法》　页173

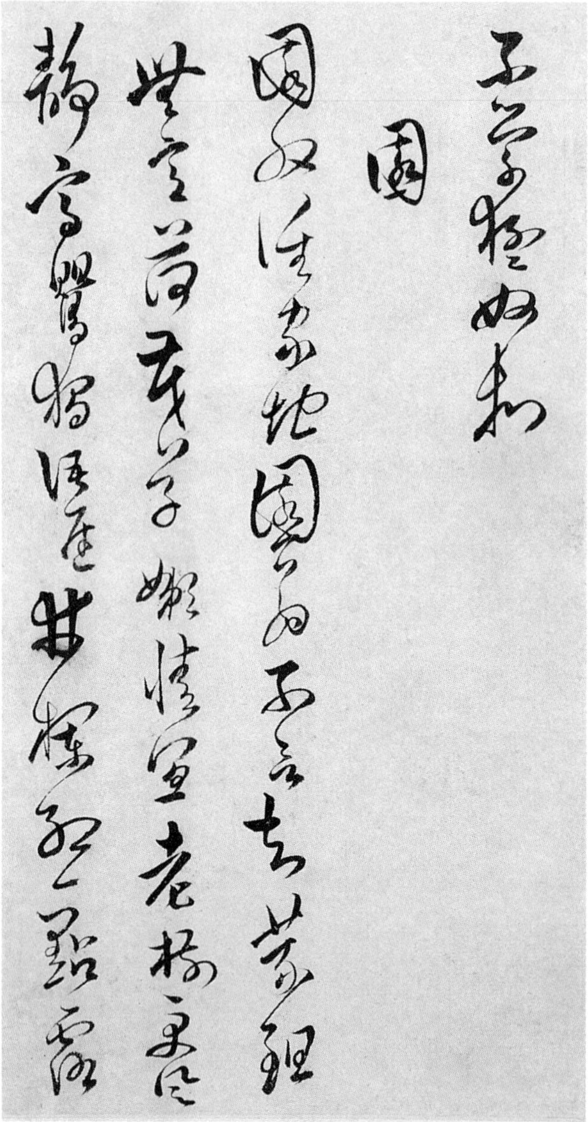

图4.6 傅山《赠陈谧草书诗册》第十三开 1648 册页（全三十八开 包括题跋十开） 纸本 每幅28×15厘米 台北何创时书法艺术基金会

丙戌冬（1646冬或1647初），傅山转至汾州，侨寓友人处，陈谧又从盂县追随至汾州。戊子夏（1648），陈谧出示册页向傅山索近作，傅山在册页上抄写了二十六首诗。诗皆为甲申国变后所作，字里行间充满着悲凉的黍离之痛和今昔之感。[1]

在傅山的早期作品中，这本册页最为精彩，充分显示了傅山在草书方面的功力和才华。从书迹来看，书写的速度很快，但牵丝、映带、

[1] 傅山赠陈谧册页中的诗，都收入了《傅山全书》。但《傅山全书》部分诗的标题和文字与此册中的诗有些许出入，当是傅山曾多次抄写过这些诗并曾在文字上作过修改所致。

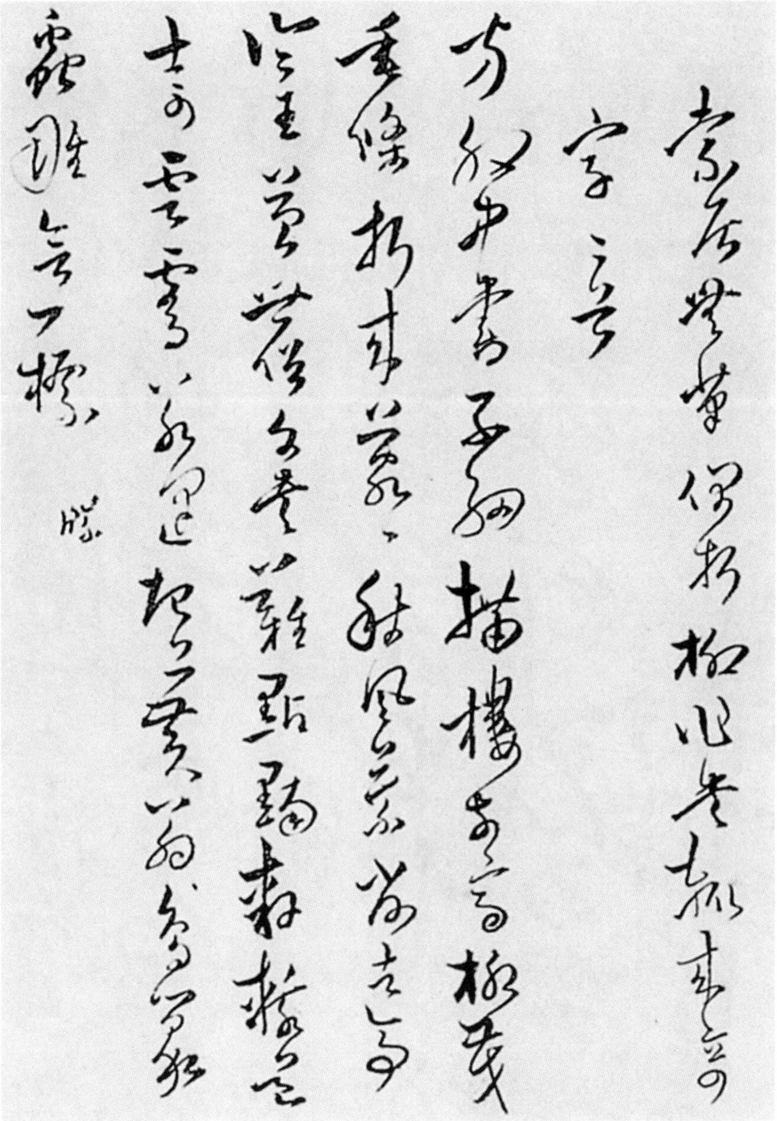

图4.7 傅山《赠陈谧草书诗册》第三开

提按、转折都交代得极为清楚，没有丝毫含混之处，表现了作者娴熟的技法。以第十三开为例（图4.6），结字与运笔尤其优美。起始“园外”二字运笔肯定，圆润流畅。在“园”的“囗”写完之后，傅山用极细的笔画勾出“囗”内的线条，然后以精致的游丝将此字的最后一画和下一个字“外”牵连在一起。而第三开“索居无笔，偶折柳作书，辄成奇字二首”也可见傅山下笔之迅捷。（图4.7）以小草技法的精微而论，

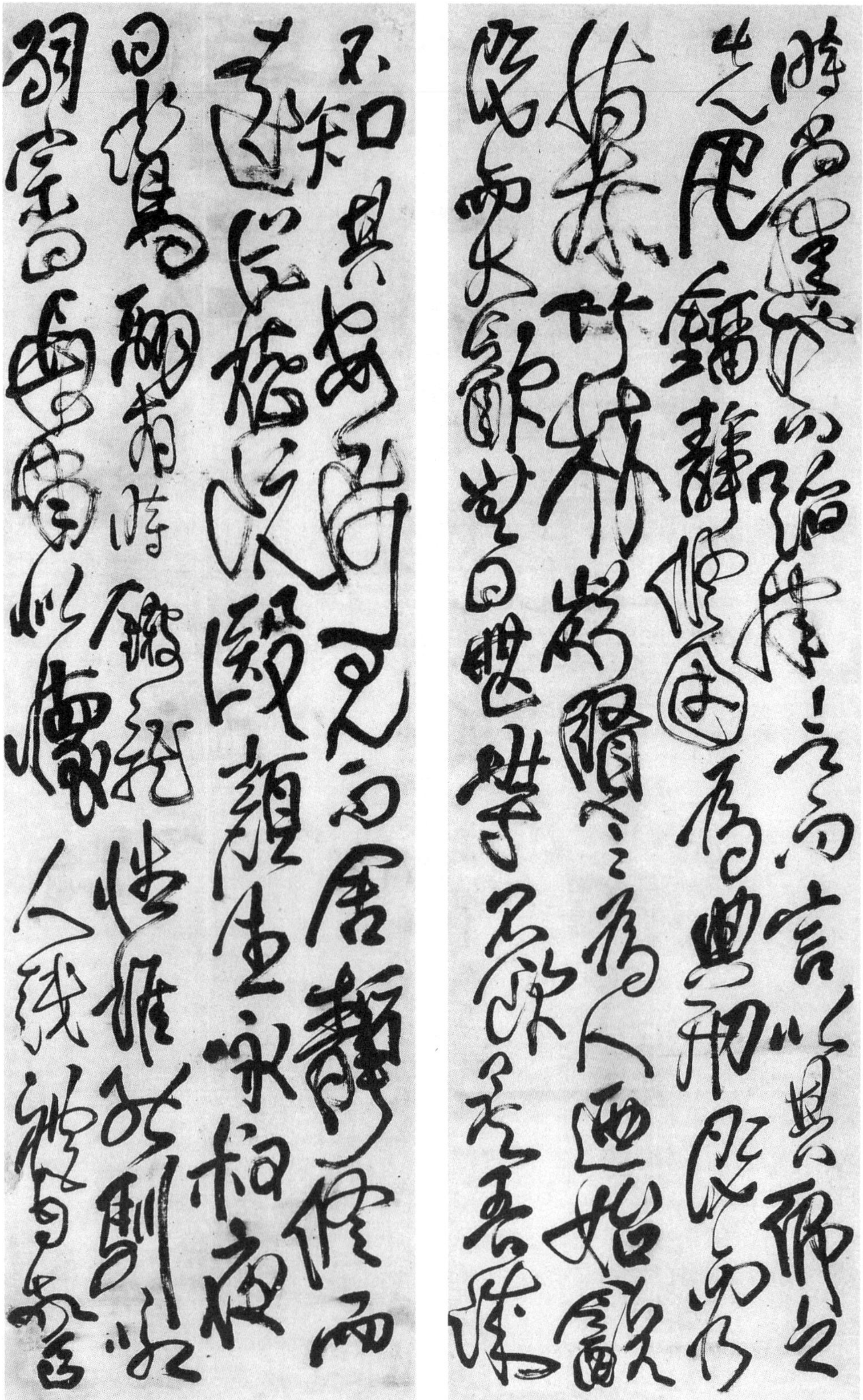

图4.8 傅山《赠魏一鳌行草书》 1657 十二条屏 绢本
每轴167.6×50.5厘米 美国纽约路思客先生收藏

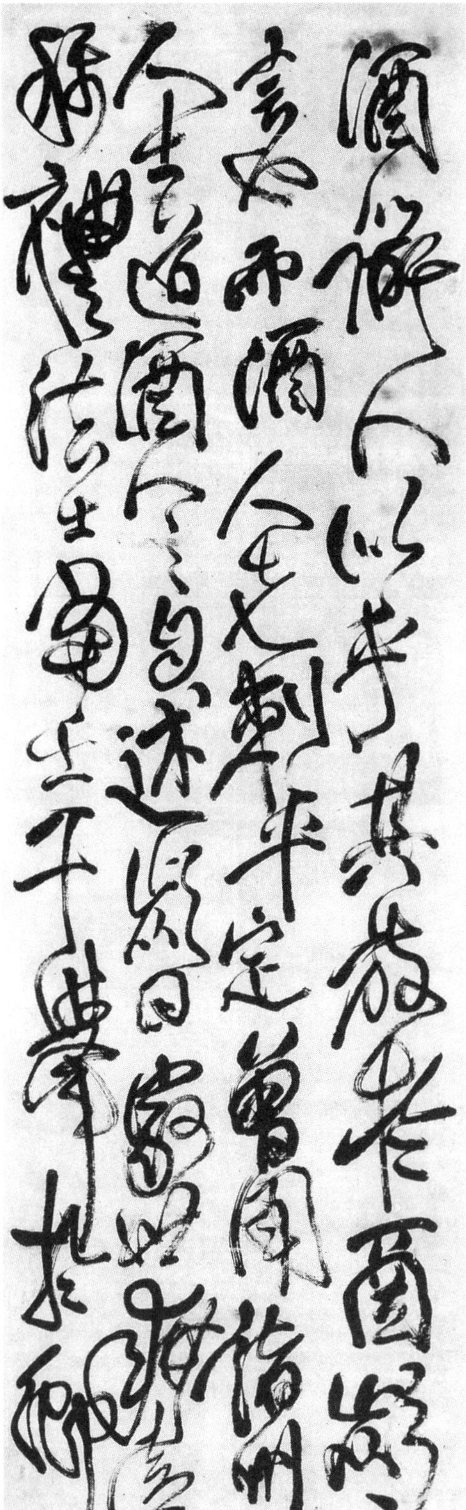

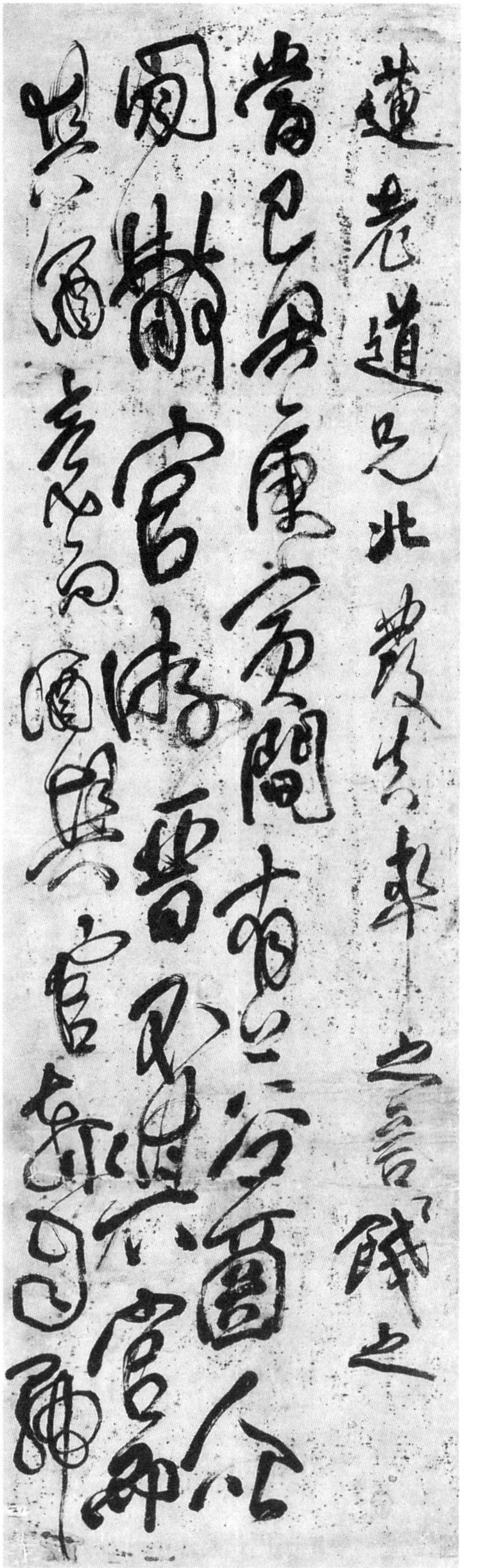

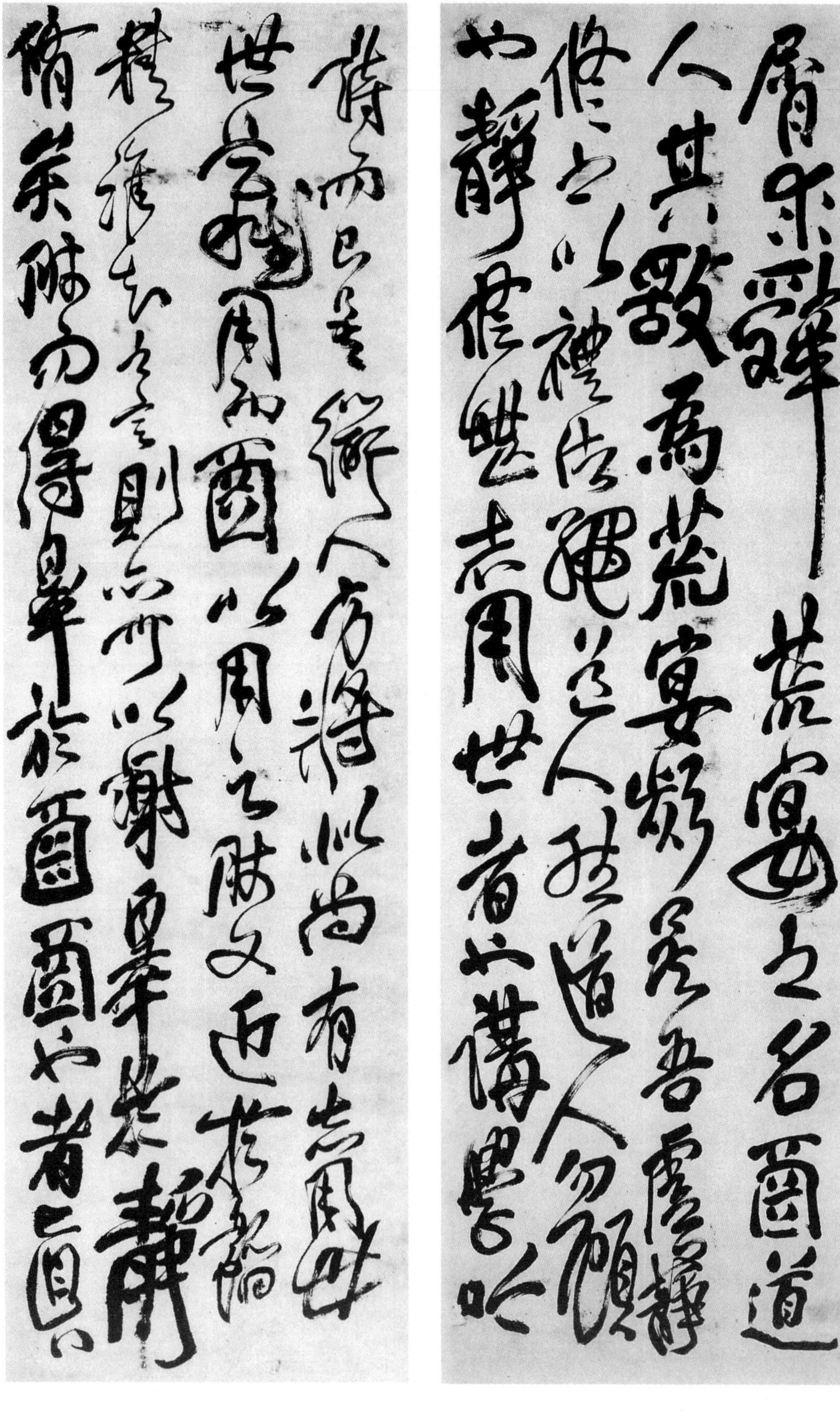

衆醒顛頓者之寓也所幾乎其中之至于以韜精日沈飲誰知非荒宴之加伯倫之劉文麼糟醨醴為酒人耳醉者知伯倫之不愛也伯倫且更也所因為醉識禮醨家之人因不矣其荒宴是安能為酒人必不齊

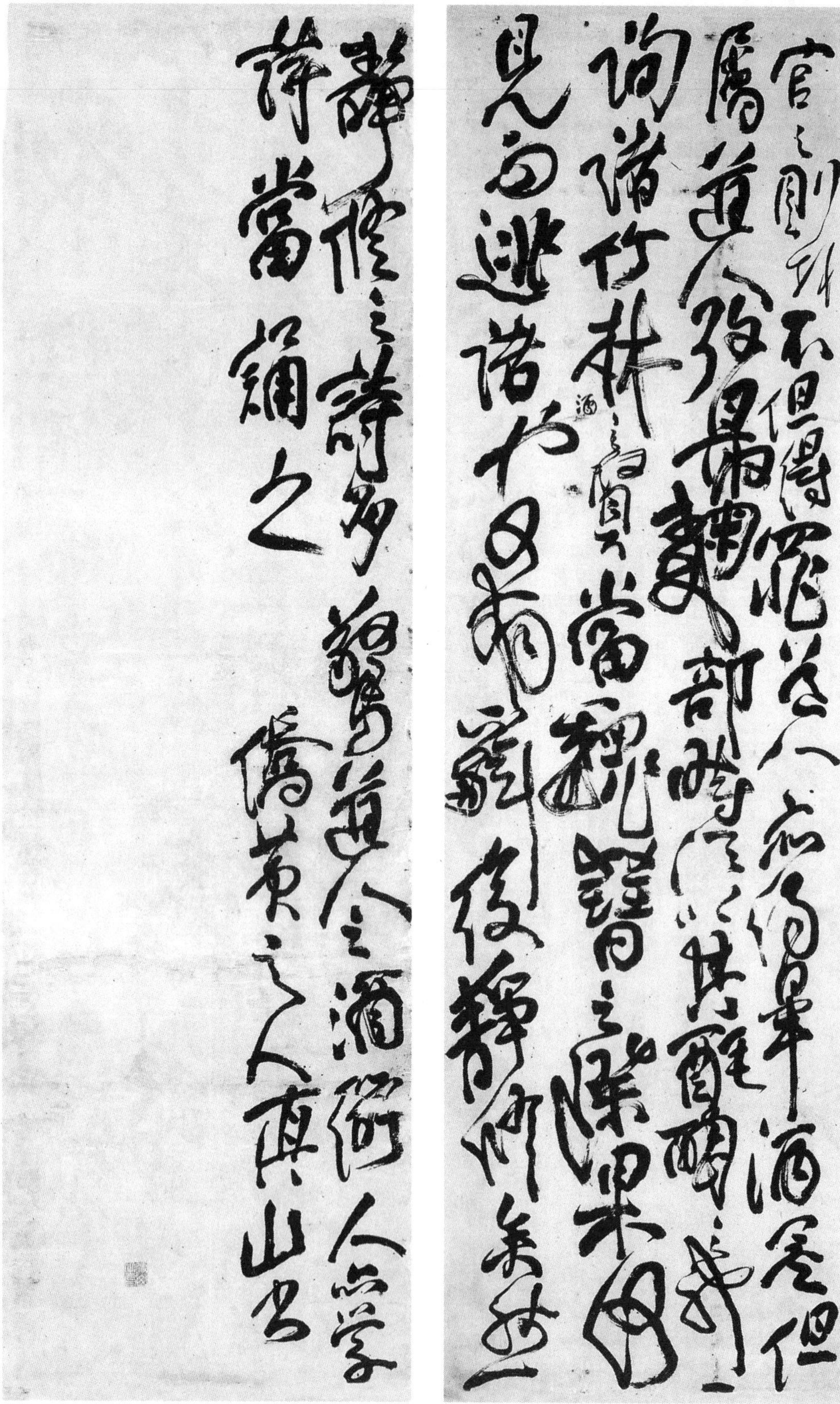

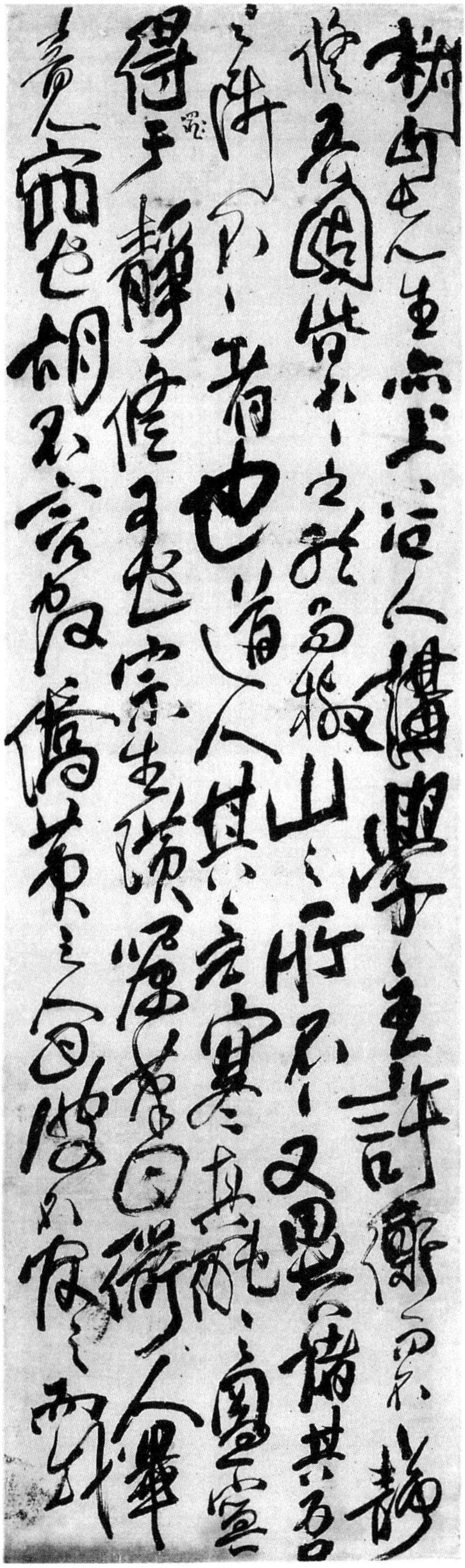

实可与明代中期天才的书法家陈淳媲美。

在傅山的作品中，此册又是相当特殊的一件。初观时，令人觉得与一般常见的傅山草书颇有不同，但细细寻绎，应为傅山的手笔。我们只能概言其渊源于二王和元、明秀美一路的草书，很难确指受了哪家哪家的影响。傅山少年学书时，曾受赵孟頫的影响。此册书法虽也有赵氏书法之秀美风韵，但赵书在运笔结字上华贵矜持，而傅山此作则潇洒飘逸。傅山的行草书在1650年代时开始变化，颜书和米书的意味加重。这件作品对我们了解傅山书法的整体面貌及其变化过程，都很有帮助。

赠陈谧册页充分体现了傅山在草书方面的功力与天分，以及合乎传统规范的优雅品味。然而，只有傅山的连绵行草才更能反映那个时代最有代表性的美学思潮。傅山大部分的行草作品是条幅，有的是超过两米的堂堂立轴。从有纪年的作品看，我们目前尚未发现傅山书于1657年前的连绵行草作品，但我们完全有理由相信，他在这之前应该已经开始写这种风格的作品。存世年代较早的狂放的作品是1657年为魏一鳌书写的十二条屏（图4.8），本书第二章曾详细讨论过其文本（见页112–117）。由于是一篇寓意深长的赠别文字，傅山希望这十二条屏能被人，至少是魏一鳌及其友人读懂是无疑的。因此，傅山在这件作品中用的异体字不多，选择的字体严格来说是行草，亦即行书草书兼用。不过，这一作品的结字、用笔、章法、行气均极为奇诡、怪肆，赋予这些条屏类似狂草的样貌和精神。

这十二条屏的文本是一篇精心构思的短文，所以，傅山一定是先撰就文稿，然后才在绫上挥洒。文章的主题是酒。酒在此隐喻着政治抵抗，同时也象征着真纯而不受礼法拘束的精神。既然傅山嗜好杯中物，有可能他是在酒后书写这件作品。[1] 当艺术家的创造力在酒精作用下获得释放时，其作品或许能表现出意想不到的效果。事实上，这件作品看来正是在模仿唐朝草书家，利用酒后的状态作书。傅山在第一条屏中以稳健的书风写下标题“莲老道兄北发，真率之言饯之”，但“酒”力（不管是真的或是想象的）很快地发生效用。硕大的字中粗犷强健的笔画立刻攫住了观者的视线。颜真卿和米芾

[1] 魏一鳌曾在《题傅青主画》（见《雪亭诗文稿》）的诗中写道：“醉后突兀兴不已，洒作粉壁石倾斜。”是知傅山喜欢酒后创作。

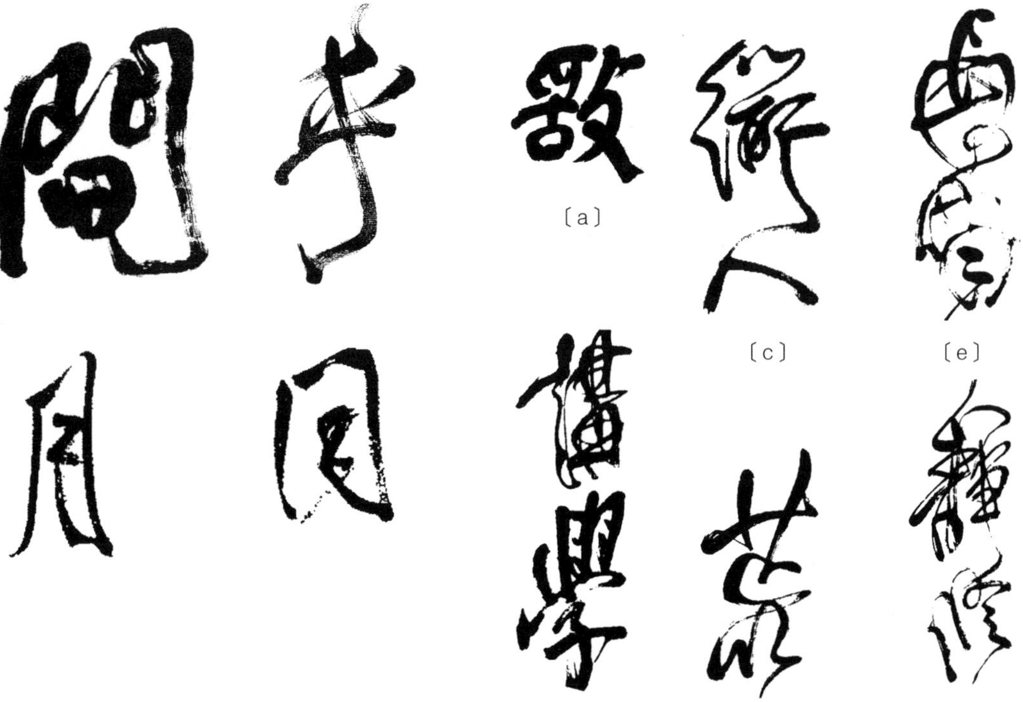

〔a〕 〔c〕 〔e〕 〔b〕 〔d〕 〔f〕

图4.9 左行节自《赠魏一鳌行草书》
右行为米芾的字

〔g〕

〔h〕

的书风构成此作的基本用笔特征（图4.9）。有些字，如“敔”（“敢”之异体，见附图〔a〕）和“讲学”诸字（见附图〔b〕），颜真卿书风的基调十分明显。米芾的影响则表现在那些较为细瘦、用笔跳荡、生动的笔画上，如“道人”（见附图〔c〕）和“荒”等字（见附图〔d〕）。

本书第一章已指出，晚明一些书家在书写行草时，笔画盘绕穿插，造成复杂的视觉效果。如我们所见，“长啸”之“长”比通常的写法要多绕了些圈子，与字的文义倒也暗合（见附图〔e〕）。“静修”二字中，有些笔画如空中飘荡的绸带，盘旋穿插（见附图〔f〕）。“龙鸾”二字的用笔相对结实，但也有龙飞凤舞之势（见附图〔g〕）。赠魏一鳌之作另一个引人注目的特色则是字与字之间的强烈对比。例如在第七条屏中的某些字墨色饱满，凝重而气势宏伟，但是在第十一条屏的一些字却是纤细而轻盈。各个条屏的空间安排亦相异。第七条屏的章法宽疏；而第十一条屏，却又紧密。大概在书写时，傅山不时地根据所剩空

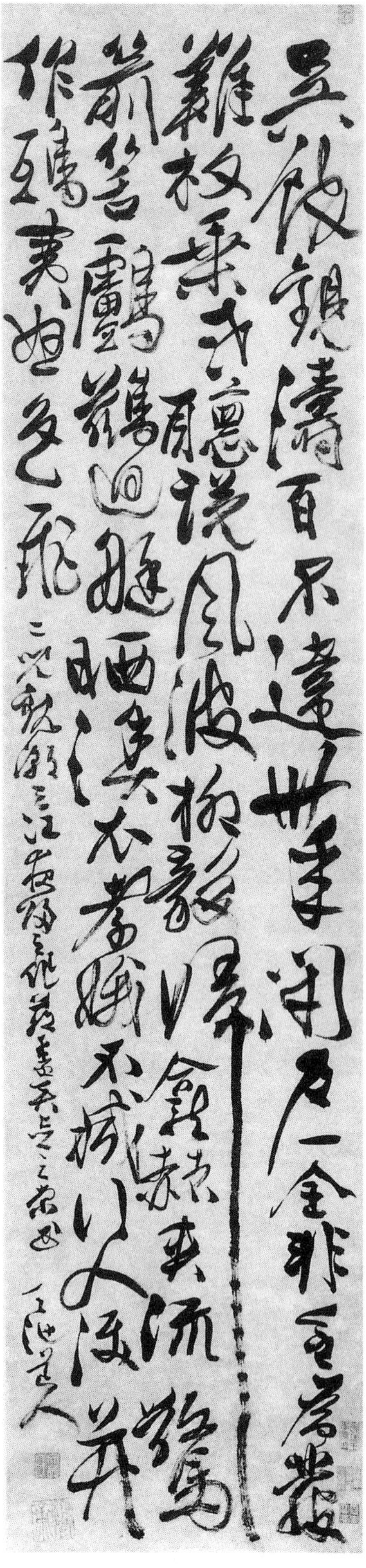

间来调整着尚未书写的文字的大小。

除了颜真卿与米芾，傅山还受惠于晚明书家，这一点在章法的处理上尤为明显。十二条屏的字左右欹侧，几乎没有一行可以找出固定的中轴线，这正是王铎草书的一个重要特色（见图1.12）。第十一条屏紧密的章法，和徐渭的《观潮诗》轴（图4.10）相似。在《观潮诗》轴中，字的“大小随意变化，宽松的独立结构与紧凑的行间制造出章法上的狂乱印象”。[1]徐渭挥洒得汪洋恣肆，“归”的最后一笔竖画，在波磔中延伸，超过七个字的长度。然而，仔细审视，徐渭的每个单字都达到很好的平衡，我们仍可以在每一行中画出一条笔直的中轴线穿过每一个字，这和傅山赠魏一鳌的条屏是相当不同的。

如同徐渭的字，傅山的字也经常变形。在第二条屏的第四行中，“礼”字被严重地扭曲，左边偏旁的竖画向右倾斜，而右边的下半部也被傅山尽可能地将之向左挪移，整个字看来摇摇欲坠（见附图［h］）。这种处理方法赋予了傅山的书法具有晚明以来艺术家所崇尚的特质——“奇”。

赠陈谧草书册显示了傅山扎实的功力，证明他完全有能力按照约定俗成的标准写出优美的书法。但是，他为何要打破成规，书写如此怪异的行草呢？虽然傅山几乎没有在其著作或笔记中提到草书（这点颇令人感到奇怪），但他对隶书的讨论或可帮助我们了解他为何这样书写草书。傅山曾经说道：

汉隶之不可思议处，只是硬拙，初无布置等

图4.10 徐渭 《观潮诗》 轴 纸本
131.1×31.6厘米 美国弗利尔美术馆
（Freer Gallery of Art，Purchase–Regents’ Collections Acquisition Program，F80.12）

当之意。凡偏傍左右，宽窄疏密，信手行去，一派天机。[2]

我们完全有理由相信，傅山在他的行草书中也追求硬拙，信手行去，不论宽窄疏密，因为他认为“拙”能表露人心更原始、更自然的状态——“天机”。在傅山的书法理论中，“天”是书法的最高境界。傅山在一段笔记中专门谈到了“字中之天”：

> 旧见猛参将标告示日子“初六”，奇奥不可言。尝心拟之，如才有字时。又见学童初写仿时，都不成字，中而忽出奇古，令人不可合，亦不可拆，颠到疏密，不可思议。才知我辈作字，卑陋捏捉，安足语字中之天！此天不可有意遇之，或大醉后，无笔无纸复无字，当或遇之。世传右军（即王羲之）见大令（即王献之）拟右军书，看之云：“昨真大醉。”此特扫大令兴语耳。然亦须能书人醉后为之。若不能书者，醉后岂能役使钟、王辈到臂指乎？既能书矣，又何必醉？正以未得酒之味时，写字时作一字想，便不能远耳。[3]

这则笔记的前半段说的是素人之书的自然美。书写告示的猛参将显然没有受过系统的书法训练，但傅山认为其所书告示中有些字（当然并非所有的字）是“奇奥不可言”。一些幼童虽初学临仿，尚未入书法之门，但恰恰在他们“颠倒疏密”（亦即歪歪扭扭、疏密不成行）的书写中，傅山发现了“如才有字时”的“奇古”。儿童书写的原始、不假修饰的真诚，达到了“令人不可合，亦不可拆”的和谐完美境界，令傅山赞叹“字中之天”。傅山激赏那些没受过很多教育的人们的书写，和他经历过晚明文化的洗礼应有很大的关系。把儿童书写与“天”联系起来，无疑是由李贽的哲学衍生而来。李贽认为，人的本性纯良，有着一颗童心，能够以自然的澄明去洞彻体察道德准则。此外，在晚明，非精英的文化获得了空前的关注，甚至高度的评价和尊崇。这种思想遗产可能影响了傅山，进而赏识文化水准不高的人们和孩童的书写，这种态度也与傅山对古代无名氏碑刻的推崇是一致的。

傅山的笔记提出的另一个问题是酒和书法的关系。对于那些技法纯熟的书家，傅山认为饮酒不啻为冲破传统法度藩篱的有效途径，

[1] Shen C. Y. Fu et al., *Traces of the Brush*, p. 95.

[2]《傅山全书》，册 1，页 855。

[3] 同上注书，页 862。

大醉后，书法家或许能得到“字中之天”。借助酒的精神来书写草书，就像认为草书具有神异的魅力一样，是一个古老的传统。唐朝孙过庭《书谱》里记载了“二王”的一个故事，涉及“醉”与书法的关系，但是“醉”并不具有激发创造力的神性，相反，“醉”还导致了平庸的书法：

> 羲之往都，临行题壁。子敬密拭除之，辄书易其处，私为不恶。羲之还见，乃叹曰：“吾去时，真大醉也！”敬乃内惭。[1]

然而，在草书大盛的盛唐时期，酒变成对书法有所助益的灵物。杜甫《饮中八仙歌》对张旭的描述为学书者所熟悉：

> 张旭三杯草圣传，脱帽露顶王公前，挥毫落纸如云烟。[2]

张旭在大醉时挥毫，古代文献中还有这样的描述：

> 旭饮酒辄草书，挥笔而大叫，以头揾水墨中而书之，天下呼为张颠。醒后自视，以为神异，不可复得。[3]

这段关于张旭的描述建立了酒与草书间的关联，并成为一个行之久远的传统。

不过，石慢在其关于北宋时代酒与书法的关系的研究中指出，宋代的大书家们对酒持不同的态度。米芾在《论书帖》（又称《张颠帖》）中说，高闲与其他一些书家的草书作品，“但可悬之酒肆”，[4]明显具有贬义。苏轼颇爱小酌，他也首肯挥毫时的饮酒，但自己却很少写草书。黄庭坚是继张旭与怀素以后的一个草书大家，并不认为酒对艺术的创造力有所裨益。相反，他将那个“把酒和不受拘束的解脱状态与哗众取宠的表现癖视为同义词的传统，转变为高度自觉的内省活动”。[5]石慢作了如下结论：

> 在中世纪的中国，醉象征着自然，一种澄明状态下表达与阐述外在世界的自由。北宋晚期那些有个性的书法家对艺术中的“自然”的自觉探索，要求他们重新审视酒与创造力之间的关系。他们的实践也许并没有完全揭示出酒在艺术上的价值，但的确点出了这样一个事实：只要对“自然”的追求被认定为艺术创作的目标，创造力的源泉多半来自人的内心而非外界。[6]

[1]《历代书法论文选》，上册，页125。这个故事亦见《法书要录》，卷3，李嗣真《书品后》，“逸品五人”，文略异，说明这个传说在唐朝流行。见卢辅圣等：《中国书画全书》，册1，页102。

[2] 杜甫：《饮中八仙歌》，收录于仇兆鳌：《杜诗详注》，卷2，页84。

[3] 李肇：《唐国史补》，页17。

[4] Sturman, “Wine and Cursive,” pp. 201-203.

[5] 同上注，p. 225。

[6] 同上注，p. 225。

即便如此，赞扬酒对于书法（主要是草书）的积极作用依然代不乏人。苏轼曾宣称：“仆醉后，乘兴辄作草书数十行，觉酒气拂拂，从十指间出也。”[7]王铎也有类似的文字，他在给周亮工的一通信札中写道：“余书酒后指力一轻。如作山水墨画，笔过风生。”[8]

如果我们接受石慢的观点，认为激发草书创作的源泉有外在的（唐代的表演型）与内在的（宋代的内省型）两种，那么曾经历过晚明城市文化（注重表演）和心学（注重内省）洗礼的傅山可以左右逢源，同时受到两者的激荡和启发。傅山曾在一件草书立轴上写下一首绝句：

> 右军大醉舞蒸豪，颠倒青篱白锦袍。
> 满眼师宜欺老辈，遥遥何处落鸿毛。[9]

虽然历史上曾有传说，王羲之《兰亭序》为醉中所书，醒后自认为不可复得；文献著录的王羲之尺牍也谈到酒，但王羲之似乎并不善饮。我们也没有可靠的历史资料可以证明这位书圣喜欢酒后挥毫。[10]因此，傅山对于王羲之的描述是富于想象的，因为从来没有人像他那样将王羲之的书法与大醉联系在一起。不管傅山的描述具有多少可靠性，对傅山而言，酒有益于书法创作。

赞扬酒给予书法的积极作用，等于是鼓吹非理性的因素在艺术创作上的重要性。认为艺术受益于非理性因素的观点和这样两个信念有关：其一，只有在摆脱了理性的控制后，人（尤其是艺术家）的本性才能最充分地呈现出来；其二，由于草书（尤其是狂草）源于内心自然的流露，是最具有表现性的字体，故最能反映书家的内在本性。正如清代文艺批评家刘熙载（1813–1881）所言：

> 观人于书，莫如观其行草。东坡论传神，谓“具衣冠坐，敛容自持，则不复见其天”。《庄子·列御寇》篇云：“醉之以酒而观其则。”皆此意也。[11]

傅山那段讨论酒与书法的笔记显示了他坚信最高境界的书法必然具有“字中之天”。儿童书写即具有这种“天倪”，因为它稚拙原始，“如才有字时”。酒有可能帮助成年人回归到这种“如才有字时”的原始阶段。傅山在赠魏一鳌的十二条屏中，赞美酒是“真醇之液”。

[7] 苏轼：《跋草书后》，《苏轼文集》，卷69，页2191。

[8] 周亮工：《尺牍新钞》，册2，页140。在另一通致周亮工的信札中，王铎自称为“酒人”（见前引书）。

[9] 这件立轴目前藏于南京博物馆。师宜官（活跃于168–188）是东汉末年的书法家，以隶书闻名。师宜官对自己的名气颇有信心，他经常“不持钱诣酒家饮”，在墙上写书法来换取酒客的赏钱。待筹到酒钱后，他就把墙上的书迹擦去。见卫恒：《四体书势》，收于《历代书法论文选》，册1，页15。诗的最后一句可能是对王羲之的赞扬，说王羲之喝酒之后，便身轻犹如鸿毛；而这或许暗示着王羲之的醉书犹如飞鸟般轻盈。这句也有可能是关于师宜官书法风格的描述。梁武帝萧衍（465–549，502–549年在位）曾评道：“师宜官书如鹏翔未息，翩翩而自逝。”见萧衍：《古今书人优劣评》，收于《历代书法论文选》，册1，页82。

[10] 2004年6月17日，笔者曾就王羲之与酒的问题请教王羲之专家祁小春先生。

[11] 刘熙载：《艺概》，载于《历代书法论文选》，下册，页715。

不过，我们并不清楚傅山是否在微醺或大醉的状态下写下了那十二条屏。即便不是，也无妨。傅山在作品中赞颂“真醇之液”，与其说是一种实际状况，不如把它理解为一种观念。既然在饮酒时或喝醉后书写早已是流传久远的传统，最重要的还是应该看书法是否有“醉”意，换言之，看起来不受羁绊，而不是非得创作者本人真的在酒醉的状况下书写。在傅山赠魏一鳌的书法中，我们可以感受到这种酒的精神。而长期以来酒与书法的关联，也允许书家对其怪异的行草自圆其说，并说服观者赞赏或至少容忍这种怪异。

如果酒的作用有时不过是一种抽象的理念或修辞，书法家本无须每书必饮，因此我们也无须对以下这个事实表示惊讶：傅山存世最狂肆的连绵行草作品之一《五峰山草书碑》(又作《题书自笑八韵》)很可能是他在相当清醒的时候书写的(图4.5)。傅山在这件书法上抄录了一首自己的诗，叙述他从驴背上摔下来、腰受伤之后书写草书的情形。诗中这样描述自己的书法：

腕原罗鸷拙，腰复坠驴痛。不谓中书管，犹如雍父舂。
水光财一画，花眼又双彫。断续团圞媾，柎杈艾纳松。
三杯忙上顿，一觉未疗邛。回顾奔驰兽，旋眩竹木龙。
为怜痂有嗜，能苦菜为佣。若作神符镇，差消鬼市崧。[1]

傅山在诗后题款：“老病逃书，真如蒙童之逃学。鉴盘兄出此绫索书，勉而应之，殆不成字，一笑而已。”[2]除了这一碑拓外，山西省博物馆藏有傅山此诗的手稿，文字和上引诗碑文字略有差异，题款也不相同：“郝旧甫持绫子索书，书已自顾，径似正一家治鬼符一张，不觉失笑，遂有此作。”[3]傅山为郝旧甫所作草书和诗中的自我描述相合：笔画相互盘结穿插，如群兽狂驰，其怪异的程度不仅骇人，还如道教的符箓，令鬼神震惊：“若作神符镇，差消鬼市崧。”

傅山在赠予鉴盘的诗轴中虽然也提到了“三杯忙上顿”，[4]但我们并不十分清楚，此作是否酒后所书。但是，此轴带有酒的精神——不拘成法的奇肆。不论傅山书写时是否饮酒，也不论其本人自视此作的艺术水准如何，傅山狂放的草书正是晚明以降书家追求“奇”合乎逻辑的结果。傅山是一位乐于向古人和当代人挑战的书家，他

[1] 原作本为立轴，刘霖(活跃于1854年)将之摹勒上石。关于这一作品的详细讨论，见林鹏:《五峰山草书碑注释》,《丹崖书论》，页28–35。

[2]《傅山全书》，册1，页241–242。

[3] 同上注书，页242。

[4] 杜甫《饮中八仙歌》有“张旭三杯草圣传”句。林鹏先生释“上顿”为大饮。见林鹏:《五峰山草书碑注释》。但大饮后尚有“一觉”。傅山此轴应在一觉醒后所书。诗所描述的是否就是这一立轴上的书法，也待考。

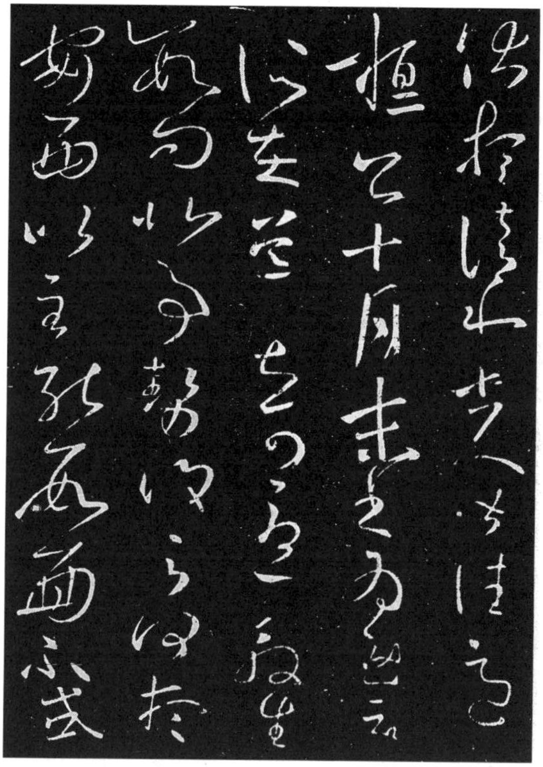

图4.11 王羲之 《伏想清和帖》 拓本
册页 纸本 尺寸不详
引自《淳化阁帖》卷8

曾宣称："莫说看今人不上眼，即看古人，上得眼者有几个？"[5]通过比晚明书家更为剧烈的变形，更为繁复的盘绕，更为恣肆的用笔，不管究竟是来自内心的冲动还是外界的刺激，或是两者兼而有之，傅山把17世纪张扬的草书运动推向最激进的极端。

傅山的草书受惠于晚明书法甚多。存世傅山的草书立轴中有相当数量是临写《淳化阁帖》和《绛帖》所收法书名迹，[6]而且傅山的"临"书方法也无疑受到董其昌和王铎的影响。比较王羲之的《伏想清和帖》（图4.11）与傅山1661年的临本（图4.12），[7]就能发现临本与原帖极为不同。王羲之的作品是典型的小草，许多字并不相连。然而，在傅山的临作中，字与字之间的空间被压缩，而且有许多萦带。另外，王羲之的笔画与结字严谨，带有令人赞叹的精巧与优雅。反观傅山的作品，用笔十分狂放。这种狂放在另一件《伏想清和帖》的临本上更为明显（图4.13）。此作字间的空隙比起前一件临本更为狭窄，笔画连绵不断，使这件作品几乎成为典型的"一笔书"。虽然这两

[5]《傅山全书》，册1，页762。

[6]《绛帖》由北宋山西文人潘师旦在1049-1064年间刻成。关于这部刻帖，见容庚：《丛帖目》，册1，页49-66。傅山曾拥有一部宋拓《绛帖》。见《傅山全书》，册1，页529。

[7]这个临本的纪年很可能是辛酉（1681）而非辛丑（1661）。此干支纪年中的第二个字几乎无法辨识，而在草书中，酉与丑相当接近。

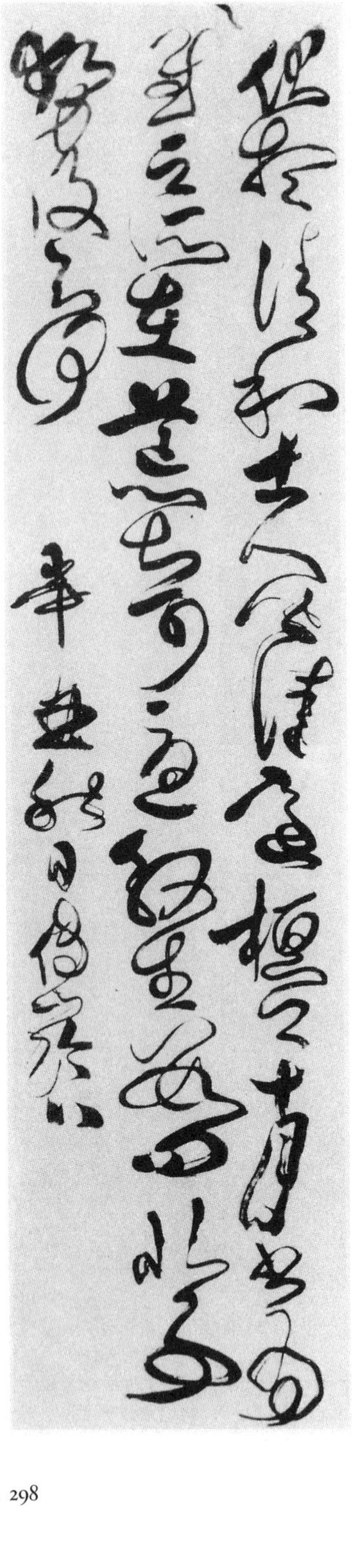

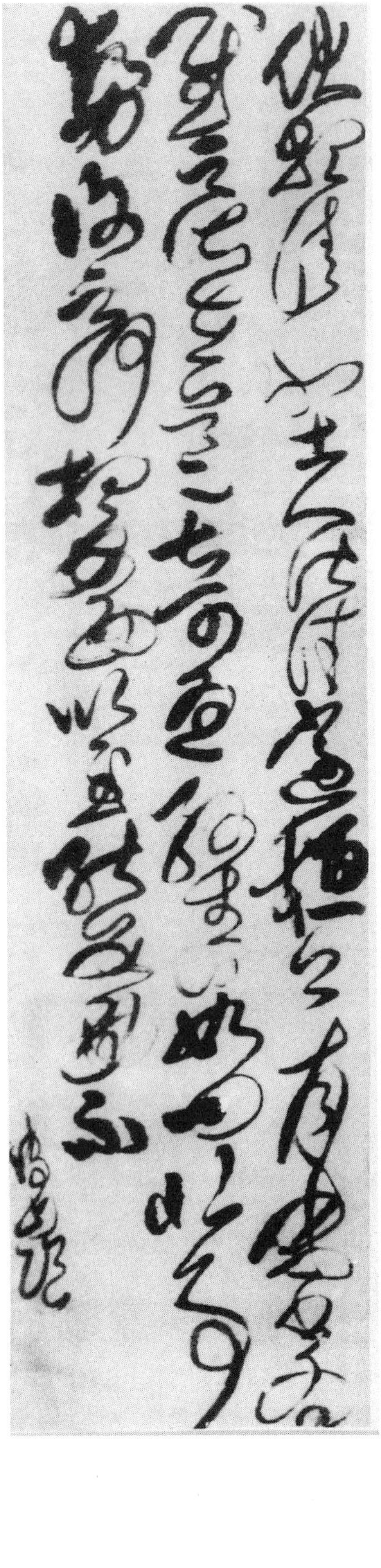

图4.12 傅山《临王羲之伏想清和帖》 1661 轴 绫本 180×47厘米 山西省博物馆 引自《傅山书法》页105（左）

图4.13 傅山《临王羲之伏想清和帖》 轴 绫本 180×47厘米 太原晋祠博物馆 引自《傅山书法》页104（右）

图4.16（左）王羲之《安西帖》中之“常”
（右）傅山临书中的“常”

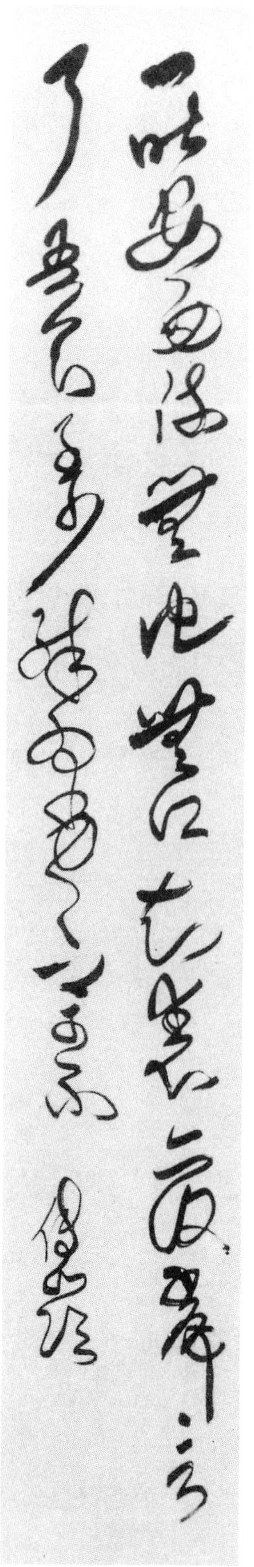

图4.15 傅山《临王羲之安西帖》
轴　绫本　225×40厘米
山西省博物馆
引自《傅山书法》　页107

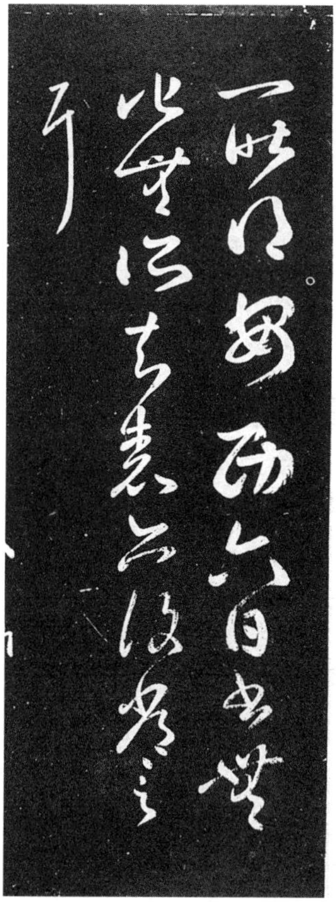

图4.14 王羲之《安西帖》　拓本
册页　纸本　尺寸不详
引自《淳化阁帖》　卷8

件临作的范本是同一个法帖，但二者颇有不同。

傅山临写王羲之的《安西帖》是另一个晚明式临书的例子（图4.14）。在傅山的临本中（图4.15），“常”的下半部与王羲之在《安西帖》中所写的完全不同（图4.16）。虽然这不过是个很小的变动，但我们可以确定，当傅山临写的时候（尽管他宣称是临），他并没有仔细对着原帖临写。这种随意并不表示傅山从未仔细地临摹过原帖，恰恰相反，正是对古代法帖的熟悉，他才能够相当自由地背临，并根据己意对范本进行挪用、拼凑。傅山临本的前半段（到第二行第一个字为止）节录自《安西帖》，后半段的文字却节录自王羲之的《二书帖》（图4.17）。节取王羲之的两通尺牍再行合并，令人想起王铎的拼凑式临摹。虽然上述傅山的三个临本没有一个忠于原帖，但傅山却在每件作品上直接题上“傅山临”。尽管以考据学为

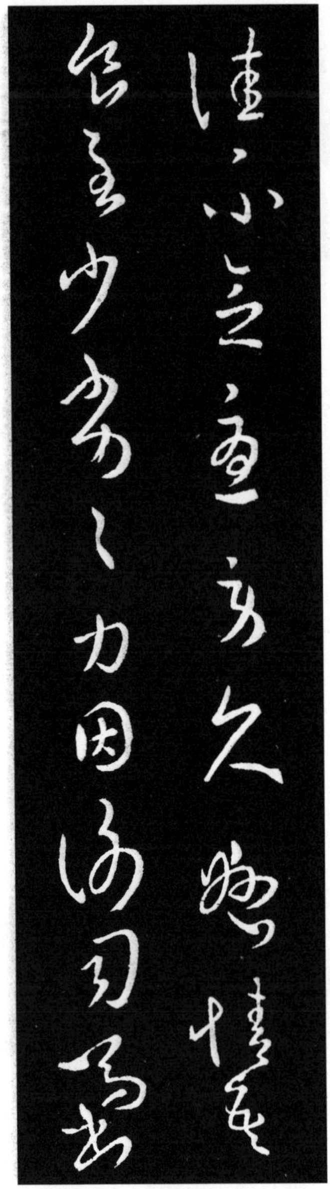

图4.17 王羲之《二书帖》
拓本　册页　纸本　尺寸不详
引自《淳化阁帖》卷7

图4.18 傅山《夜谈三首》
草篆　轴
山西省博物馆
引自《傅山书画选》

根基的新学风在清初已开始发展，但很明显，傅山承继了晚明的“臆造性临摹”。

傅山还将草书的元素掺入其他字体。在山西博物馆藏的一件立轴中，傅山将草书的技巧运用到篆书上（图 4.18）。此轴的文本是傅山 1656 年所作《夜谈》（又作《与眉仁夜谈》）三首之一：

何必许家第，乃云多闻人。长空看高翼，一过即无痕。

世庙私王号，尼山自圣尊。唐虞真道士，龙德脱其身。[1]

草篆由晚明书家赵宧光所发明（见图 1.28），但傅山的草篆与赵宧光的有两个不同。首先，赵宧光是用草书技法写小篆，傅山将之运用到大篆上。山西博物馆藏的这件立轴上有不少字是所谓的“古文”，属大篆系统的文字。其次，赵宧光每个字中的笔画像草书那样常相互连接，但字字独立。在傅山的作品中，不仅每个篆字都用草法写成，而第一行的第三、第四、第五字也以游丝相互牵连，这通常只有在行草或草书中才能见到。此外，傅山用笔迅捷，造成了一般篆书中不易见到的飞白。和傅山同时的其他一些清初书家也曾不同程度地将草书的要素引入其他字体的书写，从这点来说，晚明书写草书的风气持续到清初，依然对书法产生着影响。[2]

虽然傅山是清初最能体现晚明草书传统的书家，这并不意味着清初出现的新的美学观念对他的行草书没有产生任何影响。相反，傅山晚年的行草书作品已开始透露出碑学思想的讯息。

[1]《傅山全书》，册 1，页 152。《傅山全书》所录文字和此轴文本略有差异。

[2] 在清初一些书家的隶书作品中，也可以发现草书的元素。例如，前一章曾讨论的郑簠的隶书轴（见页 246-249），用笔迅捷，造成飞白。许多评论家认为郑簠将草书的技法融入了他的隶书。那么，郑簠是否练习过草书或狂草呢？他所有的存世作品都是篆书或隶书，其中隶书占绝大多数，他只有在为其篆隶作品落款时才使用行草。因此，郑簠应是全力钻研隶书而极少留意草书的。即便如此，他的隶书风格依然反映了 17 世纪的书法潮流。郑簠成长在一个草书艺术发达的文化氛围中，即便他不曾深研草书，但耳濡目染已足使他能自然地将草书特质融入他的隶书中。

傅山晚年的作品

研究书法史的学者常常将傅山与王铎作比较。[1]例如，傅申指出王铎生气勃勃的行草书对傅山的影响。就地域文化而言，王铎和傅山都是生活在一个以南方书家为主导的时代的北方人；就艺术风格而言，他们的草书多为典型的“连绵草”。但学者们也指出了他们的草书风格之间的显著不同。[2]王铎的草书提按分明，许多笔画的起笔和转折棱角比较明显(图 1.14)，令人想起他写的柳体楷书(图 4.19)。相比之下，傅山的草书（尤其是晚年作品）多用使转笔法，提按并不明显。[3]傅山草书的这一特点并不仅仅是其个人品味和书写习惯的产物，而是一种有意识的艺术探索，反映了嬗变中的清初书法美学观。

如前所论，在晚明，受文人篆刻和追求古意风气的刺激，人们对于篆隶古体字的兴趣逐渐浓厚。然而，当时还没有人有意识地将篆、隶笔法运用到书写其他字体上。例如，王铎也写隶书，但他似乎不曾试图将隶书的风格融入他的行书或草书中。[4]

傅山不同，他把研习古代篆书和隶书视为学习书法的不二法门。在一则笔记中，他宣称：“不知篆、籀从来，而讲字学书法，皆寐也。”[5]在另一则笔记中，他又说：“不作篆隶，虽学书三万六千日，终不到是处，昧所从来也。”[6]傅山研习篆、隶的一个主要原因，是为了将这两种早期字体的笔法融入较晚出现的字体的书写中，以使这些晚出的字体更有古朴之意。

除了研习篆、隶外，傅山对章草亦相当留意。他在一则可能书于 1674 年以后的笔记中写道：

> 吾家现今三世习书，真、行外，吾之《急就》，眉之小篆，皆成绝艺。莲和尚能世其业矣，其秀韵又偏擅于天赋，临王更早于吾父子也。[7]

傅山在晚年视章草（《急就章》）为其最具代表性的书法，值得深思。在中国文字演变史上，章草是一个承前启后的重要环节，它上承古体字隶书，下接今体字今草、行书。傅山之所以对章草如此重视，是因

[1] 见 Shen C. Y. Fu et al., *Traces of the Brush*, p. 96；林鹏：《丹崖书论》，页 53-61。

[2] Shen C. Y. Fu et al., *Traces of the Brush*, p. 96.

[3] 关于使转和提按笔法的讨论，见邱振中：《关于笔法演变的若干问题》；潘良桢：《学王管见》。

[4] 在王铎之前，也有书家（如文徵明等）书写篆、隶。然而，很少有书法家试图将篆隶的笔法运用到书写楷、行、草等字体中。

[5]《傅山全书》，册 1，页 853。

[6] 陈玠：《书法偶集》，页 5b。

[7]《傅山全书》，册 1，页 862。这段文字被定为他晚年的作品有两个理由：首先，傅山提到了孙子傅莲苏（莲和尚）在书法上的天分。傅莲苏生于 1657 年，最早大概也要到十多岁才会在书法方面显示出才能。故这段笔记不大可能早于 1670 年。其次，傅山没有提到傅仁。因此这段笔记很可能写于 1674 年傅仁逝世之后。

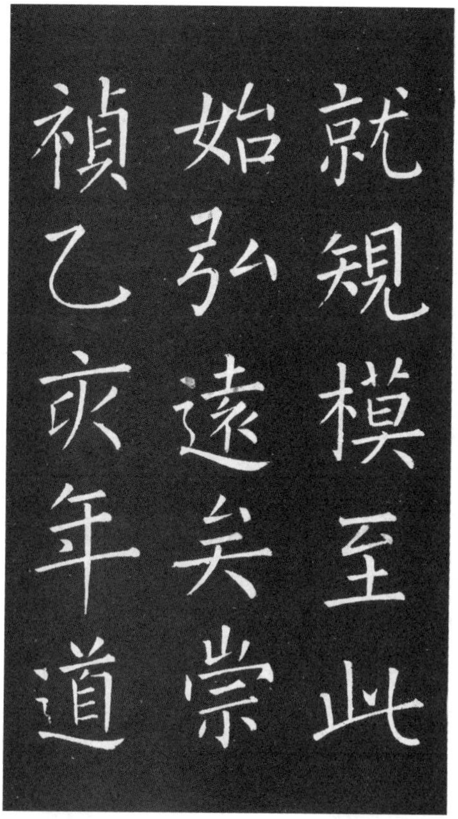

图4.19 王铎《延寿寺碑》 局部 楷书
拓本 册页 纸本 尺寸不详
引自王铎《拟山园帖》 页197

为他认为钟繇与王羲之的伟大成就源于章草。傅山的观点可以通过比较《淳化阁帖》所收王羲之的草书作品（图4.20）和传为东汉张芝（约卒于192年）的章草作品（图4.21）得到证明：王羲之的书法用笔圆转，就像张芝的书法一样，带有浓重的篆、隶色彩。

张芝和索靖是傅山仰慕的两位早期章草大师，傅山留下了一些追仿他们书风的章草作品，其中一件以拓本传世的章草作品即展现出这方面的功力（图4.22）。此作字形矮扁，笔画浑圆厚实，上挑的燕尾更是章草与今草的重要分野。

在上海博物馆藏傅山晚年为友人旭翁祝寿所作的立轴中（图4.23），我们可以看到傅山努力将章草的元素融入今草。从结字来看，这件作品可被归为今草，但章草意味十分浓重。如果我们将这件作品和

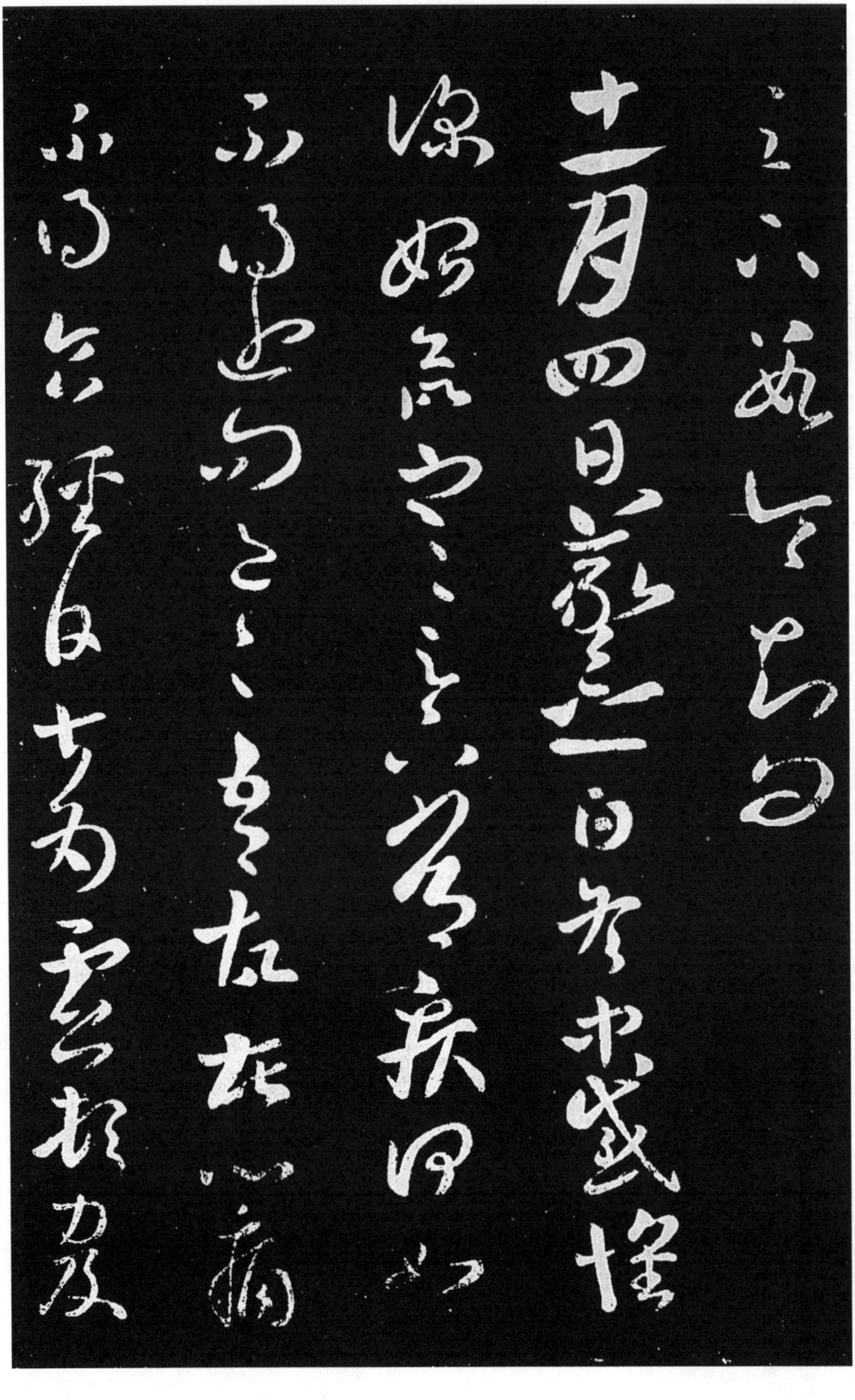

图4.20 王羲之《冬中帖》 拓本 册页 纸本
尺寸不详 引自《淳化阁帖》 卷8

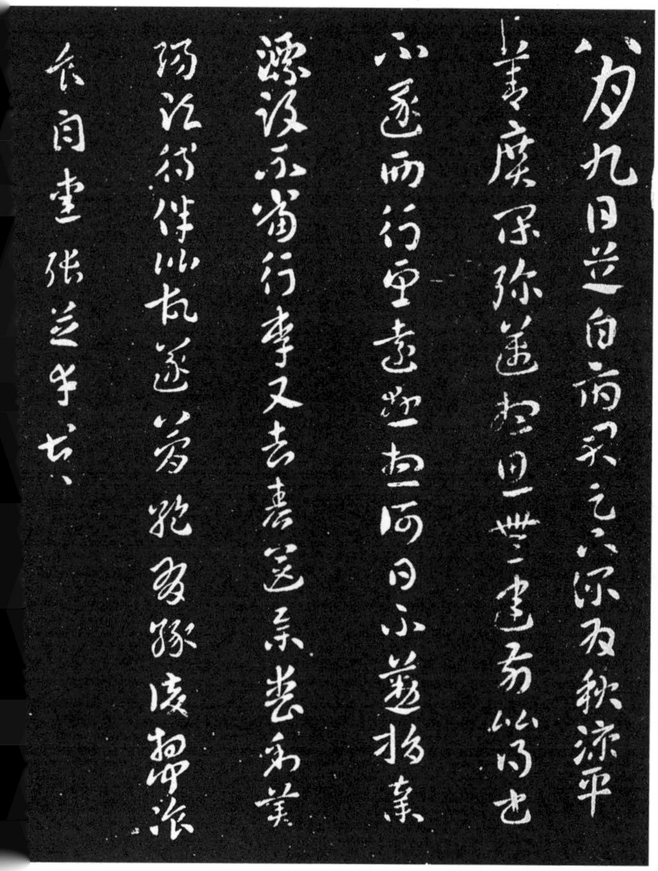

图4.21 张芝《八月帖》　拓本　册页　纸本
尺寸不详　引自《淳化阁帖》　卷2

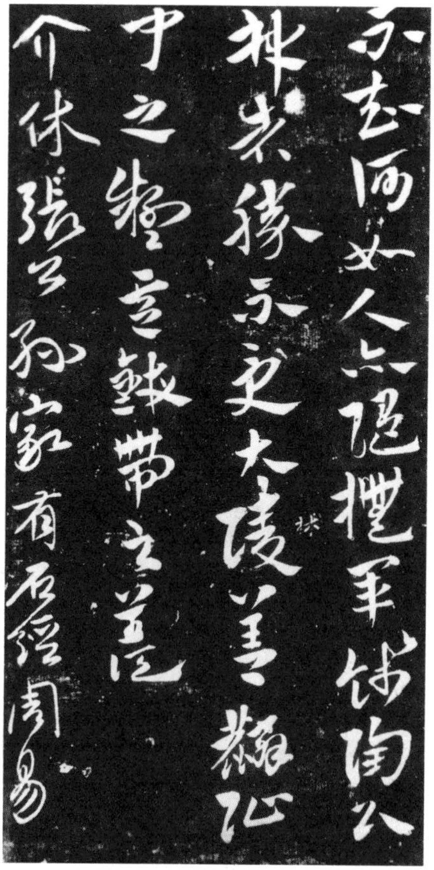

图4.22 傅山《章草册》　局部　拓本　册页　纸本
尺寸不详　引自《傅山书法》　页169

傅山大约在二十年前（即1657年）书赠魏一鳌的十二条屏（图4.8）作比较的话，马上可以发现这件作品的字形较为宽扁，这正是隶书与章草的特点，与王羲之草书的特征相符。在上海博物馆收藏的立轴上，不少短横呈镰月形，这也是傅山取法章草的结果。

目前藏于太原晋祠博物馆的《晋公千古一快》四条屏可作为傅山晚年行草书的代表作之一（图4.24）。款署“七十八翁傅真山书”说明这件作品书于傅山生命的最后一年。条屏的文本是一篇优美的散文，傅山在文中赞誉老友潜起为人高洁，兄弟关系和谐。[1]他在文末写道：“早起写此于杏花小亭前，代简。”由此可知，傅山是在神清气爽的情

[1] 此作的文本载于《傅山全书》，册1，页779。

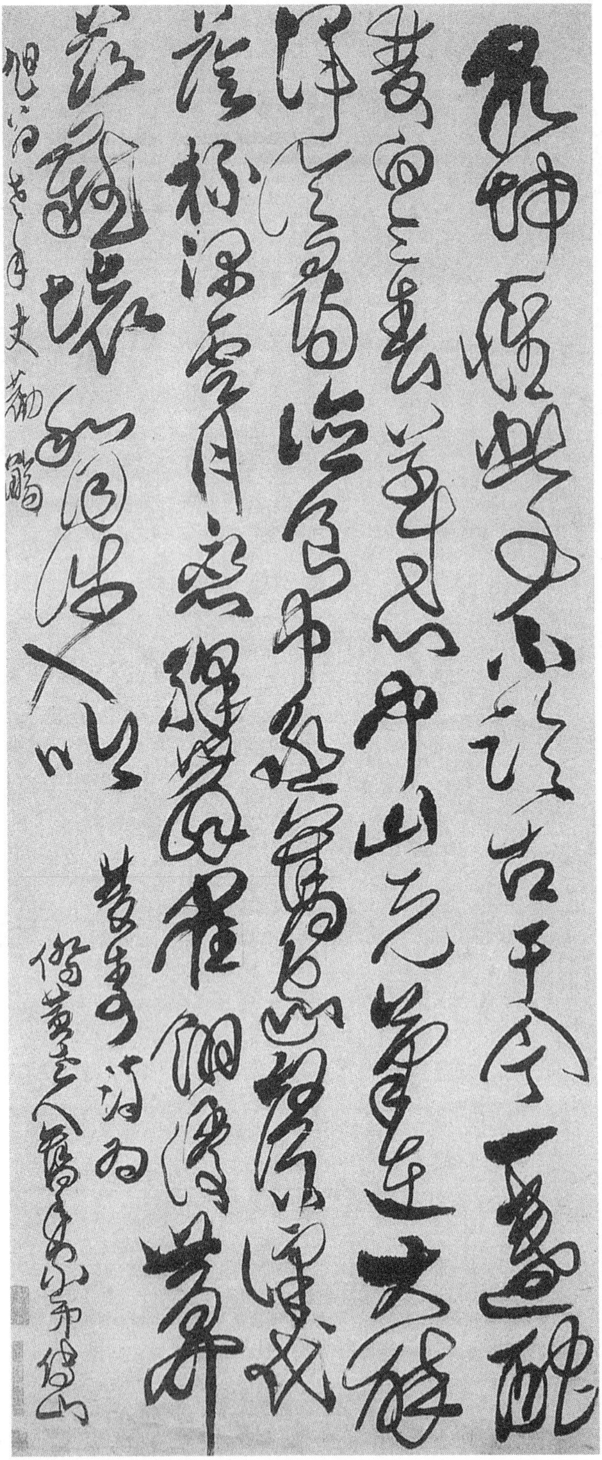

图4.23 傅山《草书双寿诗》
轴 纸本
112.4×51.4厘米
上海博物馆
引自*Shanghai Museum Chinese Painting and Calligraphy Exhibition* p. 41

图4.24 傅山《晋公千古一快》
1684　四条屏　绫本
每轴110.1×51.7厘米
太原晋祠博物馆
引自《傅山书画选》
页7–8

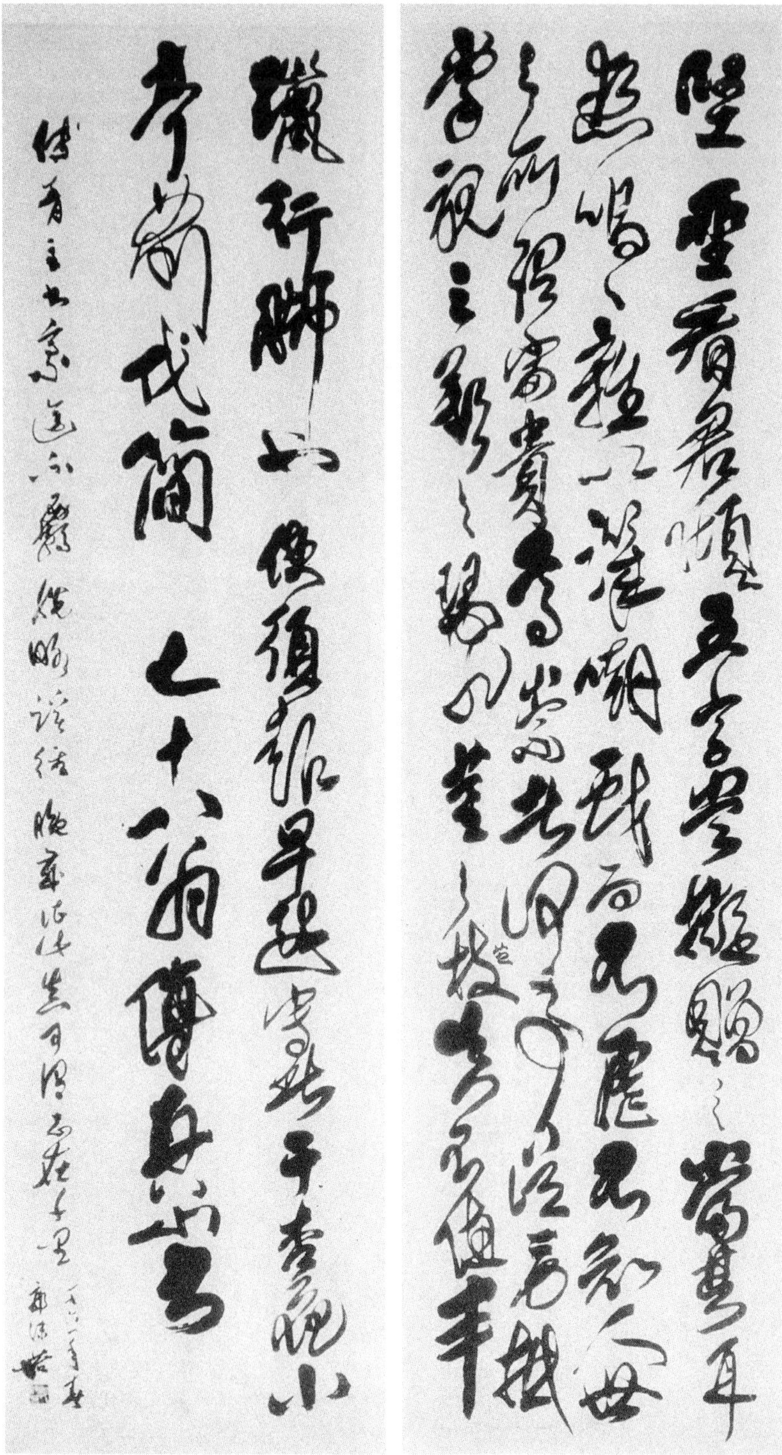

形下为老友书写此作的。此作在文本与书风上都新颖别致且具原创性。历代许多书法杰作（包括王羲之的许多作品）都是尺牍，但这类作品大部分尺幅都很小。然而，傅山却以四幅高大的条屏“代简”。

傅山为潜起所书四条屏，不论是结字还是章法都相当稳健，不似赠魏一鳌十二条屏那样具有戏剧性。此作没有一个字在结构上严重变形，每一行中的字也没有向左右剧烈欹侧倾斜，行距分明。除了尺幅高大而予人深刻印象外，厚重遒劲的笔画也令人注目。条屏起始“晋公千古”四个墨色饱满的字为全篇定了基调，许多字的笔画圆浑，有篆籀之气。

篆隶笔意还可以在傅山存世的最后一件作品中见到。这件作品是傅山为哀悼儿子傅眉所书。傅眉死于 1684 年二月九日，享年五十七岁。傅山二十六岁时，妻子就过世了，此后终身未娶。傅山父子相依为命数十年，并一同度过了朝代更替之际的艰难日子。傅山性喜出游，家中大小事多由傅眉打理，包括经营太原的药铺。傅山十分注意培养傅眉，向他传授经史、诗赋、书画、医学，考课极为严格。[1]傅眉长大后成为傅山在学术、文学、艺术上的伴侣。傅家的许多藏书上都有傅山、傅眉父子的批点和印章，一些留传至今的作品也为父子二人的合作（图 4.25、4.26）。傅眉的文学才能在清初的文人圈颇有声誉。但傅山十分留意他的活动，以保证儿子保持对前朝的忠诚，并避免陷入政治漩涡中。[2]

丧子之痛令傅山难以承受。他在悲痛中沉吟，作了一组《哭子诗》来哀悼傅眉。存世的《哭子诗》有几个不同版本，目前所知最长的一组《哭子诗》包括十六首诗和傅眉的小传，有的版本则少了几首诗，并在部分字句上有些许出入。估计傅山曾经多次抄写《哭子诗》来抒发内心的悲痛。[3]这些《哭子诗》是目前能见到的傅山最晚的作品，也代表了他对行草书法的最后探索。

台北石头书屋所藏傅山书《哭子诗》手卷，是一件极为精彩的行草作品（图 4.27）。[4]这一手卷只收了九首诗：1.《哭忠》2.《哭孝》3.《哭赋》4.《哭诗》5.《哭文》6.《哭志》7.《哭书》8.《哭字》9.《哭画》。[5] 第一首诗《哭忠》是这样开始的：

[1] 王士禛《池北偶谈》（上册，页 172）《傅山父子》条云：“山工分隶及金石篆刻，画入逸品。子眉，字寿毛，亦工画，作古赋数十篇。常粥药四方，儿子共挽一车，暮抵逆旅，辄篝灯课读经史骚选诸书，诘旦成诵，乃行；否即予杖。”纪映钟也有类似的记载。见纪映钟致傅山信札，收录于周亮工：《尺牍新钞》，册 3，页 170–171。

[2] 1664 年末或 1665 年初（甲辰冬），傅眉在北京拜访知名文人，以诗赋很快在北京文人圈中赢得名声。当傅山得知傅眉在北京引起注意后，立即要求他归乡。见尹协理：《新编傅山年谱》，收录于《傅山全书》，册 7，页 5320。

[3]《傅山全书》，册 1，页 302–317。

[4] 1985 年，笔者在上海经先师金元章先生介绍首次见到这件手卷。金师请友人拍摄了这件手卷。金师当时所赠《哭子诗》手卷照片对笔者在 1990 年代研究傅山的晚年书法极有助益。

[5] 手卷中《哭志》与《哭书》二诗已经遗佚。

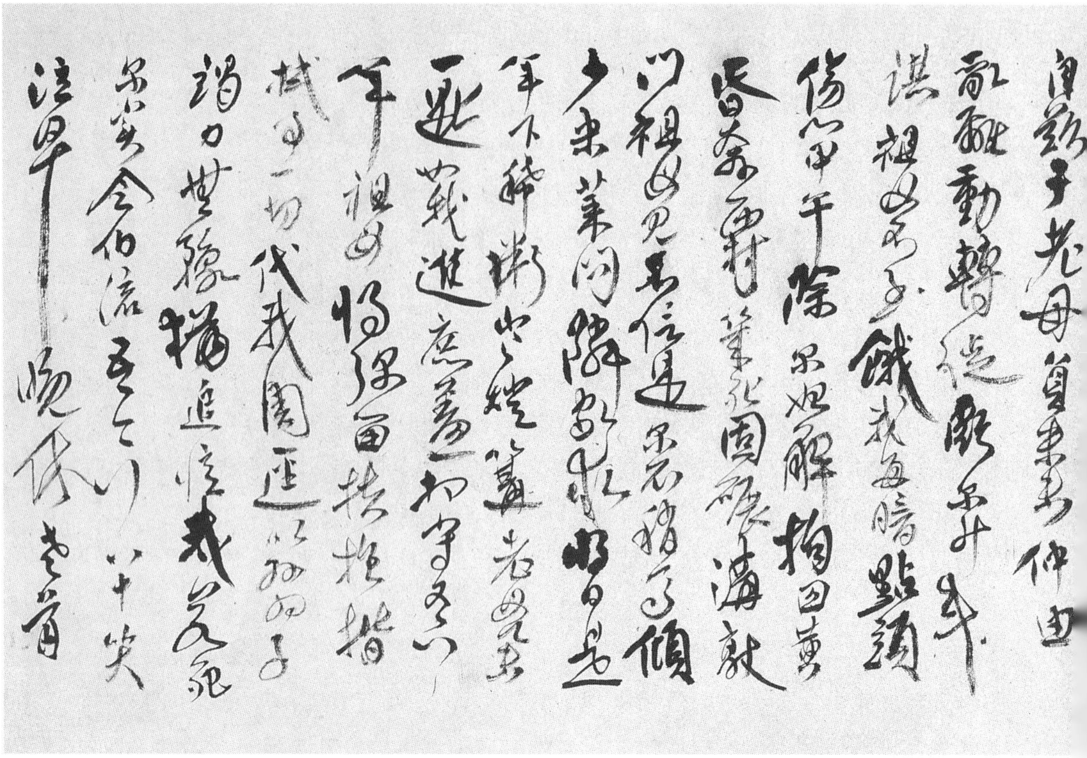

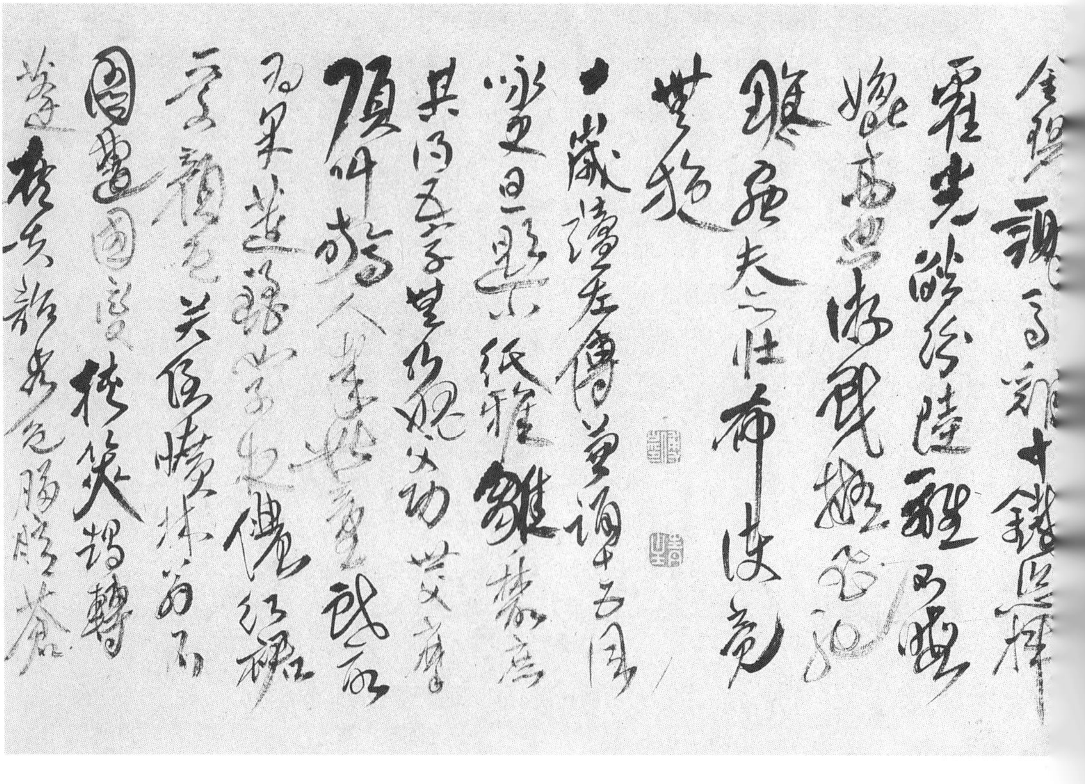

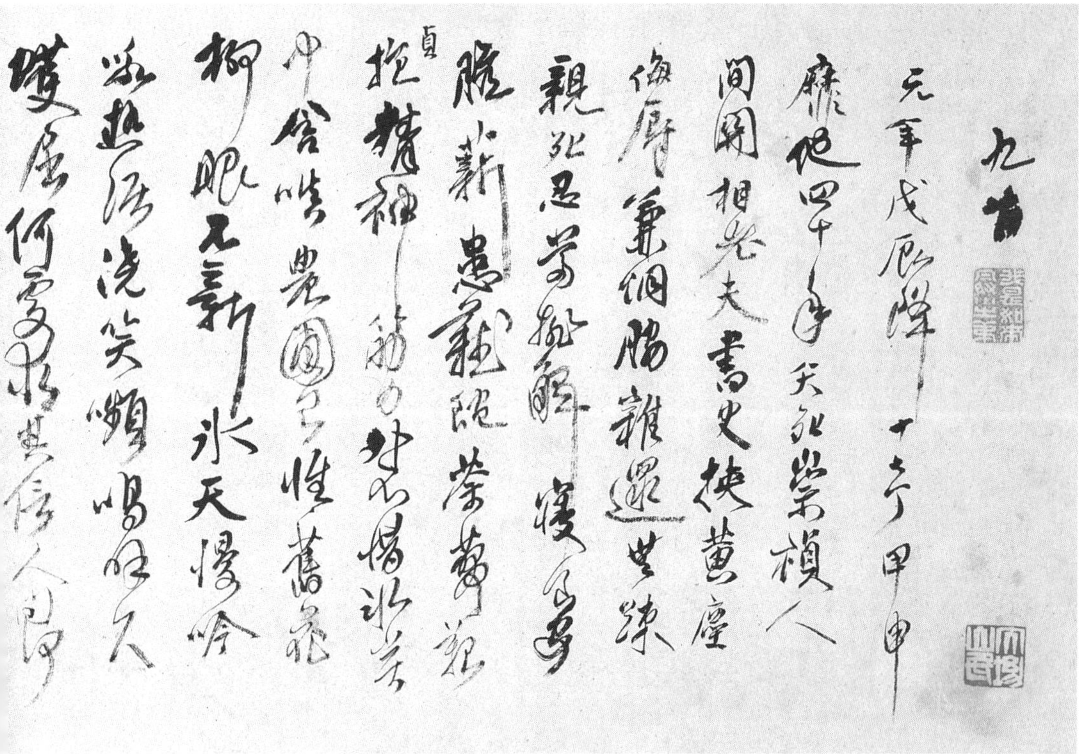

图4.27 傅山《哭子诗》 1684 卷 纸本 27.6×559.5厘米 台北石头书屋

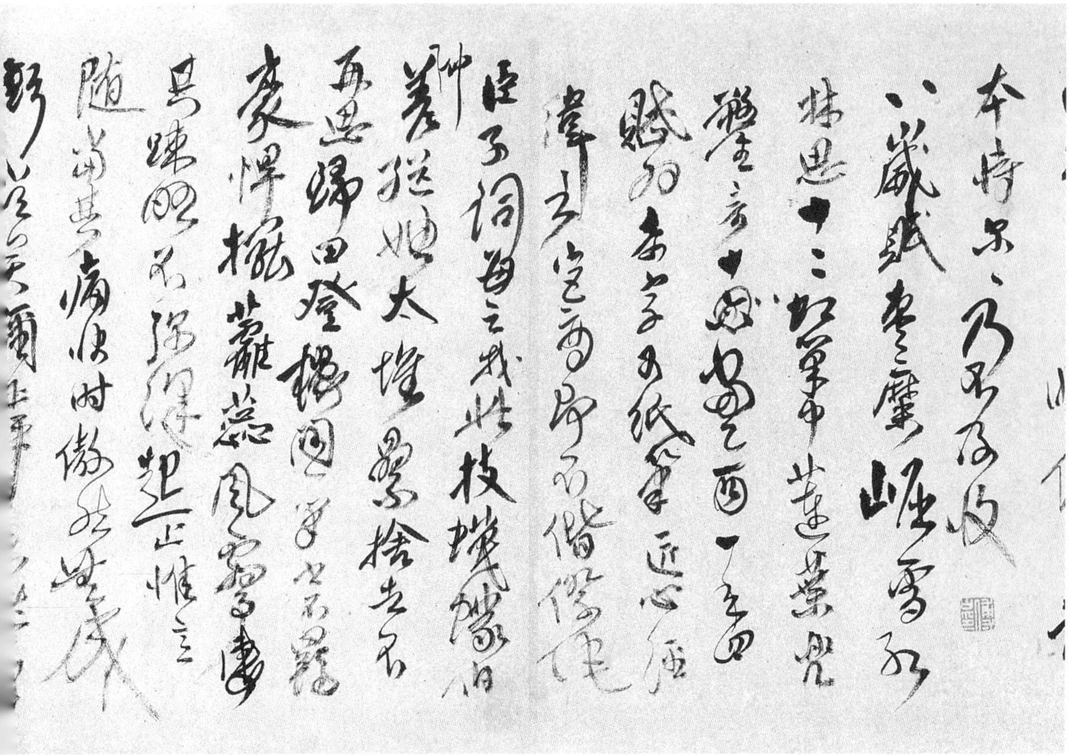

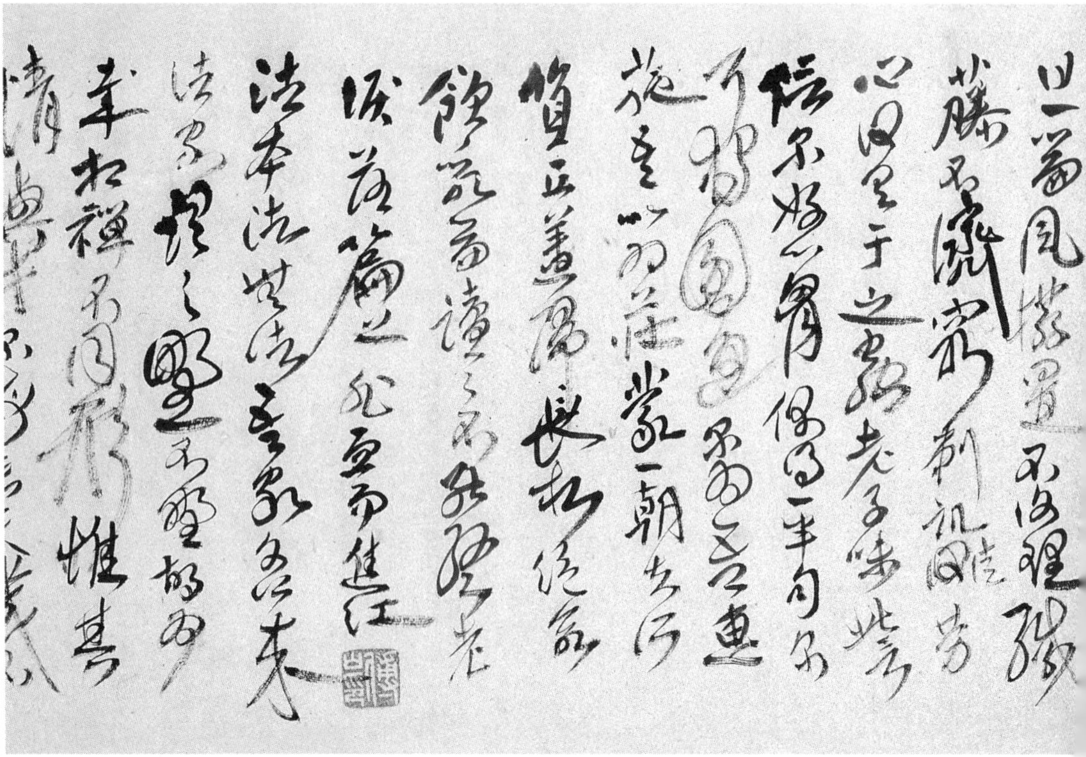

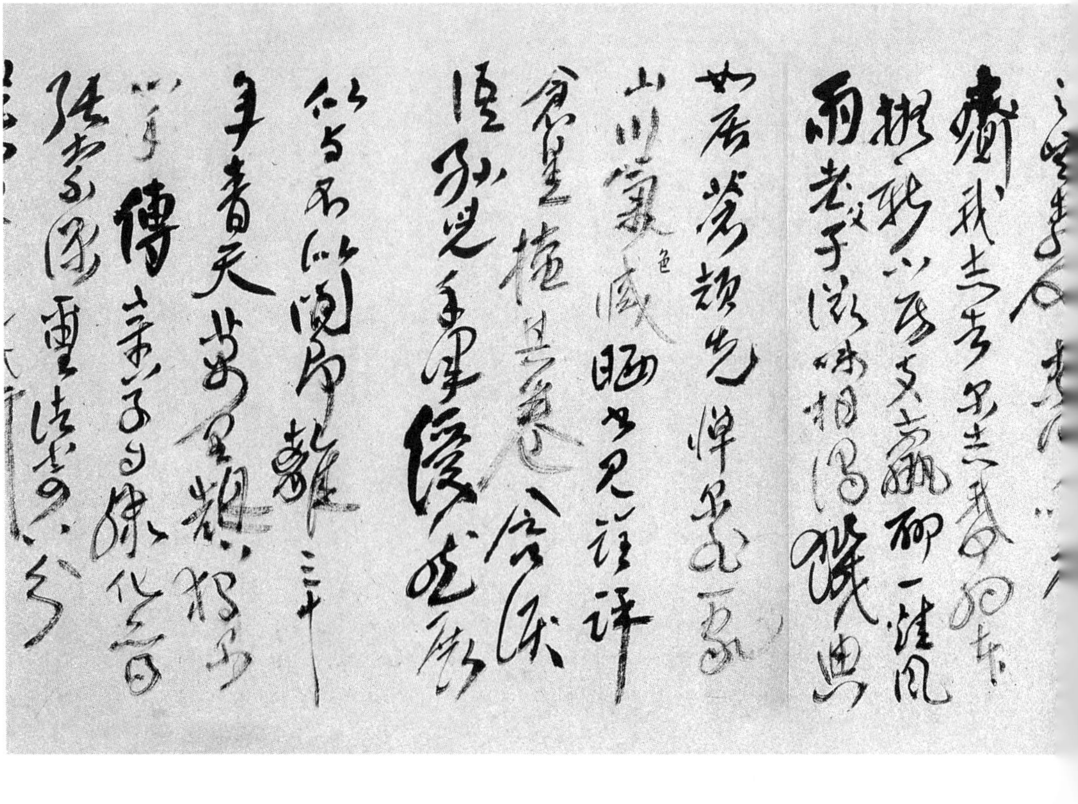

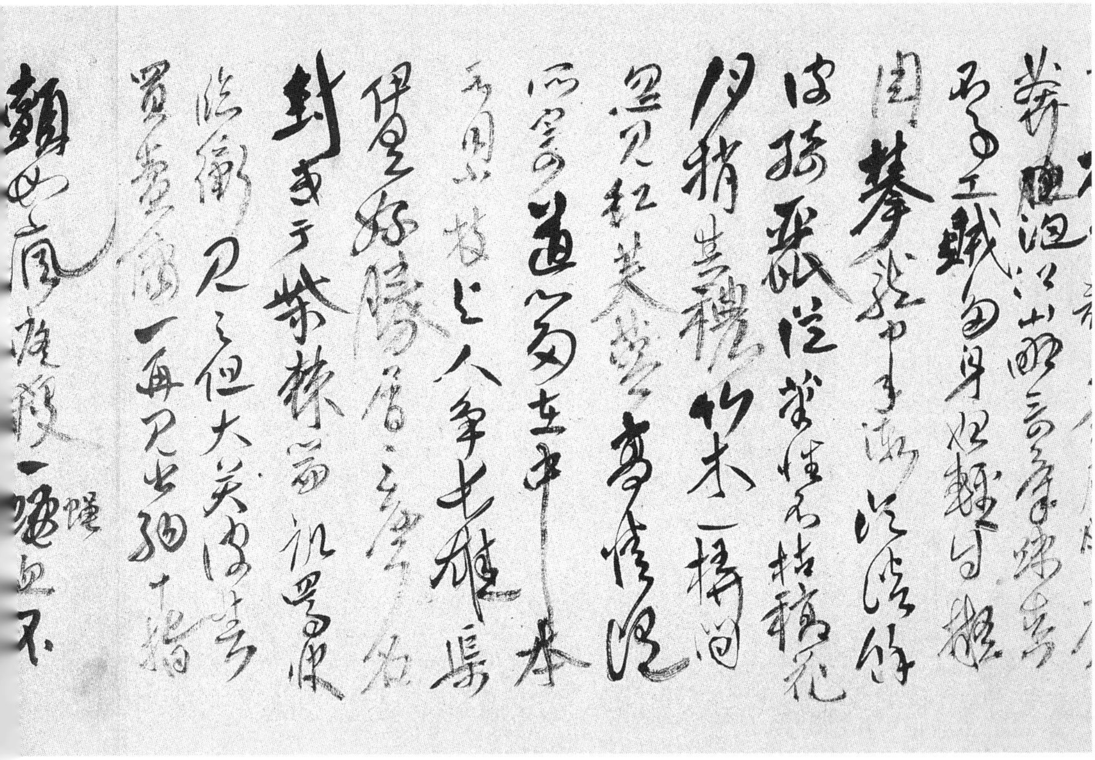

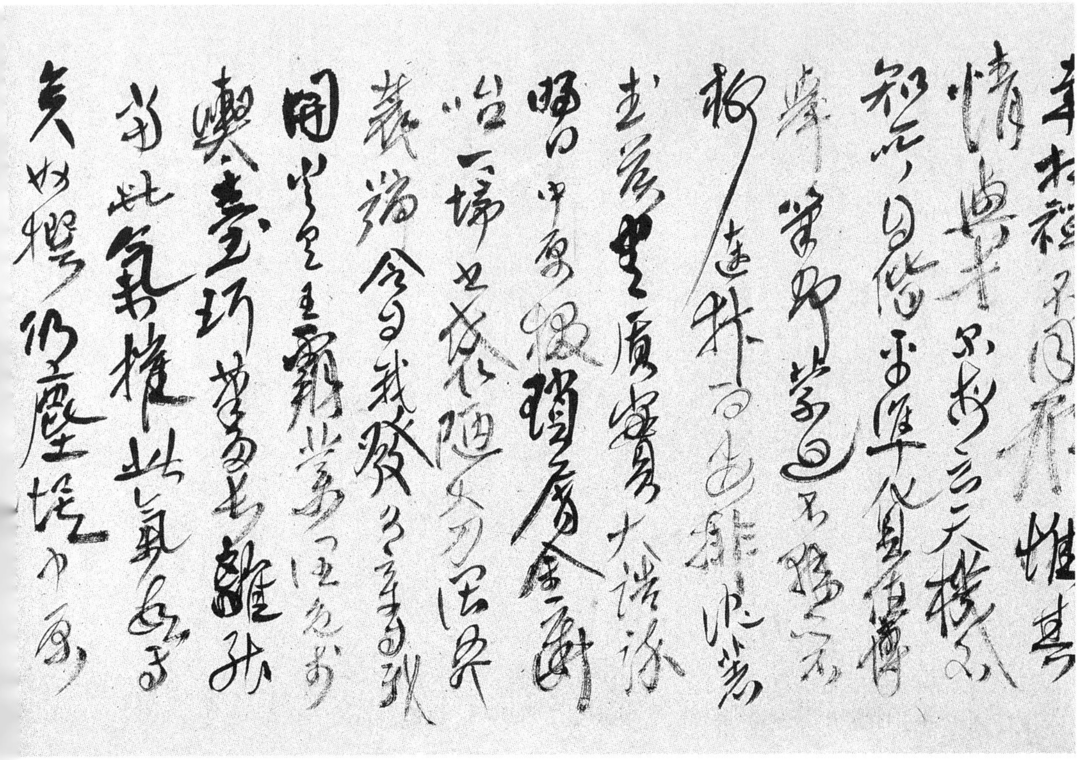

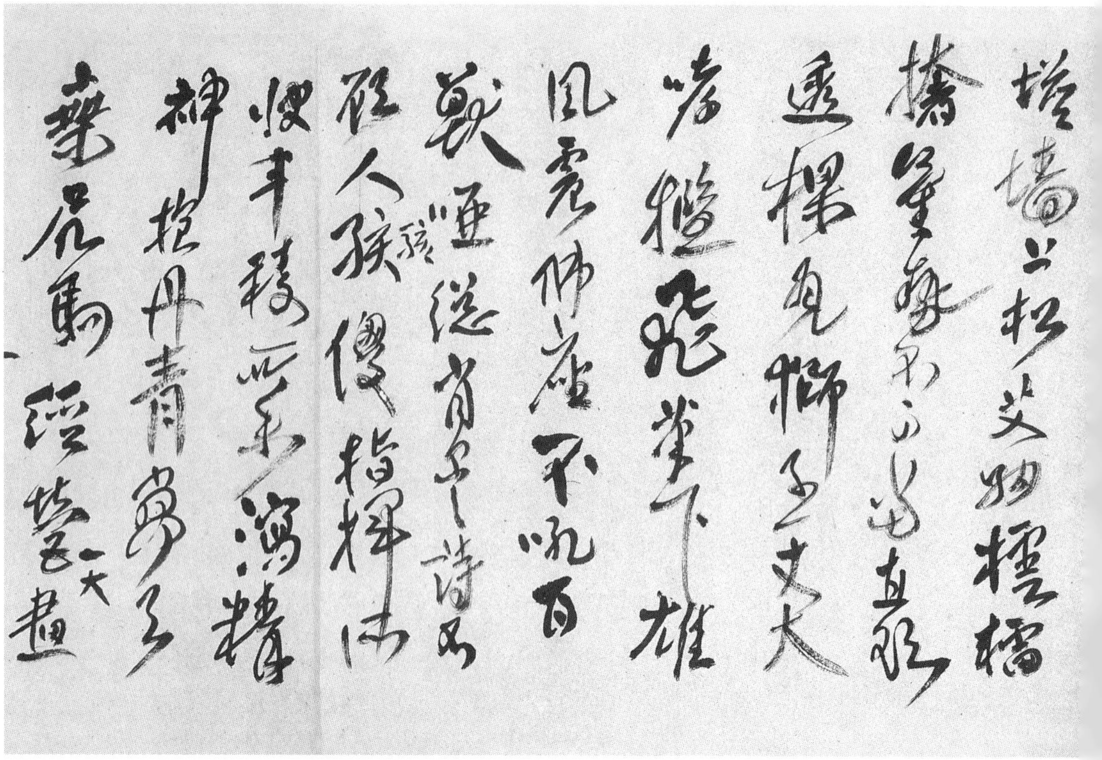

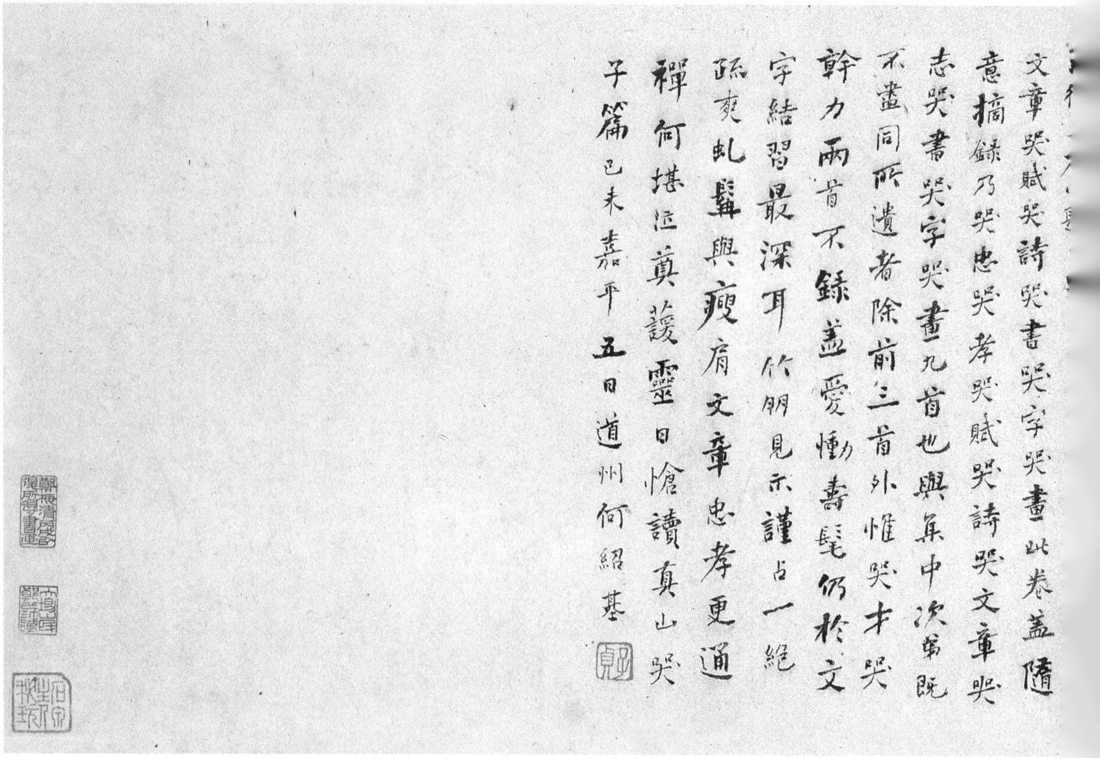
文章哭賦哭詩哭書哭字哭畫此卷蓋隨
意摘錄乃哭忠哭孝哭賦哭詩哭文章哭
志哭書哭字哭畫九首也與集中次第既
不盡同所遺者除前三首外惟哭才哭
幹力兩首不錄蓋愛慟壽髭仍於文
字結習最深耳竹朋見示謹占一絕
跅弛虬髯與瘦肩文章忠孝更通
禪何堪泣奠蘐靈日愴讀真山哭
子篇 己未嘉平五日道州何紹基

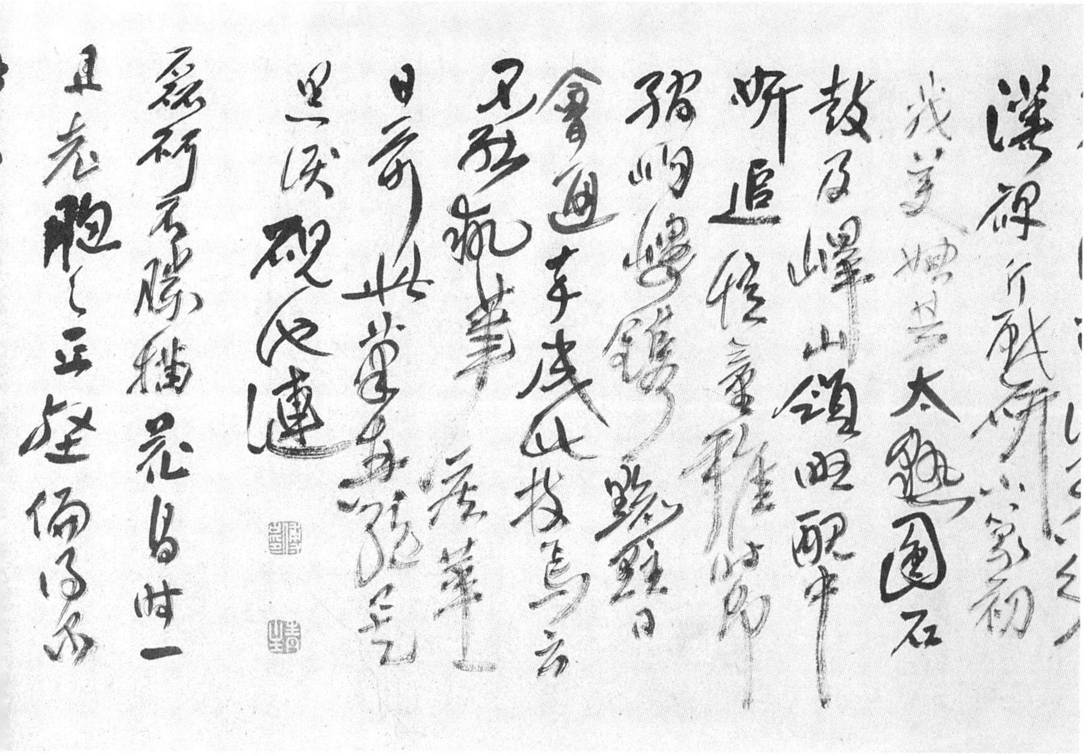

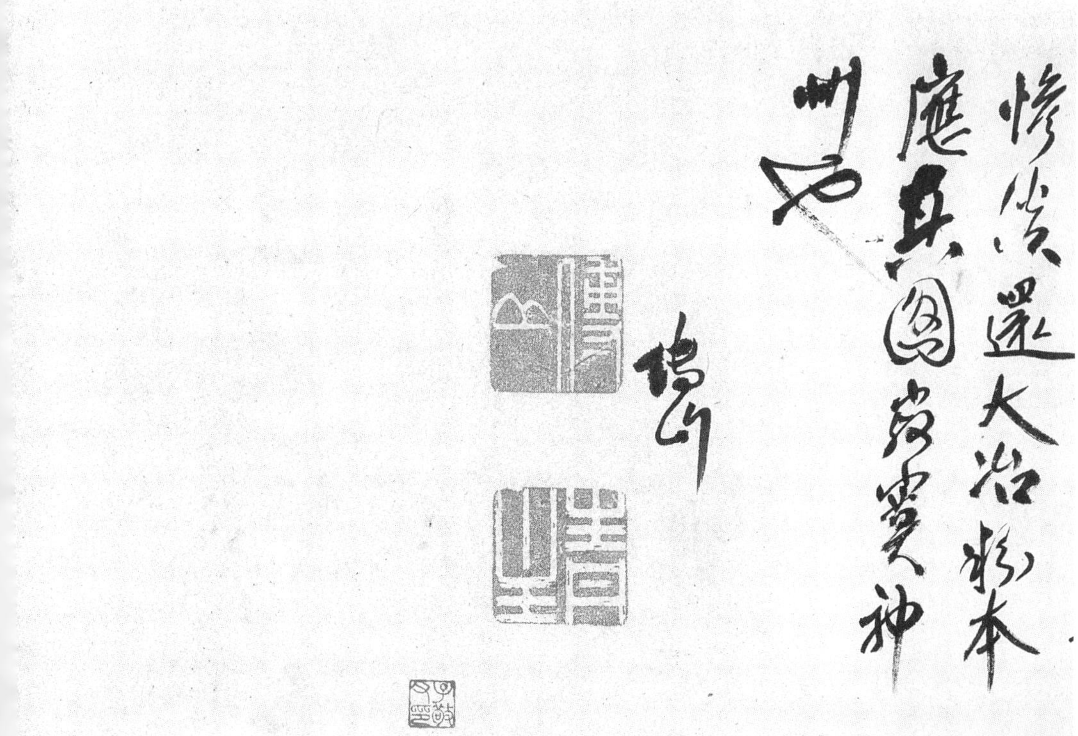

图4.25 傅山《山水》《傅山、傅眉山水花卉册》之一开
1657 册页
（共六开“不含题跋”）
绢本 26.7x25.4 厘米
私人收藏

图4.26 傅眉《山水》《傅山、傅眉山水花卉册》之一开
作于1650年代中期
册页 绢本
26.7x25.4厘米
私人收藏

元年戊辰（1628）降，十七丁甲申（1644）。

靡他四十年，矢死崇祯人。

…………

人间何容易，培此草莽臣。

四十年来，傅眉像傅山一样，拒绝与清政府合作，至死都恪守着儒家的道德操守。傅山在第二首诗《哭孝》里回忆了傅眉是如何在艰难的岁月里，侍奉祖母，为父代劳，努力维持着家业。“忠”、“孝”乃儒家的两个基本教条，不论傅氏父子受了多少道、释的影响，儒家思想仍深植在他们的心中。傅山在《哭子诗》起始二首中赞扬傅眉的忠孝美德，为其在后面几首诗中赞扬傅眉的文学与艺术才华作了道德上的铺垫。

傅眉是在傅山的指导下学习书法的，因此，傅山追念傅眉书法的诗也反映了他自己的美学观。在《哭字》一诗中，傅山写道：

似与不似间，即离三十年。

青天万里鹄，独尔心手传。

章草自隶化，亦得张（张芝）、索（索靖）源。

玺法寄八分，汉碑斤戏研。

小篆初茂美，嫌其太熟圆。

《石鼓》及《峄山》，领略丑中妍。

追忆童稚时，即缩《岣嵝》镌。

黝黓日会通，卒成此技焉。

云不能执笔，疾革一日前。

此笔真绝矣，黑泪砚池涟。

这首诗很可能是傅山留给后世关于书法艺术的最后一段文字。值得注意的是，诗中提到的书法范本都是晋代以前的篆、隶或章草名迹。傅眉必定曾经临习过许多书法名作，但傅山在此只拈出“二王”以前的范本，与他鼓吹书法家必须熟谙篆隶之变、以古代篆隶为本的理论完全一致。

这件手卷也提供了傅山晚年努力将篆隶融入其行草的最佳范例。手卷起始的行书略微拘谨，但运笔很快变得自由奔放，草书的成分

图4.28 傅山《哭子诗》中的“熟”和“野”二字

图4.29 节自傅山《哭子诗》中带有章草笔意的一些字

图4.30 甘肃居延汉简　27　木简
22.3–22.7×1.2–1.3厘米
甘肃省文物考古所
引自启功主编《中国美术全集》
书法篆刻编1　页84　图版54

图4.32《石门颂》　148
局部　拓本　册页　纸本
尺寸不详　北京故宫
引自启功主编《中国美术全集》
书法篆刻编1　页115　图版73

也越来越多。和赠潜起的四条屏相比，《哭子诗》手卷的笔画更显圆实。具有篆书意味的笔画相对简朴，但许多字的结构却相当繁复。例如“熟”与“野”字（图 4.28），用笔无明显的提按顿挫，流畅简洁，但笔画的反复穿插盘绕却增加了视觉上的丰富性。

虽然此卷婉而通的字形与用笔颇具篆籀遗意，但隶书的笔意仍贯穿其中，尤其是一些上扬的横与捺（图 4.29）。迅捷的用笔、圆势的转折、上挑的燕尾，令人联想到汉简上的章草（图 4.30）。[1]“前”字的镰月形竖画颇似一枚东汉木简上的竖画（图 4.31）。当然，傅山很可能从未见过汉代简牍，但他可能受到汉代隶书名作《石门颂》（图 4.32）和《五凤刻石》（见图 3.6）中略带弧度的修长竖画的启发，而傅山在1670 年代初前往曲阜时就曾看过《五凤刻石》。

[1] 虽然某些宋代文人的文字记载了汉隶简牍的出土（见黄伯思：《东观余论》，页 857–858），但在 20 世纪以前，大概很少有书法家将它们作为书法的范本。傅山见过古代简牍的可能性不大。

图4.31 （左）节自傅山《哭子诗》中的字 （右）甘肃居延汉简上的“年”字
木简 22.5×1.3厘米 甘肃省文物考古所
引自启功主编《中国美术全集》书法篆刻编1 页83 图版54

图4.33 傅山《哭子诗》中的“如疯”二字

《哭子诗》手卷并非狂草，但傅山的用笔却异常迅捷，此得益于狂草的训练。书写“如疯”二字时（图 4.33），轻盈流转的行笔完成了“如”字后，笔端迅速下移，弯曲作点后，立刻提笔完成左边的部首。书写“风”外框的最后一笔时，毛笔顺势向上挑起，自然地带出了一个奔放不羁的长弧，与“疯”字本义暗合。这一长弧的形状应受到章草的影响，但行笔的自由奔放则源于晚明的草书传统。

傅山和许多清初学者一样，信奉追本溯源的理念。但在书法领域中，这一理念意味着回归古老的字体，挖掘其原始、古拙、随机的特质，而这些特质都会给作品带来“奇”。对傅山和一些清初书法家来说，溯源与求奇有许多重合之处，相行不悖。因此可以说，傅山对上述特质的系统探索很可能是在清初才开始的，但和这些探索相关的某些因素却植根于晚明文化。

明清之际学术风气的转变，对清初的草书影响并不大。许多清初学者对晚明学术思潮大加挞伐，却极少批评晚明的书法。[1]清初的书法在相当的程度上继承了晚明的文化精神。毫无疑问，一个时代的艺术和学术思潮之间会有互动，但学术思潮的改变却不一定会导致艺术当下的改变。学术气氛的改变是否会立即影响艺术风格，取决于艺术家与其所处特殊的历史环境之间复杂的互动关系。经历了明清两朝的傅山，在投入清初学术新潮的同时，也将晚明文化艺术遗产带入了一个新的历史时期。而正是因为他积极地投入清初学术的新潮流，他才得以在一个新的社会文化环境中，以一种新的方式继续追寻晚明的艺术目标。

从很多方面来说，傅山晚年的书法是晚明和清初文化交织的结果，它汇合了两股潮流——明末狂放的草书以及清初开始萌芽的金石书法。这种综合发生在一个特殊的历史背景中：虽然学术思想环境在明亡以后开始发生重大转变，但晚明文化依然延续了一段时间。清初学者对形而上的哲学及社会问题尚未完全失去兴趣。[2] 17 世纪晚期的社会文化环境依然容忍狂放恣肆的草书，即使在当时它已开始成为日渐微弱的遗响。

[1] 傅山在《训子帖》中对董其昌称赞赵孟頫颇有微辞（见第二章有关讨论）。但傅山对董其昌书法的批评却并不像有些人想象的那样激烈。傅山曾说：“董太史书，一‘清媚’外，原无大过人处。晚年始学米襄阳，径五寸以上者，乃有大合处。”见陈玠：《书法偶集》，页 4b-5a。

[2] 许多清初学者（包括顾炎武）仍然在很大程度上受到宋明理学的影响。见余英时：《从宋明儒学的发展论清代思想史》，页 87-119。

晚明和清初的文人不但喜欢谈“奇”，还喜欢谈“狂”，李贽如此，[3]傅山也如此。傅山在晚年曾自称“老来狂更狂”。[4]在一篇名为《狂解》的短文中，傅山讨论了不同种类的“狂”。[5]在另一段笔记中又写道：“读过《逍遥游》之人，自然是以大鹏自勉。”[6]以《逍遥游》中大鹏自相期许的傅山，在新的政治与文化环境中保持着他在晚明形成的基本人格取向。当傅山在《哭子诗》手卷中把自己的书法比作“青天万里鹄”时，[7]他并没有想到，他身后的书法史证明，他是中国步入近代社会之前的最后一位草书大师。

[3] 李贽：《与友人书》，载《焚书》，卷 2，页 75。

[4] 此为范翼《谒傅公他先生归，赋此就正》诗中的一句，范翼注明此为傅山语。见《敬天斋诗稿》。该诗没有纪年，由于范翼是在山中寺庙拜访傅山的，所以应在其父范鄗鼎 1675 年在山庙中拜访傅山之后。

[5]《傅山全书》，册 1，页 545-547。关于 17 世纪文化背景中“狂”与“奇”关系的讨论，见 Burnett, “The Landscapes of Wu Bin,” pp. 125-126。

[6]《傅山全书》，册 1，页 762。

[7] 此处的“鹄”字当隐含“鸿鹄志”之意。

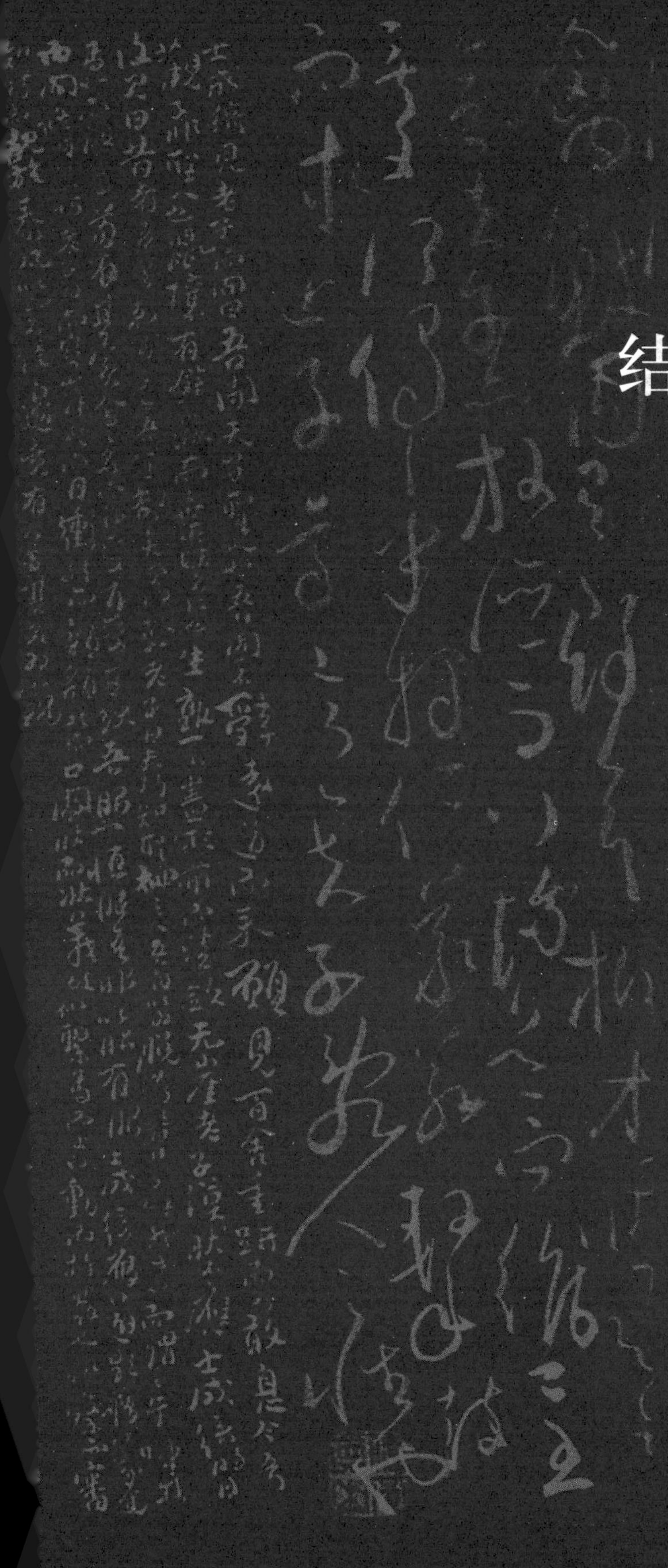

结语

结　语

自知将不久于人世，傅山开始考虑其文集的编纂事宜。1684年夏，傅山在写给两个孙子的遗嘱中，希望他们搜集他和傅眉的诗文，“无论长章大篇、一言半句”，皆须“收拾无遗”，编成“山右傅氏之文献”。他宣称：“人无百年不死之人，所留在天地间，可以增光岳之气，表五行之灵者，只此文章耳。”[1]

大约在1685年正月或二月，傅山去世。[2]临终前，他写下了《辞世帖》：

> 终年负赘悬疣，今乃决痈溃疽，真返自然。礼不我设，一切俗事谢绝不行，此吾家《庄》、《列》教也，不讣不吊。[3]

在1680和1690年代，许多在晚明就已成年的遗民文化领袖相继谢世：顾炎武卒于1682年；思想家王夫之卒于1692年；史学家黄宗羲卒于1695年。随着明遗民的凋零，晚明多元文化中萌生的心智和明清鼎革最直接的记忆也随之消逝。虽然遗民们破碎不全的记忆会通过口述历史和诸如私修史书或笔记之类的文字留存下来，但文字记录的历史永远无法像经历那些事件的人们的直接记忆那样具体生动。而随着每个世代的更替，鲜活的亲身经验总被风干的史学叙述和诠释所取代。

对前朝的忠诚也受到时间流逝的影响。即使傅眉那一代，仍有一些人拒绝参加科举以承继父辈们对明朝的忠诚，但比起父辈那种对先朝深沉的感情，忠诚在这里更像是一种抽象的道德原则。第一代明遗民的消逝不但进一步地消弭了满、汉之间的紧张关系，也为他们的友人和下一代提供了一个喘息的空间。傅山死后，戴廷栻出

[1]《傅山全书》，册1，页522。由于缺乏资金，傅山的孙子们无法实现他的遗愿。傅山的文集在乾隆年间才首次刊行，其时傅山已经去世几十年了。

[2] 傅山的卒年目前还不能确定。一般认为傅山是在傅眉过世数个月后去世，时在甲子年（1684）六月十二日。见《傅山全书》，册7，页5035。然而，由后人编辑的傅山诗文集《霜红龛集》收录了一件《上谷诗册》，纪年为1685年初。见上册，卷14，页393-401；也见《傅山全书》，册1，页317-321。罗振玉（1866-1940）认为这件作品是伪作，理由是傅山在保定（上谷即保定）没有任何朋友，他在晚年没有任何理由去保定。见《霜红龛集》，下册，页1345-1347。许多学者接受了罗氏的看法。但笔者对傅山和魏一鳌关系的详细研究证明，魏一鳌当时住在保定，所以傅山完全有可能在晚年去保定见魏一鳌。傅山的老友魏象枢等的《祭傅青主先生文》，作于“康熙二十四年乙丑三月辛酉”，其中提到，“儒林恸失其师表兮，四方闻讣而含颦。”见《霜红龛集》，下册，页1180-1183。由于讣文一般总是在卒后即发出的，亲友闻讣祭奠也大都在丧期（死后“七七”四十九天）以内，不

任山西闻喜县训学；[4] 1720年，傅山的长孙傅莲苏出任灵石县训导。[5] 逐渐地，文人们按照中国社会长久以来的规范，恢复了与政府的那种"学"与"仕"的互动。

学术景观沿着1679年博学鸿儒特科考试开启的方向继续发展。除了《明史》，康熙皇帝敕命廷臣主持完成了其他一些工程浩大的文化项目，如编纂卷帙浩繁的《渊鉴类涵》（454卷）和《佩文韵府》（444卷）等。这些由朝廷出面主持的大型文化项目向汉族学者展示，什么样的学术活动是朝廷允许和鼓励的。这些文化项目和严酷的文字狱一起，对塑造18世纪的学术氛围产生了重要的影响。许多有才华的学者将他们的精力投入到政治上不会犯忌的学术事业。

同样值得注意的是，在康熙年间还出现了由汉族官员赞助或部分赞助的一些重要文化项目。1687年，顾炎武的外甥徐乾学以礼部侍郎出任《大清一统志》总裁，1690年，时任刑部尚书的徐乾学被弹劾，上章乞归。康熙皇帝准以书局自随，回乡继续编纂《大清一统志》，参加者包括阎若璩、顾祖禹（1631–1692）、胡渭（1633–1714）等优秀学者。《大清一统志》成为清初由汉官主持和参与赞助的一个大规模的文化项目。风气既开，汉族官员赞助学术活动在18世纪变得相当普遍。[6]

考据学在18世纪的学术生活中扮演着关键性角色。学者们在古代文化方面作了许多工作，并且取得了卓越的成就。然而，把主要精力放在古代名物制度的考据上，导致了学者们对当下的社会问题缺乏批判性的思考。清代的学术着实令人敬佩，人文领域中涌现出大量学识渊博的学者。但这些学者没有一位像那些由晚明多元的文化中孕育出来的学者那样，可以被称为傅山笔下的"如何先生"（参见第一章有关讨论，页95）。

文字学在清代中期进入了全盛时期。《说文解字》的研究成绩斐然，段玉裁（1735–1815）的《说文解字注》（1813–1815年间出版）便是这个领域中的经典著作。书法家现在可以从段玉裁等学者的著作中获得篆书的新知识，进而更准确也更自信地书写篆书。

金石学也是18世纪学术主流的重要组成部分，古代碑刻得到更

会迟至半年以后。汪世清先生认为，如果祭文所记年月无误，而且确写于丧期，则傅山也可能卒于康熙二十四年乙丑（1685）正、二月间。见汪世清先生1994年8月5日写给笔者的信中关于傅山卒年的讨论。关于傅山生卒年的详细讨论，请参见白谦慎：《傅山卒年献疑》。

[3]《傅山全书》，册1，页506。

[4]《祁县志》，卷6，《选举》，页35b。

[5]《阳曲县志》，卷5，《选举》。

[6] 关于徐乾学和《大清一统志》以及18世纪官方与半官方的学术赞助活动，请参见艾尔曼：《从理学到朴学》，页72–80。

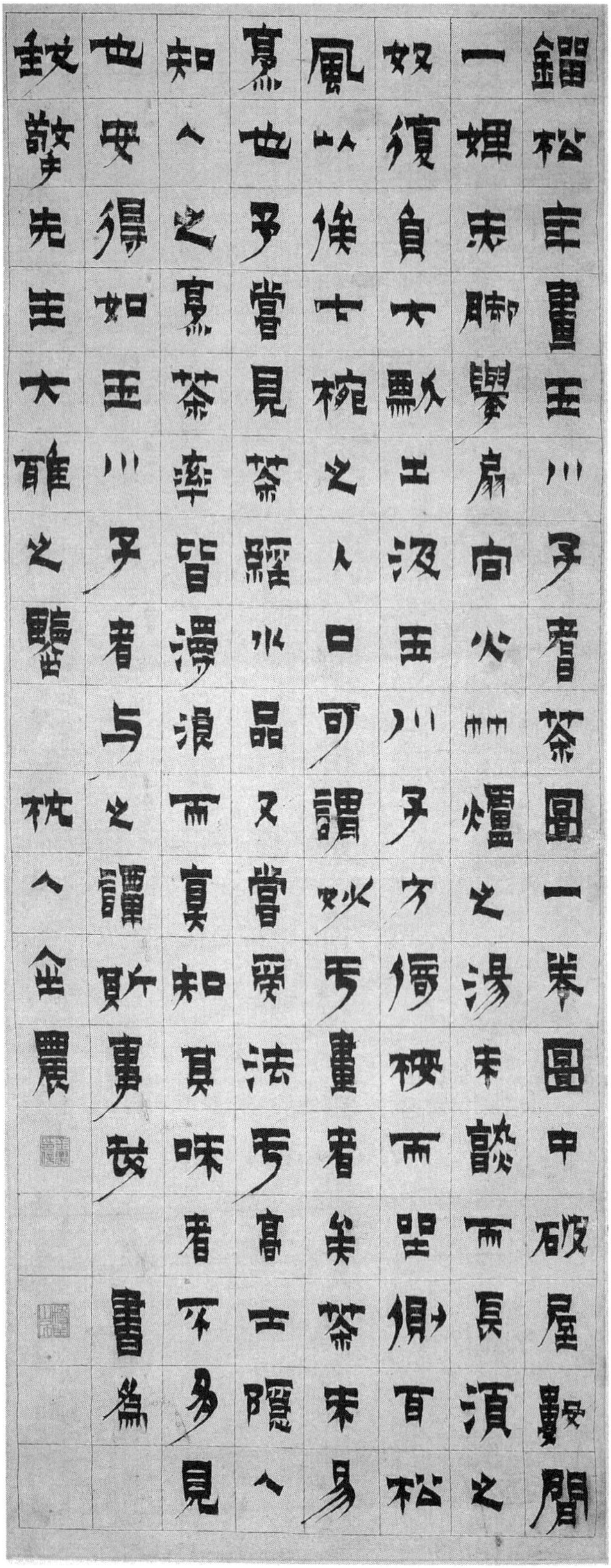

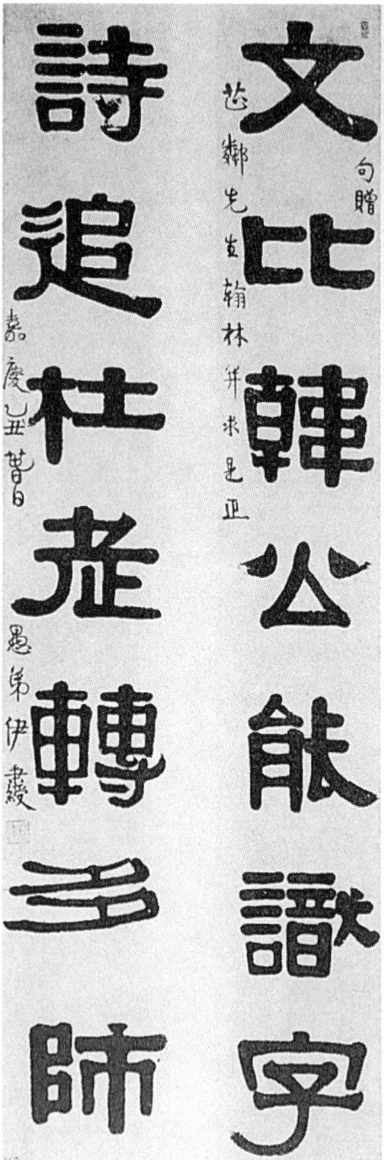

图5.3　伊秉绶　隶书对联
尺寸不详　藏地不明
引自《伊秉绶隶书墨迹选》　页4

图5.1　金农《漆书刘松年玉川子嗜茶图记》 轴 绢本
125.5×50厘米
台北石头书屋

广泛、更有系统的研究。1802年，孙星衍（1753–1818）和邢澍（1790年进士）刊行了《寰宇访碑录》，书名即展现了学者们的勃勃雄心。[1]访碑已成为一件令人神往的事业，著名金石学家黄易（1744–1802）在其《紫云山探碑图》的题款中，谈到了他访碑的乐趣：

> 乾隆丙午秋，见《嘉祥县志》，紫云山石室零落，古碑有孔，拓视乃汉敦煌长史武斑碑及武梁祠堂画像。与济宁李铁桥、洪洞李梅村、南明高往视，次第搜得前后左三石室，祥瑞图、武氏石阙、孔子见老子画像诸石，得碑之多，无逾于此，生平至快之事也。[2]

清初明遗民和汉官在访碑时“抚残碑，而又伤今”、追悼前朝的哀思，业已烟消云散。

在书法方面，杂书卷册仍然是书家们钟爱的形式，因为清代许多书家擅长篆隶，杂书卷册能让他们一展才华。对篆刻的热忱终有清一代不曾衰落，越来越多的优秀书家兼工篆刻，而古代印章的研究也成为金石学的一部分而逐渐深入。明末清初之际，有标新立异和好古之癖的书家喜欢书写异体字。而现在，文字学方面的研究成

[1] 关于晚清访碑活动的讨论，见Chuang（庄申），“Archaeology in Late Qing Dynasty Painting”。

[2]《紫云山探碑图》为黄易的《得碑十二图》册页中之一开。册页现藏天津市艺术博物馆。图版见《中国古代书画图目》，册10，页215–217。本书英文版和台北中文版曾引用一署款为黄易的《紫云山探碑图》手卷上的题款，题款为：“辛亥三月六日，访武氏石室画像。得碑之多，莫过此役。图以自喜。”此卷图版见纽约佳士德拍卖目录（Christies'New York auction catalogue），1986年12月1日（Dec. 1，1986），p. 128，Lot 137。黄易是在乾隆丙午（1786）发现武氏石室的，他是否在乾隆辛亥（1791）再次到嘉祥拓碑，待考。

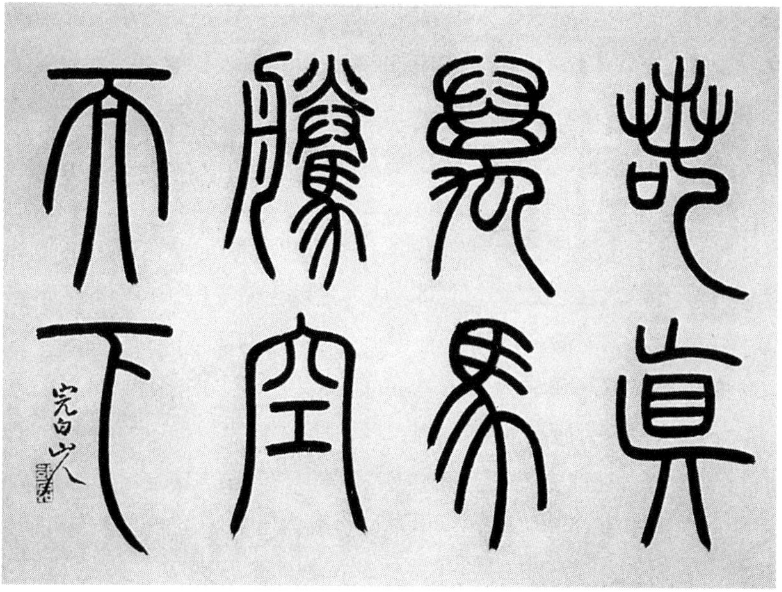

图5.2 邓石如 篆书 1792 局部 册页 纸本 每开29.7×44.2厘米 引自《书道全集》册24 图版4

图5.4 北魏龙门造像记 511 拓本 华人德藏

果却成为慎重的书法家书写异体字时不得不考虑的因素。在清代中、晚期书家的作品中，我们依然能发现异体字，但其怪异的程度，远远不及傅山的作品。

篆书和隶书在那些生于康熙中期，活跃于雍、乾二朝的书家中越来越流行。“扬州八怪”中的高凤翰（1683–1749）继承了郑簠的隶书风格；金农（1687–1764）创造了令人耳目一新的隶书风格（图5.1）；郑燮（1693–1765）融篆、隶、行、草而成特殊的“六分半书”。这些艺术家确实“怪”，但是和傅山的“奇”相较，他们的作品显得温和而有节制，缺乏明末清初人的“狂”气。

当篆、隶成为许多重要书家的代表性书体时，碑学书法也在18世纪下半叶进入了它的黄金时期，成为足以与帖学传统抗衡的艺术流派（图5.2、5.3）。名家谱系以外名不见经传的工匠刻在青铜器、砖瓦、摩崖上的古代铭文，也成为书法学习的范本，中国书法的经典体系为之扩大。到了清末，康有为更是鼓吹“魏碑无不佳者，虽穷乡儿女造像，而骨血峻宕，拙厚中皆有异态，构字亦紧密非常”（图5.4）。[1] 进入20世纪后，考古发现的简牍卷子帛书，也成为了书法家们取法的对象。这些考古材料虽为墨迹，不是范铸和凿刻的金石文字，但是，取法

[1] 康有为：《广艺舟双楫》，载《历代书法论文选》，下册，页827。

传统帖学经典以外的文字遗迹，向名家谱系以外的无名氏的书写之迹寻求启发，这样的思路是清代碑学的思想和实践的延伸，依然是碑学的逻辑。❷

反观狂放的草书，尽管它曾经拥有悠久且辉煌的历史，却在 18 世纪时倏然没落。❸具有讽刺意义的是，当傅山和清初书家在鼓吹篆隶为学书的不二法门时，他们力图把篆、隶的元素融入其他字体（包括草书）的书写中。对他们而言，草书是书法艺术的重要的表现形式之一。他们并没有预见到，篆、隶复兴后，草书却衰落了。篆书和隶书是正体字，在古代常被用作青铜器和碑碣上的铭文，具有仪式性的内涵。❹清中叶以后，人们在书写篆、隶时，更强调其平稳的结字，沉劲的用笔，庄重的风姿。运笔的速度减缓了，书家们渐渐变得不那么习惯写狂草的飞快挥毫。顺理成章，同样具有仪式性的对联形式得到了擅长篆隶的书家的青睐。❺而这正与儒家仪礼在康熙到清中叶这一期间的复兴在时间上基本对应，似乎并非偶然。❻但是狂草的衰落主要还得归因于政治文化和学术环境的改变。在一个渐渐无法包容内省式和想象性思维的时代，“狂”和“怪”不再是令人欣赏钦羡的美学诉求。随着碑学在 18 世纪的兴起，张扬狂肆的草书便销声匿迹。而它的再次复苏一直要等到 20 世纪——又一个天翻地覆的时代。

❷ 关于碑学对中国书法经典体系的冲击，请参见白谦慎：《与古为徒和娟娟发屋》。

❸ 高凤翰曾在其草书中作了有趣的创新。请参见 Shen C. Y. Fu et al., *Traces of the Brush*, p. 188, 200, pl. 74。然而就狂放而言，清初以后的书法家不能与明末清初的书家相比。

❹ 方闻（Wen Fong）曾指出篆、隶所具有的仪式性。见 Fong, “Chinese Calligraphy :Theory and History,” p. 32。

❺ 刘一苇（Cary Liu）在关于书法对联的讨论中指出：“对联最早作为一种书法形式出现，就与仪式活动和建筑相关。”见 Liu, “Calligraphic Couplets as Manifestation of Deities and Markers of Building,” p. 361。

❻ 请参见 Chow, *The Rise of Confucian Ritualism in Late Imperial China*。

图版目录

主要参考文献

一、中日文史料及专著

《“百年名社·千秋印学”国际印学研讨会论文集》，杭州：西泠印社，2003。
《汉张迁碑》，北京：文物出版社，1986。
《欢喜冤家》，收录于《古本小说集成》，册38，辑1，上海古籍出版社，1990，页378-386。
《畿辅通志》，商务印书馆，1934。
《绛州志》，康熙年间刊本。
《历代书法论文选》，上海书画出版社，1979。
《平定州志》，乾隆年间刊本。
《祁县志》，1778。
《山西通志》，1734。
《山西通志》，道光年间刊本。
《十三经注疏》，阮元校刻，北京：中华书局，1980。
《石刻史料新编》，台北：新文丰出版社，1982。
《石涛书画全集》，天津美术出版社，1995。
《四库全书珍本丛书》，台北：商务印书馆，1971-1982。
《四僧画集：渐江、髡残、石涛、八大山人》，天津人民美术出版社，1991。
《宋拓华山庙碑三种合璧》，有正书局，出版年不详。
《苏轼文集》，北京：中华书局，1986。
《万历全补文林壬子刊妙锦万宝全书》，晚明刊本。
《王觉斯书八关斋会记（分楷合册）》，台北：名实出版社，1977。
《宣和画谱》，收录于《中国书画全书》，册2，1993。
《阳曲县志》，道光年间刊本。
《赵松雪六体千文》，北京：古物陈列所，1931。
《庄子》，郭象注，台北：艺文印书馆，2000。

艾尔曼（Benjamin Elman）著，赵刚译，《从理学到朴学——中华帝国晚期思想与社会变化面面观》，南京：江苏人民出版社，1984。
艾儒略（Giulio Aleni），《职方外纪》，收录于《守山阁丛书》。
艾儒略著，谢方校释，《职方外纪校释》，北京：中华书局，1996。
白谦慎，《傅山的交往和应酬——艺术社会史的一项个案研究》，上海书画出版社，2003。
白谦慎，《与古为徒和娟娟发屋——关于书法经典问题的思考》，武汉：湖北美术出版社，2003。
班固，《汉书》，北京：中华书局，1962。
鲍廷博编，《知不足斋丛书》，1872。
卞永誉，《式古堂书画汇考》，台北：正中书局，1958。
曹溶，《金石表》（清末抄本），载《四库全书存目丛书·史部278》，济南：齐鲁书社，1997。
曹溶，《静惕堂诗集》，1725。
曹淑娟，《晚明性灵小品研究》，台北：文津出版社，1988。
陈继儒，《太平清话》，商务印书馆，1936。
陈玠，《书法偶集》，收录于金钺编，《屏庐丛刻》，北京：中国书店，1985。
陈万益，《晚明小品与明季文人生活》，台北：大安出版社，1988。
陈维崧，《湖海楼诗集》，1689。
陈僖，《燕山草堂集》，1681。
陈垣，《陈垣学术论文集》，北京：中华书局，1980。
陈智超，《美国哈佛大学哈佛燕京图书馆藏明代徽州方氏亲友手札七百通考释》，合肥：安徽大学出版社，2001。
陈祖武，《清初学术思辨录》，北京：中国社会科学出版社，1992。
程君房，《程氏墨苑》，北京：中国书店出版社，1996。
程曦编，《明贤手迹精华》，香港：燕笙波，1977。
仇兆鳌，《杜诗详注》，北京：中华书局，1979。
储方庆，《储遯庵文集》，康熙年间刊本。
丛文俊，《中国书法史·先秦、秦代卷》，南京：江苏教育出版社，2002。
崔尔平编，《历代书法论文选续编》，上海书画出版社，1993。
崔尔平，《明清书法论文选》，上海书店，1994。
存萃学社编，《顾亭林先生年谱汇编》，香港：崇文书店，

1975。
大阪市立美术馆编，《大阪市立美术馆藏上海博物馆藏中国书画名品図録》，大阪：《中国书画名品展》实行委员会，1994。
戴本孝，《余生诗稿》，康熙年间刊本。
戴名世撰，王树民编校，《戴名世集》，北京：中华书局，1986。
戴廷栻著，刘霦编，《半可集》，1853。
邓玉函（Johann Terrenz）编著，王徵译，《远西奇器图说录最》，《守山阁丛书》本，商务印书馆，1936。
邓之诚，《清诗纪事初编》，上海古籍出版社，1984。
董其昌，《画禅室随笔》，杨补编纂于1720年，收录于《艺术丛编》，册29，台北：世界书局，1989；亦收录于《中国书画全书》，册3，1993。
董其昌，《容台别集》，1630年序言，台北：国立中央图书馆，1968。
董其昌，《戏鸿堂法帖》，北京：新华出版社，1998。
杜从古，《集篆古文韵海》，商务印书馆，1935。
范鄗鼎编，《三晋诗选》，1673-1682。
范鄗鼎，《五经堂合集》，1714。
范翼，《敬天斋诗稿》，收录于范鄗鼎编，《五经堂合集》，1714。
方去疾编，《明清篆刻流派印谱》，上海书画出版社，1980。
方若、王壮弘，《增补校碑随笔》，上海书画出版社，1981。
方闻，《傅青主先生大传年谱》，台北：台湾中华书局，1970。
方以智，《方以智全书》，上海古籍出版社，1988。
房玄龄编，《晋书》，北京：中华书局，1974。
冯梦龙编，《警世通言》，北京：人民文学出版社，1956。
冯溥，《佳山堂诗集》，1680。
冯作民编，《金石篆刻全集》，台北：艺术图书公司，1980。
傅山，《傅青主先生阿难吟手迹》，台北：山西文献社，1987。
傅山，《傅山全书补编》，太原：山西人民出版社，2003。
傅山，《傅山全书》，太原：山西人民出版社，1991。
傅山，《傅山书法》，太原：山西人民出版社，1987。
傅山，《傅山书画选》，北京：人民美术出版社，1962。
傅山书，段绰编刻，《太原段帖》，太原：山西人民出版社，1983。
傅山，《霜红龛墨宝》，太原：山西书局，1936。
傅山著，丁宝铨编，《霜红龛集》，太原：山西人民出版社，1985。
傅惜华编，《中国古典文学版画选集》，上海人民美术出版社，1981。
宫衍兴，《济宁全汉碑》，济南：齐鲁书社，1990。
龚鼎孳著、龚士稚编，《龚端毅公奏疏》，收录于沈云龙主编，《近代中国史料丛刊续编》辑33，台北县：文海出版社，1976。
贡布里希著，范景中等译，《理想与偶像：价值在历史和艺术中的地位》，上海人民美术出版社，1989。
贡布里希著，林夕等译，《艺术与错觉》，杭州：浙江摄影出版社，1987。
故宫博物院、刘九庵编，《中国历代书画鉴别图录》，北京：紫禁城出版社，1999。
顾霭吉，《隶辨》，1718。
顾起元，《懒真草堂集》，晚明刊本。
顾炎武，《顾亭林诗文集》（再版），北京：中华书局，1982。
顾炎武，《金石文字记》，收录于《石刻史料新编》，册12。
顾炎武，《音学五书》，1667。
顾炎武著，黄汝成校释，《日知录集释》，长沙：岳麓书社，1994。
顾野王，《玉篇》，台北：故宫博物院，1984。
郭绍虞，《照隅室古典文学论集》，上海古籍出版社，1983。
郭忠恕，《汗简》，1703。
郭宗昌，《金石史》，收录于《知不足斋丛书》，册16。
韩天衡编，《历代印学论文选》（第二版），杭州：西泠印社，1999。
韩天衡，《天衡印谭》，上海书店，1993。
郝树德，《傅山传》，太原：山西教育出版社，1985。
何焯，《义门先生集》，1909。
何冠彪，《明末清初学术思想研究》，台北：学生书局，1991。
何龄修、张捷夫编，《清代人物传稿》，册4，北京：中华书局，1987。
何镗，《高奇往事》，晚明刊本。
何应辉、周持编，刘正成主编，《中国书法全集》册7、8，《秦汉：刻石》，北京：荣宝斋，1993。
洪适，《隶释》，万历刊本（内附傅山的校勘与批点），涵芬楼影印，1935。
侯开嘉，《中国书法史新论》，上海古籍出版社，2003。
侯外庐，《中国思想通史》，北京：人民出版社，1980。
侯文正编，《傅山论书画》，太原：山西人民出版社，1986。
侯文正，《傅山诗文选注》，太原：山西人民出版社，1985。
侯文正，《傅山传》，太原：山西古籍出版社，2002。
胡聘之，《山右石刻丛编》，收录于《石刻史料丛书甲编》，册

15，台北：艺文印书馆，1967。
胡奇光，《中国小学史》，上海人民出版社，1987。
胡云翼编，《宋词选》，上海古籍出版社，1978。
胡正言，《十竹斋印谱》，上海古籍出版社，1982。
华人德，《中国书法史·两汉卷》，南京：江苏教育出版社，1999。
华淑，《闲情小品》，1617。
黄伯思，《东观余论》，收录于《中国书画全书》册1，1993。
黄惇编，刘正成主编，《中国书法全集》册54，《明代：董其昌》，北京：荣宝斋，1992。
黄惇，《中国古代印论史》，上海书画出版社，1994。
黄仁宇，《万历十五年》，北京：中华书局，1982。
黄庭坚，《山谷题跋》，收录于《中国书画全书》册1，1992。
黄宗羲，《明儒学案》，北京：中国书店，1990。
黄宗羲，《南雷文定》，国学基本丛书，1937。
黄宗羲，《宋元学案》，北京：中华书局，1986。
金尼阁，《西儒耳目资》，国立北京大学、国立北平图书馆，1933。
来新夏编，《中国古代图书事业史》，上海人民出版社，1990。
雷德侯（Lothar Lederrose）著，张观教译，《晋唐书法考》，北京：人民美术出版社，1990。
李集，《鹤征录》，收录于《昭代丛书》，1876。
李日华，《味水轩日记》，上海远东出版社，1996。
李因笃，《受祺堂诗集》，1699。
李因笃，《受祺堂文集》，1827。
李元度，《国朝先正事略》，长沙：岳麓书社，1991。
李肇，《唐国史补》，古典文学出版社，1957。
李贽，《焚书　续焚书》，北京：中华书局，1975。
利玛窦（Matteo Ricci）、金尼阁（Nicolas Trigault）著，何高济、王遵、李申译，何兆武校，《利玛窦中国札记》，北京：中华书局，1983。
梁披云编，《中国书法大辞典》，香港书谱出版社；广州：广东人民出版社，1984。
梁启超，《清代学术概论》，朱维铮导读，上海古籍出版社，1998。
廖新田，《清代碑学书法研究》，台北：台北市立美术馆，1993。
林侗，《来斋金石刻考略》，收录于《四库全书珍本丛书》，1977。
林明波，《清代许学考》，台北：嘉新水泥公司文化基金会，1964。
林鹏，《丹崖书论》，太原：山西人民出版社，1989。
林鹏、姚国瑾合编，刘正成主编，《中国书法全集》册63，《清代：傅山》，北京：荣宝斋，1996。
林庆彰，《明代考据学研究》，台北：学生书局，1986。
林庆彰，《清初的群经辨伪学》，台北：文津出版社，1990。
凌濛初，《拍案惊奇》，上海古籍出版社，1982。
刘大杰，《明人小品集》，北新书社，1934。
刘恒编，刘正成主编，《中国书法全集》册57，《明代：倪元璐》，北京：荣宝斋，1999。
刘恒编，刘正成主编，《中国书法全集》册55，《明代：张瑞图》，北京：荣宝斋，1992。
刘恒，《中国书法史·清代卷》，南京：江苏教育出版社，1999。
刘江、谢启源，《傅山书法艺术研究》，太原：山西人民出版社，1995。
刘涛，《中国书法史·魏晋南北朝卷》，南京：江苏教育出版社，2002。
刘体仁，《七颂堂诗集》，1868。
刘叶秋，《字典史略》，北京：中华书社，1992。
刘因，《刘静修集》，收录于《畿辅丛书》，册101。
刘正成编及主编，《中国书法全集》册56，《明代：黄道周》，北京：荣宝斋，1994。
刘正成、高文龙合编，刘正成主编，《中国书法全集》册61、62，《清代：王铎》，北京：荣宝斋，1993。
卢辅圣等编，《中国书画全书》册1–13，上海书画出版社，1992–1998。
陆世仪，《复社纪略》，台北：广文书局，1964。
陆心源，《穰梨馆过眼续录》，收录于卢辅圣等编，《中国书画全书》册13，1998。
罗福颐，《秦汉南北朝官印征存》，北京：文物出版社，1987。
马衡，《凡将斋金石丛稿》，北京：中华书局，1977。
毛际可，《安序堂文钞》，康熙年间刊本。
梅膺祚，《字汇》，1615年序言。
孟浩然著，李景白校注，《孟浩然诗集校注》，成都：巴蜀书社，1988。
内山知也监修，明清文人研究会编，《傅山》，东京都：艺术新闻社，1994。
倪瓒，《清閟阁全集》，台北：中央图书馆，1970。
欧阳修，《欧阳修全集》，北京：中国书店，1986。
潘耒，《遂初堂集》，1710。
潘耒，《遂初堂诗集》，1710。

祁小春,《王羲之论考》,大阪：东方出版,2001。
启功编,《中国美术全集·书法篆刻编》册1,《商周至秦汉书法》,北京：人民美术出版社,1987。
启功,《启功丛稿》,北京：中华书局,1981。
钱大昕,《潜研堂全书》,长沙：龙氏家塾重刊本,1884。
钱谦益,《牧斋有学集》,上海古籍出版社,1996。
钱实甫,《清代职官年表》,北京：中华书局,1980。
钱熙祚编,《守山阁丛书》,1843。
乔治忠,《清朝官方史学研究》,台北：文津出版社,1994。
秦瀛,《己未词科录》,收录于《昭代丛书》,1876。
邱振中,《书法的形态与阐释》,重庆出版社,1993。
裘锡圭,《文字学概要》,北京：商务印书馆,1988。
屈大均,《翁山诗外》,康熙年间刊本。
屈大均,《翁山文外》,康熙年间刊本。
全祖望,《鲒埼亭集》,收录于《续修四库全书》,集部,别集类,1428,上海古籍出版社影印嘉庆九年史梦蛟刻本,1995-1999。
容庚,《丛帖目》,香港：中华书局,1980-1986。
沙孟海,《沙孟海论书丛稿》,上海书画出版社,1987。
山内观编,《傅山の书法》,东京都：二玄社,1994。
山西省社会科学院编,《傅山研究文集》,太原：山西人民出版社,1985。
杉村邦彦,《许友の生涯と书法》,《澄怀》,第1号(2000),页11-42。
商衍鎏,《清代科举考试述录》,北京：生活·读书·新知三联书店,1958。
邵长蘅,《邵子湘全集》(《青门簏稿·青门旅稿·青门剩稿》),康熙年间刊本。
申涵光,《聪山集》,收录于《畿辅丛书》,册185-187。
申涵煜、申涵盼合编,《申凫盟年谱》,收录于《畿辅丛书》,册185。
神田喜一郎、西川宁合编,《北齐隽修罗碑/水牛山文殊般若经碑》,东京都：二玄社,1977。
神田喜一郎、西川宁合编,《清傅山书》,东京都：二玄社,1977。
神田喜一郎、西川宁合编,《唐玄宗石台孝经》,东京都：二玄社,1977。
沈新林,《李渔评传》,南京师范大学出版社,1998。
施闰章,《施愚山集》,合肥：黄山出版社,1993。
司马迁,《史记》,北京：中华书局,1962。
宋濂等,《元史》,北京：中华书局,1976。
宋荦,《西陂类稿》,台北：学生书局影印康熙年间刊本,1973。
苏轼,《东坡集》,台北：中华书局,1967。
孙康宜著,李奭学译,《陈子龙柳如是诗词情缘》,台北：允晨文化实业股份有限公司,1992。
孙尚扬,《基督教与明末儒学》,北京：东方出版社,1994。
孙慰祖,《孙慰祖论印文稿》,上海书店,1999。
孙向群,《宋元文人篆刻史二题》,载《书法杂志》,2004年,第5期,页70—73。
孙星衍、邢澍,《寰宇访碑录》,1802。
孙岳颁、王原祁合编,《佩文斋书画谱》,北京：中国书店,1984。
孙枝蔚,《溉堂集》,上海古籍出版社,1979。
汤斌,《汤子遗书》,1703。
汤显祖,《汤显祖集》,上海人民出版社,1973。
汪宗衍,《屈翁山先生年谱》,澳门：于今书屋,1970。
王冬龄,《清代隶书要论》,上海书画出版社,2003。
王铎,《拟山园帖》,南京：江苏古籍出版社,1986。
王铎,《拟山园选集(诗集)》,台北：台湾学生书局,1970。
王铎,《拟山园选集(文集)》,1653。
王铎,《王铎书法选》,郑州：河南美术出版社,1991。
王灏编,《畿辅丛书》,1879。
王弘撰,《北行日札》,1679年序言。
王弘撰,《砥斋集》,康熙年间刊本。
王弘撰,《山志》,北京：中华书局,1999。
王冀民,《顾亭林诗笺释》,北京：中华书局,1998。
王力,《汉语音韵学》,北京：中华书局,1956。
王利器,《颜氏家训集解》,北京：中华书局,1993。
王秋桂编,《善本戏曲丛刊》,台北：学生书局,1984。
王俅,《啸堂集古录》,北京：中华书局,1983。
王蘧常,《顾亭林诗集汇注》,上海古籍出版社,1983。
王珅(Shen Wang),"The Intellectual Climate of the Early Qing and Zhu Yizun's Clerical Script Calligraphy",波士顿大学艺术史系硕士论文,2003。
王士禛,《池北偶谈》,北京：中华书局,1982,1997年重印。
王士禛,《带经堂集》,1711。
王士禛,《王士年谱》,北京：中华书局,1992。
王士禛,《香祖笔记》,上海古籍出版社,1982。
王士禛著,李毓芙等编纂,《渔阳精华录集释》,上海古籍出版社,1999。
王思治,《清代人物传稿》,册1,北京：中华书局,1984。

王又朴，《诗礼堂杂纂》，收录于金钺编，《屏庐丛刻》，北京：中国书店，1985。
王余佑，《五公山人集》，康熙年间刊本。
王镇远，《中国书法理论史》，合肥：黄山书社，1990。
王著编，《淳化阁帖》，宋拓贾刻本，杭州：浙江古籍出版社，1988。
王晫、张潮合编，《檀几丛书》，1697。
魏一鳌，《雪亭诗文稿》，1648年序言，中国国家图书馆藏钞本。
魏裔介，《兼济堂集》，收录于《四库全书珍本丛书》。
魏宗禹，《傅山评传》，南京大学出版社，1995。
吴怀清编著，陈俊民点校，《关中三李年谱》，台北：允晨文化事业有限公司，1992。
吴蕙芳，《万宝全书：明清时期的民间生活实录》，台北：政治大学历史学系，2001。
吴雯，《莲洋诗钞》，中华书局，1936。
下中弥三郎编，《书道全集》，东京都：平凡社，1961。
萧统编，李善注，《文选》，上海古籍出版社，1986。
谢国桢，《明清党社运动考》，北京：中华书局，1982。
谢肇淛，《五杂俎》，上海书店出版社，2001。
谢正光，《清初诗文于士人游考》，南京大学出版社，1998。
徐邦达，《古书画伪讹考辨》，南京：江苏古籍出版社，1984。
徐世昌，《大清畿辅书征》，天津徐氏刊本。
许礼平编，《董其昌：大唐中兴颂》，香港：翰墨轩，1996。
薛尚功，《历代钟鼎彝器款识法帖》，海城：于氏，1935。
阎若璩，《困学纪闻笺》，扬州书局，1870。
阎若璩，《潜邱劄记》，1745。
阎若璩，《尚书古文疏证》，1745。
颜真卿，《宋拓多宝佛塔感应碑》，北京：文物出版社，1962。
扬雄著，李轨注，《法言》，1817。
杨钩，《增广钟鼎篆韵》，商务印书馆，1935。
杨谦，《朱竹垞先生年谱》，出版者不详，出版年不详。
杨仁恺编，《中国美术全集：书法篆刻编》，册3，《隋唐五代书法》，北京：荣宝斋，1989。
杨慎，《金石古文》，收录于《石刻史料新编》，册12。
杨慎，《六书索引》（明嘉靖刻本），载《四库全书存目丛书·经部189》，济南：齐鲁书社，1997。
杨向奎，《清儒学案新编》，济南：齐鲁书社，1985。
叶德辉，《书林清话》，北京：中华书局，1957。
叶奕苞，《金石录补》，收录于《石刻史料新编》，册12。
伊秉绶，《伊秉绶隶书墨迹选》，上海书店，1985。
余嘉锡，《世说新语笺疏》，北京：中华书局，1983。
余英时，《历史与思想》，台北：联经出版事业公司，1976。
俞平伯，《唐宋词选释》，北京：人民文学出版社，1978。
袁宏道，《袁中郎全集》（崇祯二年刊本），载《四库全书存目丛书·集部174》，济南：齐鲁书社，1997。
袁黄，《训子言》，长沙：商务印书馆，1937。
张潮编，《昭代丛书》，1876。
张岱，《陶庵梦忆·西湖梦寻》，北京：作家出版社，1995。
张岱，《张岱诗文集》，上海古籍出版社，1991。
张灏，《学山堂印谱》，1633。
张穆，《顾亭林先生年谱》，收录于存萃学社编，《顾亭林先生年谱汇编》，香港：崇文书店，1975。
张穆，《阎若璩年谱》，北京：中华书局，1994。
张世禄，《中国音韵学史》，商务印书馆，1936。
张炎著，吴则虞校辑，《山中白云词》，北京：中华书局，1983。
张涌泉，《汉语俗字研究》，长沙：岳麓书社，1995。
章培恒，《洪升年谱》，上海古籍出版社，1979。
赵尔巽编，《清史稿》，北京：中华书局，1976–1977。
赵崡，《石墨镌华》，收录于《石刻史料新编》，册25。
赵吉士，《牧爱堂编》，1673年序言。
赵俪生，《顾亭林与王山史》，济南：齐鲁书社，1986。
赵明诚著，金文明校证，《金石录校证》，上海书画出版社，1985。
赵彦卫，《云麓漫钞》，载《四库全书珍本丛书》，册171–173。
赵宧光，《说文长笺》，1633。
赵园，《明清之际士大夫研究》，北京大学出版社，1999。
郑振铎，《西谛书话》，北京：生活·读书·新知三联书店，1983。
中国古代书画鉴定组编，《中国古代书画图目》，册2、6、11，北京：文物出版社，1987、1988、1994。
中国书法编辑组编，《颜真卿》，北京：文物出版社，1985。
中国书法家协会山东分会编，《汉碑研究》，济南：齐鲁书社，1990。
中田勇次郎编，《书道艺术》，东京都：中央公论社，1981。
中田勇次郎、傅申合编，《欧米收藏中国法书名迹集》，东京都：中央公论社，1981。
周采泉，《杜集书录》，上海古籍出版社，1986。
周可真，《顾炎武年谱》，苏州：苏州大学出版社，1998。
周亮工编，《尺牍新钞》，册1–3，上海杂志公司，1935–1948。
周亮工，《读画录》，收录于卢辅圣等编，《中国书画全书》册7，页943–963。

周亮工，《赖古堂集》，上海古籍出版社影印康熙年间刊本，1978。
周亮工，《因树屋书影》，1814。
周亮工，《印人传》，杭州：西泠印社，1910。
朱关田编，刘正成主编，《中国书法全集》册25、26，《隋唐五代：颜真卿》，北京：荣宝斋，1993。
朱关田，《唐代书法考评》，杭州：浙江人民美术出版社，1992。
朱惠良，《董其昌法书特展研究图录》，台北：故宫博物院，1993。
朱惠良，《云间书派特展图录》，台北：故宫博物院，1994。
朱建新，《金石学》，商务印书馆，1955。
朱谋垔，《古文奇字》，万历年间刊本。
朱彝尊，《曝书亭集》，中华书局，1936。
朱之俊，《朱沧起先生诗文集》，汾阳，1935。

二、中日文论文

艾俊川，《傅山致魏一鳌手札编年》，载2017年9月22日《文汇报·文汇学人》。
白谦慎，《从八大山人临〈兰亭序〉论明末清初书法中的临书观念》，收录于华人德、白谦慎合编，《兰亭论集》，苏州大学出版社，2000，页462–472。
白谦慎，《从傅山和戴廷栻的交往论及中国书法中的应酬和修辞问题》，《故宫学术季刊》，第16卷，第4期（1999年夏季），页95–133；第17卷，第1期（1999年秋季），页137–156。
白谦慎，《傅山的友人韩霖事迹补遗》，《山西大学学报》，1995年，第2期，页38–43。
白谦慎，《傅山年谱补正》，《书法研究》，1995年，第6期，页83–101。
白谦慎，《傅山是怎样评价董其昌书法的》，《书法导报》，2001年7月11日。
白谦慎，《傅山为陈谧作草书诗册研究笔记》，《故宫文物月刊》，第16卷，第4期（1998年7月），页74–83；重刊于《书法研究》，1999年，第2期，页94–104。
白谦慎，《傅山研究札记》，《书法导报》，2001年6月27日；7月4日、11日、18日及25日；8月1日、15日及29日。
白谦慎，《傅山与魏一鳌：清初明遗民与仕清汉族官员关系的个案研究》，《台湾大学美术史研究集刊》，第3期（1996），页95–139。
白谦慎，《关于明末清初书法史的一些思考——以傅山为例》，《书法研究》，1998年，第2期，页32–33。
白谦慎，《明末清初视觉艺术中临摹与复制现象研究》，未刊文。
白谦慎，《清初金石学的复兴对八大山人晚年书风的影响》，《故宫学术季刊》，第12卷，第3期（1995年春季），页89–124。
白谦慎，《十七世纪六十、七十年代山西的学术圈对傅山学术与书法的影响》，《台湾大学美术史研究集刊》，第5期（1998），页183–217。
白谦慎，《新新无已，愈出愈奇——十七世纪书法家书写异体字风气的研究》，《故宫学术季刊》，第22卷，第2期（2005年冬），页101–131。
白谦慎，《也论中国书法的性质》，《书法研究》，1982年，第2期，页28–40。
白谦慎，《杂书卷册和晚明文化生活》，《书法丛刊》，2000年，第3期，页20–32。
曹建，《帖学与帖学观》，《书法》2004年，第12期，页27–28。
曹建，《晚清帖学研究》，南京艺术学院博士论文，2004年。
曹军，《王铎与〈阁帖〉》，《书法研究》1997年，第6期（总80辑），页72–103。
陈寅恪，《天师道与滨海地域之关系》，《国立中央研究院历史语言研究所集刊》第3辑，第1号（1933），页439–466。
陈振濂，《从比较学的角度论傅山》，《书谱》，1989年，第6期，页42–46；1990年，第1期，页29–31。
范金民，《清代禁酒禁曲的初步研究》，《九州学刊》第1卷，第3期（1991年10月），页81–113。
冯行贤，《隶字诀》，收录于冯行贤，《余事集》，中国国家图书馆藏抄本。
傅申，《明末清初的帖学风尚》，载《明末清初书法展》（忠烈·名臣·遗民·高僧），台北：何创时书法文教基金会，1996，页9–25。
傅申，《王铎及清初北方鉴藏家》，《朵云》，1991年，第1期，页73–86。
傅申著、郑达译，《题跋与法书》，《书法研究》，1996年，第1期（总23期），页102–118。
郭绍虞，《明代文人集团》，收录于《照隅室古典文学论集》，上编，页518–610。
郭绍虞，《明代文人结社年表》，收录于《照隅室古典文学论集》，上编，页498–512。
何碧琪，《清代隶书与伊秉绶》，香港中文大学艺术系硕士论文，

2001。
何传馨，《清初隶书名家郑簠》，《故宫文物月刊》，第8卷，第8期（1990年11月），页130–137。
何冠彪，《明季士大夫对忠与孝之抉择》，《九州学刊》，第5卷，第3期（1993年2月），页5–23。
何惠鉴、何晓嘉，《董其昌对历史和艺术的超越》，收录于《朵云》编辑部编，《董其昌研究文集》，上海书画出版社，1998，页267–268。
何炎泉，*Fu Shan's World:The Transformation of Chinese Calligraphy in the Seventeenth Century*.By Qianshen Bai书评，《中央研究院近代史研究所集刊》，第43期（2004年3月），页237–242。
何炎泉，《张瑞图之历史形象与书迹》，台湾大学艺术史研究所硕士论文，2003。
胡艺，《郑簠年谱》，《书法研究》，1990年，第2期，页109–124。
华人德，《回顾二千年以来的文房四宝》，《中国书法》，2001年，第3期，页58–61。
华人德，《论长锋羊毫》，《中国书法》，1995年，第5期，页69–71。
华人德，《评帖学与碑学》，《书法研究》，1996年，第1期，页12–20。
华人德，《清代的碑学》，《书谱》，1985年，第6期，页66–77。
黄爱平，《〈明史〉纂修与清初史学——兼论万斯同、王鸿绪在〈明史〉纂修中的作用》，《清史研究》1994年第2期，页83–93。
黄惇，《董其昌伪本书帖考辨》，《故宫文物月刊》第12卷第10期（1995年1月），页116–121。
黄惇，《傅青主四宁四毋论之由来与其本义》，《书法报》1994年4月27日。
黄惇，《明代印论发展概述》，《书法研究》，1987年，第2期，页100–107。
黄惇，《明代印人方用彬及同时代印人研究——读〈明代徽州方氏亲友手札七百通考释〉后》，载《"百年名社·千秋印学"国际印学研讨会论文集》，页274–291。
黄苗子，《八大山人年表（八）》，《故宫文物月刊》，第10卷，第1期（1992年4月），页92–106。
黄一农，《明清天主教在山西绛州的发展及其反弹》，《中央研究院近代史研究所集刊》第26辑（1996），页1–39。
黄一农，《王铎书赠汤若望诗翰研究——兼论清初贰臣与耶稣会士的交往》，《故宫学术季刊》，第12卷，第1期（1994年秋季），页1–30。
李零，《汗简、古文四声韵出版后记》，收录于《汗简、古文四声韵》，北京：中华书局，1983，页1–9。
李孝定，《中国文字的原始和演变》，收录于李孝定，《汉字的起源与演变论丛》，台北：联经出版事业公司，1986，页92–98。
李志纲，《程邃（1607–1692）绘画研究》，香港中文大学研究院硕士论文，1995。
林鹏，《傅山书法论》，收录于中国书法家协会学术委员会编，《全国第四届书学讨论会论文集》，重庆出版社，1993，页179–195。
刘洋名，《笪重光（1623–1692）及京口地区的收藏与书风研究》，台湾大学艺术史研究所硕士论文，2004年。
罗常培，《耶稣会士在音韵学上的贡献》，《国立中央研究院历史语言研究所集刊》，第1辑，第3号（1928），页267–338。
马孟晶，《耳目之好——从〈西厢记〉版画插图论晚明出版文化对视觉性之关注》，《美术史研究集刊》，第13期（2002），页201–276。
马晓地，《唱尽哀笳出塞歌——清初明遗民诗人在西北边地之生活与创作》，《东洋学》，第64号（1990），页60–78。
孟森，《己未词科录外录》，收录于《明清史论著集刊》，北京：中华书社，1959，页494–518。
莫家良，《元代篆隶书法试论》，收录于李郁周编，《2000年书法论文选集》，台北：蕙风堂，2000。
莫武，《元代印人的篆印、篆刻实践》，载《书法杂志》，2004年，第4期，页56–63。
牛光甫，《浅释傅山书论中的四宁四毋——兼谈他晚年墨迹册页的书法艺术特色》，《书法研究》，1982年，第4期，页58–65。
潘良桢，《学王管见——兼论晋唐书法文化背景之差异》，《九州学刊》，第5卷，第2期（1992年10月），页107–116。
启功，《从〈戏鸿堂帖〉看董其昌对法书的鉴定》，收录于《朵云》编辑部编，《董其昌研究文集》，上海书画出版社，1998，页624–631。
邱振中，《关于笔法演变的若干问题》，收录于《书法的形态与阐释》，页30–60。
邱振中，《章法的构成》，收录于《书法的形态与阐释》，页63–100。
全汉升，《北宋汴梁的输出贸易》，《中央研究院历史语言研究所集刊》，第8辑（1939），页189-301。
师道刚，《明末韩霖事迹钩沉》，《山西大学学报》，1990年，第1期，页28-34。
石守谦，《由奇趣到复古——十七世纪金陵绘画的一个切面》，《故宫学术季刊》，第15卷，第4期（1998年夏天），页33-76。
孙向群，《宋元文人篆刻史二题》，载《书法杂志》，2004年，第5期，页70-73。
万经，《分隶偶存》，崔尔平编，《历代书法论文选续编》，页424-428。
万明，《明代白银货币化：中国与世界连接的新视角》，载《明清史》，2004年，第4期，页20-29。
王春瑜，《顾炎武北上抗清说考辨》，《中国史研究》，1979年，第4期，页35-50。
王冬龄，《篆刻与碑学》，载《印学论丛》，杭州：西泠印社，1987，页265-271。
王连起，《俞和及其行书兰亭记》，《书法丛刊》，第28辑（1991），页1-8。
王南溟，《清代碑学兴起时期的汉碑隶书创作及其美学意义》，收录于中国书法家协会山东分会编，《汉碑研究》，页221-233。
王尚义、徐宏平，《宋元明清时期山西文人的地理分布及文化发展的特点》，《山西大学学报》，1988年第3期，页38-49。
王守义，《傅山和李贽》，收录于山西省社会科学院编，《傅山研究文集》，页158-170。
王正华，《生活、知识与文化商品：晚明福建版“日用类书”与其书画门》，收录于《中央研究院近代史研究所集刊》，第41期（2003），页1-85。
魏宗禹、尹协理，《论傅山对理学的批判》，收录于山西省社会科学院编，《傅山研究文集》，页135-157。
翁闿运，《论山东汉碑》，收录于中国书法家协会山东分会编，《汉碑研究》，页12-23。
夏超雄，《宋代金石学的主要贡献及其兴起的原因》，《北京大学学报》，1982年，第1期，页66-76。
谢方，《艾儒略及其〈职方外纪〉》，《中国历史博物馆馆刊》总15期（1991），页132-139。
谢正光，《顾炎武曹溶论交始末——明遗民与清初大吏交游初探》，《香港中文大学中国文化研究所学报》，第4期（1995），页205-222。
薛龙春，《论清代碑学以振兴汉隶为起点》，载浙江省博物馆编，《中国书法史国际学术研讨会论文集》，杭州：西泠印社，2000，页298-304。
杨联陞，《报——中国社会关系的一个基础》，收录于费正清编、段国昌等译，《中国思想与制度论集》，台北：联经出版事业公司，1981年修订版，页349-372。
姚国瑾，《傅山〈天泉舞柏图〉赠与人考》，《傅山研究通讯》，第4期（2001），页6-9。
叶培贵，《“碑学”“帖学”献疑》，《书法研究》，2000年，第6期，页34-42。
尹协理，《新编傅山年谱》，收录于《傅山全书》，册7。
余英时，《从宋明儒学的发展论清代思想史》，收录于《历史与思想》，页87-119。
余英时，《清代思想史的一个新解释》，收录于《历史与思想》，页120-165。
曾蓝莹，《中国书斋：晚明文人的艺术生活》书评，《九州学刊》，第4卷，第3期（1991年10月），页119-120。
张爱国，《明末清初的碑学萌芽》，载浙江省博物馆编，《中国书法史国际学术研讨会论文集》，杭州：西泠印社，2000，页267-273。
张颔，《山西阳曲县西村庙梁傅山古文题记考释》，收录于《文物季刊》，1995年，第3期，页43-46。
张佳杰，《明末清初福建地区书风探究——以许友为中心》，台湾大学艺术史研究所硕士论文，2002。
赵刚，《康熙博学鸿词科与清初政治变迁》，《故宫博物院院刊》，1993年，第1期，页90-96。
赵汝泳，《明清山西俊秀之士何以“弃仕从商”》，《山西大学学报》，1987年，第4期，页45-49。
郑元惠，《傅山书风研究》，台湾师范大学美术研究所硕士论文，1995。
朱惠良，《临古之新路：董其昌以后书学发展研究之一》，《故宫学术季刊》，第10卷，第3期（1993年春季），页51-94。

三、西文参考文献

Atkinson, Alan Gordon. "New Songs for Old Tunes: The Life and Art of Wang Duo." Ph.D. diss., University of Kansas, 1997.

Atwell, William. "From Education to Politics: The Fu She." In Wm. Theodore de Bary, ed., *The Unfolding of Neo-Confucianism*, pp. 334-365. New York: Columbia University Press, 1975.

——. "International Bullion Flows and the Chinese Economy Circa 1530-1650." *Past and Present* 95 (May 1982) : 68-90.

Bai, Qianshen. "Calligraphy for Negotiating Everyday Life: The Case of Fu Shan (1607-1684) " . *Asia Major* n.s. 12, no. 1 (1999) : 67-125.

——. "Illness, Disability, and Deformity in Seventeenth-Century Chinese Art." In Wu Hung and Katherine R. Tsiang, eds., *Body and Face in Chinese Visual Culture*, pp.147-170, 391-398. Cambridge, Mass.: Harvard University Asia Center, 2005.

——. "Notes on Fu Shan's *Selections from the Zuozhuan* Calligraphy Album," *Record of Princeton University Art Museum*, vol. 61 (2002): 3-23.

——. "Turning Point: Politics, Art, and Intellectual Life during the *Boxue hongci* Examination (1678-1679)." Paper presented at the symposium "The Qing Formation in Chinese and World Time," University of Indiana, Bloomington, June 12, 1999.

Barnhart, Richard. "Dong Qichang and Western Learning." *Archives of Asian Art* 50 (1997/98) : 7-16.

——. "*Streams and Hills Under Fresh Snow Attributed* to Kao K'o-ming." n Alfreda Murck and Wen C. Fong, eds., *Words and Images: Chinese Poetry, Calligraphy, and Painting*, pp. 223-246.

Barnhart, Richard, et al. *The Jade Studio: Masterpieces of Ming and Qing Painting and Calligraphy from the Wong Nan-p'ing Collection*. New Haven: Yale University Art Gallery, 1994.

Baxandall, Michael. *Painting and Experience in Fifteenth-Century Italy*. 2nd ed. Oxford and New York: Oxford University Press, 1988.

——. *Patterns of Intention: On the Historical Explanation of Pictures*. New Haven: Yale University Press, 1985.

Beattie, Hilary J. "The Alternative to Resistance: The Case of T'ung-ch'eng, Anhui." In Jonathan Spence and John Wills, eds., *From Ming to Ch'ing: Conquest, Region, and Continuity in Seventeenth-Century China*, pp. 239-276. New Haven: Yale University Press, 1979.

Birdwhistell, Anne D. *Li Yong (1627-1705) and Epistemological Dimensions of Confucian Philosophy*. Stanford: Stanford University Press, 1996.

Bloom, Harold. *The Anxiety of Influence: A Theory of Poetry*. New York: Oxford University Press, 1997.

Brokaw, Cynthia. "Yüan Huang (1533-1606) and Ledgers of Merit and Demerit." *HJAS* 47, no. 1 (June 1987): 137-195.

Brook, Timothy. *The Confusions of Pleasure: Commerce and Culture in Ming China*. Berkeley: University of California Press, 1998.

Burnett, Katharine Persis. "A Discourse of Originality in Late Ming Chinese Painting Criticism." *Art History* 23, no. 4 (Nov. 2000) : 522-558.

——."The Landscapes of Wu Bin (c. 1543-c. 1626) and a Seventeenth-Century Discourse of Originality." Ph.D. diss., University of Michigan, 1995.

Cahill, James. *The Compelling Image: Nature and Style in Seventeenth-Century Chinese Painting*. Cambridge, Mass.: Harvard University Press, 1982.

Chang, Chun-shu, and Shelley Hsueh-lun Chang. *Crisis and Transformation in Seventeenth-Century China: Society, Culture, and Modernity in Li Yü's World*. Ann Arbor: University of Michigan Press, 1992.

Chang, Kang-i Sun. *The Late-Ming Poet Ch'en Tzu-lung: Crises of Love and Loyalism*. New Haven: Yale University Press, 1991.

Cheng, Pei-kai, "T'ang Hsien-tsu, Tung Ch'i-ch'ang and the Search for Cultural Aesthetics in the Late Ming." In Wai-ching Ho, ed., *Proceedings of the Tung Ch'i-ch'ang International Symposium*, pp. 2.1-2.12. Kansas City, Mo.: Nelson-Atkins Museum of Art, 1992.

Chia, Lucille. *Printing for Profit: The Commercial Publishers of Jianyang, Fujian (11th-17th Centuries)*. Cambridge,

Mass.: Harvard University Asia Center, 2002.

Ching, Dora. "The Aesthetics of the Unusual and the Strange in Seventeenth-Century Calligraphy." In Robert Harrist, Jr., and Wen Fong et al., *The Embodied Image: Chinese Calligraphy from the John B. Elliott Collection at Princeton*, pp. 342-359. Princeton: The Art Museum, Princeton University, 1999.

Chou Ju-hsi. "The Cycle of *Fang*: Tung Ch'i-Ch'ang's Mimetic Cult and Its Legacy." In Tse-tsung Chow, ed., *Wenlin*, vol. 2, pp. 243-276. Hong Kong: Hong Kong Chinese University; Madison: University of Wisconsin-Madison, 1989.

Chow, Kai-wing. *The Rise of Confucian Ritualism in Late Imperial China*. Stanford: Stanford University Press, 1994.

Clunas, Craig. *Superfluous Things: Material Culture and Social Status in Early Modern China*. Chicago: University of Illinois Press, 1991.

de Bary, Wm. Theodore, ed. *Learning for One's Self: Essays on the Individual in Neo-Confucian Thought*. New York: Columbia University Press, 1991.

——. *The Unfolding of Neo-Confucianism*. New York: Columbia University Press, 1975.

de Bary, Wm. Theodore, et al. *Self and Society in Ming Thought*. New York: Columbia University Press, 1970.

Elman, Benjamin. *From Philosophy to Philology: Intellectual and Social Aspects of Change in Late Imperial China*. Cambridge, Mass.: Harvard University, Council on East Asian Studies, 1984.

Fong, Wen C. "Chinese Calligraphy: Theory and History." In Robert E. Harrist, Jr., Wen Fong, et al., *The Embodied Image: Chinese Calligraphy from the John B. Elliott Collection*, pp. 28-84.

Fong, Wen C., et al. *Images of the Mind: Selections from the Edward L. Elliott Family and John B. Elliott Collections of Chinese Calligraphy and Painting at the Art Musuem, Princeton University*. Princeton: The Art Museum, Princeton University, 1984.

Fu, Marilyn, and Shen C. Y. Fu. *Studies in Connoisseurship: Chinese Paintings from the Arthur M. Sackler Collection in New York and Princeton*. Princeton: The Art Museum, Princeton University, 1973.

Fu, Shen C. Y. "Huang T'ing-chien's Calligraphy and His Scroll for Chang Ta-t'ung: A Masterpiece Written in Exile." Ph.D. diss., Princeton University, 1976.

——. "Periodization of Yen Chen-ching's Calligraphic Influence." In Executive Yuan, Council for Cultural Planning and Development, ed., *The International Seminar on Chinese Calligraphy in Memory of Yen Chen-Ch'ing 1200th Posthumous Anniversary*, pp. 103-148. Taipei: Chen Chi-lu, 1987.

——. "Tung Ch'i-ch'ang and Ming Dynasty Calligraphy." In Wai-ching Ho, ed., *Proceedings of the Tung Ch'i-ch'ang International Symposium*, pp. 20.1-20.18.

Fu, Shen C. Y., et al. *Traces of the Brush: Studies in Chinese Calligraphy*. New Haven: Yale University Art Gallery, 1977.

Gombrich, Ernst Hans. "The Logic of Vanity Fair: Alternatives to Historicism in the Study of Fashions, Style and Taste." In idem, *Ideals and Idols: Essays on Values in History and in Art*, pp. 60-92. Oxford: Phaidon Press, 1979.

Gong Jisui. "*Yingchouhua*: A Study of Chinese Gift Painting." Unpublished ms.

Goodrich, L. Carrington, and Chaoying Fang, eds. *Dictionary of Ming Biography, 1368-1644*. 2 vols. New York: Columbia University Press, 1976.

Goody, Jack. ed. *Literacy in Traditional Societies*. Cambridge, Eng.: Cambridge University Press, 1968.

Harrist, Robert E., Jr. "The Artist as Antiquarian: Li Gonglin and His Study of Early Chinese Art." *Artibus Asiae* 55, no. 3/4 (1995): 237-280.

——. "A Letter from Wang Hsi-chih and the Culture of Chinese Calligraphy." In idem, Wen Fong, et al., *The Embodied Image: Chinese Calligraphy from the John B. Elliott Collection*, pp. 240-259.

——. "Record of the Eulogy on Mt. Tai and Imperial Autographic Monuments of the Tang Dynasty." *Oriental Art* 46, no. 2 (2000): 68-79.

Harrist, Robert E., Jr., Wen Fong, et al. *The Embodied Image: Chinese Calligraphy from the John B. Elliott Collection*. Princeton: The Art Museum, Princeton

University, 1999.

Hay, John. *Kernels of Energy, Bones of Earth*. New York: China Institute in America, 1985.

——. "Subject, Nature, and Representation in Early Seventeenth-Century China." In Wai-ching Ho, ed., *Proceedings of the Tung Ch'i-ch'ang International Symposium*, pp. 4.1-4.22.

Hay, Jonathan. "Ming Palace and Tomb in Early Qing Jiangning: Dynastic Memory and the Openness of History." *Late Imperial China* 20, no. 1 (1999): 1-48.

——. *Shitao: Painting and Modernity in Early Qing China*. Cambridge, Eng., and New York: Cambridge University Press, 2001.

——. "The Suspension of Dynastic Time." In John Hay, ed., *Boundaries in China*, pp. 171-197. London: Reaktion Books, 1994.

Hegel, Robert E. *Reading Illustrated Fiction in Late Imperial China*. Stanford: Stanford University Press, 1998.

Ho, Wai-ching, ed. *Proceedings of the Tung Ch'i-ch'ang International Symposium*. Kansas City, Mo.: Nelson-Atkins Museum of Art, 1992.

Ho, Wai-kam, and Judith G. Smith, eds. *The Century of Tung Ch'i-ch'ang , 1555-1636*. 2 vols. Kansas City, Mo.: Nelson-Atkins Museum of Art, 1992.

Hucker, Charles O. "The Tung-lin Movement of the Late Ming Period." In John K. Fairbank, ed., *Chinese Thought and Institutions*, pp. 133-162. Chicago: University of Chicago Press, 1957.

Hummel, Arther W., ed. *Eminent Chinese of the Ch'ing Period (1644-1912)*. 2 vols. Washington, D.C.: United States Government Printing Office, 1944.

Johnson, David, et al., eds. *Popular Culture in Late Imperial China*. Berkeley: University of California Press, 1985.

Kessler, Lawrence. "Chinese Scholars and the Early Manchu State." *HJAS* 31 (1971): 179-200.

——. *The Life of a Patron: Zhou Lianggong (1612-1672) and the Painters of Seventeenth Century China*. New York: China Institute in America, 1996.

Ko, Dorothy. *Teachers of the Inner Chambers: Women and Culture in Seventeenth-Century China*. Stanford: Stanford University Press, 1994.

Kuo, Jason C. *Word as Image: The Art of Chinese Seal Engraving*. New York: Chinese House Gallery, 1992.

Ledderose, Lothar. "Chinese Calligraphy: Its Aesthetic Dimension and Social Function." *Orientations* 17, no. 10 (Oct. 1986) : 35-50.

——. *Mi Fu and the Classical Tradition of Chinese Calligraphy*. Princeton: Princeton University Press, 1979.

——. "Some Taoist Elements in the Calligraphy of the Six Dynasties." *T'oung Pao* 70 (1984) : 246-278.

——. *Die Siegelschrift (chuan-shu) in der Ch'ing-Zeit: Ein Beitrag zur Geschichte der chinesischen Schriftkunst*. Wiesbaden: Franz Steiner, 1970.

Li, Chu-tsing, and James C. Y. Watt, eds. *The Chinese Scholar's Studio: Artistic Life in the Late Ming Period*. New York: Asia Society Galleries, 1987.

Lin, Li-chiang. "The Proliferation of Images: The Ink-Stick Designs and the Printing of the *Fang-shih mo-p'u* and the *Ch'eng-shih mo-yan*." Ph.D. diss., Princeton University, 1998.

Liscomb, Kathlyn Maurean. "Social Status and Art Collecting: The Collections of Shen Zhou and Wang Zhen." *Art Bulletin* 78, no. 1 (1996): 111-136.

Little, Stephen, et al. *Taoism and the Arts of China*. Chicago: Art Institute of Chicago, 2000.

Liu, Cary. "Calligraphic Couplets as Manifestations of Deities and Markers of Buildings." In Robert E. Harrist, Jr., Wen Fong, et al., *The Embodied Image: Chinese Calligraphy from the John B. Elliott Collection*, pp. 360-379.

——. et al., eds. *Character and Context in Chinese Calligraphy*. Princeton: The Art Museum, Princeton University, 1999.

McNair, Amy. "Texts of Taoism and Buddhism and Power of Calligraphic Style." In Robert E. Harrist, Jr., Wen Fong, et al., *The Embodied Image: Chinese Calligraphy from the John B. Elliott Collection at Princeton*, pp. 224-239.

——. *The Upright Brush: Yan Zhenqing's Calligraphy and Song Literati Politics*. Honolulu: University of Hawaii Press, 1998.

Michael, Franz. *The Origin of Manchu Rule in China: Frontier and Bureaucracy as Interacting Forces in the Chinese Empire*. New York: Octagon Books, 1965.

Mok, Harold. "Seal and Clerical Scripts of the Song Dynasty." In Cary Liu et al., eds., *Character and Context in Chinese Calligraphy*, pp. 174-198.

Murck, Alfreda, and Wen Fong, eds. *Words and Images: Chinese Poetry, Calligraphy,and Painting*. New York: Metropolitan Museum of Art; Princeton: Princeton University Press, 1991.

Nylan, Michael."The *Chin Wen/Ku Wen* Controversy in Han Times." *T'oung Pao* 80 (1994): 83-170.

Owen, Stephen. *Remembrances: The Experience of the Past in Classical Chinese Literature*. Cambridge, Mass.: Harvard University Press, 1986.

Peterson, Willard. *Bitter Gourd: Fang I-chih and the Impetus for Intellectual Change in the 1630s*. New Haven: Yale University Press, 1979.

——. "The Life of Ku Yen-wu, 1613-1682." *HJAS* 28 (1968): 114-156; 29 (1969): 201-247.

Plaks, Andrew H. "The Aesthetics of Irony in Late Ming Literature and Painting." In Freda Murck and Wen Fong, eds., *Words and Images: Chinese Poetry, Calligraphy, and Painting*, pp. 487-500.

——. *The Four Masterworks of the Ming Novel-Ssu ta ch'I-shu*. Princeton: Princeton University Press, 1987.

Rawski, Evelyn. "Economic and Social Foundations of Late Imperial Culture." In David Johnson et al., eds., *Popular Culture in Late Imperial China*, pp. 3-33.

——. *Education and Popular Literacy in Ch'ing China*. Ann Arbor: University of Michigan Press, 1979.

Riely, Celia Carrington. "Tung Ch'i-ch'ang's Life (1555-1636) : The Interplay of Politics and Art." Ph.D. diss., Harvard University, 1995.

——. "Tung Ch'i-ch'ang's Life." In Wai-kam Ho and Judith G. Smith, eds., *The Century of Tung Ch'i-ch'ang, 1555-1635*, vol. 2, pp. 385-457.

——."Tung Ch'i-ch'ang's Seals on Works in *The Century of Tung Ch'i-ch'ang*." In Wai-kam Ho and Judith G. Smith, eds., *The Century of Tung Ch'i-ch'ang 1555-1636*, pp. 285-316.

Shang, Wei. "*Jin Ping Mei* and Late Ming Print Culture." In Judith T. Zeitlin and Lydia H. Liu, eds., *Writing and Materiality in China*, pp. 187-236. Cambridge, Mass.: Harvard University Asia Center, 2003.

Shanghai Museum Chinese Painting and Calligraphy Exhibition. N.p., n.d.

Smith, Richard J. "Mapping China's World: Cultural Cartography in Late Imperial Times." In Wen-hsin Yeh, ed., *Landscape, Culture and Power in Chinese Society*, pp. 52-109. Center for Chinese Studies Research Monograph 49. Berkeley: University of California Berkeley, Institute of East Asian Studies, 1998.

Spence, Jonathan D. *The Search for Modern China*. New York: W. W. Norton & Co., 1990.

Spence, Jonathan D., and John E. Wills, Jr., eds. *From Ming to Ch'ing: Conquest, Region, and Continuity in Seventeenth-Century China*. New Haven: Yale University Press, 1979.

Struve, Lynn. "Ambivalence and Action: Some Frustrated Scholars of the K'ang-hsi Period." In Jonathan Spence and John E. Wills, eds. *From Ming to Ch'ing: Conquest, Region, and Continuity in Seventeenth-Century China*, pp. 323-365.

——.*The Southern Ming* (1644-1662). New Haven: Yale University Press, 1984.

Struve, Lynn, ed. and trans. *Voices from the Ming-Qing Cataclysm*. New Haven: Yale University Press, 1993.

Sturman, Peter Charles. "The Donkey Rider as Cultural Icon: Li Cheng and Early Landscape Painting." *Artibus Asiae* 15, no. 1/2 (1995): 43-97.

——. "Wine and Cursive: The Limits of Individualism in Northern Sung China." In Cary Liu, et al., eds., *Character and Context in Chinese Calligraphy*, pp. 200-231.

Tseng, Yuho (Yu-ho Tseng Ecke). *A History of Chinese Calligraphy*. Hong Kong: Chinese University Press, 1993.

Tsiang, Katherine R. "Monumentalization of Buddhist Texts in the Northern Qi Dynasty: The Engraving of Sutras in Stone at the Xiangtangshan Caves and Other Sites in the Sixth Century." *Artibus Asiae* 56, no. 3/4 (1996): 233-259.

Wakeman, Frederic, Jr. *The Great Enterprise: The Manchu*

Reconstruction of Imperial Order in Seventeenth-Century China. 2 vols. Berkeley: University of California Press, 1985.

Wang, Fangyu, and Richard Barnhart. *Master of the Lotus Garden: The Life and Art of Bada Shanren (1626-1705)*. New Haven: Yale University Art Gallery, 1990.

Watt, James C. Y. "The Literati Environment." In Chu-tsing Li and James C. Y. Watt, eds., *The Chinese Scholar's Studio: Artistic Life in the Late Ming Period*, pp. 1-13.

Widmer, Ellen. "The Huanduzhai of Hangzhou and Suzhou: A Study in Seventeenth-Century Publishing." *HJAS* 56, no. 1(June 1996): 77-122.

Wu, Hung. "The Competing *Yue*: Sacred Mountains as Historical and Political Monuments." Paper presented at the conference "Mountains and Cultures of Landscape in China," University of California at Santa Barbara, Jan. 1993.

Wu, Nelson I. "The Toleration of Eccentrics," *Art News* 56, no. 3 (May 1957): 26-29, 52-55.

——."Tung Ch'i-ch'ang (1556-1636): Apathy in Government and Fervor in Art." In Arthur F. Wright and Dennis Twitchett, eds., *Confucian Personalities*, pp. 261-383. Stanford: Stanford University Press, 1962.

Xu, Bangda. "Tung Ch'i-ch'ang's Calligraphy." In Wai-kam Ho and Judith Smith, eds., *The Century of Tung Ch'i-ch'ang, 1555-1636*, vol. 1, pp. 105-132.

Yang, Lien-sheng. "The Concept of 'Pao'as a Basis for Social Relations in China." In John K. Fairbank, ed., *Chinese Thought and Institutions*, pp. 291-309. Chicago: University of Chicago, 1957.

Zeitlin, Judith T. *Historian of the Strange: Pu Songling and the Chinese Classical Tale*. Stanford: Stanford University Press, 1993.

索　引

索引

精装本第5次印刷后记

艾俊川先生于2017年9月22日《文汇报·文汇学人》上发表了《傅山致魏一鳌手札编年》一文，指出本书中关于傅山致魏一鳌信札系年等一些问题。其中有三个主要问题：

一、本书原将“朱四命案”的时间订在1652年左右（见108页），艾先生考证出在1650年，此时魏一鳌正署理太原府同知。

二、艾俊川先生指出，我所作的傅山赠魏一鳌十二条屏的释文（见112—113页），有错简现象，误把第十、十一条当成了第三、四条。图4.8（见284—289页）同。

又，本书原来认为傅山所书十二条屏是魏一鳌1657年辞官时傅山的赠别之作（见112页）. 艾先生指出，这十二条屏的写作时间应在1651至1653年之间，又以1651年的可能性为大。

三、《丹崖墨翰》的系年，如第一札（见126—127页）、第九札（129页）、第十札（130页）和第十八札（132页）也都有可商榷之处。

借本书重印之机，我根据艾先生的研究，修正了相关的错误。对于艾先生的批评指正，在此谨表感谢。

白谦慎

2018年11月12日于杭州

开放的艺术史丛书

尹吉男　主编

＊武梁祠：中国古代画像艺术的思想性

[美] 巫鸿 著 柳扬 岑河 译

＊礼仪中的美术：巫鸿中国古代美术史文编

[美] 巫鸿 著 郑岩 王睿 编 郑岩等 译

＊时空中的美术：巫鸿中国美术史文编二集

[美] 巫鸿 著 梅玫 肖铁 施杰 译

＊黄泉下的美术：宏观中国古代墓葬

[美] 巫鸿 著 施杰 译

＊美术史十议

[美] 巫鸿 著

＊万物：中国艺术中的模件化和规模化生产

[德] 雷德侯 著 张总等 译 党晟 校

＊傅山的世界：十七世纪中国书法的嬗变

[美] 白谦慎 著

＊另一种古史：青铜器纹饰、图形文字与图像铭文的解读

[美] 杨晓能 著 唐际根 孙亚冰 译

＊石涛：清初中国的绘画与现代性

[美] 乔迅 著 邱士华 刘宇珍等 译

＊祖先与永恒：杰西卡·罗森中国考古艺术文集

[英] 杰西卡·罗森 著 邓菲等 译

＊道德镜鉴：中国叙述性图画与儒家意识形态

[美] 孟久丽 著 何前 译

＊山水之境：中国文化中的风景园林

吴欣 主编 柯律格、包华石、汪悦进 等著

＊雅债：文徵明的社交性艺术

[英] 柯律格 著 刘宇珍 邱士华 胡隽 译

* 长物：早期现代中国的物质文化与社会状况

[英] 柯律格 著 高昕丹 陈恒 译

大明帝国：明代的物质文化与视觉文化

[英] 柯律格 著 黄小峰 译

* 从风格到画意：反思中国美术史

石守谦 著

* 移动的桃花源：东亚世界中的山水画

石守谦 著

早期中国的艺术与政治表达

[美] 包华石 著 王苏琦 译

董其昌：游弋于官宦和艺术的人生

[美] 李慧闻 著 白谦慎 译

（*为已出版）

生活·讀書·新知 三联书店刊行